D1086519

ÉCOUTE LE ROSSIGNOL

DANS LA MÊME COLLECTION

Jardin de nuit
par E. L. Swann

CHARLOTTE BINGHAM

ÉCOUTE LE ROSSIGNOL

roman

Traduit de l'anglais par Sophie Dalle

Pygmalion
Gérard Watelet
Paris

Titre original : To Hear a Nightingale

Sur simple demande adressée aux
Éditions Pygmalion/Gérard Watelet, 70, avenue de Breteuil, 75007 Paris,
vous recevrez gratuitement notre catalogue
qui vous tiendra au courant de nos dernières publications.

Editeur original : Michael Joseph Ltd, Londres, 1988

ISBN 2-85704-632.4

A Terence Brady,
mon compagnon bien-aimé.

Elle fut réveillée tôt
par son chant.
Jamais encore elle n'avait
entendu un oiseau
chanter pour elle seule.
Chacune des notes
exprimait
la fuite du temps.
Et lorsqu'il se tut
advint l'éternité.

Prologue

Irlande
Le présent

Cassie s'empara de son journal intime. Sur la couverture du gros cahier relié de cuir rouge, ses initiales étaient gravées en or. Chaque page était remplie, et elle avait, depuis longtemps, entamé un second volume ; pourtant, elle conservait celui-ci religieusement sur sa commode, entre ses brosses en argent et ses flacons de parfum. Il lui suffisait de l'ouvrir pour qu'en jaillisse un souvenir, une image pieuse offerte pour son dixième anniversaire au couvent, un mot d'amour griffonné à la hâte par Tyrone, un message de Joséphine à l'orthographe douteuse, un monstre dessiné par Mattie, une carte d'anniversaire du jeune Padraig…

Au rez-de-chaussée, Erin, la gouvernante, ouvrait la porte à celui qui venait interviewer Cassie.

Cette dernière interrompit sa rêverie un instant pour l'imaginer dans le vestibule. Peut-être contemplait-il son portrait, une œuvre commandée par Mattie, et que lui avaient remis tous les employés de Claremore. Cassie y apparaissait comme on la voyait rarement, en robe de bal couleur safran, un magnifique collier de rubis autour du cou, une main délicatement posée sur le buste de son mari.

Elle retoucha son rouge à lèvres et prit le temps de se parfumer les poignets. C'était une manie, chez elle, un rite aussi sérieux que de tremper les doigts dans l'eau bénite à l'entrée d'une église. Elle avait passé une grande partie de la nuit à imaginer des réponses pertinentes aux questions que le célèbre J.J. Buchanan ne manquerait pas de lui poser. Les féministes n'intéressaient guère le chroniqueur sportif le plus apprécié des Etats-Unis. Or, Cassie McGann, première femme à entraîner un cheval gagnant du Derby anglais, serait une cible idéale pour exercer son chauvinisme.

Elle consulta sa montre. Il l'attendait maintenant depuis cinq bonnes minutes. Comme tout bon journaliste, il avait dû en profiter pour s'imprégner du décor, examiner les meubles, scruter les photos des jockeys, de leurs montures et des différents propriétaires.

Erin l'attendait dans l'entrée. Comme Cassie atteignait la dernière marche de l'escalier, le visage de la gouvernante, criblé de taches de rousseur, la scruta attentivement, à l'affût de la moindre pellicule sur les épaules de la jeune femme.

Avant de pénétrer dans le salon, Cassie hésita légèrement.

– Allez ! l'encouragea Erin en poussant la porte. Il va pas vous manger !

Cassie redressa la tête et s'avança.

L'homme qui l'attendait avait le dos tourné et paraissait absorbé dans la contemplation du tableau de Little Fred, le premier cheval gagnant entraîné par Cassie.

– Ainsi, vous êtes l'illustre M. Buchanan ? s'entendit-elle dire, avec une certaine agressivité.

Il se tourna vers elle. Cassie se figea. Car ce grand homme aux cheveux blancs qui se dressait devant elle n'était pas du tout J.J. Buchanan.

Première partie

1

New Hampshire, Etats-Unis
1947

Lorsqu'on l'envoya au pensionnat du couvent de Pentland, dans le New Hampshire, à une cinquantaine de kilomètres de Westboro Falls, où elle vivait seule avec sa grand-mère, Cassie n'avait que six ans. Le premier jour, alors qu'elle revenait du stade, elle entendit toutes les grandes s'esclaffer : elle était mal habillée. Tout était trop large, mal ajusté, et l'ourlet de son short, démesuré. Cassie en rit avec elles, dans l'espoir de se faire accepter.

Un peu plus tard, alors qu'elles se changeaient, l'une d'entre elles lui demanda pourquoi sa mère ne lui avait pas acheté une tenue à sa taille.

– Je n'ai pas de maman, répondit Cassie. Et Grand-mère déteste coudre.

Mary-Jo, une autre fillette, aux yeux bleus pétillants, lui sourit.

– Ma grand-mère portait des culottes longues qui tombaient tout le temps.

Cassie sourit à son tour, puis fixa son uniforme d'un air dépité. La première fois, elle avait eu hâte d'enfiler le chemisier blanc amidonné et le short bleu marine. A présent, elle trouvait ça ridicule. Elle ramassa les vêtements, les roula en boule et les jeta dans son placard.

– Il faut tout plier, lui chuchota Mary-Jo. Tu vas te faire gronder.

– Je m'en fiche, répliqua Cassie. Je nage dedans. J'ai l'air d'une idiote.

Mary-Jo continua de s'habiller. D'une main sûre, elle noua les rubans dans ses cheveux, tandis que Cassie se débattait en vain avec les siens. La cloche sonna. Voyant sa nouvelle amie en difficulté, Mary-Jo se proposa de l'aider.

– Tu ne t'es pas entraînée ? demanda-t-elle. Maman m'a obligée à le faire pendant des jours, devant la glace. C'est pour ça que je sais faire de jolis nœuds bien plats.

Je parie que c'est ce que font toutes les mères, songea Cassie. Elles apprennent à leurs filles à se coiffer et leur achètent un uniforme qui leur va bien. Pas comme les grand-mères.

Et puis, les mères ne passaient pas leur temps à critiquer. Grand-mère, elle, ne cessait de répéter combien Cassie avait de la chance d'avoir été acceptée par les « bonnes » sœurs.

En arrivant au couvent, leurs grandes coiffes blanches et leurs regards sombres l'avaient effrayée.

– S'est-elle déjà confessée ? avait demandé l'une d'entre elles à Grand-mère. Si oui, quand ?

Il y avait eu un moment d'angoisse et de confusion : Cassie avait-elle racheté ou pas ses péchés d'enfant de six ans ?

Son tout premier péché (le pire, d'après Grand-mère) remontait au jour où elle avait fait pipi dans sa culotte dans le magasin de chaussures de Westboro. Surexcitée à la perspective d'aller faire des courses, Cassie avait oublié de « se soulager » avant de quitter la maison. Une fois dans la boutique, elle avait eu peur de déranger Grand-mère, qui ne parvenait pas à faire son choix. En apercevant le filet d'urine qui dégoulinait le long de la jambe de Cassie, sa colère avait explosé. Sous le regard horrifié des témoins, elle avait retourné l'enfant sur ses genoux et l'avait gratifiée d'une fessée magistrale. Puis, une fois dehors, elle l'avait frappée de nouveau, sans arrêt, jusqu'à la maison, avant de l'enfermer dans sa chambre, où Cassie avait l'ordre de rester jusqu'à ce qu'elle apprenne à maîtriser ses « fonctions naturelles ».

La fillette avait tellement bien appris à les contrôler qu'elle attendait désormais la toute dernière minute avant de se précipiter dans la salle de bains, surtout celle de Grand-mère. Cette salle de bains, c'était un vrai sanctuaire. Avant de l'utiliser, il fallait rouler le tapis, remonter ses manches de chemise et remplir le lavabo, de façon à ce que pas une seule goutte ne vienne ternir le chrome des robinets. Elle devait cracher son dentifrice face au siphon ; après s'être lavée et rincée avec un gant de toilette, il fallait le plier soigneusement et le poser sur le bord, puis remettre le tapis en place et essuyer la robinetterie.

En dehors de la salle de bains, ce n'était pas mieux. La maison de Grand-mère était d'une propreté immaculée. Si les franges d'une carpette ne pointaient pas toutes dans la même direction, c'était un péché mortel. D'ailleurs, il était préférable de les contourner pour éviter de les abîmer.

– Vu le fardeau que tu représentes dans mon existence, répétait sans cesse Grand-mère, tu peux au moins me rendre service.

Comme Cassie passait ses journées à lui apporter ses lunettes, ou ses médicaments et à satisfaire tous ses caprices, elle ne pouvait pas faire autrement que de marcher sur les tapis. La vie était vraiment très compliquée.

Malheureusement, en dépit de tous ses efforts, Cassie continuait à commettre des péchés. Bouger à table méritait une gifle. Pleurer si Grand-mère trouvait un jouet par terre et la tirait par les oreilles entraînait inévitablement une correction supplémentaire. Cassie avait donc appris à se taire, en toute circonstance, même lorsque Grand-mère, pour la provoquer, l'accusait d'être désobéissante, désordre, malpolie, ou tout simplement… laide.

– Tu es l'enfant la plus quelconque que je connaisse, déclarait-elle.

Puis, le lendemain :

– Au fond, ce n'est pas vrai. Tu n'es pas quelconque du tout.

Cassie levait vers elle un regard plein d'espoir.

– Non… tu es franchement laide.

Grand-mère procédait régulièrement à l'examen de conscience de Cassie, mais cela ne lui suffisait pas. La fillette devait se confesser à l'église toutes les semaines. Elle avouait alors ses mensonges, sa désobéissance, sa laideur ; elle demandait pardon de ne pas avoir les cheveux bouclés, le nez droit, les ongles courts et nets.

Cassie allait au lit alors que la lumière du jour passait encore à travers les rideaux. Elle écoutait les autres enfants jouer dehors. Ils se retrouvaient dès leur retour de l'école, et chaque soir, Cassie les observait avec envie depuis sa fenêtre.

Elle rêvait de faire de la bicyclette, de jouer au ballon, de s'égratigner les genoux. Elle n'avait jamais le droit de courir. Elle pouvait marcher, tranquillement, aux côtés de Grand-mère, mais seulement après s'être lavée et habillée, et avoir attendu des heures, bien droite sur une chaise dans le vestibule, l'œil rivé sur les aiguilles de la pendule qui tournaient avec une lenteur désespérante.

Les visites étaient rares, mais lorsque quelqu'un venait, Cassie devait s'installer dans la salle à manger aux lourdes tentures de velours vert foncé. Il n'y avait rien à regarder, sauf un grand tableau, représentant un gros homme à moitié nu qui tendait une grappe de raisins à une femme tout aussi énorme. D'après Grand-mère, c'était une toile du père de son défunt mari. Une œuvre d'art. Cassie, qui le trouvait horrible, avait beaucoup de chance de pouvoir l'admirer ainsi à loisir.

Cassie avait une spécialité : elle était « une enfant difficile ». Pour Grand-mère, être « une enfant difficile », c'était tacher une de ses chaussettes, ou s'exprimer devant l'une des amies de Grand-mère, au lieu de laisser cette dernière parler à sa place. Ou encore, avoir un cauchemar et la réveiller. Tomber malade. Être en bonne santé. Avoir la peau trop blanche. Les cheveux trop épais. Un ruban qui glissait. Ne pas savoir lire. Savoir lire. Marcher un peu trop vite au cours de la promenade quotidienne. Traîner pendant ladite promenade. Ressembler à son papa. Ressembler à sa maman. Pour Grand-mère, être une « enfant difficile », c'était exister, tout simplement.

Parfois, elle se demandait si Grand-mère ne serait pas plus heureuse une fois débarrassée d'elle. Elle priait alors pour que Dieu lui permette de mourir.

Mais, apparemment, Dieu avait d'autres chats à fouetter. Il avait sûrement besoin d'un petit coup de main. A cinq ans, Cassie avait entendu parler d'une maladie terrible : des soirées entières, elle s'était postée devant sa fenêtre grande ouverte dans l'espoir d'« attraper une pneumonie ». En vain. Elle n'avait jamais compris pourquoi elle avait échoué, pas plus qu'elle ne comprenait pourquoi Grand-mère l'avait « recueillie ». Grand-mère n'aimait pas les enfants. Les enfants étaient une gêne. La mère de Cassie lui avait gâché la vie. C'était Grand-père qui avait tenu à avoir un bébé. Cassie avait pitié de Grand-mère et continuait de prier avec ferveur pour que Dieu les soulage l'une et l'autre d'une situation devenue intolérable.

M. O'Reilly, le voisin, avait un épagneul, que Cassie avait le droit de caresser de temps en temps.

– J'aime bien les chiens, avait-elle avoué. Ma grand-mère les déteste.

Un jour, M. O'Reilly lui avait offert un cadeau magnifique.

– C'est un livre sur les chiens. Juste avant de t'endormir, choisis la photo de ton préféré. Qui sait ? Un matin, en te réveillant, tu le verras peut-être.

Puis, il lui avait tapoté la tête, comme elle tapotait celle de son épagneul.

Aux yeux de l'enfant, ce livre était un véritable trésor. Les illustrations, de ravissantes aquarelles, représentaient toutes sortes de chiens dans les prés ou sous des arbres. Les pages étaient épaisses, les caractères d'imprimerie, clairs et précis. C'était un vieil ouvrage qui datait d'avant la guerre : la couverture était en cuir, et une fine feuille de papier de soie protégeait chacune des images.

Grand-mère n'avait pas tardé à le découvrir. Elle trouvait toujours l'occasion de gâcher le bonheur des autres, en particulier celui de Cassie. Parfois, c'était un ruban. Ou encore, un aliment. Il suffisait que Cassie marque une préférence, pour que Grand-mère s'en empare comme d'une arme.

Elle disait par exemple :

– Si tu tenais à mettre des rubans bleus avec cette robe, tu n'avais qu'à mieux faire ton lit.

Ou encore :

– Nous devions manger un bon gâteau au chocolat, mais comme tu as oublié de te brosser les dents, nous allons le garder pour Mme Bennet, qui vient nous rendre visite demain.

Au début, Cassie avait caché son précieux livre sous son lit. Quelques jours ayant passé sans punition, elle s'était laissée aller dans une fausse sécurité. Inévitablement, Grand-mère l'avait surprise en train de le regarder à l'heure du coucher.

– Donne-moi ça ! avait-elle ordonné, en tirant sur la fillette. D'où le sors-tu ?

Cassie n'avait rien dit.

– Dis-moi où tu as eu cet ouvrage, et ne me raconte pas un de tes mensonges.

– C'est M. O'Reilly qui me l'a offert.

– Ah, vraiment ? avait glapi Grand-mère en le feuilletant rapidement. M. O'Reilly te l'a offert. Un beau livre comme ça ? Je n'en crois rien.

– Je ne mens pas, Grand-mère. Je te promets que je ne mens pas.

– Bien sûr que si. Tu mens, et tu seras punie. Ne bouge pas d'ici. Je vais de ce pas en parler à M. O'Reilly. Il te l'a offert, tu parles !

Pendant que Grand-mère se précipitait chez le voisin, Cassie était restée assise à contempler le bout de ses pieds en se demandant pourquoi Dieu était si cruel, pourquoi il l'avait faite si peu digne d'être aimable.

Bientôt, elle avait perçu les pas de Grand-mère dans l'escalier. Elle était apparue au seuil de la chambre en brandissant le livre.

– Plutôt que de le cacher, tu aurais dû me dire tout de suite que M. O'Reilly te l'avait donné. Pour te punir, je vais le mettre sous clé jusqu'à ce que tu mérites le droit de le récupérer.

Cassie s'était recouchée, les yeux rivés au plafond. La nuit ne venait pas. Son livre, unique source de plaisir de la journée, lui avait été confisqué. Une larme roula sur sa joue, s'arrêta, puis glissa doucement jusque dans son cou. Elle avait chuchoté les noms qu'elle avait inventés pour les chiens. Elle s'était imaginée les serrant contre son cœur, le visage blotti dans leur fourrure.

– Nous reviendrons, petite maîtresse, la rassuraient-ils. Nous serons dans tes rêves.

Malheureusement, c'étaient les cauchemars qui avaient peuplé son sommeil. Elle s'était emparée juste à temps de son oreiller et y avait pressé la bouche pour étouffer ses cris.

Plusieurs semaines à courir chercher tout ce que lui demandait Grand-mère, ou à aider Delta, n'avait donné aucun résultat. Sinon que Grand-mère s'ennuyait. Elle n'aimait pas qu'on soit trop sage : elle n'avait plus aucune raison de se fâcher. Si les chaussettes de Cassie restaient toujours impeccables, si elle ne s'exilait pas dans la salle à manger sans demander la permission, si elle mangeait tout ce qu'on lui présentait, même ce qu'elle détestait le plus, si elle ne tombait pas malade, si elle ne s'exprimait pas sans qu'on lui ait adressé la parole, si elle s'agenouillait matin et soir pour dire ses prières, si elle jouait sans bruit, l'existence de Grand-mère perdait tout son piquant.

– Ce que tu peux être ennuyeuse, ma fille ! Va-t'en ! s'exclamait-elle régulièrement.

Les amies de Grand-mère étaient d'accord avec elle. Elles n'avaient pas à supporter un tel fardeau, mais elles avaient pitié d'elle, ce qui la consolait. Seule, Mme Roebuck faisait exception à cette règle.

Mme Roebuck habitait tout près. Parfois, lorsqu'elle se promenait avec Grand-mère, Cassie devinait sans même lever les yeux qu'elles passaient devant la demeure de Mme Roebuck, car une multitude de parfums exquis l'assaillaient bien avant qu'elles n'atteignent le jardin. Ses plates-bandes étaient remplies de fleurs, et plusieurs chats dormaient sur les marches du perron, en attendant le moment magique où Mme Roebuck leur ouvrirait sa porte pour qu'ils puissent se réchauffer devant son poêle à bois.

– Je ne comprends pas pourquoi elle s'obstine à garder cette antiquité, déclarait souvent Grand-mère. Elle a dû l'apporter avec elle quand elle a quitté ses montagnes de la Caroline du Sud.

Elle poursuivait inévitablement avec une litanie de critiques, mais Cassie l'écoutait à peine. Elle rêvait d'être invitée chez Mme Roebuck. Quand on la croisait, elle avait toujours sur le bras un panier rempli de gourmandises : un kilo de cerises, ou une boîte de gâteaux pour accompagner une glace « maison ». Elle ne manquait jamais d'offrir à Cassie une friandise, qu'elle lui mettait dans la bouche avant que Grand-mère ne puisse protester.

– Cassie ne mange jam…

– Tu es trop pâle, déclarait Mme Roebuck. Tu ne joues pas assez dehors. Dis à ta grand-mère de t'envoyer chez moi.

Grand-mère feignait de ne pas paraître mortellement offensée par sa remarque.

– Cassie doit travailler, répliquait-elle systématiquement. Elle est lente. Très lente. Elle a un mal fou à apprendre son alphabet.

– Vous êtes trop sévère avec cette enfant, rétorquait Mme Roebuck, impassible et plus que jamais décidée à recevoir Cassie chez elle.

La chance s'était enfin présentée.

– Mes petites-filles viennent me voir jeudi prochain, annonça-t-elle à Cassie. Je te propose de te joindre à nous dans l'après-midi et de rester dormir. Qu'en penses-tu ?

– Oh, oui, s'il vous plaît, répondit Cassie.

Mme Roebuck lui avait souri, enchantée.

– C'est réglé. Cassie passera l'après-midi de jeudi avec nous, Gloria. Vous en profiterez pour vous reposer, vous qui...

– Je ne pense pas que jeudi soit un bon jour.

– Moi, si ! avait riposté Mme Roebuck en tournant les talons.

Grand-mère avait suivi du regard l'ample postérieur de sa voisine, qui regagnait tranquillement sa demeure et son cher poêle à bois. Elle aurait voulu répondre un « non » ferme et définitif à Mirabelle Anne, mais cette dernière était présidente du Comité des vétérans de la guerre et dirigeait la chorale de l'église. Il lui était difficile d'interdire à Cassie d'aller chez elle, dans la mesure où toute la ville la respectait.

La journée tant attendue était enfin arrivée. Quand Grand-mère l'avait appelée pour lui dire qu'elle pouvait se lever, Cassie, qui était réveillée depuis des heures, avait bondi de son lit et s'était précipitée vers son armoire. Elle avait choisi sa robe préférée, la bleue, avec les rubans bleus. La tenue parfaite pour une belle journée d'été.

Cependant, Grand-mère avait une autre idée en tête. Elle s'était empressée de ranger la robe bleue et d'en sortir une autre, en laine marron, bordée d'un col en dentelle. Cassie avait ravalé un sanglot. Elle détestait cette robe, même en plein hiver. Le tissu grattait. Grand-mère lui avait tendu une veste foncée et des rubans bruns.

– Il faut que tu sois élégante pour rendre visite à Mme Roebuck, avait-elle déclaré avec un sourire.

Cassie avait écarquillé les yeux, horrifiée, mais n'avait pas osé protester, de peur d'être privée de sa sortie. Elle s'était habillée en silence, sous le regard satisfait de Grand-mère.

En fin de matinée, une fois ses leçons quotidiennes terminées, alors que tous les autres enfants profitaient pleinement de leurs vacances, Cassie était rouge comme un coquelicot. Deux taches écarlates teintaient ses joues, son pouls battait à toute allure.

– Ma chérie ! Regarde-toi ! Tu es malade ! Il faut te coucher immédiatement.

– Je n'ai pas de fièvre, Grand-mère. C'est juste que j'ai trop chaud avec cette robe.

– Ne dis pas de bêtises, ma petite. Je sais reconnaître un état fébrile. Allons ! Vite, au lit ! Je vais téléphoner à Mirabelle Anne pour lui dire que tu ne peux pas y aller cet après-midi.

Cassie avait gravi lentement l'escalier, une boule dans la gorge, un flot de larmes au bord des yeux. Elle s'était dévêtue, avait rangé soigneusement ses gros souliers sous la chaise, comme l'exigeait Grand-mère.

Mme Roebuck et sa maison paraissaient aussi loin que l'Europe sur l'atlas de Grand-mère. Cassie avait mis sa chemise de nuit et s'était couchée. Jamais elle n'avait été aussi malheureuse. Elle aurait tant voulu aller jouer avec d'autres petites filles, dormir ailleurs.

Cependant, Grand-mère avait compté sans l'obstination de Mme Roebuck.

– Mon Dieu, Gloria, je n'en crois rien ! s'était-elle exclamée. Voyons, je l'ai vue de mes propres yeux sur la véranda, pas plus tard que ce matin. J'arrive de ce pas.

Avant que Grand-mère ne puisse l'en empêcher, Mme Roebuck s'était précipitée dans la chambre de la fillette. Cassie s'était redressée vivement en entendant qu'on s'approchait. Elle avait essuyé ses larmes, de peur que ce ne soit Grand-mère. En voyant Mme Roebuck, elle avait tenté de sourire.

Mme Roebuck n'avait rien dit. Elle lui avait pris le pouls, passé une main sur ses joues trop rouges, puis s'était tournée vers Grand-mère en riant.

– Cette petite est en parfaite santé, Gloria !

Grand-mère avait pincé les lèvres.

– Viens, Cassie. Descends de là tout de suite. Nous allons te trouver une jolie robe à mettre. Tiens, que dis-tu de celle-ci, la bleue ?

– Elle est beaucoup trop légère ! avait protesté Grand-mère.

– Allons, Gloria, ne dites pas de sottises. Il fait au moins vingt-cinq degrés, dehors… Là, petite, tu es mieux comme ça, non ?

Cassie avait hoché la tête.

– Où est ton sac ? Ah, le voilà. Parfait. Et maintenant, dis au revoir à ta grand-mère.

– Au revoir, Grand-mère, avait murmuré solennellement Cassie. A demain.

Grand-mère n'avait pas daigné répondre. Elle s'était contentée de dévisager Cassie avec ses petits yeux verts.

Cassie n'oublierait jamais la sensation de liberté qui l'assaillit lorsqu'elle avait accepté la main de Mme Roebuck, descendu l'escalier de Grand-mère, passé la porte, puis le portail. Chez Mme Roebuck, les chats circulaient tranquillement, une bonne odeur de pain frais imprégnait l'atmosphère, et deux petites filles de son âge s'amusaient, toutes nues dans le jardin, avec le tuyau d'arrosage.

Mme Roebuck avait souri à Cassie, visiblement sidérée par un tel spectacle. Cassie n'avait jamais le droit d'enlever tous ses vêtements devant Grand-mère, même lorsqu'elle allait prendre sa douche. C'était une règle stricte. Grand-mère avait horreur des corps, et ne se lassait pas de le répéter. Surtout celui de Cassie.

– Tu veux ôter tes habits, comme Gina et Maria ? lui demanda Mme Roebuck. Tu n'y es pas obligée, mais il fait terriblement chaud.

– Oui, s'il vous plaît. Mais je peux garder ma culotte ?

– Evidemment, ma chérie !

Lorsqu'elle les avait rejointes dehors, Cassie avait adressé un sourire timide à Gina et à Maria, qui s'étaient regardées, puis avaient dirigé le tuyau sur la nouvelle venue. Cassie avait poussé un cri et tendu les bras devant elle en riant. Mais elle avait l'impression que Grand-mère l'épiait, et que d'un instant à l'autre, elle viendrait la tirer par l'oreille et la ramener chez elle. L'eau était délicieusement fraîche. Bientôt, Cassie s'était rendu compte qu'elle ne serait pas punie, que personne ne viendrait lui gâcher son plaisir. Les yeux fermés, elle avait savouré la douceur du jet.

– Si tu veux, tu peux faire partie du club, avait décrété Maria, un peu plus tard. N'est-ce pas, Gina ?

Maria s'était tournée vers sa sœur aînée, en quête d'approbation. Gina, qui s'était couchée dans l'herbe, avait approuvé.

– Pourquoi pas ?

Maria et Cassie l'avaient dévisagée avec adoration. Gina était tellement belle. Maria s'était adressée à Cassie.

– C'est le Club des Cookies, annonça-t-elle, tout bas. On monte là-haut, et on mange des gâteaux.

Toutes trois s'étaient tournées vers un chêne qui dominait le jardin. Cassie ne pouvait pas leur avouer qu'elle n'avait jamais grimpé aux arbres. La distance entre le sol et la première branche lui semblait énorme, et elle ne put s'empêcher d'espérer que Gina et Maria reviendraient sur leur décision.

– On y va maintenant ? avait suggéré Maria avec enthousiasme.

Les deux plus jeunes attendaient la décision de Gina. Au grand soulagement de Cassie, Gina s'était étirée.

– Pas tout de suite.

Cassie l'avait contemplée avec béatitude. Gina avait de longs cheveux noirs et soyeux, de grands cils, un joli petit nez. Elle était sûrement ce que Grand-mère appelait « une beauté ».

Un long silence avait suivi. Maria s'était allongée à son tour dans l'herbe, et Cassie n'avait pas tardé à l'imiter. Elle avait feint de clore les paupières, mais en réalité, elle observait ses amies à la dérobée, pour être sûre de ne rien rater. Gina s'était assise brusquement. Maria et Cassie en avaient fait autant.

– On va jouer au mariage, avait proclamé Gina.

– Oh, oui ! dit Maria. Qui fera la mariée ?

Maria et Cassie avaient dévisagé Gina. Toutes deux savaient que ce ne pouvait être qu'elle.

– Moi, je serai le marié. Je mettrai les bottes de cavalier que Grand-maman a rangées dans son placard.

Toutes deux s'étaient mises debout. Cassie aussi, le cœur battant, mal à l'aise. On ne lui avait pas distribué de rôle. Peut-être pourrait-elle faire le prêtre ? Elle leur avait emboîté le pas jusqu'au grenier, sans oser le leur demander.

Mme Roebuck avait un grand coffre rempli de déguisements pour les jours de pluie. Gina l'avait ouvert prudemment, et un parfum de lavande en avait jailli aussitôt. Sous le regard ébahi de Cassie, Gina avait sorti des châles, des robes du soir, des couvertures, des voiles en dentelle, et enfin, la robe de mariée de Mme Roebuck.

– Gina, tu es tellement belle ! avait soufflé Maria, quand son aînée l'avait tenue devant elle. On peut t'aider à t'habiller ?

– Oui, aidez-moi, avait répondu Gina. Ensuite, nous nous occuperons de ta tenue.

Cassie avait assisté Maria dans sa tâche, puis participé au choix de son costume, un vieux pantalon, une chemise en satin aux manches et au col bordés de dentelle, et les fameuses bottes de cavalier de M. Roebuck.

Cassie était encore en petite culotte. Elle avait frissonné, s'était tournée avec envie vers le tas de déguisements. Elle savait qu'elle y trouverait de quoi faire une demoiselle d'honneur, ou un prêtre, mais ni Gina, ni Maria ne l'y avaient encouragée. Elle les avait suivies jusqu'au rez-de-chaussée, puis au jardin. Gina avait désigné le vieil arbre.

– On va se marier là-dessous.

Maria avait avancé, puis Cassie, à une distance respectable. Elles s'étaient mises à genoux sous les feuillages.

– Il faut que tu me prennes la main, et que tu y mettes une bague.

– Je n'en ai pas, avait marmonné Maria, en se tournant vers Cassie.

Celle-ci avait scruté les alentours ; arrachant un brin d'herbe, elle en avait fait un anneau, que Maria avait enfilé sur l'annulaire de Gina. Agenouillée derrière les deux sœurs, Cassie avait fermé les yeux et fait semblant d'être une maman, coiffée d'un beau chapeau.

Mme Roebuck avait alors émergé de la cuisine, une robe jaune à la main.

– Cassie ?

La fillette s'était précipitée vers elle.

– Voici un déguisement de demoiselle d'honneur. On ne se marie pas sans une demoiselle d'honneur.

Cassie avait ravalé un sanglot. Elle savait que Mme Roebuck agissait par gentillesse. Pourquoi les gens gentils lui donnaient-ils envie de pleurer ?

– Merci, avait-elle chuchoté.

– C'était la robe de demoiselle d'honneur de la maman de Gina, expliqua Mme Roebuck, en aidant la fillette à la revêtir. Je l'ai commandée à Mme Célestine, la couturière. C'est elle qui confectionnait toutes les tenues de mariage, à l'époque. Une femme charmante.

Mme Roebuck avait reculé d'un pas, placé une main sous le menton de Cassie.

– Tu es très jolie, tu sais. J'ai toujours eu un faible pour les cheveux châtains. Ma mère avait les mêmes, bien brillants, très épais. Elle les brossait cent fois chaque soir. Elle n'oubliait jamais.

Puis, elle avait poussé doucement, mais fermement Cassie vers l'arbre sous lequel Gina et Maria l'attendaient. Elles l'avaient examinée de bas en haut.

– Le mariage est fini.

– Ça ne fait rien.

– Tu pourrais tenir ma traîne, avait proposé Gina. Je n'ai pas encore descendu l'allée.

Cassie avait tenu la traîne, mais la descente de l'allée s'était trouvée écourtée, car il était l'heure de manger.

Le repas fut un délice. Leurs mentons frôlant la table, les trois petites filles attendaient sagement qu'on leur distribue du pain tout juste sorti du four. A l'immense surprise de Cassie, Gina et Maria avaient le droit de se servir du beurre à volonté. La nourriture était abondante et délicieuse.

Cassie, Gina et Maria avaient mangé dans un silence révérencieux. Bien que croyante, Mme Roebuck les avait dispensées de bénédicité. C'était bien la première fois que Cassie déjeunait sans avoir dit sa prière, et qu'on l'encourageait à manger autant qu'elle le voulait.

– Qui en veut d'autre ? Passez-moi vos assiettes.

Elles avaient même le droit de prendre deux fois du dessert ! Cassie avait contemplé Mme Roebuck avec émerveillement. Elle aimait les enfants. Et elle savait ce que les enfants aimaient.

– Merci, avait dit Cassie. C'était exquis.

– Oui, mais en avez-vous eu assez ?

Les trois fillettes s'étaient regardées, puis tournées vers Mme Roebuck. Elles avaient acquiescé, gloussé en se tapotant le ventre.

– C'est l'heure de la sieste, avait alors annoncé Mme Roebuck. Allez vous reposer dans les hamacs pendant que je fais la vaisselle.

Chez elle, Cassie devait aider Delta à essuyer chaque fourchette, chaque cuiller jusqu'à ce qu'elle brille. Elle n'avait pas le droit de toucher aux assiettes, Delta s'en chargeait, mais elle s'occupait de tout ce qui ne risquait pas de se casser. Elle avait proposé ses services à Mme Roebuck, mais celle-ci ne voulait pas en entendre parler.

Mme Roebuck les avait aidées à s'installer confortablement. Bientôt, Cassie s'était assoupie. Elle avait rêvé qu'elle était un oiseau, que Maria était son amie et qu'elles étaient ensemble dans un nid. Si toutes les journées pouvaient ressembler à celle-ci, la vie serait extraordinaire.

– Je passais simplement vérifier si la fièvre de Cassie n'était pas remontée.

Cassie s'était recroquevillée sur elle-même en percevant la voix aiguë de Grand-mère, dans le vestibule. Elle avait prié pour que celle-ci ne vienne pas jusqu'à la salle à manger, où les trois fillettes étaient en train d'écouter la radio.

– Gloria, Cassie n'a jamais eu de fièvre, avait répliqué Mme Roebuck. Je vous l'ai dit : elle était trop chaudement habillée, c'est tout.

– Est-elle allée aux toilettes à quatorze heures ?

– Je n'en ai pas la moindre idée, Gloria. Si vous ne cessez pas de harceler cette petite, elle finira vieille et aigrie.

– Vous ne pouvez pas savoir combien il est difficile pour une femme de mon âge d'élever une enfant, Mirabelle Anne.

– Non, en effet. En revanche, je sais que si vous ne vous en allez pas immédiatement, vous le regretterez. Vous la couvez beaucoup trop, Gloria. C'est aussi malsain que le contraire. Allez donc jouer au bridge et laissez-moi profiter un peu de votre petite-fille.

Cassie avait entendu la porte d'entrée claquer. Elle avait regardé autour d'elle, paniquée. La radio était toujours allumée. Gina et Maria riaient aux éclats. Personne n'était venu les interrompre. Cassie aurait volontiers hurlé de joie. Au lieu de cela, elle s'était réfugiée dans la salle de bains.

Dormir dans une grande chambre avec d'autres enfants, écouter Mme Roebuck leur raconter une histoire… les plaisirs se succédaient. Cassie avait soupiré de bonheur entre ses draps et s'était promis de ne jamais oublier cette journée. Plus tard, quand elle serait grande, elle offrirait à Mme Roebuck une broche en diamant.

Mme Roebuck s'était penchée pour l'embrasser, comme si elle l'avait toujours fait, comme si Cassie était habituée à ces manifestations de tendresse. Paupières closes, Cassie avait fait semblant que Mme Roebuck était sa grand-mère, et qu'elle avait toujours vécu avec elle.

Gloria était revenue la chercher alors qu'elles prenaient leur petit déjeuner : Cassie devait rentrer tout de suite. Mme Roebuck refusa net. Cassie n'irait nulle part, tant qu'elle n'aurait pas fini ses gaufres au sirop d'érable.

Grand-mère s'était avancée.

– J'exige qu'elle vienne immédiatement. Elle est en retard pour son rendez-vous chez le dentiste.

Dans la cuisine de Mme Roebuck, Grand-mère avait l'air d'une sorcière.

– Dépêche-toi ! avait-elle ordonné en se plantant face à Cassie.

Gina et Maria avaient levé les yeux, atterrées, puis Gina avait concentré son regard noisette sur celui, bleu-vert, de Cassie. Pour la première fois, une lueur d'amitié véritable avait fait danser ses prunelles.

– Prends une autre gaufre…

– Non merci, Gina, avait répondu Cassie en enfournant ce qui lui restait.

Elle avait adressé un sourire à ses amies, marmonné son bénédicité, puis quitté la table. Elles étaient drôlement gentilles de l'encourager à la rébellion.

– Grand-maman, Cassie n'a pas le droit de prendre une autre gaufre. Ce n'est pas juste ! avait protesté Gina.

– Plie ta serviette correctement, avait dit Grand-mère à Cassie. Quant à vous, mademoiselle, on ne parle pas à table.

– Ici, on a le droit ! avait riposté Maria. Notre grand-mère n'est pas une vieille bique comme vous.

– Qui a dit que j'étais une vieille bique ? avait glapi Grand-mère.

Cassie n'avait jamais rien déclaré de tel, mais Grand-mère ne la croirait pas.

– C'est toi, Cassie ? Cassie... est-ce toi qui as dit que j'étais une vieille bique ?

Cassie avait secoué la tête, terrifiée. A cet instant, Mme Roebuck avait émergé de l'office avec un large sourire.

– Non, c'est moi, Gloria. J'ai dit en plaisantant que nous étions toutes des vieilles biques, et Maria s'est empressée de relever l'expression... les enfants sont ainsi. Ils répètent tout ce qu'ils entendent des adultes et de la radio.

– Cassie n'est pas autorisée à écouter la radio. Avec raison, semble-t-il.

Une minute plus tard, son sac à la main, ayant à peine eu le temps de dire au revoir et merci, Cassie était ramenée chez Grand-mère à vive allure. Celle-ci était impatiente d'arriver à la maison, de la faire monter dans sa chambre, de la punir. Elle serait battue, puis enfermée à clé jusqu'à ce qu'elle comprenne qu'on ne devait pas dire du mal de sa grand-mère derrière son dos.

Cassie s'était enroulée sur son lit dans le noir. Elle se fichait éperdument d'être punie. Elle pouvait repenser tout à loisir à sa journée chez Mme Roebuck. La meilleure de toute son existence. Personne ne pourrait la priver de ce souvenir, pas même Grand-mère. Un jour, quand elle serait grande, elle serait comme Mme Roebuck, mais d'ici là, elle se contenterait de penser à elle. Elle avait crié très fort quand Grand-mère l'avait frappée, pour que Mme Roebuck l'entende. Bien sûr, Mme Roebuck n'avait rien entendu, mais ça n'avait pas plu à Grand-mère. Elle s'était arrêtée brusquement, plus vite que d'habitude, vaincue par sa propre incapacité à étouffer les hurlements de Cassie.

Elle ne reviendrait pas avant des heures.

C'est Mme Roebuck qui avait suggéré à Grand-mère

d'envoyer Cassie au couvent. Ainsi, la petite ne serait plus un fardeau, n'est-ce pas ? Grand-mère avait hésité.

– Je ne sais pas, Mirabelle Anne. Après tout, je suis sa seule famille. Est-ce bien de l'envoyer au loin ?

Elle avait porté son regard de la fillette à Mme Roebuck, qui versait le café glacé. Gina et Maria, un peu plus âgées que Cassie, y étaient déjà pensionnaires.

– Voyons, Gloria, avait insisté Mme Roebuck, c'est évident. Vous aurez beaucoup plus de temps pour vous.

– C'est vrai, avait concédé Grand-mère, en fixant Cassie, qui s'efforçait de ne pas balancer les jambes.

Cassie s'était concentrée sur le bout de ses chaussures. Si elle ne disait rien, si elle ne bougeait pas, peut-être Grand-mère penserait-elle qu'elle n'avait aucune envie d'aller à l'école avec Gina et Maria.

– Ce n'est pas un établissement comme les autres, avait repris Mme Roebuck. C'est tout petit. Les religieuses, presque toutes réfugiées de la dernière guerre, ont commencé tout d'abord par recueillir les enfants dans le besoin. Je pense que Cassie s'y trouverait bien.

Mme Roebuck avait déposé une deuxième part de gâteau au chocolat sur l'assiette de la fillette.

– Cassie ne se trouvera bien nulle part. Elle est tellement têtue.

Grand-mère avait ouvert son sac, en quête de son poudrier. Pendant qu'elle se regardait dans la glace, Mme Roebuck avait adressé un clin d'œil complice à Cassie. Celle-ci s'était empressée de baisser le nez. L'espace d'une seconde, effarée, elle avait eu l'impression que Grand-mère avait tout vu, et que la cause était perdue.

Il y avait eu un bref silence. Grand-mère dévisageait Cassie, qui contemplait attentivement ses chaussettes, en essayant de se persuader qu'elle n'avait aucune envie d'aller au couvent avec Gina et Maria. Elle sentait que, si elle le pensait assez fort, Grand-mère déchiffrerait ses pensées… et s'empresserait de l'y inscrire.

– Au fond, c'est peut-être la solution, avait raisonné

Grand-mère. Il est vrai que son vaurien de père m'a laissé un peu d'argent pour assurer sa scolarité.

Lorsqu'elle parlait d'argent, Grand-mère adoptait toujours un ton de fausse piété, comme si cela ne l'intéressait en aucune manière.

– Eh bien, voilà ! s'était exclamée Mme Roebuck. Le problème est réglé, non ?

Grand-mère avait regardé de nouveau Cassie.

– Je ne sais pas, Mirabelle Anne. N'oublions pas que Cassie est difficile. Les bonnes sœurs l'accepteront-elles ?

– Gloria, leur spécialité, c'est de mater les enfants récalcitrants, vous le savez bien.

Grand-mère avait continué de tergiverser, vaguement mal à l'aise parce qu'elle sentait bien qu'au fond, Cassie rêvait d'y aller.

Jour après jour, elle avait parlé des « bonnes » sœurs, à Delta, aux visiteurs, parfois même à Cassie. Pourtant, à la dernière minute, elle renonçait chaque fois à se rendre au pensionnat pour y inscrire son fardeau. Pour finir, elle s'y était résolue, sans prévenir Cassie.

La petite avait retenu son souffle en voyant Gloria sortir les valises. Elle craignait qu'un événement ne survienne, qui l'empêche d'échapper à sa grand-mère. En apprenant que cette dernière avait une nouvelle partenaire au bridge, son optimisme était revenu.

– Je vais te manquer ? lui avait demandé Grand-mère, la veille du départ, alors que Cassie venait de se coucher.

Cassie avait acquiescé.

– Là-bas, personne ne viendra te dire bonsoir dans ton lit, tu sais.

Cassie avait opiné de nouveau. Elle savait qu'elle devait faire semblant d'être triste, sinon, Grand-mère risquait de changer d'avis.

– Enfin, tu t'amuseras bien quand même, n'est-ce pas ?

Cassie avait secoué vigoureusement la tête.

– Bien sûr que si, insista Grand-mère. C'est ton devoir.

Et pas de grimaces ou de larmes le premier jour, tu m'entends ? Inutile de t'apitoyer sur ton sort. Tu as six ans, maintenant, tu es grande.

Le lendemain, elle s'était levée, surexcitée à la perspective de mettre sa nouvelle tenue pour l'école. Sœur Josepha, qui serait l'institutrice de Cassie, avait expliqué à Grand-mère que le bleu était vivement recommandé. Cassie avait contemplé les rubans bleus dans sa main, puis les avait tendus un à un à Grand-mère. Il ne fallait surtout pas se trémousser, ni montrer sa joie. Mais au fond d'elle-même, Grand-mère devait sentir son impatience, car elle avait serré si fort sur ses tresses que Cassie en eut mal à la tête jusqu'au soir.

– Sois sage, avait-elle recommandé une dernière fois à leur arrivée au couvent. Et surveille tes chaussettes, qu'elles restent propres.

Grand-mère s'était penchée vers la fillette.

– Tu peux m'embrasser.

Puis elle avait tourné les talons, et Cassie avait suivi les autres sous le portail. Elle ne s'était pas retournée. Gloria non plus.

– Cassie McGann, tu partageras ta chambre avec Mary-Jo Christiansen. C'est elle qui te montrera tout.

Cassie avait rencontré le regard bleu de Mary-Jo et su immédiatement qu'elles s'entendraient bien. Mary-Jo était grande et belle, contrairement à Cassie, qui était petite et « terriblement ordinaire ».

– Pour les mains et la figure, on fait comme ça, expliqua Mary-Jo en versant l'eau dans une bassine.

Chacune avait à sa disposition une petite table munie d'un broc, d'une cuvette et d'une serviette propre.

– Ensuite, on va à la salle de bains se brosser les dents et tout le reste. D'accord ?

Cassie acquiesça. Tout cela était si nouveau. Comme Mary-Jo, elle se savonna le visage et le frotta énergiquement avec son gant de toilette.

En pénétrant dans le couvent, Cassie avait été frappée par les parfums de fleurs et de cire mêlés. Le parquet était rutilant. En suivant Mary-Jo jusqu'à la salle de bains, elle fit glisser ses chaussons neufs sur le sol, comme une patineuse.

Elle attendit que Mary-Jo se soit brossé les dents. Mary-Jo cracha dans tous les sens, laissa couler un filet d'eau, puis s'écarta pour laisser la place à sa compagne. Cassie fixa l'énorme lavabo en marbre d'un air stupéfait. Mary-Jo avait laissé une marque sur les robinets et du dentifrice autour du siphon. Cassie se tourna vers elle, effarée. N'avait-elle pas conscience de la gravité de sa faute ? Mais Mary-Jo ne semblait pas se rendre compte qu'elle venait de commettre un péché mortel.

Cassie la suivit jusqu'à leur chambre. Si Mary-Jo avait péché, Cassie aussi, et quel plaisir de pécher en duo, pour une fois !

– Viens, c'est mon tour de lire, ce soir !

Cassie se glissa sous sa couette rouge bordeaux, que Grand-mère avait descendue du grenier. Celle de Mary-Jo était toute neuve, à carreaux jaunes et blancs, parée de rubans et de dentelle. Cassie contempla sa nouvelle amie avec admiration, puis s'enfonça dans son oreiller. Décidément, la vie chez les « bonnes » sœurs promettait d'être agréable.

– Vite ! l'encouragea Mary-Jo, tandis que Cassie se débattait avec ses rubans. On va être en retard. Laisse tomber tes tresses, Sœur Josepha te les refera.

Cassie suivit Mary-Jo en classe. Tout lui plaisait, ici, même si les grandes s'étaient moquées de ses vêtements de sport. Elle se mit à courir pour rattraper son amie, qui avançait nettement plus vite. Mais elle n'avait pas peur. Tant qu'elle ne perdrait pas Mary-Jo de vue, tout irait bien.

2

Cassie considéra son dessin. Le grand disque jaune représentait son âme. Elle se mordit la lèvre et fronça les sourcils. A un endroit, son crayon avait dérapé sur la couleur. Que faire ? Si Sœur Josepha remarquait cette imperfection, elle lui expliquerait que c'était un péché. Ce qui était le cas. Un péché de négligence, puisqu'elle avait laissé sa mine lui échapper.

Sœur Josepha ne fit aucune critique négative. Au contraire, elle sourit :

– Très bien, Cassie. Excellent.

Elle poursuivit l'allée jusqu'à Mary-Jo, qui avait dessiné un disque violet entouré de feuilles.

– Epatant ! s'exclama Sœur Josepha. Jolies couleurs. L'idée est originale.

Un silence recueilli régnait dans la classe. Les enfants regardaient leur institutrice avec adoration. Pour une religieuse, elle était ravissante, avec ses grands yeux bleus, son teint de porcelaine et son sourire lumineux. Tous les enfants l'aimaient et s'efforçaient de faire de leur mieux.

– Bon ! annonça-t-elle soudain, en venant se planter devant elles. Pour plusieurs d'entre vous, c'est bientôt la première communion. Mary-Jo Christiansen, Rosella Savarese, Teresa Plukett et Cassie McGann.

Les quatre fillettes se regardèrent. Elles seraient amies pour la vie. Faire sa première communion ensemble, c'était un lien presque aussi puissant que celui du mariage.

– Si Rosella, Mary-Jo, Teresa ou Cassie demandent comment c'est à celles qui ont déjà fait leur communion, vous ne pourrez que leur répondre qu'elles verront bien. Car il n'existe pas de mots pour le décrire. Cependant, vous pouvez faire une chose pour elles, c'est préparer vos âmes pour votre propre communion ce jour-là. Ainsi, vous pourrez dire que leur communion est la vôtre.

Sœur Josepha scruta les visages anxieux de ses élèves.

– Dans les semaines à venir, enchaîna-t-elle, nous allons faire des sacrifices pour les premières communiantes. Voilà pourquoi je veux que vous traciez une marge sur vos dessins : dans cette colonne, vous collerez les étoiles que vous gagnerez pour chacun de vos sacrifices.

Après la classe, dans la cour de récréation, Cassie, Mary-Jo, Rosella et Teresa se mirent bras-dessus, bras-dessous. Elles formaient un clan, elles étaient amies pour la vie. Pour la première fois de son existence, Cassie avait l'impression d'appartenir à un groupe. Puis, spontanément, elles coururent vers les arbres qui longeaient le pré et firent une ronde autour du plus gros d'entre eux.

En dépit de leur bonne volonté, il devint vite difficile de ne pas tricher quant au nombre de sacrifices à accomplir. Comme toutes les autres, Cassie tenait à obtenir le plus d'étoiles possible. Mais plus encore, elle voulait faire plaisir à Sœur Josepha. Elle savait qu'elle n'y parviendrait pas en trichant. D'ailleurs, qu'est-ce, au juste, qu'un sacrifice ? Fallait-il perdre exprès un jeu, au risque de blesser Mary-Jo ? Repousser sa chaise en raclant le sol, alors que Grand-mère l'avait toujours interdit ?

A force de tergiverser, la colonne de Cassie demeurait désespérément vide, alors que celles de ses camarades se remplissaient très vite. Sœur Josepha en avait bien conscience, mais elle se garda de tout commentaire, jusqu'au moment de remettre les récompenses à la fin de la deuxième semaine.

– Et toi, Cassie, quels sont tes sacrifices de ces jours derniers ?

Cassie fixa le plancher.

– Aucun, ma Sœur, chuchota-t-elle. Aucun.

– Je ne suis pas tout à fait d'accord avec toi, Cassie, répliqua Sœur Josepha. Je te vois du matin au soir. Cependant, comme ce sont des tâches que tu accomplis en temps normal, tu es trop honnête pour les qualifier de sacrifices. Ainsi, pour ton honnêteté, je te décerne deux étoiles d'argent.

Sœur Josepha les colla dans la marge de son dessin, et Cassie les contempla, trop émue pour parler.

L'emploi du temps des quatre communiantes était fort chargé. Chaque jour apportait son lot d'explications et d'exigences.

– Mes enfants, proclama Sœur Josepha, un jour pendant l'heure du catéchisme, quand Jésus descendra de l'autel sous la forme du pain, Il nous donnera une force nouvelle. La force de Lui ressembler davantage, de mieux aimer nos amies, de mieux apprécier et respecter nos parents.

Cette déclaration perturba Cassie. Elle essaya de se persuader qu'elle devait mieux apprécier et respecter Grand-mère, mais c'était difficile, voire impossible. Comment aimer « mieux » une personne si celle-ci ne vous aimait pas en retour ? Car Cassie savait pertinemment que Grand-mère la détestait. Les regards apitoyés et les gestes de bonté de M. O'Reilly, de Mme Roebuck, de Gina ou de Maria en étaient la preuve. Ces dernières n'étaient pas dans la classe de Cassie, mais elles s'arrangeaient toujours pour venir la saluer dans la cour. M. O'Reilly lui avait donné la permission d'emporter son livre au pensionnat, et Mme Roebuck lui avait envoyé des friandises par la poste, avec un petit mot :

« J'ai confectionné ces sucreries pour vous trois, en pensant à vous, dans vos hamacs. Dieu te bénisse, chère Cassie. Tendrement, Mirabelle Anne Roebuck. »

Ce fut pour Cassie une double aubaine. D'une part, elle fut heureuse de se sentir estimée ; d'autre part, elle distribua tous les bonbons à ses camarades de classe, ce qui lui valut une étoile d'argent supplémentaire.

Ce qui l'agaçait le plus, c'était de devoir s'exercer à recevoir l'hostie. Les yeux fermés, l'esprit concentré sur le rituel, il fallait tirer la langue, et Cassie trouvait que c'était un moyen bien inélégant de recevoir le corps du Christ. Pour ne rien arranger, la gaufrette, mince et insipide, s'empressait de lui coller au palais.

Ensuite, se posa le problème des robes.

– Celle de Rosella est arrivée aujourd'hui, annonça Mary-Jo à Cassie, un soir. Tu vas voir, elle est magnifique ! Toute blanche, avec des petites broderies. Et le voile… on dirait un voile de mariée !

Cassie s'enfonça sous sa couette, les joues écarlates. Elle avait écrit à Grand-mère à plusieurs reprises à ce sujet, mais n'avait reçu aucune réponse. Chaque jour, elle attendait avec impatience la distribution du courrier. En vain. Personne ne fit de commentaire, mais Cassie était terrifiée à l'idée de n'avoir rien à se mettre quand viendrait le grand jour.

Ce fut ensuite au tour de Teresa de recevoir la sienne. Tout le monde s'extasia. Jamais Cassie n'avait vu une telle merveille de dentelles, de tulle et de petites fleurs blanches.

– Il ne reste plus que Cassie ! lança quelqu'un.

– J'aurais dû l'avoir la semaine dernière, bredouilla cette dernière, mais Grand-mère a eu quelques soucis avec le voile. Vous comprenez, elle souffre d'arthrite.

Quelques gloussements fusèrent, puis les élèves se dispersèrent pour discuter rubans et couronnes. Lorsqu'elle fut certaine que personne ne faisait attention à elle, Cassie alla s'asseoir sous l'arbre autour duquel les futures premières communiantes avaient fait la ronde. Elle avait honte. Elle avait raconté pas moins de trois mensonges d'un coup : il n'y avait pas de robe, Grand-mère ne s'escrimait pas sur le voile, et en plus, elle n'avait jamais eu le moindre rhumatisme. Elle s'allongea, par terre, et pria Dieu pour qu'il la laissât mourir.

Son désarroi ne fit qu'augmenter les jours suivants.

– Toujours rien, malheureusement, ma petite Cassie, lui dit Sœur Jeanne. Demain, peut-être ?

Cassie fixa le bout de ses chaussures sans rien dire. Elle n'avait même plus la force d'afficher un sourire courageux. Sa première communion aurait lieu dans quelques jours à peine, et la perspective d'avoir une aussi jolie toilette que les autres s'éloignait à grands pas. Elle avait écrit au moins dix fois à Grand-mère, et n'avait reçu aucune réponse.

– Peut-être que le colis s'est perdu en route, ma Sœur ?

– Mais bien sûr ! s'exclama Sœur Jeanne. Ce doit être cela. Ce sont des choses qui arrivent, tu sais. Et plus souvent qu'on ne le croit.

Cassie leva les yeux, et la religieuse vit dans ses prunelles une petite lueur d'espoir.

– Au cas où, nous allons faire une prière à saint Antoine, proposa-t-elle. N'oublie pas !

Cassie se détourna.

– Nous prierons toutes les deux ! ajouta Sœur Jeanne.

– Comptez sur moi ! répliqua la petite, avant de disparaître.

Cassie décida de prier de toutes ses forces. C'était son ultime recours.

Elle pria sans cesse pendant les deux jours qui suivirent. Le matin au réveil, entre les cours, avant d'aller jouer, pendant le repas, pendant la promenade de l'après-midi, et enfin, juste avant de s'endormir. Sans succès.

– Je mettrai ma robe bleue, soupira-t-elle.

– Sûrement pas ! rétorqua Sœur Jeanne. Puisque la tienne n'est pas encore arrivée, nous en emprunterons une pour toi. Tu feras ta première communion en blanc, ma chérie, quoi qu'il en soit.

– Je ne connais personne qui puisse m'en prêter une, ma Sœur ! gémit Cassie. Et je suis tellement petite !

– Ne t'inquiète pas, nous trouverons une solution. Et maintenant, monte vite en classe.

Cassie hésita.

– Tu vas être en retard.

Cassie resta clouée sur place.

– Qu'y a-t-il, mon enfant ? Tu l'auras, ta robe, je te le promets.

– Merci, ma Sœur, mais voyez-vous...

– Oui ?

– Eh bien... ce ne sera pas pareil que si j'en avais une à moi, vous comprenez.

Cassie dévisagea la religieuse sans ciller, puis pivota sur ses talons et s'enfuit. Sœur Jeanne la regarda s'éloigner, puis se précipita chez la Mère Supérieure.

Deux jours plus tard, juste avant la Fête de Saints-Pierre-et-Paul, la veille de la première communion, Cassie faillit s'évanouir lorsqu'on l'appela après le petit déjeuner : un colis était arrivé pour elle. Mary-Jo lui serra la main de bonheur, Maria poussa une exclamation de joie, et Cassie alla chercher le grand carton que lui tendait Sœur Jeanne. L'écriture ne ressemblait guère à celle de Grand-mère, mais peut-être que pour un paquet, c'était normal. Elle arracha le papier. De toute façon, si c'était ce qu'elle espérait, seule Grand-mère avait pu le lui adresser.

Cassie rabattit le papier de soie et écarquilla les yeux. Ses prières étaient enfin exaucées ! D'un geste cérémonieux, elle tint la robe devant elle, afin que toutes ses camarades puissent l'admirer. Un silence respectueux les enveloppa. Car la tenue de Cassie était la plus belle de toutes. Plus simple que celles de Rosella, de Teresa ou de Mary-Jo, mais... Elle était en satin. Un satin somptueux, épais, qui saisissait les rayons du soleil.

Mary-Jo la caressa comme si c'était un animal.

– Comme c'est beau ! s'extasia Cassie.

– Attention, mes petites, prévint Sœur Jeanne. Ne la tripotez pas trop. Cette étoffe doit dater d'avant la guerre, elle est précieuse. Il ne faut pas la tacher.

Cassie fouillait le carton en quête d'un mot de Grand-mère. Elle ne trouva rien. Que du papier de soie. Levant les yeux, elle rencontra le sourire de Sœur Jeanne.

– Tu peux remercier saint Antoine, ma chérie.

Cassie hocha la tête avec enthousiasme.

En remontant l'allée avec Mary-Jo, Teresa et Rosella, Cassie songea qu'elle n'avait rien vu d'aussi beau. Des centaines de bougies éclairaient la chapelle, et un parfum enivrant émanait des bouquets de fleurs blanches.

C'était comme un mariage. Habillée de blanc, son voile retenu par une couronne de minuscules roses, elle avançait sous des centaines de paires d'yeux. Elle aperçut Mme Roebuck, qui lui souriait en se tapotant les yeux avec son mouchoir. Grand-mère était à côté d'elle, mais elle était plongée dans son missel. Cassie reconnut aussi M. O'Reilly ; elle lui trouva un air soucieux. Pourvu qu'il ne soit pas souffrant.

Les quatre fillettes s'agenouillèrent à leur place, et Cassie fixa le tabernacle. Paupières closes, elle remercia Dieu de lui offrir une aussi belle journée. Puis elle ouvrit son livre de prières. Les religieuses entonnèrent l'*Ave Verum*, et Cassie lut attentivement les mots qui dansaient sur la page devant elle :

> J'irai à l'autel de Dieu...
> Dieu, qui nous donne jeunesse et bonheur.

Au fond, songea Cassie, ce n'était peut-être pas un péché mortel, d'exister.

Après la messe, les enfants coururent retrouver leurs parents. Cassie se mit en retrait dans le vestibule, à la recherche de sa grand-mère. Mme Roebuck l'aperçut, la salua de la main, puis Gina et Maria se précipitèrent vers elle.

– Tu as vu Rosella, quand elle a laissé tomber son chapelet ? s'esclaffa Maria en prenant Cassie par la main. Gina a dû fourrer son mouchoir dans sa bouche pour ne pas éclater.

Cassie sourit, mais avec peine. Elle venait de vivre l'un des moments les plus importants de sa vie, et pendant ce temps, Gina et Maria n'avaient pas arrêté de rire. Un instant, blessée, elle crut qu'elle allait fondre en larmes. Puis elle se dit qu'à leur place, elle aurait peut-être gloussé, elle aussi.

Ce fut alors qu'elle vit sa grand-mère, en grande discussion avec Sœur Jeanne.

– Je ferais mieux d'aller lui dire bonjour, murmura-t-elle à Gina et à Maria.

– N'y va pas, répliqua Gina. On dirait qu'elle va te manger.

– Je n'ai pas le choix. Il faut que je la remercie pour la robe.

Cassie s'éloigna, et Gina grogna.

– Ce n'est pas Gloria qu'elle doit remercier, confia-t-elle à sa sœur.

– Comment ça ?

– Ne sois pas idiote, Maria. *Tout le monde* sait que c'est Sœur Jeanne qui lui a confectionné sa robe.

Tout le monde, sauf Cassie. Sœur Jeanne vit la petite se rapprocher et se tourna de nouveau vers sa grand-mère.

– Mieux vaut garder le silence, madame Arbuthnot, réitéra-t-elle. La petite serait tellement déçue. Après tout, c'est son grand jour, aujourd'hui.

– Vous me recommandez de mentir, ma Sœur ? rétorqua Grand-mère. Vous voulez que je noircisse mon âme pour épargner la vanité d'une fillette ?

– Absolument pas, madame, riposta Sœur Jeanne. Et

vous le savez. Entre la vérité, le mensonge et le silence, les nuances sont grandes.

Gloria émit un son désapprobateur, mais n'insista pas.

– Bonjour, Grand-mère.

– Bonjour, mon enfant. Pour l'amour du ciel, redresse les épaules. Tu vas devenir bossue !

Cassie obéit, alors qu'elle se tenait déjà droite.

– Merci pour cette belle robe, Grand-mère. C'était la plus belle de toutes.

– Sans aucun doute, ronchonna Grand-mère. Mais que d'argent gaspillé ! Enfin, tu travailleras pendant les vacances pour me rembourser.

– Bien sûr, Grand-mère. Mais ce n'est pas du gaspillage. Je la garderai toute ma vie.

– Certainement, Cassie, intervint précipitamment Sœur Jeanne. A présent, va donc jouer avec tes amies.

Cassie rejoignit Mary-Jo, Teresa et Rosella, que M. O'Reilly était en train de photographier. Apparemment, il avait retrouvé le sourire.

Sœur Jeanne s'adressa à la grand-mère de Cassie d'un ton sévère.

– Si vous avez l'intention d'obliger Cassie à travailler pour vous rembourser la modeste somme que vous nous devez pour cette robe, madame Arbuthnot, je préfère ne rien vous demander du tout.

Grand-mère sourit intérieurement. Cela lui convenait parfaitement.

Mais Sœur Jeanne continua :

– En revanche, plutôt que d'ajouter cette somme à votre compte trimestriel, en ce genre de circonstance, il est d'usage que le parent ou le tuteur fasse une offrande à saint Antoine. Pour l'avoir aidé à trouver la solution d'un problème.

– Humph !

– Si vous le souhaitez, je citerai votre nom parmi nos généreux donateurs dans ma prochaine lettre aux familles. Disons… vingt dollars ?

Cassie et sa grand-mère furent invitées chez Mme Roebuck pour le déjeuner. Cassie s'assit au bout de la table, flanquée de Gina et de Maria. Jamais elle n'avait été aussi heureuse, en dépit des incessants froncements de sourcils et des soupirs exaspérés de Grand-mère.

– Franchement, Mirabelle Anne, vous vous êtes donné beaucoup trop de mal. L'événement ne mérite pas un tel déploiement de gâteries.

Mais personne ne l'écoutait.

Le gâteau préparé spécialement pour l'occasion par Mme Roebuck fut accueilli avec des cris de joie.

– N'en donnez pas à Cassie, intervint Grand-mère. C'est trop riche pour...

– Oh, Gloria, vous nous lassez avec vos sottises ! déclara Mme Roebuck. Chez nous, on mange toujours un Dolce Alla Piemontese le jour d'une première communion. Toujours.

Après le dessert, les hommes allèrent fumer dans le jardin en attendant le café. Mme Roebuck présenta à Cassie un joli panier en osier peint en blanc avec un gros nœud.

– Ce sont des dragées, ma chérie. Pour la chance.

Il était rempli de petits paquets en tulle. Gina et Maria aidèrent Cassie à les distribuer à tous les convives, puis toutes trois montèrent dans la chambre de Gina.

– Merci pour le cadeau, murmura Cassie en admirant la chaîne et la médaille que ses amies lui avaient offertes. C'est très beau.

– C'est de l'argent, dit Gina.

– Je sais, répondit Cassie.

– Ça a coûté très cher, renchérit Maria.

– Sûrement, acquiesça Cassie.

Gina s'installa devant la glace pour essayer différentes coiffures. Elle mit le voile et la couronne de Cassie.

– Et ta grand-mère ? s'enquit-elle soudain. Je parie qu'elle ne t'a rien donné.

– Si. Une image pieuse.

– Une image pieuse ? s'exclama Gina. Un tableau ?

– Non, non. Une image pieuse, insista Cassie, le nez baissé. Vous savez bien…

Gina et Maria se regardèrent, puis gloussèrent.

– C'est tout ?

Cassie haussa les épaules.

– Elle n'a pas beaucoup d'argent, dit-elle tout bas, en se demandant pourquoi elle éprouvait le besoin de la défendre.

– Bien sûr, bien sûr, railla Gina. Pourtant, elle va tous les quatre matins chez le coiffeur. En tout cas, c'est ce que dit notre grand-mère.

– C'est vrai, concéda Cassie. Il faut bien qu'elle prenne un peu l'air… Elle me donnera peut-être autre chose, ajouta-t-elle, sans conviction.

Bientôt, il fallut regagner le couvent. Lorsque les fillettes redescendirent, Grand-mère était encore là, à demi assoupie dans son fauteuil, tandis que d'autres femmes débarrassaient la table autour d'elle. Cassie passa sur la pointe des pieds dans l'espoir qu'elle ne se réveillerait pas. Pas de chance. A l'instant où elle atteignait la porte, Grand-mère l'interpella.

– Tu t'en vas sans me dire au revoir ?

– Non, non, Grand-mère. Au revoir.

– Tu n'as rien oublié ?

Cassie fronça les sourcils, perplexe.

– Je ne crois pas, non.

– Tu ne m'as pas remerciée pour ton cadeau.

– Si ! protesta Cassie.

– Je ne m'en souviens pas. Alors ?

– Merci pour mon cadeau, Grand-mère.

– Décidément, de nos jours, les enfants…

Elle croisa les bras et se cala contre son coussin, sous le regard désespéré de Mme Roebuck.

– Viens, petite. T'a-t-on dit combien tu étais ravissante, aujourd'hui ? murmura-t-elle en prenant Cassie par la main.

Assise entre Gina et Maria sur la banquette arrière, Cassie chanta à tue-tête avec elles une chanson qu'elles avaient entendue à la radio. Mme Roebuck éclata de rire et maintint le rythme en tapant sur le volant. Elle les obligea à répéter les paroles jusqu'à ce qu'elle les connaisse aussi par cœur.

La main dans sa poche, Cassie chanta à s'en briser la voix. Ses doigts se resserrèrent sur l'image pieuse que lui avait remise sa grand-mère. Au moment où la voiture s'arrêtait devant le couvent, sans que personne s'en aperçoive, elle la roula en boule et la coinça dans le dossier du siège.

Elle venait de vivre le plus beau jour de sa vie.

Malgré Grand-mère.

3

1949

Cassie et Mary-Jo étaient toujours prêtes les premières à se coucher, et ce pour une bonne raison. Cela leur permettait d'être avant tout le monde dans la salle de bains, et de profiter d'un lavabo propre et brillant.

Une fois dans leur lit, elles bavardaient, échangeant leurs idées sur un sujet qui les passionnait toutes les deux. Les chevaux.

– Parle-moi de ton poulain, je t'en supplie ! attaquait Cassie, chaque soir.

– Je t'ai déjà expliqué : il est marron. Il a de grandes taches noires autour des yeux.

Après l'extinction des feux, Cassie fixait l'obscurité en essayant d'imaginer combien ce devait être merveilleux de posséder un cheval. Surtout un poulain. Surtout un poulain marron avec des taches noires autour des yeux.

Un jour, la mère de Mary-Jo lui avait envoyé la photo du nouveau-né en lui proposant de lui trouver un nom. Cassie et Mary-Jo profitèrent de chaque instant de liberté pour se gratter la tête. En vain.

Puis, un soir, longtemps après l'heure du coucher, Mary-Jo se pencha vers le lit de Cassie.

– Prince, chuchota-t-elle.

– Tu crois ? murmura Cassie en se hissant sur un coude.

– Oui. Ce nom lui va comme un gant. Nous avons perdu trop de temps. Il s'appellera Prince.

Cassie remonta sa couette sous son menton. Prince. Mary-Jo allait baptiser son poulain Prince. Et c'était elle, Cassie, qui le lui avait suggéré. Un sentiment de bonheur la submergea, comme s'il lui appartenait désormais un peu.

Un dimanche, à son retour d'une journée passée en famille, Cassie remarqua que Mary-Jo ne se servait que d'une main. Elle l'observa avec curiosité.

– Tu t'es fait mal, Mary-Jo ?

– Bien sûr que non ! C'est juste que je ne veux plus jamais toucher à cette main.

– Pourquoi ?

– Parce que Prince l'a léchée. Ensuite, je l'ai caressé longtemps. Pour que tu puisses sentir son odeur.

Mary-Jo tendit le bras dans le noir, et Cassie huma respectueusement.

– Oui…

– Tu ne peux pas savoir comme il est beau, Cassie !

– Je donnerais n'importe quoi pour le voir.

– Ça ne devrait pas être très compliqué, tu sais. Maman a dit que tu pouvais venir chez nous quand tu voulais.

Cassie resta silencieuse. Elle craignait d'avoir mal entendu.

– Alors ? souffla Mary-Jo.

– Je… Ce serait merveilleux.

– C'est vrai ! Maman va écrire à ta grand-mère pour t'inviter.

– Ta mère est un ange, murmura Cassie.

– C'est vrai. Bonne nuit.

Mary-Jo se tourna sur le côté, plaça sa main le plus près possible de son visage, et sombra dans un sommeil bienheureux. Cassie contempla le plafond en songeant à l'aventure qu'elle allait bientôt vivre.

Elle se demanda aussi comment faire pour obtenir la permission de Grand-mère. A part le couvent, elle n'était jamais partie de chez elle, sauf une nuit, chez Mme Roebuck. Cette fois, cependant, elle lui tiendrait tête. Elle trouverait le moyen d'aller chez Mary-Jo, même si pour cela elle devait fuguer. Pour rien au monde elle ne passerait tout son été enfermée dans la maison oppressante de Grand-mère, sans voir personne. Gina et Maria viendraient sûrement chez Mme Roebuck, mais le reste du temps, elles seraient avec leurs parents. Comme la plupart des enfants normaux. Pourquoi n'avait-elle pas un papa et une maman ? Pourquoi était-elle seule avec Grand-mère ? Quel péché avait-elle commis pour que Dieu la punisse ainsi ?

Incapable de trouver le sommeil, Cassie se tourna et se retourna dans son lit. L'invitation de Mary-Jo la rendait plus consciente encore de sa misérable existence. Elle craignait que Grand-mère ne l'empêche de partir. Elle finit par s'endormir, en larmes.

Ce fut Mme Roebuck qui vint la chercher au couvent à la fin du trimestre, ainsi que ses petites-filles. La grand-mère de Cassie était partie jouer au bridge à Rochester et ne serait de retour que dans la soirée. Elle avait donc délégué à sa voisine le soin de récupérer Cassie. Les autres fillettes auraient été tristes de ne pas voir arriver un proche. Pas Cassie. Elle eut du mal à cacher sa joie. Mme Roebuck aussi.

– Tu restes avec nous jusqu'à ce que Gloria rentre. Je vous ai préparé un bon gâteau aux noix.

Les trois filles sautèrent de joie, puis, arrachant leurs vêtements, se précipitèrent dans le jardin. Enfin les vacances ! Il ne fallut que quelques minutes pour mettre en route le tuyau d'arrosage. Cris et rires résonnèrent tout l'après-midi, jusqu'au moment du goûter, après quoi elles s'écroulèrent devant la radio.

Lorsque Grand-mère arriva, les trois filles prenaient un bain. Mme Roebuck avait préparé un lit pour Cassie.

Grand-mère l'emmena immédiatement. Il était hors de question que Cassie dorme là. Surtout le premier jour des vacances.

Le lendemain au petit déjeuner, Grand-mère s'adressa à Cassie après avoir longuement examiné son bulletin.

– C'est extraordinaire, commenta-t-elle en roulant sa serviette. Les Sœurs semblent ne te trouver aucun défaut. Oui, vraiment, c'est incroyable.

Cassie resta immobile, sans rien dire. Au couvent, les élèves avaient le droit de bavarder pendant les repas, de courir dehors, de s'amuser. Ici, chez Grand-mère, il fallait être tranquille et silencieuse.

– J'ai du mal à comprendre, reprit Grand-mère. Si ton comportement est irréprochable à l'école, pourquoi es-tu aussi pénible à la maison ?

– Je ne sais pas, Grand-mère. Je peux quitter la table, s'il te plaît ?

– Non. Pas avant que je ne t'en donne la permission.

L'épreuve se prolongea donc un quart d'heure, Grand-mère relisant pour la dixième fois le carnet de Cassie, avec force soupirs.

Un peu plus tard, réfugiée dans sa chambre, Cassie s'assit par terre pour regarder le livre sur les chevaux que lui avait prêté Mary-Jo. C'était un ouvrage magnifique, encore plus beau que celui de M. O'Reilly sur les chiens. Brusquement, la porte s'ouvrit.

– Ah, te voilà ! Tu ne m'as pas entendue t'appeler ?

– Je lisais.

– Quoi ? Qu'est-ce que tu lis, encore ?

Cassie posa le volume et tenta de le pousser sous le lit.

– Une amie me l'a prêté.

– Montre-le-moi immédiatement.

Cassie obéit. Grand-mère fixa la couverture comme si l'image était profondément choquante. Elle parcourut les premières pages.

– Ça change de ce livre ridicule sur les chiens.

– Ce n'était pas un livre ridicule ! protesta Cassie.

– Comment ça « ce n'était pas » ? Ce « n'était pas » un livre ridicule ? Tu ne l'as pas perdu ou donné, j'espère ?

Cassie regarda sa grand-mère droit dans les yeux.

– Si. Je l'ai donné aux Sœurs pour qu'elles le vendent. Pour les bébés africains.

Grand-mère jeta l'ouvrage sur le lit.

– Tu me racontes encore des histoires. Tu as donné le livre que M. O'Reilly t'avait offert ? Pour les bébés africains ?

– Parfaitement.

– Ce livre superbe, qu'il t'avait offert, lui qui n'en avait certainement pas les moyens, poursuivit Grand-mère en allant se planter devant la fenêtre. C'est honteux ! Attends un peu qu'il l'apprenne !

– Ce livre m'appartenait, Grand-mère, argua Cassie. M. O'Reilly me l'avait donné. Et les Sœurs nous ont dit que…

– Je me fiche de ce qu'elles ont dit, ma fille ! Tu n'as pas à donner ce qui t'appartient, surtout si ça ne t'appartient pas véritablement !

Cassie fronça les sourcils, perplexe.

– Il était à moi, ce livre.

– Non ! rugit Grand-mère. Et je t'interdis d'élever le ton. Tu vas rester ici pendant que je vais trouver M. O'Reilly. Qui sait s'il n'aurait pas voulu un jour récupérer ce volume ?

Sur ce, Grand-mère pivota sur ses talons, sortit, claqua la porte et la verrouilla. Cassie alla jusqu'à la fenêtre, d'où elle vit Gloria s'éloigner au pas de charge en direction de la demeure de M. O'Reilly. Il était en train d'arroser son jardin. Cassie alla se cacher près de son lit.

Peut-être que Grand-mère avait raison. Peut-être que ce n'était qu'un prêt ? Cassie avait beau essayer de s'en souvenir, elle ne se rappelait pas l'avoir entendu dire que ce livre était pour elle. « Tiens, c'est pour toi, Cassie », avait-il dit. Mais il n'avait pas précisé « pour toujours ».

Pourquoi l'avait-elle donné ? Elle en possédait si peu. Elle l'avait donné, parce qu'elle n'avait pas d'argent. Quand Sœur Jeanne avait sollicité la générosité des élèves, Cassie s'était levée spontanément pour lui remettre sa donation. Sœur Jeanne l'avait félicitée.

Peut-être était-ce là l'explication de son geste. Elle voulait l'approbation de Sœur Jeanne. A présent, son sacrifice lui paraissait bête et inutile. Surtout si M. O'Reilly allait s'en offenser.

Au bout d'un long moment, Grand-mère revint. Cassie l'entendit gravir l'escalier et tourner la clé dans la serrure. Elle apparut avec un demi-sourire, comme toujours lorsqu'elle avait trouvé encore un moyen de blesser Cassie.

– Eh bien ! lança-t-elle. M. O'Reilly est profondément attristé. Voilà. Toutes mes félicitations.

– Qu'est-ce qu'il a dit, Grand-mère ?

– Rien, mon enfant, mais j'ai bien vu dans son regard qu'il souffrait.

Cassie se recroquevilla sur elle-même.

– Debout ! ordonna Grand-mère. Lève-toi tout de suite et dis-moi la vérité. Pourquoi as-tu donné le livre de M. O'Reilly ? Ne me mens pas, ne me raconte pas d'histoires. Pourquoi ?

Cassie la contempla, vibrante de colère.

– J'attends !

– Je l'ai donné parce que je l'aimais, Grand-mère.

– Ne dis pas de bêtises !

– C'est la vérité, Grand-mère. Je l'ai donné parce que je l'aimais.

– Pas du tout ! Je vais te dire pourquoi tu l'as donné ! Pour te faire remarquer ! Pour faire comme si tu étais une petite fille intelligente et riche ! Qui a les moyens de donner un livre. Un livre qui ne lui appartient pas !

Cassie fixa le plancher, terrorisée. Grand-mère sortit, et elle crut un moment que l'orage était passé. L'illusion fut de courte durée. Une minute plus tard, Grand-mère revenait, munie d'un pot de chambre qu'elle plaça dans l'armoire à côté du lit de Cassie.

– Tu resteras là jusqu'à la fin de la semaine, annonça-t-elle, avant de l'enfermer à double tour.

Cassie resta piquée au milieu de la pièce, envahie par un torrent d'émotions confuses. Elle alla à la fenêtre. Dehors, les enfants du voisinage jouaient. Cassie eut un mouvement de recul. A cet instant, si l'unique fenêtre n'avait pas été protégée par d'épais barreaux, elle aurait sauté.

Lorsqu'elle autorisa enfin Cassie à quitter sa chambre, Grand-mère était presque gaie. Cassie n'était pas aussi pure que semblaient le croire les Sœurs. La preuve, l'incident du « magnifique livre de M. O'Reilly ». A Cassie de se faire pardonner. Et de rembourser le don que Grand-mère avait été forcée de verser à saint Antoine.

Cassie devint une véritable esclave. Elle dut monter et descendre les escaliers des dizaines de fois par jour. Chercher des lunettes, des cachets, des livres, encore des lunettes, encore des cachets, encore des livres. Aller à la poste, chez le boulanger, chez le boucher, chez l'épicier. Balayer le trottoir devant la maison. Elle n'avait pas un instant à elle.

Le soir, une fois toutes ces tâches accomplies, Cassie rêvait d'être de nouveau au pensionnat, parmi ses amies. Secouée de sanglots, elle se mettait à sa fenêtre et observait les enfants qui jouaient dehors. Elle ne s'était pas rendu compte, avant d'entrer au couvent, combien elle souffrait de sa solitude. Désormais, elle ne pensait qu'à cela.

Un matin, en rapportant le courrier, Cassie remarqua une lettre adressée à Grand-mère, en provenance de Locksfield, en Pennsylvanie. Le cœur de Cassie se mit à battre follement. C'était là qu'habitait Mary-Jo. Elle s'empressa de chasser ses espoirs de son esprit, de peur que Grand-mère, déjà assise à la table du petit déjeuner, ne les devine.

– Je me demande qui cela peut bien être, murmura Grand-mère.

Cassie garda les yeux rivés sur son assiette.

Grand-mère lut la lettre une fois, puis deux, puis trois. Elle la posa délicatement devant elle et observa Cassie par-dessus ses lunettes.

– Cette amie, Mary-Jo, commença-t-elle.

Cassie compta jusqu'à cinq avant de lever les yeux.

– Oui, Grand-mère ?

– Sa mère t'invite à passer quelques jours chez eux. A Locksfield, en Pennsylvanie. Je me demande bien où cela peut être.

Cassie se garda de montrer son émotion. La moindre manifestation d'enthousiasme suffirait à irriter Grand-mère, qui refuserait tout net. Trop coûteux. Trop compliqué à organiser. Trop loin. Cassie était trop jeune pour voyager seule… les arguments ne manqueraient pas. Aussi, Cassie resta impassible.

– Je suppose que tu as envie d'y aller ?

– Pas spécialement, répondit Cassie, d'un ton aussi calme que possible.

Grand-mère la dévisagea longuement.

– Pas spécialement ? Je croyais que cette… Mary-Jo… était ta meilleure amie ?

– Elle l'était. Il y a très longtemps.

– Dans ce cas, pourquoi sa mère propose-t-elle de te recevoir ?

Cassie croisa les doigts sous la table et pria son ange gardien pour qu'il lui pardonne ses mensonges présents et à venir.

– Sans doute parce que Mary-Jo veut encore être mon amie.

Cette réponse produisit l'effet désiré. Grand-mère ôta ses lunettes et lui lança un regard noir.

– Tu n'es qu'une enfant gâtée et ingrate ! D'abord tu te

plains d'être toujours toute seule, et le jour où on t'invite, tu hausses les épaules en disant « pas spécialement ». Décidément, je ne te comprendrai jamais. Ton égoïsme me dépasse.

Cassie ne bougea pas.

– « Pas spécialement », « pas spécialement », répéta Grand-mère, outrée. Tu vas monter dans ta chambre et…

Cassie ne put s'empêcher de se redresser : la partie était-elle gagnée ou perdue ?

– Tu vas monter dans ta chambre immédiatement et répondre à la lettre de la mère de Mary-Jo. Tu la remercieras et tu lui diras que tu seras enchantée d'y aller le temps qu'elle voudra bien te recevoir.

Cassie se mordit l'intérieur de la joue pour ne pas sourire.

– Mais Grand-mère…

– Il n'y a pas de « mais » ! Dépêche-toi, et remercie le ciel d'avoir des amies en dépit de ton sale caractère ! Tu me montreras d'abord un brouillon. Et quand tu l'auras recopié au stylo, je vérifierai les fautes d'orthographe. Je ne tiens pas à ce que la mère de Mary-Jo te prenne pour une ignorante !

Sur ces mots, Grand-mère alla lire son journal. Cassie se réfugia, avec bonheur, pour une fois, dans sa chambre. Elle allait bientôt revoir Mary-Jo. Mary-Jo, et Prince.

Cassie achevait de remplir sa valise quand sa grand-mère entra dans la chambre. Avant que la fillette n'ait eu le temps de la cacher sous sa chemise de nuit, elle aperçut la boîte, sur le lit.

– Qu'est-ce que c'est que ça ?

– Rien. Un cadeau pour Mary-Jo.

– Ah ! Parce que maintenant, tu achètes des choses pour les filles que tu n'apprécies pas spécialement ? rétorqua Gloria en sortant du papier de soie une figurine en porcelaine représentant un cheval. Il ne t'est jamais venu à l'esprit de m'offrir quoi que ce soit, il me semble.

Cassie se mordit la lèvre et se remit à la tâche. Non, en effet, cela ne lui était jamais venu à l'esprit. Elle ne pouvait affirmer le contraire. A Noël ou pour son anniversaire, par sens du devoir, elle lui présentait un objet qu'elle avait confectionné elle-même, puisqu'elle n'avait pas d'argent. Grand-mère les dédaignait très vite.

– Tu peux avoir ce bibelot, si tu veux, Grand-mère.

– Ne dis pas de bêtises, mon enfant. Tu sais combien j'ai horreur des chevaux.

Gloria le remit n'importe comment dans la boîte et laissa tomber le tout sur le lit. Cassie s'en empara pour le remballer avec amour.

– Où as-tu trouvé de quoi acheter ce truc ? J'espère que tu ne l'as pas pris dans mon sac.

– C'est tout ce que j'ai économisé en allant acheter le pain, répliqua Cassie. Tu m'as dit que je pouvais garder la monnaie. C'est ce que j'ai fait. Depuis l'été dernier.

– Et tu as tout gaspillé pour une babiole.

Cassie ne dit rien. Elle plaça le précieux petit paquet dans son bagage. Elle s'apprêtait à le fermer, quand Grand-mère la poussa de côté.

– Attends un peu que je voie ce que tu as mis là-dedans. Il n'est pas question que tu t'en ailles avec une valise en désordre.

Grand-mère y plongea les deux mains, mettant sens dessus dessous tout ce que Cassie avait soigneusement plié. Puis, d'un geste brusque, elle renversa le tas de vêtements par terre.

– Recommence ! gronda-t-elle avant de sortir.

Elles se rendirent à la gare en taxi, ce qui, aux yeux de Cassie, était un véritable luxe.

– Je vais te manquer ? s'enquit subitement Gloria.

Cassie fronça les sourcils. Sa grand-mère ne lui posait pratiquement jamais ce genre de question.

– Oui, mentit-elle.

– Mais non ! Je ne te manquerai pas une seconde.

Grand-mère lança à Cassie un regard accusateur.

– Je ne te manque pas, quand tu es au pensionnat, enchaîna-t-elle. Quand tu daignes m'écrire, c'est uniquement pour me raconter les histoires de tes copines. Jamais tu ne dis que je te manque.

Le chauffeur, qui les observait par le rétroviseur, adressa un clin d'œil à la petite. Elle baissa le nez, de peur que Grand-mère ne la voie sourire.

– Tu devrais penser un peu moins à toi, ma fille. Tu devrais te rendre compte à quel point tu es un fardeau pour moi. Tu ne t'imagines pas ce que c'est que d'avoir eu à t'élever toute seule après la mort de tes parents. Je n'ai jamais aimé les enfants.

De nouveau, Cassie rencontra le regard du chauffeur. Cette fois, il loucha. Cassie dut se mordre la lèvre pour ne pas exploser de rire.

– Tu le regretteras, plus tard, assena Grand-mère. Quand je serai morte et enterrée. Tu auras des remords de ne pas m'avoir offert des fleurs et remerciée pour tout ce que j'ai fait pour toi.

Cassie plissa le front en se demandant pourquoi Grand-mère lui disait tout cela, surtout aujourd'hui, alors qu'elle s'apprêtait à partir pour la première fois en vacances chez sa meilleure amie. Gloria souffla, porta une main à son cœur, toussota. Cassie se tourna vers la fenêtre et pensa à Prince et à ses naseaux, qui, d'après Mary-Jo, étaient doux comme du velours.

Le train était bondé. Coincée entre deux vieilles filles corpulentes, Cassie regarda défiler le paysage avec émerveillement. Elle n'avait jamais quitté Westboro Falls, sinon pour aller au couvent, à une cinquantaine de kilomètres de là. Les dames qui l'entouraient s'occupèrent d'elle, lui demandèrent avec un intérêt non dissimulé où elle allait. Cassie leur parla de Prince. Contrairement à Grand-mère, elles réagirent avec enthousiasme.

Vers midi, elles se levèrent pour aller au wagon-restaurant. Elles proposèrent à la fillette de les accompagner, mais Cassie déclina poliment l'invitation : Mme Roebuck, la voisine d'en face, lui avait préparé un pique-nique somptueux.

Elle le déploya sur ses genoux. Grand-mère lui avait recommandé de manger le plus tard possible, pour être certaine de ne pas avoir faim avant la fin du voyage. Elle attendit donc encore un moment, ignorant les protestations de son estomac, tant et si bien qu'elle avait à peine terminé lorsque le train arriva à Locksfield.

La gare, minuscule, paraissait posée en plein milieu d'un paysage de collines ondoyantes. Seules, six ou sept personnes se trouvaient sur le quai. Cassie chercha Mary-Jo, en vain. Les autres passagers ayant rejoint leurs amis ou leurs proches, la fillette se retrouva bientôt toute seule avec sa valise.

Le porteur l'aperçut, remonta sa casquette, s'approcha en grognant. Pourvu que ce ne soit pas encore une enfant descendue au mauvais arrêt.

– Tu es sûre d'être au bon endroit, petite ?

– Nous sommes bien à Locksfield, en Pennsylvanie, n'est-ce pas ? répondit Cassie, le regard anxieux.

– Absolument. Sais-tu qui doit venir te chercher ?

– Oui. Mary-Jo Christiansen et sa mère.

Le porteur rit aux éclats et prit Cassie par la main.

– Dans ce cas, tu as tout le temps de venir avec moi et de boire un soda bien frais ! Les Christiansen sont *toujours* en retard. Quand ils n'oublient pas complètement leur rendez-vous.

Il entraîna Cassie jusqu'au bureau, où il la fit asseoir devant le ventilateur électrique avant de lui verser une limonade.

– S'ils n'arrivent pas d'ici la semaine prochaine, je leur téléphonerai, promit-il en riant.

Cassie sourit. Par la fenêtre, elle contempla une ferme, au loin, parmi les champs de blé bercés par la brise.

Soudain, tout au bout de la route étroite, elle aperçut un nuage de poussière, qui semblait se rapprocher à toute allure. Elle se mit debout. Le porteur vint vers elle.

– On dirait que tes amis ont pensé à toi, déclara-t-il d'un ton taquin. Une fois, l'été dernier, ils se sont présentés le lendemain !

Cassie rit avec lui et sortit en courant de la gare, une main sur son chapeau pour qu'il ne s'envole pas. Un break pénétra dans la cour, toutes vitres baissées. Cassie agita la main en reconnaissant enfin Mary-Jo, parmi une nuée d'autres enfants. La voiture s'immobilisa, et tout le monde sauta à terre.

Ce fut l'un des frères de Mary-Jo qui rejoignit Cassie le premier. Il lui sourit timidement en tortillant sa casquette entre ses mains. Mary-Jo apparut ensuite, le poussa de côté, saisit Cassie par le bras.

– Salut ! Désolée, on est un peu en retard, mais il a fallu aller chercher de la nourriture pour les chevaux.

Mary-Jo ordonna à son frère de ramasser la valise de Cassie et emmena son amie jusqu'à la voiture.

Au volant, une très jolie femme la salua.

– Bonjour, Cassie. Je suis la maman de Mary-Jo.

Cassie lui tendit la main.

– Très heureuse de vous rencontrer, madame.

– Le voyage s'est bien passé ?

– Oui, merci.

– Allez ! Monte vite, sans quoi, tu risques d'avoir à courir derrière nous.

Cassie passa par une portière, tandis que Mary-Jo et son frère se hissaient par les vitres baissées. Trop habillée comme toujours, Cassie eut l'impression d'être une mémé, parmi tous ces enfants rieurs, en jean et en chemises à carreaux.

– Enlève ton manteau, ordonna Mary-Jo. Tu vas bouillir.

Cassie ne se fit pas prier. Elle roula ses chaussettes en laine, tandis que la mère de Mary-Jo appuyait sur l'accélérateur. On se bouscula dans les rires et les cris. Cassie se remit d'aplomb, remonta les manches de sa robe, arracha les rubans de ses cheveux.

– Comment va Prince ?

– Il est énorme !

Le break bifurqua à vive allure dans une allée en terre battue qui traversait un vaste champ de maïs. Au bout de quelques kilomètres, ils arrivèrent devant une grande maison de ferme peinte en blanc, entourée de granges et d'écuries. Une horde de chiens de toutes formes et de toutes tailles se rua vers la voiture.

Aussitôt, Cassie fut entraînée vers la grange qui servait de dortoir pour les enfants et leurs amis durant les mois d'été. Le rez-de-chaussée était une immense salle de jeux, tandis qu'au premier s'alignaient des lits superposés. Mary-Jo ouvrit la valise de Cassie, en quête d'une tenue mieux appropriée.

– Toutes ces robes et ces jupes, ça ne va pas du tout, constata Mary-Jo. Il te faut un jean.

Elle se précipita vers une armoire, et Cassie la suivit docilement. Une montagne de pantalons et de chemises tomba sur elles. Les vêtements étaient vieux et rapiécés, mais ils étaient propres et sentaient bon l'adoucissant.

Mary-Jo sélectionna un jean et le maintint devant Cassie, puis choisit un chemisier à carreaux bleus.

– Là. Ça devrait aller.

– Je peux monter à cheval avec ça ? demanda Cassie, les yeux brillants.

– Tu peux faire ce que tu veux, même dormir avec, si ça te chante.

Cassie repartit vers le dortoir, ramassa les habits que Grand-mère l'avait forcée à prendre, les fourra dans sa valise, puis chercha désespérément un endroit où la cacher.

– Sous le lit, lui conseilla Mary-Jo. Tu ne t'en serviras pas.

Cassie se rappela alors qu'elle avait oublié quelque chose. Elle se pencha pour sortir la petite boîte.

– Tiens, c'est pour toi.

Pendant que Mary-Jo ouvrait son cadeau, Cassie se changea.

– Oh, Cassie, tu ne vas jamais me croire, mais on dirait vraiment Prince !

La fillette sourit et se concentra sur la ceinture de son jean. Elles ne s'embrassaient jamais, de peur de paraître « nouilles » comme auraient dit les frères de Mary-Jo. Mais d'après l'expression de son visage, Cassie sut que son amie était touchée.

Elles descendirent au pas de course profiter du soleil de la fin de l'après-midi. Une sensation de bonheur immense submergea Cassie. Ici, tout se passait dans la simplicité, en accord avec la nature. On était libre, heureux de vivre.

Cassie ralentit en reconnaissant le poulain, auprès de sa mère. Mary-Jo l'appela. Il hennit, puis, intrigué, s'approcha de la barrière.

– Bonjour, Prince, murmura Cassie.

– N'est-ce pas qu'il est magnifique ? N'est-ce pas le plus beau poulain que tu aies jamais vu ?

Ce n'était pas difficile pour Cassie de le confirmer, puisque c'était la première fois qu'elle en voyait un en chair et en os.

– Viens dans l'enclos. Prince n'aura pas peur. Bella non plus. C'est sa mère.

Imitant son amie, Cassie se glissa entre les barreaux, arracha une poignée d'herbe fraîche et la tint devant elle. Prince vint jusqu'à elles, baissa la tête et souffla. L'herbe s'éparpilla. Elles en ramassèrent encore, et Prince recommença. Mary-Jo rit aux éclats.

Elle le saisit par l'encolure, pour que Cassie puisse le caresser. Il était tout doux. Le poulain voulut se dégager, et bouscula Cassie, qui l'effleura de nouveau, enchantée.

– Il est vraiment splendide, Mary-Jo.

– S'il lui arrivait malheur, je me tuerais.

– Moi aussi.

Elles se serrèrent la main pour sceller ce pacte.

Mme Christiansen était moins fine cuisinière que Mme Roebuck, mais cela n'avait guère d'importance. Les enfants étaient tellement affamés après une longue journée en plein air qu'ils auraient dévoré n'importe quoi. Le repas fut simple et abondant. Tous les produits venaient de la ferme. On avait le droit de parler en mangeant, et de mettre ses coudes sur la table.

Cassie scruta tous ces visages basanés autour d'elle. Elle n'avait aucun mal à reconnaître les frères de Mary-Jo : ils avaient tous les mêmes yeux bleus, le même nez criblé de taches de rousseur, la même gravité d'expression. Les autres étaient des cousins, des enfants d'amis et de voisins. Cassie essaya de les compter. Elle en était au numéro neuf, quand son assiette lui fut enlevée. On lui donna une pomme et un gâteau.

– Venez, les filles ! lança Frank, l'aîné des frères Christiansen. On va jouer dans la grange.

Comme les autres, Cassie enjamba le long banc sur lequel ils étaient assis, s'empara de son dessert, et sortit en courant. Quel bonheur de ne pas être obligée de rester sans bouger jusqu'à la fin du dîner. De ne pas avoir à demander à quitter la table. De ne pas avoir à manger ce qu'on n'aimait pas.

Un peu plus tard, Cassie se coucha, enivrée de joie. Grand-mère, sa cruauté, sa maison trop grande et trop sombre lui paraissaient bien loin. Le visage de Mary-Jo apparut, à l'envers, du lit du dessus.

– A quelle heure veux-tu te lever demain ?

– Comme toi.

– Disons cinq heures, décida Mary-Jo. Avant tout le monde. Je mets le réveil sous mon oreiller.

Cependant, elles étaient toutes deux tellement épuisées qu'elles n'entendirent pas la sonnerie et ne réussirent à émerger qu'après six heures. Malgré cela, elles étaient les premières debout, et elles en profitèrent pour contempler le lever du soleil. Bientôt, la fraîcheur matinale se dissiperait, les gouttelettes de rosée disparaîtraient, la poussière se mettrait à tourbillonner.

– On va voir Prince ? proposa Mary-Jo.

– D'accord. Et sur le chemin, tu seras Monarch, moi, Rainbow.

Elles poursuivirent ce jeu toute la semaine, sauf lorsque Cassie apprenait à monter le poney du même nom. Jour après jour, Mary-Jo ou sa mère lui enseignèrent les rudiments de l'équitation dans le manège.

Par moments, au trot, lorsqu'elle rebondissait sur sa monture en s'accrochant désespérément au pommeau de sa selle, Cassie songeait que c'était plus facile de faire semblant d'être un cheval que de le monter. Mais elle s'acharna, malgré les chutes et les bobos.

Au moment du bain, elle examinait ses bleus avec une certaine fierté. Plus le temps passait, plus elle prenait confiance en elle, moins elle commettait de fautes. Au bout de la deuxième semaine, Cassie eut droit à sa première promenade.

Un matin, en revenant de leur balade, les deux amies découvrirent un oiseau blessé dans la grange. Apparemment, il avait l'aile cassée. Aussitôt, Mary-Jo alla chercher le panier à linge, qui servait systématiquement d'hôpital pour les animaux malades ou abandonnés. Ensemble, elles couchèrent l'oiseau sur un nid de coton. Ensuite, chacune son tour, elles veillèrent sur lui, lui donnèrent à manger ou à boire. Elles restèrent auprès de lui toute la nuit. En vain, malheureusement.

Cassie fondit en larmes.

– Nous avons fait tout ce que nous avons pu, tu sais, Cassie, la rassura Mary-Jo. Ils survivent rarement, quand ils ont l'aile cassée.

– C'est vrai, renchérit Mme Christiansen. Nous en avons sauvé un ou deux, mais c'est l'exception plutôt que la règle.

En lui creusant sa tombe minuscule, Cassie continuait de se faire des reproches. Peut-être qu'elles avaient eu tort de le nourrir de vers de terre ? Et le lait était-il à la bonne température ? Mary-Jo déposa délicatement l'oiseau mort dans une boîte à savon qui sentait encore bon la lavande. Cassie cueillit quelques fleurs.

– Mon Dieu, accordez à cet oiseau le repos éternel, prononça Mary-Jo.

– Amen, dit Cassie.

En rang d'oignons sur la barrière, les garçons les observaient. Après avoir recouvert le « cercueil » de terre, Mary-Jo confectionna une croix à l'aide de deux bâtons. Elle la planta fermement, puis les deux fillettes fermèrent les yeux et prièrent pour l'âme du moineau.

– Samedi, il y aura une grande fête, déclara Mme Christiansen, le soir même, au dîner.

Toutes les têtes se tournèrent vers elle.

– Vous êtes tous cordialement invités à un bal dans la grange. Il y aura des jeux, bien sûr, et un concours de déguisements. Cette année, le gagnant aura une récompense très spéciale.

Au moment de se coucher, Mary-Jo expliqua à Cassie que cette manifestation avait lieu tous les ans après la moisson. Tous les voisins étaient conviés, et on s'amusait comme des fous. Le prix du concours de déguisements valait d'être gagné, grâce à la générosité du père de Mary-Jo, que Cassie avait à peine vu, tant il était occupé par son travail. Selon les rumeurs, il s'agissait cette fois d'un poney…

– Ce n'est pas Rainbow, par hasard ? demanda Cassie.

– Aucune idée, répondit Mary-Jo. De toute façon, je suis liée par le secret.

Cassie se glissa sous sa couette et s'imagina qu'elle gagnait Rainbow. Dans ce cas, elle le donnerait sans doute à Mary-Jo et le monterait quand elle reviendrait. Si elle revenait un jour. Ce qui était sûr, c'est qu'elle ne pourrait jamais en parler à Grand-mère.

Elle se tourna sur le côté, vers la fenêtre. Non. Si elle le gagnait, ce qui était d'ailleurs impossible, elle le vendrait et donnerait tout l'argent aux œuvres de charité de Sœur Josepha. Elle se mit sur l'autre côté. Non. Elle ne pourrait pas. Elle s'allongea sur le dos. De toute façon, ce n'était pas elle qui gagnerait, alors pourquoi s'en inquiéter ? Quoique, si jamais...

Le reste de la semaine fut consacré aux préparatifs. On se cacha beaucoup, de peur de dévoiler son costume, tout en échangeant des indices au cours des repas, au cas où deux personnes auraient eu la même idée. Cassie, elle, avait décidé qu'elle serait l'homme de paille du *Magicien d'Oz*. C'était le seul film qu'elle avait vu au cinéma, avec Gina, Maria et Mme Roebuck, et elle en connaissait toutes les chansons par cœur.

Avec l'aide du père de Mary-Jo, qui, la moisson terminée, avait plus de temps à leur consacrer, Cassie fabriqua son accoutrement. Ce ne fut pas très compliqué : la paille ne manquait pas. Deux jours avant la fête, alors qu'elle s'était levée très tôt pour travailler dessus, elle surprit M. et Mme Christiansen, déjà à l'ouvrage. Elle se cacha dans l'ombre. Mme Christiansen adressa un sourire à son mari et lui chuchota quelque chose. Il sourit à son tour, se coiffa d'un drôle de chapeau, prit la mère de Mary-Jo dans ses bras, et la fit danser quelques secondes. Puis il s'arrêta et l'embrassa. Le baiser dura une éternité. Cassie s'éclipsa discrètement.

Elle se rendit à l'enclos et siffla Prince. Les deux amies avaient passé des heures à lui apprendre à venir quand on l'appelait. Il arriva en trottinant. Assise sur la barrière, Cassie lui caressa le chanfrein, tandis qu'il lui mordillait le pied. Elle rit, le repoussa. Prince écarta les lèvres en une sorte de sourire. Cassie soupira. Elle ne gagnerait peut-être pas le concours samedi soir, mais un jour, elle aurait un cheval pour elle toute seule.

Rassurée par cette perspective, elle repartit en courant

vers la maison. On sonnait la cloche pour le petit déjeuner. Elle se rua dans la cuisine. S'immobilisa. Elle sut tout de suite ce que c'était, avant même d'avoir reconnu l'écriture tremblante sur l'enveloppe bleue. Une lettre de Grand-mère.

4

Cassie lut la lettre une deuxième fois, pour être sûre. Autour d'elle, tous les enfants riaient et bavardaient, surexcités à l'approche de la fête et du concours de déguisements. Tous, sauf Mary-Jo, qui avait tout de suite compris, d'après le regard de son amie, que quelque chose n'allait pas.

Poussant son frère Dick, elle s'assit sur le banc à côté de Cassie.

– Qu'est-ce qu'il y a ? Tu es toute blanche.

– Grand-mère est malade, répondit Cassie en remettant soigneusement la missive dans son enveloppe bleue. Il faut que je rentre immédiatement.

– Pas aujourd'hui ! protesta Mary-Jo.

– Si. Je dois prendre le train de onze heures, répliqua Cassie en quittant la table.

Mary-Jo l'accompagna jusqu'à la grange.

– Et le bal ? Tu peux attendre dimanche, non ?

– Non, Mary-Jo, répondit Cassie en grimpant l'escalier jusqu'au dortoir. Grand-mère veut que je revienne tout de suite. Elle dit que j'ai déjà assez abusé de votre hospitalité.

Cassie sortit sa valise. Mary-Jo tourna les talons.

– Je vais en parler à Maman. Elle téléphonera à ta grand-mère, pour lui expliquer.

– Ça ne servira à rien, dit Cassie, l'air résigné.

Mais Mary-Jo était déjà partie.

Cassie enleva son jean et sa chemise à carreaux, les plia et les rangea au bout du lit. Inutile d'appeler Grand-mère. Elle expliquait clairement dans sa lettre qu'elle souffrait de douleurs à la poitrine et d'une mauvaise toux. Elle avait besoin de Cassie, car Delta avait déjà assez à faire comme ça dans la maison. La gorge nouée, Cassie songea aux vacances merveilleuses qu'elle venait de passer avec Mary-Jo et sa famille. Elle se pinça le bras jusqu'au sang pour ne pas fondre en larmes.

Mme Christiansen la conduisit à la gare. Cette fois, elles n'étaient que trois, Cassie, Mary-Jo et sa mère. Les autres étaient trop tristes pour les accompagner. En apprenant la nouvelle, ils s'étaient dispersés dans un silence morose. Cassie avait dit au revoir à Prince, et Mary-Jo lui avait donné un crin de sa queue. Pour la chance.

Pour la première fois depuis son arrivée à Locksfield, il se mit à pleuvoir.

– Mary-Jo, dit soudain Cassie, tu peux me rendre un service, s'il te plaît ?

– Oui, bien sûr. Tout ce que tu voudras.

– Ta petite cousine Jeannie. Je ne crois pas qu'elle ait confectionné son déguisement pour le concours. Peux-tu lui donner le mien ? Ta mère sait où je l'ai caché.

Mme Christiansen tourna la tête vers Cassie et lui sourit.

– C'est vraiment très gentil, Cassie. J'avais bien l'intention d'aider Jeannie, mais le temps a passé trop vite.

– Je pense que mon costume lui ira : nous sommes petites, toutes les deux.

Après cela, chacune se réfugia dans ses pensées, jusqu'au moment où il fallut escorter Cassie sur le quai.

– Si ta grand-mère n'est pas trop malade, tu pourrais revenir demain, suggéra Mary-Jo.

– Je ne pense pas qu'elle me le permettrait. D'ailleurs, elle n'en a sûrement pas les moyens.

– Nous paierons ton voyage ! s'exclama Mary-Jo. N'est-ce pas, Maman ?

– Attendons de savoir comment se porte la grand-mère de Cassie, d'accord, Mary-Jo ? Une chose à la fois, ma chérie.

Elle se pencha pour embrasser Cassie et lui glissa un bout de papier dans la main. Cassie baissa les yeux. C'était un billet de dix dollars. Le train entra en gare. Cassie dévisagea la mère de Mary-Jo, qui haussa les épaules.

– On ne sait jamais, tu peux en avoir besoin.

A l'approche de la gare de Manchester, Cassie s'essuya les yeux. Elle avait réussi à retenir ses larmes pendant plus d'une demi-heure après le départ, puis, soudain, au grand désarroi de son voisin, avait éclaté en sanglots. Le vieux monsieur avait tenté de la réconforter, en vain.

Elle alla se rafraîchir aux toilettes, aspergeant son visage d'eau glacée. Elle était dans un état pitoyable. Si Grand-mère était vraiment à l'article de la mort, elle pourrait toujours lui raconter qu'elle avait pleuré parce qu'elle était bouleversée de la savoir si malade. Elle se brossa les cheveux, rajusta sa robe, puis sortit chercher son bagage.

Une foule dense se pressait dans la salle des pas perdus. Cassie chercha des yeux Delta. Ne la voyant pas, elle fit ce qu'elle faisait lorsque personne n'était là pour l'accueillir à son retour du pensionnat : elle alla se poster près du kiosque à journaux.

Au bout d'une demi-heure, assise sur sa valise, Cassie commença à s'inquiéter. Que faire ? Peut-être Grand-mère avait-elle été transportée d'urgence à l'hôpital ? Pis encore, peut-être était-elle morte ? Elle décida de se rendre au bureau du chef de gare. Elle se mit debout et, à cet instant précis, aperçut une silhouette tout en noir qui se rapprochait. Son cœur cessa de battre. Grand-mère.

– Ton train a dû arriver en avance. Viens vite.

Cassie s'empara de son bagage et emboîta le pas à sa grand-mère, jusqu'au taxi qui les attendait dehors. C'était le même chauffeur que le jour du départ. Il adressa un clin d'œil complice à Cassie.

Le trajet s'effectua en silence, Grand-mère n'offrant aucune explication, et Cassie n'osant pas lui en demander. Au bout d'un moment, mal à l'aise, le chauffeur se mit à siffloter. Gloria le pria très vite de se taire.

Ce ne fut qu'après avoir rangé ses affaires et reçu l'autorisation de descendre prendre le thé, que Cassie eut le courage d'aborder le sujet.

– Comment te sens-tu, Grand-mère ?

– Parfaitement bien, merci. Pourquoi ?

Cassie fronça les sourcils.

– Pourquoi ? Parce que dans ta lettre, tu me disais que tu étais gravement malade et que je devais rentrer immédiatement.

– C'est à cause de cet imbécile de Dr Fossett. Je n'avais qu'un rhume.

Grand-mère remua une cuiller dans sa tasse en fixant Cassie. Pour une fois, la fillette refusa de baisser les yeux. Elles se dévisagèrent ainsi pendant plusieurs minutes. Pour finir, Grand-mère s'éclaircit la gorge, et Cassie détourna la tête.

Le mercredi suivant, en allant chercher le courrier sous la pluie, Cassie découvrit une lettre de Mary-Jo. Trempée, frissonnante, elle s'abrita sous la véranda pour la lire. Le bal costumé avait été très réussi, mais tout le monde avait regretté son absence. George Baxter, de la ferme voisine, avait dansé toute la soirée avec Mary-Jo. Frank avait bu un peu trop de punch, et la petite cousine Jeannie, en homme de paille, avait gagné le concours à l'unanimité. Sa récompense ? Rainbow.

*
* *

Cassie avait maintenant quatorze ans. Depuis huit ans qu'elle était pensionnaire au couvent, elle s'y sentait chez elle, bien plus que chez Grand-mère à Westboro Falls. Quant aux vacances, elle les passait toutes chez Mary-Jo Christiansen. Grand-mère désapprouvait ces séjours, mais elle ne les interdisait plus, d'une part, parce qu'elle pouvait profiter de son temps libre, d'autre part, parce que c'était économique.

Cependant, Gloria se rendait compte que Cassie changeait, et que plus elle voyait Mary-Jo, plus elle s'éloignait d'elle. Durant ses après-midi le plus souvent solitaires, Grand-mère s'interrogeait sur la transformation de Cassie. Lorsqu'elle était là, Cassie surprenait parfois sa grand-mère à l'observer de l'autre bout de la table pendant les repas silencieux, ou dans la soirée, pendant qu'elle brodait et que Cassie lisait. Avant de se coucher, quand elle embrassait docilement Gloria sur la joue, celle-ci se détournait d'un air méprisant, comme si elle lui en voulait de ne pas lui montrer davantage d'affection.

Malheureusement, Cassie avait beau essayer d'aimer sa grand-mère, elle n'y parvenait pas. Plus elle grandissait, plus elle réalisait l'impossibilité d'aimer quelqu'un qui, de toute évidence, la détestait. Pour compenser son manque de sentiments, Cassie s'efforçait de travailler encore mieux à l'école, et d'être irréprochable à la maison. Elle se donnait beaucoup de mal pour rien, car elle était une enfant vive, intelligente et en bonne santé... tout ce dont Grand-mère avait horreur.

Ce n'était pas le cas de Mme Roebuck. Dès que ses petites-filles arrivaient chez elle, elle s'empressait d'inviter Cassie. Gina, qui embellissait de jour en jour, était l'élève la plus ravissante du pensionnat et Cassie comme Maria étaient trop heureuses de satisfaire à ses moindres caprices ou tout simplement de la contempler avec admiration.

Naturellement, Grand-mère trouvait ces jeunes filles insupportables et racontait à qui voulait l'entendre que Mme Roebuck les gâtait outrageusement.

Cassie n'osait pas les défendre, de peur d'augmenter l'irritation de sa grand-mère, aussi tentait-elle, chaque fois, de changer de sujet. Sans succès. Car une fois lancée, Grand-mère refusait obstinément de lâcher prise. Elle ne se lassait pas d'énumérer les défauts et les faiblesses de Gina et de Maria, l'indulgence ridicule de Mirabelle Anne. Plus elle en parlait, plus elle s'agitait. Cette famille avait une mauvaise influence sur Cassie. Avec ce vieux chat dégoûtant qui avait le droit de s'assoupir sur la commode, c'était un miracle que Cassie ne soit pas encore morte de diphtérie.

Et puis, il y avait le problème du bénédicité. Gloria savait que Mme Roebuck, ses petites-filles, et même Cassie, entamaient leurs repas sans dire leur prière. Le comble de l'impiété, à ses yeux. De plus, Mme Roebuck encourageait toujours les enfants à se resservir. La gourmandise n'était-elle pas l'un des sept péchés mortels ? Non, décidément, ce n'était pas un milieu pour Cassie.

– Tu dépasses les bornes, toujours à répondre comme si tu savais tout sur tout. C'est ce que t'enseignent les Sœurs ? A te croire supérieure à tes aînés ?

Cassie subissait ces harangues interminables sans mot dire, en se remémorant les bonheurs de ses séjours chez les Christiansen.

– Tu tournes mal, ça ne me plaît pas du tout. J'ai donc décidé d'y remédier.

Cassie retomba brusquement sur terre. Le ton de Grand-mère était différent, ce soir, plus déterminé. Elle la dévisagea, sourcils froncés.

– Que veux-tu dire ?

– Tu le sauras bien assez tôt, ma fille, déclara Grand-mère en se levant.

Elle abandonna Cassie dans le salon. Quelle punition allait-elle encore lui infliger ? Allait-elle lui interdire de revoir Maria et Gina ? Empêcher les visites chez Mary-Jo ?

Cassie rumina ces questions jusqu'à la fin des vacances, mais le sujet ne revint pas sur la table. Elle continua de jouer avec Gina et Maria, et partit comme prévu à Locksfield.

Ce ne fut qu'à son retour au couvent que Cassie découvrit la vengeance de Grand-mère.

Un matin pendant la récréation, Sœur Josepha pria Cassie de la suivre dans son bureau. L'adolescente ne s'en offusqua pas : elle avait la conscience tranquille, et Sœur Josepha était sa préférée. Elle s'assit sans inquiétude pendant que la religieuse prenait place derrière la table.

Ce fut alors que Cassie remarqua la lettre. Son sang se glaça. Ce ne pouvait être qu'une mauvaise nouvelle, à en juger par la gravité de Sœur Josepha.

– Pour des raisons que je ne connais pas, ta grand-mère a décidé de te retirer de notre établissement, dit-elle enfin, d'un ton calme, sans une trace d'émotion.

Cassie resta silencieuse, immobile, l'œil rivé sur l'enveloppe.

– Elle pense que le changement te fera du bien. Elle considère que nous n'avons plus rien à t'apporter. Tu nous quitteras donc à la fin du trimestre.

C'était clair et net.

Le cœur de Cassie se mit à battre violemment. Une sensation de vertige l'envahit. Elle avait l'impression de perdre la tête.

Sœur Josepha s'était assise en face d'elle, droite comme un « i », les mains croisées sur ses genoux. Cassie l'avait aimée de tout son cœur, mais à présent, elle la haïssait, parce qu'elle se contentait de lui transmettre le contenu de la lettre, sans réagir. Elle ne disait pas qu'à son avis, Grand-mère se trompait. Elle restait là, sans bouger, le regard sur Cassie. Elle aurait pu intervenir, essayer de persuader Grand-mère de changer d'opinion. Mais non. Elle acceptait sa décision sans protester. Elle était résignée.

Soudain, Cassie s'aperçut que Sœur Josepha n'était pas inactive : elle récitait son chapelet.

– Je prie pour que tu nous reviennes bientôt, Cassie. Je prie pour que tu nous rendes visite le plus souvent possible.

– Ce ne sera plus pareil. Toutes mes amies sont ici, j'ai grandi avec elles, avec vous. Elles vont rester là, et moi, je vais m'en aller. Bientôt, nous ne nous connaîtrons plus.

Cassie sentit les larmes lui monter aux yeux.

– Tu nous écriras, ma chérie. Quant à tes camarades, tu les reverras pendant les vacances.

Sœur Josepha baissa le nez, car elle savait que ce que venait de dire l'adolescente était vrai. Très vite, Cassie ne serait plus des leurs. L'initiative de sa grand-mère était inutile et cruelle, mais en dépit de toutes les supplications des religieuses, elle ne reviendrait pas dessus. Cassie partirait à la fin du trimestre, point final.

Sœur Josepha dévisagea l'adolescente, et remarqua que son regard avait subitement changé. Il était devenu hostile, voire amer.

– Peut-être pourrais-tu prier avec moi, Cassie ?

– Non, merci. Ça ne servirait à rien.

– C'est l'impression que tu as maintenant. Mais ce n'est pas la fin du monde, tu sais, Cassie. Ce n'est qu'un au revoir, pas un adieu.

Elle tendit la main à la jeune fille, mais celle-ci se détourna. Sœur Josepha n'insista pas. Elle comprenait et respectait son désarroi. Elle se mit debout, rajusta son habit.

– Je vais à la chapelle. Tu n'es pas obligée de m'y accompagner, mais si tu en as envie, cela me fera très plaisir.

Cassie resta muette, l'œil sur la fenêtre.

Dès lors, le temps parut s'accélérer. Cassie tenta de se réconcilier avec son avenir, mais c'était trop difficile. Elle était incapable d'imaginer une existence ailleurs qu'au couvent, parmi ses amies. D'après Grand-mère, sa future école serait bien différente de celle-ci. Ce n'était pas un couvent, mais une académie pour les jeunes filles de bonne famille.

Elle essaya de se persuader qu'elle y serait mieux, plus libre, qu'elle s'y amuserait beaucoup plus. Que les « bonnes » Sœurs n'étaient pas si « bonnes » que ça, qu'elle avait la vie devant elle. Que la bâtisse, en dépit de ses parquets cirés, était sombre et froide en hiver. Que les religieuses réprimandaient souvent les enfants. Pas plus tard que la semaine dernière, Sœur Jeanne avait exclu trois filles de la classe et les avait obligées à rester à genoux dans le couloir pendant dix minutes. Ce genre d'incident n'aurait jamais lieu dans une académie pour jeunes filles de bonne famille.

Malheureusement, cet autolavage de cerveau n'eut pas l'effet désiré. Le temps était superbe, les roses dans la cour, plus belles que jamais. Au lieu de s'étioler, ses liens avec ses amies se renforçaient. Chaque soir, assise sur son lit dans la chambre qu'elle partageait avec Mary-Jo, Cassie devait lutter pour ne pas pleurer.

Elle se consola un temps en reportant toute sa haine sur sa grand-mère. Cela ne dura pas, car au cours d'une nouvelle conversation avec Sœur Josepha, celle-ci lui expliqua que la haine n'avait jamais réchauffé un cœur aimant.

Elle passerait ses vacances chez Mary-Jo, mais ce serait sans doute la dernière fois. Le soir, dans leur lit, elles faisaient des projets. Qui serait là ? Quels chevaux monteraient-elles ? Elles évoquaient la douceur exquise de Mme Christiansen.

– Plus tard, j'aimerais ressembler à ta mère, confia Cassie à son amie, un soir… Je me demande comment était la mienne.

– Elle avait sûrement les cheveux noirs, comme toi.

– Elle était peut-être rousse, comme Grand-mère.

– Si c'était le cas, tu aurais aussi son teint et ses yeux. Une peau très blanche et de minuscules yeux gris.

– J'espère que tu as raison. Si elle avait ressemblé à Grand-mère, je l'aurais détestée !

– La pauvre, ça n'aurait pas été sa faute. Après tout, ta grand-mère était sa mère.

– Je me demande si elle m'aimait, chuchota Cassie.

– Bien sûr ! assura Mary-Jo. Toutes les mamans aiment leur enfant.

– Tu crois ?

– Evidemment, grosse bête.

Cassie se pencha pour saisir les mains de Mary-Jo.

– On restera toujours amies, n'est-ce pas ?

– Toujours, promit Mary-Jo.

Cassie la relâcha et remonta son drap par-dessus son menton. Elle contempla le plafond, puis ferma les yeux dans l'espoir de trouver très vite le sommeil. Ce fut peine perdue. Deux grosses larmes roulèrent sur ses joues, douces, chaudes, réconfortantes.

5

Elles lui offrirent des images pieuses. Une image pieuse, c'était le plus beau des cadeaux. Cassie les rangea toutes dans son missel, où elle les conserverait toute sa vie. Elles lui rappelleraient le bonheur des jeux dans les bois, des rondes, des parties de ballon, des cours de dessin ou de danse.

Cassie les découvrit à sa place, le matin de son départ. Elle les lut l'une après l'autre, remercia chaque élève individuellement. Elle avait envie de les étreindre, de les embrasser, mais elle savait que ce n'était pas nécessaire. Ces offrandes étaient la preuve de leur amour, et elles savaient, au sourire de Cassie, à quel point elle était émue.

Elles savaient aussi qu'au fond, le départ de Cassie était un symbole. La vie les façonnerait, elles changeraient toutes. Elles poursuivraient séparément leur chemin, jusqu'au jour où elles se rencontreraient par hasard dans la rue, dans une boutique, ou chez une amie. Alors, elles évoqueraient avec bonheur les plaisirs de leur enfance.

Cassie devait partir avec Mme Roebuck et ses petites-filles. Mais à la dernière minute, Grand-mère avait changé d'avis et envoyé un taxi, avant l'heure officielle de la sortie. Sœur Jeanne appela Cassie, qui finissait ses bagages, et elle descendit alors que ses camarades continuaient d'aller et venir sur les parquets cirés en riant. Au bas de l'escalier, Cassie hésita : devait-elle remonter leur dire un dernier au revoir ? A quoi bon ? Personne ne l'entendrait.

Sœur Jeanne l'accompagna jusqu'à la voiture. Le chauffeur rangea ses bagages dans le coffre. Sœur Jeanne serra brièvement la main de Cassie. Elle avait les yeux brillants. Puis elle invita l'adolescente à s'installer et claqua la portière.

Le taxi démarra. Cassie se retourna. Sœur Jeanne était déjà rentrée. Il n'y avait personne à saluer. Puis, à mi-parcours de l'allée, le chauffeur jeta un coup d'œil dans son rétroviseur et s'arrêta. Il adressa un sourire à Cassie, en lui montrant d'un signe le couvent, derrière eux. Cassie tourna de nouveau la tête, perplexe. A chacune des fenêtres de l'étage, des enfants agitaient un mouchoir blanc. Cassie descendit de l'automobile, sortit le sien de sa poche et répondit.

Le moteur ronronna. Cassie reprit sa place, le regard droit devant elle.

6

Académie Truefitt pour Jeunes Filles
Glenville, West Virginia

Perchée sur le bureau de Mlle Truefitt, Leonora Von Wagner mâchait un chewing-gum en balançant ses longues jambes bien galbées. Les autres élèves de la classe l'observaient en silence.

– Résultat du vote, annonça Leonora. Cassie McGann est une fois de plus élue la fille la plus cloche de la promotion 52.

Tous les visages se tournèrent vers Cassie, qui se tenait tout au fond de la salle. Ignorant complètement les piques de Leonora, elle était plongée dans la lecture d'un livre sur les chevaux que lui avait offert la mère de Mary-Jo, à la fin de ses dernières vacances à Locksfield.

– Paddy McGann, écoutez-moi !

Cassie ne réagit pas.

– Que tu lèves les yeux ou non, peu importe, poursuivit Leonora. Je prononcerai la sentence malgré tout.

Cassie tourna la page de son ouvrage.

– Cassie Paddy McGann ayant une fois de plus été élue la fille la plus cloche de la classe, *personne* ne lui adressera la parole avant qu'une autre, encore plus cloche qu'elle, ne soit élue pour la remplacer.

Leonora quitta son perchoir, tira sur son chewing-gum, rejeta ses longs cheveux blonds en arrière.

– En toute franchise, ajouta-t-elle en se dirigeant vers Cassie, je ne vois pas comment ça pourrait arriver.

Elle toisa Cassie, qui la dévisagea sans ciller, dédaigneusement, avant de reprendre sa lecture. Leonora lui arracha le volume, et l'espace d'un éclair, Cassie eut peur qu'elle ne le déchire, ou ne verse un encrier dessus, comme elle l'avait déjà fait une fois avec son livre sur la vie des saints. Quelqu'un annonça la venue imminente de Mlle Truefitt, et Cassie, profitant de la distraction momentanée de Leonora, récupéra son bien.

Leonora se pencha vers elle :

– Je t'aurai, Paddy, persifla-t-elle. Tu peux compter sur moi.

Sur ce, elle se précipita à sa place.

Mlle Truefitt surgit, impeccable comme à son habitude, et les jeunes filles se mirent debout.

– Bonjour, mesdemoiselles.

– Bonjour, mademoiselle Truefitt, répondirent-elles en chœur.

– Cassie McGann, je ne vous ai pas vue dire bonjour. Bonjour !

– Bonjour, mademoiselle Truefitt, rétorqua Cassie d'un ton monocorde. Pour la deuxième fois.

Mlle Truefitt prit l'air exaspéré. Elle ordonna à ses élèves de se rasseoir, toutes, sauf Cassie.

– Je sais que vous êtes nouvelle, Cassie, mais ce n'est pas une excuse pour mal vous comporter. Vous devez suivre l'exemple de vos camarades.

– C'est ce que je m'efforce de faire.

Mlle Truefitt fronça les sourcils.

– Je ne comprends pas.

– Je fais de mon mieux, mademoiselle, pour imiter exactement l'attitude de mes camarades.

Cassie mesura Mlle Truefitt du regard. Elles s'étaient détestées mutuellement dès la première minute. Cassie

McGann, fervente catholique portant un nom de consonance typiquement irlandaise, était précisément le genre d'élève dont elle ne voulait pas dans son établissement. Mais sa grand-mère, de bonne souche anglaise, jouissait d'excellentes relations, et avait signé un chèque généreux pour la construction de la nouvelle bibliothèque. Aussi avait-elle accepté Cassie, à contrecœur, tout en se disant qu'une hirondelle ne faisait pas le printemps.

Toutes les autres étaient des anges. Mlle Truefitt avait une affection particulière pour Leonora Von Wagner qui, selon elle, avait une influence remarquable sur ses camarades. Bien sûr, elle était la fille unique d'un des industriels les plus riches des Etats-Unis, mais ce n'était qu'un détail. Leonora Von Wagner était une élève modèle.

Elle lui adressa un sourire, que Leonora lui rendit tout en pinçant fortement la cuisse de sa voisine.

– Bien ! attaqua Mlle Truefitt. Pour aujourd'hui, je vous avais demandé de choisir un poème à lire à haute voix. Cassie, puisque vous êtes encore debout, commencez donc. Qu'avez-vous sélectionné ?

– Un poème de Walt Whitman, répondit Cassie, avant de se lancer, avec une autorité et une conviction surprenantes :

Oh toujours vivre et toujours mourir !
O ce qui est enterré de moi-même dans le passé et le
[présent,
O ce moi, tandis qu'à grands pas je m'avance, matériel,
[visible, impérieux, autant que jamais ;
O ce moi, ce que je fus durant des années, aujourd'hui
[mort (je ne me lamente pas, je suis satisfait) ;
O me débarrasser de ces cadavres de moi-même, qu'en
[me retournant je considère, là-bas où je les ai jetés,
Continuer mon chemin (Oh vivre ! vivre toujours !) et
[laisser derrière moi les cadavres.

Dans un silence oppressant, tout le monde la fixa. Cassie resta de glace.

– Merci, Cassie, balbutia enfin Mlle Truefitt. C'était très… très intéressant.

Cassie s'assit.

– Leonora ?

Cassie s'enferma dans ses pensées, chassant délibérément cette peste de son esprit.

Car c'était à cause d'elle que Cassie était régulièrement élue la fille la plus cloche de la classe. Les autres ne valaient guère mieux, mais Leonora était la pire de toutes. Dès le premier jour, elle s'était mise à persécuter Cassie, l'empêchant de se lier d'amitié avec qui que ce soit. Cassie avait donc décidé de se replier sur elle-même. Mary-Jo lui écrivait deux fois par semaine. A plusieurs reprises, Leonora lui avait volé les lettres de Mary-Jo pour les lire aux autres, en se moquant haut et fort de cette inconnue qui vivait à la campagne. Dominant son envie de l'étrangler, Cassie avait masqué sa souffrance derrière un masque impassible. Un jour, elle se vengerait. Il suffisait d'attendre le bon moment.

Cassie détestait cette école. Peu importait si le règlement était moins sévère, les élèves un peu plus libres qu'au couvent. Elle se sentait complètement perdue dans ce milieu d'adolescentes trop gâtées qui ne se souciaient que de frivolités. Elles ne parlaient que des gens chez qui elles étaient allées, des fêtes auxquelles elles avaient assisté, des soirées mondaines que fréquentaient leurs parents, des voitures qu'achetaient leurs pères. Cassie n'y voyait aucun intérêt.

Afin de survivre à sa solitude, elle s'était mise à lire avec avidité. Mais le sujet était toujours le même : les chevaux. Elle connaissait presque par cœur son ouvrage sur l'élevage, et avait littéralement dévalisé la bibliothèque de tout ce qui concernait, de près ou de loin, l'*equus caballus*. Pendant que ses camarades s'extasiaient devant les photos de *Harper's Bazar* ou de *Vogue*, Cassie apprenait les secrets de la gestion des haras et de l'entretien des étalons. Pendant qu'elles se demandaient avec qui et où elles se marieraient, Cassie échafaudait des projets pour sa première jument poulinière.

Privée de la complicité de ses amies du couvent, Cassie avait trouvé un substitut pour surmonter cette épreuve. Plus le temps passait, plus elle était décidée à réussir. Maintenant qu'elle avait un but dans l'existence, son isolement lui paraissait plus supportable, elle se laissait porter par son imagination, songeait à l'avenir.

Cassie savait aussi qu'elle voulait être riche. Grand-mère l'avait inscrite dans un établissement huppé mais, privée d'argent de poche, Cassie ne pouvait jamais profiter des mêmes plaisirs que ses camarades. Les sorties, visites de musées ou spectacles au théâtre, étaient trop onéreuses pour elle, et très vite, elle fut, en plus, mise au ban du groupe pour sa pauvreté.

Il existait pourtant un moyen de se faire remarquer à l'Académie, sans gros investissement financier. Le sport. Cassie avait toujours participé avec plaisir aux activités sportives proposées au couvent, notamment le tennis. Elle décida non seulement de s'améliorer, mais surtout, de devenir championne. Chaque matin, quel que soit le temps, elle se levait une heure avant les autres pour courir autour de la piste d'athlétisme. Le secret, pour dominer ses camarades, c'était d'avoir plus d'endurance et de volonté que ses rivales.

Ce n'était pas difficile car, contrairement aux autres filles, elle brûlait du désir de réussir.

Après sa séance de jogging, elle allait à la piscine accomplir une cinquantaine de longueurs, puis elle s'imposait une demi-heure d'exercices isométriques au gymnase. L'après-midi, quand ses camarades, encouragées par des professeurs particuliers, faisaient des prouesses sur les nombreux courts de tennis, Cassie, feignant de les admirer, notait en réalité chaque détail de leurs services et de leurs smashes, pour ensuite s'entraîner en cachette.

Personne n'était au courant, évidemment, puisque personne, sauf le responsable d'éducation physique, ne s'intéressait à « Cosette », comme l'avait surnommée Leonora. Marine à la retraite, Burt Linowitz comprenait l'ambition et la détermination de Cassie. Il était impressionné par sa ténacité, son ardeur à gagner. Dotée au départ d'un physique quelconque, elle était en train de devenir une championne.

Il n'était pas tendre avec elle. Il la poussait à bout, jusqu'à ce que Cassie se réfugie dans les vestiaires, dégoulinante de transpiration, prête à tout abandonner.

– Devinez qui s'est inscrite en équipe de basket ? lança un jour Leonora à la cantonade. Cosette McGann ! Si l'Académie se résout à enrôler une Irlandaise, c'est que l'heure est grave !

Cassie l'ignora et entama un nouveau chapitre de son livre sur les pur-sang.

– En tout cas, c'est ce que dit mon père des country clubs : quand ils se mettent à accepter les Irlandais, c'est qu'ils sont vraiment *désespérés*.

C'était un vendredi et, comme chaque semaine, Leonora avait reçu une énorme boîte de chocolats de la part de son grand-père. Elle en mordit un, grimaça, jeta le reste dans la corbeille, en saisit un autre. Satisfaite, cette fois, elle en distribua à tout le monde, avant de s'arrêter comme à son habitude, devant Cassie. Elle s'empara du bonbon le moins appétissant et le laissa tomber par terre. C'était un rite hebdomadaire.

– Allez, Cosette. Mange ta friandise.

Cassie ne réagit pas et continua à lire. Les élèves s'esclaffèrent, mais avec un peu moins de conviction : elles commençaient à se lasser des frasques de Leonora, d'autant que Cassie, refusant de mordre à l'appât, restait systématiquement digne et silencieuse.

Leonora décréta qu'il était l'heure de monter dans sa chambre écouter le dernier album de Frank Sinatra. Sa cour la suivit sans protester. Restée seule, Cassie leva enfin les yeux. Son moment viendrait. Il suffisait d'être patiente.

Au début de son deuxième été à l'Académie, Cassie faisait partie de toutes les équipes de sport sauf le tennis. Elle excellait dans tous les domaines. Leonora, en revanche, dédaignait ces activités collectives qu'elle considérait comme vulgaires. Seul le tennis l'intéressait, et c'était pour cette raison que Cassie ne s'y était jamais exposée en public. Leonora gagnait tout. Systématiquement, et pratiquement sans effort. Son nom avait déjà été gravé à trois reprises sur le socle du Challenge de l'Académie. On murmurait qu'elle serait sûrement un jour championne amateur des Etats-Unis.

Ce deuxième été, après s'être entraînée sans relâche et mesurée, jour après jour, au frère aîné de Mary-Jo lors de son séjour à Locksfield, Cassie décida qu'elle était enfin prête. Il ne lui restait plus qu'à attendre le moment où elle serait sûre, non seulement de battre Leonora, mais en plus, de l'humilier devant toutes ses amies.

Leonora sourit en voyant le nom de Cassie McGann sur la liste des candidates au Challenge. Au premier tirage au sort, Cassie tomba sur Alice Williams, une joueuse remarquable, capable de battre tout le monde... sauf Leonora. Le lendemain, cependant, le sourire de cette dernière s'effaça lorsqu'elle découvrit qu'Alice était éliminée dès le premier round, battue en deux manches six-quatre et neuf-sept. Leonora rejeta ses cheveux vers l'arrière et alla trouver Alice pour lui demander des explications. Il n'y en avait aucune : d'après Alice, Cassie avait gagné loyalement.

Cassie ne s'était pourtant pas donnée à fond. Elle voulait tromper la vigilance de Leonora, lui faire croire qu'Alice était simplement dans un mauvais jour. Au round suivant, elle commit délibérément plusieurs maladresses contre la grande et puissante Lauren Benchley, lui arrachant de justesse la victoire quatre-six, huit-six, sept-cinq. En demi-finale, elle faillit tout gâcher, en ne battant Helena Franklyn qu'au troisième set, dix-huit, alors qu'elle aurait pu emporter le match haut la main.

Cette stratégie eut l'effet désiré. En finale, Leonora était absolument certaine de dominer « Cosette », qu'on accusait plus ou moins, grâce à la propagande de sa rivale, de l'avoir eu trop facile jusque-là. Cassie se présenta la première sur le court, en short et chemisette. Leonora était apprêtée comme pour une finale à Forest Hills : jupe, chemise et raquette neuves, paupières fardées. Sa mère et ses proches étaient venus en force assister à sa victoire. Le public était nombreux. Toutes les élèves de l'Académie étaient présentes, ainsi que la plupart de leurs parents. Les cris d'encouragement fusèrent pour Leonora pendant le bref échauffement.

L'arbitre demanda à ces demoiselles de prendre place. Cassie fit un signe de croix sur sa raquette Slazenger, que Burt Linowitz lui avait prêtée pour la compétition. Les spectateurs se calmèrent, dans l'attente d'une épreuve unilatérale.

Ils ne furent pas déçus. La première balle, un ace, frôla la ligne médiane de service. Le hic, c'était qu'elle avait été envoyée par Cassie McGann. Leonora agrandit les yeux, stupéfaite, et se dirigea vers la gauche. La balle suivante rebondit sur la ligne de service du fond, effleurant la chevelure blonde de Leonora. La foule retint son souffle, tandis que Leonora jetait sa raquette à terre.

– Elle est dehors !

– Elle était dedans, riposta l'arbitre. Trente-zéro.

– Je vous dis qu'elle était dehors ! De loin !

– Trente-zéro, insista l'arbitre avant d'ordonner à la jeune fille de reprendre position.

Cassie fit une faute sur le service suivant, et s'arrangea pour que la deuxième balle soit un peu courte. Leonora se jeta dessus et la rabattit avec force. Cassie riposta. Leonora tenta de la pousser vers la gauche, mais Cassie, qui courait trois fois plus vite que son adversaire, n'eut aucun mal à l'atteindre. Elle renvoya la balle bien au-dessus de la tête de Leonora. Celle-ci pivota sur elle-même et la retourna d'un revers un peu faible. Cassie l'attendait au filet. Tranquillement, elle réagit par un smash violent.

Ce fut le seul point difficile du match. Par la suite, envahie par une incroyable sensation de calme, Cassie se montra impitoyable. Elle obligea Leonora à courir à droite, à gauche, au fond, à revenir au filet, à repartir. Dans ses efforts désespérés pour rattraper les balles, Leonora trébuchait constamment. Sa tenue flambant neuve fut bientôt maculée d'herbe et de sueur. Ses cheveux s'étaient détachés ; ils se collaient sur son visage écarlate. Elle remit en cause toutes les décisions de l'arbitre, jusqu'au moment où elle s'aperçut qu'elle avait perdu le soutien des spectateurs. Pour la première fois de sa vie d'enfant trop gâtée, elle se voyait complètement dominée. Cassie quitta le court, fraîche et dispose, après avoir gagné six-zéro, six-zéro.

Mlle Truefitt afficha un sourire poli en lui remettant sa coupe, mais Burt Linowitz la saisit par le bras et le serra de toutes ses forces, tandis que Cassie se frayait un chemin dans la foule.

– Bravo, petite. Bravo !

Cassie lui sourit et lui tendit la raquette.

– Vous êtes folle ? Je n'en ai plus besoin, moi. Gardez-la. Elle est à vous.

Cassie la fit tournoyer dans sa main, puis la rangea dans sa presse. Elle ramassa son sac et partit pour les vestiaires. Quelques-unes des filles de l'équipe de basket s'approchèrent timidement pour la féliciter, comme si elles craignaient que Cassie ne refuse de leur adresser la parole. Elle les remercia poliment. Rassurées, toutes les autres se ruèrent vers elle. Avec l'humilité qu'on lui avait enseignée au couvent, Cassie accepta leur volte-face et se laissa escorter jusqu'aux bâtiments de l'école. Elle ne se retourna pas, mais elle imagina Leonora, hirsute et trempée, sanglotant dans les bras d'une mère outrée par sa défaite.

Cassie paya le chauffeur du taxi, descendit de la voiture, leva les yeux vers la maison de Grand-mère. Elle venait d'être repeinte, et tous les rideaux aux fenêtres étaient fraîchement lavés. Cassie ne se sentit pas pour autant rassurée.

Elle avait beaucoup grandi, en quelques mois. Elle n'était plus la plus petite de la classe, et grâce à ses entraînements, elle était en pleine forme physique. Aussi découvrit-elle avec surprise, quand Grand-mère lui ouvrit, combien celle-ci était minuscule.

Cassie avait préféré laisser sa coupe dans la vitrine de l'Académie. Grand-mère se serait débrouillée pour gâcher sa joie par une remarque désobligeante ; elle l'aurait trouvée trop clinquante, ou alors, pas assez extravagante. Et puis, l'exploit de Cassie ne l'aurait guère impressionnée, puisqu'à ses yeux le sport ne comptait pas.

Le lendemain matin, lorsqu'elle descendit un peu en retard pour le petit déjeuner, elle fut étonnée de trouver Grand-mère en pleine forme et souriante.

Cassie s'installa à la table, vaguement inquiète. Les sourires de Grand-mère étaient le plus souvent annonciateurs de mauvaises nouvelles. En effet.

– Une certaine Leonora Von Wagner a téléphoné, Cassie. Je lui ai dit que tu dormais, et que tu la rappellerais un peu plus tard.

Cassie entama son bol de céréales en se demandant quelle mouche avait piqué Leonora.

– Tu ne m'avais pas dit que tu connaissais une Von Wagner, ajouta Gloria, pour une fois sans agressivité. Les Von Wagner de Philadelphie sont une famille très distinguée, tu sais.

Cassie ne dit rien. Elle se servit une tartine grillée.

– Tu ne m'as pas dit non plus que leur fille était une amie.

– Elle ne l'est pas.

Grand-mère secoua sa serviette.

– Je savais bien que l'Académie te permettrait de franchir un pas dans la société.

Cassie continua de manger en silence, sans prêter attention à la longue litanie de Grand-mère sur la chance inouïe qu'elle avait de s'entendre avec des gens d'aussi bonne souche.

– Puis-je quitter la table, s'il te plaît, Grand-mère ?

– Bien sûr, Cassie. Monte vite dans ta chambre appeler ton amie Leonora.

Cassie sortit, sans répondre qu'elle n'en avait nullement l'intention. Au lieu de cela, elle s'installa confortablement pour écrire à Mary-Jo.

– Que t'a dit ton amie Leonora Von Wagner ? demanda Grand-mère, à l'heure du thé.

Elles ne s'étaient pas vues entre-temps.

– Je n'en sais rien, répliqua Cassie, car je ne lui ai pas téléphoné.

– Pourquoi, mon enfant ?

– Je te l'ai dit, Grand-mère : je ne l'aime pas.

Il y eut un court silence, durant lequel Grand-mère tenta de digérer cette information. Puis elle se leva et sortit de la pièce. Cassie espéra que l'affaire en resterait là. C'était compter sans l'obstination de Gloria, car quelques instants plus tard, elle l'entendit décrocher l'appareil. Elle allait prendre contact personnellement avec la famille Von Wagner.

Une fois de plus, Cassie se sentit prisonnière de son enfance. Elle ne pouvait aller nulle part sans demander l'autorisation. Et voilà que Grand-mère n'avait rien trouvé de mieux que d'organiser un séjour pour Cassie chez Leonora Von Wagner, sans même l'avoir consultée.

Gloria revint, le visage éclairé d'un large sourire, et se versa une deuxième tasse de thé.

– Je lui ai dit que tu avais un peu mal à la gorge, et que tu n'avais pas pu la rappeler.

– Mais c'est un mensonge, Grand-mère. Je n'ai pas...

– Ça suffit, ma fille ! Tu n'es pas en âge de savoir ce qui est bien ou non pour toi.

Le ton de sa voix se fit plus suave. Elle lui rapporta les propos de Leonora.

– Elle souhaite que tu ailles passer quelques jours chez eux. C'est une fille charmante. Très raffinée. Ils ont une résidence secondaire à Long Island, et tu iras dès la semaine prochaine.

– Je devais aller chez Mary-Jo ! s'écria Cassie en se levant d'un bond.

– Je t'interdis de me parler sur ce ton. Sinon, tu n'iras nulle part. Tu peux rendre visite à Mary-Jo quand tu veux. En revanche, ce n'est pas tous les jours que les Von Wagner accepteront de te recevoir.

– Grand-mère, je n'aime pas du tout Leonora Von Wagner, gémit Cassie. Elle est méchante et snob !

Grand-mère défroissa sa jupe.

– Ma chérie, il va falloir que tu te débarrasses de tes complexes ridicules. Tu dis cela parce que tu n'es pas à l'aise parmi les gens comme les Von Wagner. C'est un manque de confiance, rien de plus. Voilà pourquoi j'insiste.

Cassie lança un regard noir à Gloria.

– Je n'irai pas, affirma-t-elle avec courage.

– Je crois que si, ma petite. Car si tu as l'audace de me contrarier, c'est très simple, tu n'auras plus jamais le droit d'aller voir Mary-Jo Christiansen.

Ce soir-là, Cassie se coucha en serrant entre ses doigts le billet de dix dollars que lui avait donné la mère de Mary-Jo. Avec cet argent, elle pourrait s'enfuir, prendre un train pour Locksfield. Mais son répit serait de courte durée car, tôt ou tard, on la renverrait chez Grand-mère.

Elle capitula donc, comme tous les enfants, quand le monde des adultes les oblige à agir contre leur gré. Le plus pénible fut que Grand-mère l'emmena à Manchester et lui acheta six nouvelles tenues en prévision de son séjour chez les Von Wagner. Sous ce prétexte, Grand-mère n'hésitait pas à se séparer de ses « économies », alors qu'elle avait toujours refusé d'y toucher pour un jean d'occasion ou une chemise à carreaux à porter chez Mary-Jo.

Pour ne rien arranger, Leonora harcelait Cassie au téléphone. Grand-mère prenait l'écouteur, tandis que Leonora parlait de la maison, de la dizaine de voitures, des deux piscines, des domestiques, de l'escalier en marbre, de la salle de bal… Et ce n'était qu'une résidence secondaire ! songeait Cassie.

Gloria l'accompagna en taxi jusqu'à la gare. Comme toujours, elle avait obligé Cassie à trop se couvrir, et avant même que le train n'ait quitté le quai, la pauvre adolescente mourait de chaleur. Grand-mère avait lourdement insisté : elle devait garder ses gants et son manteau, car c'était ce qu'attendaient de leurs invités des gens comme les Von Wagner. En traversant à vive allure l'état du Massachusetts, Cassie se demanda pourquoi Leonora avait tant insisté pour la recevoir. N'avait-elle pas toutes les raisons de la haïr ? Elle eut beau se creuser la tête, il ne lui vint pas à l'esprit que Leonora l'avait invitée tout simplement pour tromper son ennui.

Elle l'attendait, allongée sur la banquette arrière d'une Rolls Royce, les jambes en appui sur le rebord de la vitre baissée. Le chauffeur rangea les bagages de Cassie dans le coffre, et Leonora la salua en remuant un pied.

– Salut ! Monte devant, veux-tu ? J'essaie de bronzer !

Cassie s'installa donc auprès du chauffeur, qui démarra aussitôt. Le moteur était tellement silencieux qu'au début, Cassie crut qu'ils avançaient en roue libre. Comme elle s'en étonnait, le chauffeur lui expliqua que dans une Rolls on n'entendait jamais rien, sauf le cliquetis de la pendule et les claquements du chewing-gum de Mlle Von Wagner.

– Rejoins-moi ! ordonna cette dernière. J'en ai assez de brunir. Passe par-dessus.

Cassie demanda la permission au chauffeur, ce qui provoqua l'hilarité de Leonora.

– Déshabille-toi un peu, bon sang ! Tu dois bouillir, avec tout ça ! s'exclama-t-elle en enfournant un nouveau chewing-gum.

Cassie se mordit la lèvre, choquée par la verdeur de son langage, mais elle obéit : en effet, elle mourait de chaleur.

– L'autre Rolls est équipée d'un système d'air climatisé, annonça Leonora. Mais elle est au garage.

Leonora poussa un profond soupir et chaussa une paire de lunettes noires. Puis elle remit les pieds sur le bord de la fenêtre et fit des bulles avec son chewing-gum.

Cassie regarda défiler les gratte-ciel de New York, puis la voiture bifurqua vers l'est. Leonora n'adressa plus la parole à son invitée pendant une bonne demi-heure. Puis, brusquement, elle se tourna vers elle en souriant :

– Tu m'as apporté des chocolats, j'espère ?

– J'ai décidé qu'on partagerait la même chambre, déclara Leonora avec nonchalance, alors qu'elles gravissaient l'un des deux escaliers en marbre qui menaient à l'étage.

Derrière elles, deux bonnes portaient les valises de Cassie, une chacune.

– J'espère que ça ne t'ennuie pas, enchaîna Leonora. Je me suis dit que tu te sentirais perdue, dans cette maison immense.

Elle dévisagea Cassie, fit claquer son chewing-gum, puis haussa les épaules et accéléra le pas. Durant ce bref échange de regards, Cassie avait soudain compris qui était la plus seule des deux. Elle songea même qu'elle avait quelques points en commun avec Leonora. En effet, la demeure, bien que grandiose, était aussi glaciale que celle de Grand-mère. Toutes deux vivaient avec leurs grands-parents. La mère de Leonora était encore vivante, mais depuis son divorce elle passait le plus clair de son temps en Europe. Lorsqu'elle était venue assister à la compétition de tennis, c'était la première fois depuis Noël que Leonora la revoyait.

Cassie se mit à défaire ses affaires.

– Qu'est-ce que tu fabriques ? hurla Leonora. Bon sang, arrête ça tout de suite ! A quoi servent les bonnes, à ton avis ?

Cassie s'immobilisa.

– Tu as tort de jurer, tu sais.

Elle se remit à sa tâche. Leonora la fixa, ahurie. Personne ne lui avait jamais fait ce genre de remarque. Elle fit une bulle énorme, s'approcha, renversa tous les vêtements de Cassie par terre.

– J'ai dit que les bonnes s'en occuperaient. Viens, on va se baigner.

Elle saisit Cassie par le bras et l'entraîna vers la porte. Cassie s'arracha à son étreinte.

– Quand j'aurai fini, insista-t-elle en se détournant pour ramasser le désordre. Aide-moi, ça ira plus vite, ajouta-t-elle.

Leonora s'adossa contre le mur.

– Si tu viens m'aider, on sera plus vite à l'eau, réitéra Cassie.

Leonora la regarda fixement. Cassie ne cilla pas. Pour finir, Leonora obtempéra.

– On va embêter les bonnes, décida tout d'un coup Leonora.

Elle interrompit le fox-trot qu'elle dansait avec Cassie sur un air du tout dernier album de Pat Boone.

– Viens !

Cassie resta en arrière, ostensiblement pour éteindre le tourne-disques, mais avec le secret espoir de décourager Leonora. D'après son expression, il était clair que l'adolescente avait une idée derrière la tête.

– Tu ne m'as pas encore montré les chevaux !

– Tu les verras à un autre moment. J'ai envie d'embêter les bonnes.

Elle sortit en courant, et Cassie la suivit à contrecœur. Lorsqu'elle rejoignit Leonora dans leur chambre, celle-ci était assise devant la coiffeuse. Elle se mettait du rouge à lèvres. Elle tendit un autre bâton à Cassie en lui ordonnant d'en faire autant.

– A quoi joues-tu ?

– On va embêter les bonnes, grosse nouille !

Leonora jeta un coup d'œil satisfait à sa bouche carminée et passa dans la salle de bains attenante. Au bout de quelques minutes, Cassie s'y rendit aussi, mue davantage par une curiosité morbide que par le désir de participer à ce nouveau sport.

Leonora s'affairait : elle couvrait toutes les serviettes blanches de gros baisers rouges. Quand ses lèvres s'asséchaient, elle en remettait.

– Allez ! cria-t-elle. Ne sois pas une poule mouillée !

Effarée, Cassie l'observa un instant, puis tourna les talons et alla lire sur son lit.

Leonora reparut, décrocha le téléphone, appela la gouvernante.

– Madame Larkin ? Ici mademoiselle Von Wagner. Mes serviettes sont dans un état épouvantable. Si vous ne voulez pas que je vous dénonce auprès de ma grand-mère, je vous conseille de faire monter les bonnes immédiatement.

Elle raccrocha, se laissa choir sur son oreiller en gloussant.

Cassie poursuivit sa lecture. Elle avait pris l'habitude d'ignorer les mauvaises manières de Leonora. Moins elle réagissait, plus vite Leonora se lassait.

Les bonnes changèrent les serviettes en silence. Après leur départ, Leonora se mit sur un côté, déballa deux chewing-gums, en tendit un à Cassie.

– Tu n'as pas trouvé ça rigolo ? Elles n'ont pas osé dire un seul mot !

– J'aurais préféré aller voir les écuries, répondit Cassie.

Leonora grogna et se coucha sur le dos. Au bout d'une trentaine de minutes, lorsqu'elle en eut assez de contempler le plafond en faisant des bulles, elle sauta à terre.

– D'accord, concéda-t-elle. On va les voir, ces chevaux à la noix. Et sur le chemin, on va flirter avec le chauffeur.

Les deux adolescentes traversèrent le parc immaculé, où s'agitait une armée de jardiniers. Apercevant les écuries, Cassie en prit la direction, mais Leonora la rattrapa par la main et la poussa vers l'un des cottages des domestiques.

– Laurent est fou de moi, déclara-t-elle. Tu n'as pas vu la façon dont il me lorgnait, quand on est venu te chercher à la gare ?

Elle poussa la porte sans frapper.

– Il est fou de moi, chuchota-t-elle.

Cassie eut un mouvement de recul. Leonora l'entraîna de force.

– Laurent ? aboya-t-elle. C'est Miss Von Wagner !

Ne recevant aucune réponse, elle appela de nouveau. Bientôt, un homme apparut, en pantalon et tricot de corps. Il avait les cheveux noirs plaqués à la brillantine et un mégot au coin de la bouche. On aurait dit un personnage dans un film de gangsters.

– Je ne vous ai pas entendue frapper, répliqua-t-il poliment, mais fermement.

Ignorant ce commentaire, Leonora colla son chewing-gum dans le cendrier sur la console de l'entrée.

– Nous irons faire un tour en voiture après le dîner, Laurent. Nous prendrons la Cadillac. Assurez-vous qu'elle soit impeccable.

Sur ce, elle tourna les talons et sortit. Cassie hésita, choquée par l'insolence de son hôtesse, mais ne sachant que dire. Le chauffeur la salua aimablement.

– Mademoiselle…

Il ferma la porte derrière elle. Leonora l'attendait.

– Tu as vu ? siffla-t-elle. Tu as vu comment il m'a regardée, quand j'ai fait la moue ?

Cassie n'avait rien remarqué de la sorte. Au contraire, l'expression de Laurent ne trahissait qu'irritation et ressentiment.

– Je te le dis, je n'ai qu'à claquer les doigts, reprit Leonora en rejetant ses cheveux en arrière. Il meurt d'envie de coucher avec moi.

– Franchement, Leonora, je te trouve odieuse, dit Cassie.

– Pourquoi ? Parce que je parle de coucher ?

– Ta façon de traiter les gens...

– Les gens ? coupa Leonora. Quels gens ? Ce ne sont que des domestiques !

Elle poussa d'un coup de pied le battant de l'écurie.

– Dex ! Dex ! C'est Miss Von Wagner !... Dex est l'assistant palefrenier. Il va te montrer les chevaux.

Les boxes étaient disposés en carré, de façon à ce que les bêtes puissent à la fois se voir et être surveillées. L'ensemble était impeccablement entretenu, des boiseries fraîchement repeintes au carré de pelouse du milieu, d'où jaillissait une fontaine en pierre. Cassie compta douze stalles en tout, quatre sur trois côtés. Le quatrième côté, percé de l'arche sous laquelle elles venaient de passer, abritait la sellerie, les stocks de nourriture et les vestiaires des valets d'écurie. Cassie écarquilla les yeux, ébahie. Chaque box était occupé par un pur-sang, dont le nom figurait en lettres dorées sur une plaque de bois au-dessus des portes.

– On peut monter ? s'enquit Cassie, en maîtrisant avec peine son excitation.

– Vas-y si tu veux. Moi, je préfère bronzer. J'ai *horreur* des chevaux !

– Je ne peux pas y aller toute seule ! s'exclama Cassie, tandis que Leonora repartait sous l'arche. Je ne saurais pas où aller.

– Dex te montrera ! lança Leonora par-dessus son épaule.

Restée seule, Cassie admira les têtes de tous ces pur-sang magnifiques, qui la contemplaient avec curiosité. Elle s'avança vers la stalle la plus proche. Leonora avait horreur des chevaux ? Elle ne montait donc pas du tout ? Dans ce cas, qui restait-il ? Sa mère n'était jamais là, elle n'avait ni frères ni sœurs, son grand-père était plus ou moins invalide. Cassie fronça les sourcils en caressant le chanfrein d'Adventurer.

– Attention ! prononça une voix derrière elle. Il lui arrive de mordre.

Cassie fit volte-face. Elle était tellement absorbée dans ses pensées qu'elle n'avait rien entendu.

– Je suis Dexter, annonça un jeune homme à l'air sérieux. L'assistant palefrenier.

– Comment allez-vous ?

Cassie lui tendit la main. Dexter fronça les sourcils, perplexe, puis la lui serra brièvement.

– N'ai-je pas entendu Mlle Von Wagner ? J'étais tout au bout, avec Rebel. Il a un problème de respiration.

– Ah, bon ? Lequel est-ce ?

Dex lui montra le box d'en face, où un cheval mordait le haut de sa porte en aspirant de grandes bouffées d'air.

– Je ne sais pas ce qui lui prend. Il s'ennuie peut-être.

– Probablement. A moins qu'il ne souffre d'une déficience en minéraux.

– Vous vous y connaissez, en chevaux ?

– Un peu. Sûrement moins que vous.

En se retournant pour lui sourire, elle eut un petit frémissement. Il était à peine plus âgé qu'elle. Elle avait quinze ans, lui devait en avoir dix-sept. Hormis Dick, l'un des frères de Mary-Jo, il était le plus beau garçon qu'elle ait jamais rencontré. Il avait les yeux noisette, un nez légèrement retroussé, un air volontaire.

– Je ne sais pas encore grand-chose. J'apprends. Mais je monte bien.

Il se pencha pour ramasser la paille que Rebel venait de laisser tomber.

– Miss Von Wagner m'a dit que vous pourriez peut-être m'emmener.

– Oui, bien sûr. Quand vous voudrez.

– Maintenant ? A moins que vous ne soyez occupé.

Dex secoua la tête, les yeux sur le bout de ses chaussures.

– Maintenant, ce serait parfait.

– Epatant ! Je vais vite me changer.

Elle s'éloigna, s'arrêta brutalement.

– Lequel me donnerez-vous ?

– Quel est votre niveau ?

– Je monte depuis l'âge de sept ans.

– Vous prendrez Missie.

Cassie le remercia et disparut. Dexter la suivit du regard, plus longtemps qu'il ne l'aurait dû.

S'il avait été sensible au physique de l'amie de Mlle Von Wagner, il fut encore plus impressionné par la façon dont elle montait. Mlle McGann sympathisa tout de suite avec la pouliche qu'il lui avait confiée. Elle était élégante et habile. Ils se parlèrent à peine lors de cette première promenade. Cassie était trop intimidée, Dexter, trop conscient de la place qu'il devait tenir. Cependant, dès qu'ils le pouvaient, ils s'observaient à la dérobée.

Cassie fut tout aussi épatée par les capacités de son compagnon. Windjammer, un superbe alezan, était très nerveux, mais Dexter n'avait aucun mal à le maîtriser.

A mi-parcours, Dexter demanda à Cassie si elle savait sauter. Lorsqu'elle lui répondit par l'affirmative, il lui proposa de franchir quelques arbres tombés. Puis ils repartirent en sens inverse, dans un silence amical.

Une fois dans la cour, Dexter voulut reprendre le cheval de Cassie.

– Non, non. Je m'en occupe. Si ça ne vous ennuie pas, bien sûr.

Dexter parut vaguement inquiet, comme s'il craignait que Leonora ne surgisse à l'improviste pour lui remonter les bretelles. Ne voyant personne aux alentours, il acquiesça.

Leonora surgit alors que Cassie allait accrocher sa selle.

– Qu'est-ce que tu fabriques ? Pourquoi est-ce qu'on emploie des valets, à ton avis ? Dexter !

– C'est moi qui ai tenu à le faire.

Leonora suivit Cassie dans la sellerie, où d'autres jeunes garçons nettoyaient des harnais, sous la surveillance d'un homme plus âgé, le palefrenier principal. En apercevant Cassie, il se précipita vers elle.

– Donnez-moi ça, mademoiselle.

– Ça va, protesta-t-elle. Dites-moi simplement où est le crochet de Missie.

Il y eut un silence. L'homme jeta un coup d'œil angoissé vers Leonora.

– Miller va la ranger, décréta-t-elle.

– Leonora, laisse tomber, répliqua Cassie.

Miller lui indiqua une place sur le mur, et Cassie rangea la selle. Dexter entra. Il eut droit à un regard noir de la part de Leonora, mais à son immense soulagement, elle se garda de tout commentaire.

– Tu n'as pas oublié qu'on allait faire un tour en voiture, j'espère ?

– Non, non. Je n'en ai pas pour longtemps à me changer.

Elle courut jusqu'à la maison, se rua dans la chambre, se doucha, s'habilla. Pour la première fois de sa vie après une promenade à cheval, elle se surprit à penser à autre chose qu'à l'équitation.

Cassie était en train de tomber amoureuse. Au début, elle eut peur. Elle annula deux jours de suite ses rendez-vous avec Dex, préférant nager pendant que Leonora bronzait, fumait et apprenait à boire le gin-tonic. Une fois épuisée, elle allait s'installer à l'autre bout de la terrasse, pour échapper à la fumée de Leonora, et essayer de penser à autre chose... surtout pas à Dexter Bryant. Ses efforts se révélaient vains, malheureusement. Même quand elle se concentrait sur ses souvenirs de vacances avec Mary-Jo, son esprit vagabondait. Elle en avait honte, car elle avait la sensation de trahir son amie.

Leonora trempait de temps en temps une main dans l'eau et demandait d'une voix pâteuse à Cassie pourquoi elle n'allait pas monter. Cassie répondait simplement qu'elle n'en avait pas envie. Leonora gloussait, lâchait une insolence ou deux, puis s'assoupissait.

Le troisième jour, elle ne résista plus. Elle repartit en balade.

– Vous croyez vraiment que vous serez jockey un jour ? demanda-t-elle à Dexter, un après-midi, sur le chemin du retour. Je croyais qu'il fallait être très petit de taille.

– Mon cousin Don a cessé de grandir quand il avait mon âge. Il ne me reste plus qu'à attendre. Je verrai bien.

– Mais votre mère n'y tient pas, lui rappela-t-elle.

– Vous savez, Miss McGann, ma mère ne rêve que d'une chose pour moi, c'est que je devienne le président des Etats-Unis !

Cassie s'esclaffa, Dexter aussi. Ils se regardèrent.

– Vous pourriez peut-être m'appeler Cassie, quand nous sommes en promenade.

Dexter hésita, opina.

– D'accord.

Leonora les attendait en fumant une cigarette sur la barrière de l'enclos. Elle interpella Cassie.

– Grand-père va arriver, annonça-t-elle. Il faut que tu reviennes te changer.

Cassie tira sur les rênes de sa monture.

– Je vais d'abord rentrer Missie.

– Non, répliqua Leonora. Avec Grand-père, il ne s'agit pas d'être en retard.

Cassie sauta à terre et confia Missie à Dexter.

– Merci, Dexter. Désolée.

– Aucun problème, mademoiselle, répondit-il.

Il soutint son regard une fraction de seconde en trop, ce que ne manqua pas de remarquer Leonora.

– Dexter est drôlement mignon. Je n'y avais jamais fait attention, déclara Leonora, immergée dans un bain moussant. Je suppose qu'il ne t'attire pas, Cassie ?

Celle-ci était en train de se brosser les dents. Elle leva les yeux, vit Leonora dans la glace, et s'empourpra.

– Il est très gentil. Et c'est un excellent cavalier.

– Il est très gentil, railla Leonora. Et c'est un excellent cavalier.

Elle étira une longue jambe devant elle.

– Je me demande s'il a déjà couché.

Cassie s'essuya la figure et ramassa ses sous-vêtements.

– Décidément, tu ne penses qu'à ça.

– Oui. Ça m'intéresse, minauda Leonora.

– Eh bien ! Pas moi. Il y a des choses bien plus passionnantes que de savoir si quelqu'un a couché ou pas.

– Quoi, par exemple ?

– Je ne vais pas perdre mon temps à te l'expliquer.

Cassie sortit, tandis que Leonora entonnait une chanson d'amour. A tue-tête.

Cassie s'habilla rapidement, les joues brûlantes. Leonora vida la baignoire et vint dans la chambre, dégoulinante. En passant près de Cassie, elle secoua sa crinière.

– Tu ne peux pas être amoureuse du palefrenier, décréta-t-elle de façon péremptoire en se penchant pour s'admirer dans le miroir de la coiffeuse. Tu pourrais coucher avec lui, mais pas être amoureuse.

Cassie contempla le postérieur de Leonora et, cédant pour une fois dans sa vie à la tentation, lui donna un grand coup de pied. Leonora se redressa brutalement et se retourna en se frottant la fesse.

– Qu'est-ce qui te prend ?

– Tu es vraiment odieuse. Je regrette de ne pas l'avoir fait plus tôt.

Elle alla chercher des vêtements secs et se rhabilla. Comme elle agrafait son soutien-gorge, elle vit que Leonora l'examinait d'un air méprisant.

– Tu n'as pas beaucoup de seins.

– Ils me suffisent.

– Tes jambes ne sont pas fantastiques, non plus.

– En tout cas, je suis heureuse de ne pas avoir ton état d'esprit, Leonora. Tu dois être bien malheureuse.

– Ah ! s'esclaffa l'adolescente. Ah ! Cassie, tu es merveilleuse. Qu'est-ce que tu me fais rire !

Toujours hilare, elle se détourna et entreprit de se brosser les cheveux.

Le valet fit entrer Cassie dans le salon, où les deux jeunes filles devaient attendre le maître de maison. Leonora avait encouragé Cassie à descendre la première, car elle ne parvenait pas à se décider sur sa tenue. Apparemment, son grand-père était très pointilleux. Elle avait prêté une robe à Cassie, sous le prétexte que les siennes étaient beaucoup trop fades pour l'occasion. Elle l'avait aidée à se maquiller, aussi. Cassie avait vivement protesté, mais Leonora avait insisté. Son grand-père était âgé, mais cela ne l'empêchait pas d'être très sensible à la coquetterie de son entourage féminin.

Cassie examina la pièce, immense, remplie de meubles antiques et d'énormes tableaux sans âme. L'atmosphère était étouffante : toutes les fenêtres étaient fermées, et un feu brûlait dans la cheminée.

Mal à l'aise dans sa robe sans manches, Cassie se vit dans une glace et tenta une fois de plus de remonter le décolleté. Leonora lui trouvait une poitrine peu généreuse, mais elle en avait bien assez pour être gênée. A cet instant précis, la porte s'ouvrit, et le grand-père de Leonora apparut, plié en deux sur ses béquilles, accompagné de son majordome qui le tenait par le coude. Juste derrière lui se tenait Leonora, vêtue d'une robe bleu ciel à manches longues, boutonnée jusqu'au cou et ceinturée. Elle avait noué ses cheveux avec un ruban, et son visage était lisse comme une peau de bébé. Elle adressa un sourire à Cassie, et prenant un air tout à fait innocent, aida son grand-père à s'asseoir. Elle déploya un plaid sur ses genoux, puis se percha sur le bras du fauteuil en lui tenant la main. Cassie, clouée sur place, se sentit devenir écarlate.

– Tu es un ange, Leonora, dit son grand-père, tandis qu'elle allait lui verser un whisky. Si seulement tous les enfants étaient comme toi.

Leonora l'embrassa sur le front, en jetant un coup d'œil malicieux vers Cassie.

– Dis à ton amie de s'approcher, ordonna-t-il. Je veux voir si elle est aussi mignonne que toi. J'en doute.

Cassie se présenta devant M. Von Wagner Senior.

– Heureuse de vous rencontrer, monsieur.

Le vieil homme, encore séduisant en dépit de la maladie qui le rongeait, examina Cassie de bas en haut, sans un mot. Puis il avala une gorgée d'alcool.

Après le repas, au cours duquel Leonora multiplia les mensonges sur sa vie à l'Académie, elle accompagna son grand-père jusqu'à la bibliothèque. Là, elle se mit au piano et joua quelques sonatines. Assez correctement. M. Von Wagner n'avait pas adressé la parole à Cassie de la soirée, bien qu'après deux apéritifs et quelques verres de vin, il se fût montré fort loquace, en particulier concernant le déclin de la jeunesse américaine. C'était un sujet qui lui tenait à cœur. A son avis, Hollywood et les romans de gare en étaient en grande partie responsables. Leonora, qui ne voyait que des films X et ne lisait que des torchons, approuvait tous ses arguments.

Enfin, elle bâilla poliment derrière sa main et annonça que l'heure était venue de se coucher. Elle embrassa une dernière fois son grand-père sur le front et fit signe à Cassie. Cette dernière murmura un bonsoir aimable, qu'il ignora.

Lorsqu'elles furent dans leur chambre, Leonora se jeta sur son lit en hurlant de rire. Furieuse et honteuse de s'être ainsi laissé duper, Cassie s'enferma dans la salle de bains.

Lorsqu'elle reparut, propre et en peignoir, elle ramassa sa chemise de nuit et se dirigea vers la porte.

– Où vas-tu, Cassie ? Tu n'es pas fâchée, tout de même ?

– Je vais dormir ailleurs. Et oui, je suis fâchée, d'accord ? Tu n'étais pas obligée de me ridiculiser comme ça tout simplement parce que tu détestes ton grand-père.

– Je n'ai pas cherché à te ridiculiser, Cassie ! Je t'assure. Je voulais m'amuser un peu, c'est tout.

Un instant, Cassie faillit tomber dans le piège, tant Leonora semblait sincèrement regretter l'incident.

– Néanmoins, je vais dormir ailleurs, si cela ne t'ennuie pas. Je changerai peut-être d'avis demain.

Leonora la suivit jusque sur le palier.

– Bon. Comme tu voudras.

S'il n'y avait pas eu Dexter, Cassie serait probablement rentrée chez elle très vite. Elle en avait assez des humiliations répétées, mais elle savait que si elle reprenait le train de sa propre initiative, Leonora et Grand-mère s'arrangeraient pour qu'elle ne revoie plus jamais Dex.

Par ailleurs, Leonora semblait vouloir se racheter. Elle cessa de bouder puisqu'elle n'obtenait pas ce qu'elle voulait, encouragea Cassie à voir Dex, lui donna même quelques conseils.

Les deux adolescentes partageaient de nouveau la même chambre, non pas parce que Leonora avait supplié Cassie de revenir, mais au contraire, parce qu'elle n'avait rien dit. Cassie sentait combien Leonora était seule et désemparée dans cette vaste demeure.

En dépit de ses sentiments envers Dex, elle aimait toujours autant les chevaux. Ce qui la rendait d'autant plus attirante aux yeux de l'apprenti palefrenier. Jamais encore il n'avait discuté avec une fille aussi jolie, cavalière accomplie, passionnée. Il attendait avec impatience leur rendez-vous de seize heures, quand elle surgissait en le cherchant du regard.

Cassie se laissa convaincre d'appeler Grand-mère pour lui demander si elle pouvait rester quelques jours de plus. Naturellement, Gloria accepta aussitôt, persuadée que Cassie était la bienvenue parmi les Von Wagner. Elle lui envoya même un peu d'argent.

Pour fêter l'événement, Leonora ordonna à Laurent de les emmener en ville faire quelques courses. Elle voulait s'acheter des vêtements, Cassie souhaitait offrir un cadeau à Dexter. Le chauffeur les attendit devant le grand magasin en astiquant la Rolls. Leonora fit l'acquisition de deux chandails et d'un chemisier, tandis que Cassie se laissait séduire par un livre, *L'Art de la course équestre*, pour Dex. Avant que la vendeuse ne l'emballe, elle inscrivit un petit mot sur la page de garde : « Pour Dexter. Affectueusement, Cassie. Eté 1955. » Leonora lut le message par-dessus son épaule, sans que Cassie s'en aperçoive, mais se retint du moindre commentaire.

Cassie donna l'ouvrage à Dex au retour de leur promenade, le lendemain.

– J'ai inscrit quelque chose à l'intérieur, murmura-t-elle.

Dex lut le message, rangea le livre dans son vestiaire. Puis il s'assit auprès de Cassie, l'entoura d'un bras et l'embrassa.

C'était leur premier baiser. C'était le premier baiser de Cassie. Elle ne s'évanouit pas, elle ne vit pas mille et une étoiles. Mais lorsque Dexter s'écarta, elle sut qu'elle recommencerait avec plaisir.

– Je t'aime, Cassie, chuchota-t-il avec un sourire timide.

– Je crois que je t'aime, moi aussi.

Leonora entra.

– Oh, pardon ! s'exclama-t-elle en les voyant côte à côte sur le banc.

Dex se mit debout, écarlate.

– Miss Von Wagner ! J'étais justement en train de ranger les selles, bredouilla-t-il en ramassant celle d'Adventurer.

– Je me fiche de ce que vous faisiez, Dex. A vrai dire, c'est Laurent que je cherchais. D'après Georges, il devrait être dans les parages.

Sur ce, elle disparut. La magie du moment s'était envolée. Cassie se leva à son tour.

– Je ferais mieux d'aller me changer. Nous allons à une soirée à Patchogue.

– Bon… A demain ?

– A demain !

– Merci encore pour le livre, Cassie !

– De rien ! Un de ces jours, je vous verrai courir à Arlington !

– Sur un de vos chevaux ! promit-il.

Ils se regardèrent. Cassie lui souffla un baiser et sortit.

A son grand étonnement, Cassie passa une bonne soirée. Elle regretta seulement que Dexter ne fût pas avec elle. Elle dansa avec un jeune homme poli, en smoking, sur l'air de *Satin Doll* joué par un orchestre. Les cavaliers se succédèrent, jusqu'au moment où, épuisée, elle décida d'aller s'asseoir quelques minutes. Leonora vint lui demander si elle s'amusait.

– Beaucoup, merci.

– Oui, c'est pas mal, admit Leonora. Viens, on va boire un verre.

– Je n'ai pas vraiment soif. A moins qu'il n'y ait du Coca ?

– Serveur ! Deux punchs, et plus vite que ça ! glapit Leonora.

Puis elle se tourna vers Cassie en souriant.

– Ne t'inquiète pas. Ce n'est que du jus de fruits.

On leur présenta deux coupes. Cassie goûta, sous l'œil attentif de Leonora. Cette dernière avait raison. Ce n'était que du jus de fruits.

Curieusement, à partir de là, Cassie s'anima encore plus, et bientôt, les jeunes gens faisaient la queue pour danser avec elle. Elle riait de leurs plaisanteries, leur répondait du tac au tac. Et dès qu'elle s'asseyait pour reprendre son souffle, Leonora lui apportait un peu de punch pour reprendre des forces.

Cassie riait encore lorsqu'elles gravirent l'escalier sur la pointe des pieds, à deux heures du matin. Leonora posa l'index sur sa bouche, poussa la porte de la chambre. Cassie s'écroula sur son lit, hilare. Lorsqu'elle se retourna, elle vit Leonora, qui avait noué ses draps pour s'échapper par la fenêtre.

– Où vas-tu ?

– Je vais retrouver Laurent, chuchota Leonora. Tout est arrangé. Ce soir, je la perds.

Cassie se redressa, horrifiée. Elle se précipita vers Leonora, chancela, se pencha dehors.

– Ne fais pas ça ! Reviens ici tout de suite.

– Va-t'en au diable, Cassie McGann. Et tais-toi, sinon tu risques de réveiller toute la maisonnée.

Cassie regarda Leonora se faufiler entre les buissons. Elle ferma la fenêtre, mais pas complètement, de façon à ce que son amie puisse rentrer.

Elle se déshabilla lentement. Elle avait le vertige, le cœur au bord des lèvres. Elle atteignit la salle de bains juste à temps.

*
* *

Elle crut tout d'abord qu'elle rêvait. Elle dormait si profondément que le bruit semblait parvenir de très loin. Elle se retourna, soupira. Elle était à Locksfield, avec Dex et Mary-Jo, ils volaient au-dessus de la ferme comme des oiseaux, dans un ciel limpide. De temps à autre, ils se souriaient. Loin en dessous, les passants levaient la tête vers eux et agitaient la main.

Les coups reprirent, plus forts, insistants. Cassie se tourna de nouveau. A présent, elle était dans un train, qui venait de plonger dans un tunnel. Grand-mère, assise en face d'elle, lui parlait, mais Cassie savait qu'elle était morte. Puis, Grand-mère leva la main et se mit à frapper à la fenêtre du compartiment. La vitre se brisa. Il y avait du sang partout.

Cassie s'assit brutalement. Elle avait la gorge sèche, un marteau dans la tête. Quelqu'un cognait à la fenêtre de la chambre. Elle se rappela que Leonora était descendue rejoindre le chauffeur. Ce devait être elle, qui essayait de rentrer. Cassie quitta son lit, ravala une nausée, enfila son peignoir.

Mais ce n'était pas Leonora. C'était Dex. Cassie recula, épouvantée, tandis qu'il enjambait le rebord et se tenait timidement devant elle, dans un rayon de lune.

– Dex ! Qu'est-ce que... qu'est-ce que vous faites là ?

– Ce que je fais là ? Ce que vous m'avez demandé dans votre mot, répondit-il en sortant un papier de la poche arrière de son jean.

Cassie resserra sa robe de chambre, affolée.

– Je rêve. Je ne vous ai jamais dit de monter ici.

Dex la dévisagea, visiblement aussi effrayé qu'elle. Il lui tendit la missive, sans s'approcher.

– Qu'est-ce que c'est que ça ?

– Votre mot. Celui que vous avez laissé dans mon vestiaire.

Cassie se glaça. Elle commençait à comprendre. Elle se percha sur le lit, alluma la lampe de chevet. Dex se recroquevilla aussitôt dans l'ombre, conscient, lui aussi, que quelque chose ne tournait pas rond.

– « Mon Dex chéri. Je ne peux pas vous parler de vive voix, puisque nous allons à une soirée... »

Cassie leva les yeux. Dex surveillait le jardin.

– ... « Nous serons de retour peu après minuit. Leonora s'est débrouillée pour que je sois seule dans la chambre. Je vous en supplie, venez m'y retrouver, car je m'en vais demain. C'est sans doute notre dernière chance de nous voir seuls. Vous n'avez rien à craindre, Leonora a pensé à tout. Je voudrais tant vous prouver combien je vous aime. Cassie ».

Elle éteignit et se précipita vers lui.

– Dex ! Dexter... ce n'est pas mon écriture !

Il paniqua.

– Ce n'est pas possible autrement ! Je l'ai comparée avec l'inscription dans le livre.

– Leonora aussi, je suppose. Elle imite sans arrêt l'écriture des élèves, à l'école. Vous feriez mieux de vous en aller avant qu'il ne soit trop tard.

Tous deux scrutèrent le parc. Le champ était libre. Peut-être que Leonora avait pour une fois décidé de jouer les Cupidon plutôt que les démons.

Dex s'adressa à elle, les larmes aux yeux.

– Cassie, il ne faut pas m'en vouloir. Je suis simplement venu vous dire que je vous aime. Je n'allais pas...

Il lui prit les mains.

– ... Je n'avais pas de mauvaises intentions, acheva-t-il.

Cassie l'embrassa sur la joue.

– Je sais. De toute façon, je n'aurais pas accepté.

Elle s'effaça, pour qu'il puisse repasser par la fenêtre.

– Je vous aime, Cassie, murmura-t-il. Ne l'oubliez jamais.

– Je ne l'oublierai jamais, Dex. Moi aussi, je vous aime.

Dex s'accrocha au drap, prêt à descendre. Au même moment, plusieurs personnes cachées dans les buissons en émergèrent et allumèrent leurs lampes de poche.

Cassie poussa un cri, tira sur le bras de Dex, le poussa sur le côté.

– Oh, mon Dieu ! On m'a repéré. Mon Dieu ! Qu'allons-nous faire ?

Elle le tira jusqu'à la porte.

– Vite ! Ils ne vous ont peut-être pas reconnu. Passez par-derrière.

Main dans la main, ils coururent sur le palier. Au même moment, on alluma. Cassie cligna des paupières. On les attendait, au rez-de-chaussée. Il y avait là le grand-père de Leonora, en pyjama et robe de chambre, assis dans son fauteuil roulant, une infirmière, Mme Larkin la gouvernante et… Leonora.

Dex fut renvoyé sur-le-champ. Sourd aux protestations de Cassie, le grand-père de Leonora avait ordonné son renvoi immédiat. Quant à Cassie, elle devait prendre le premier train dès le lendemain. Cassie tenta en vain de lui expliquer ce qui s'était passé. Il l'ignora et pria Mme Larkin de l'enfermer à double tour dans la nursery jusqu'au moment de son départ.

Recouvrant ses esprits, Cassie repoussa Mme Larkin qui tentait de l'agripper et la précéda dans l'escalier. Leonora suivait, à une distance respectable. Cassie ne lui dit rien, lorsqu'elle la croisa sur le chemin de la nursery. Leonora, en revanche, tenait à avoir le dernier mot :

– Jeu, set et match, Paddy !

Cassie arriva sans prévenir à Westboro Falls, le jour de son seizième anniversaire. En apprenant ce qui s'était passé, Gloria ferma la porte d'entrée à clé, s'empara d'un bâton et se mit à frapper Cassie. Elle la cogna sur le dos, sur la tête, sur les bras, sur les jambes, jusqu'à ce que l'adolescente, à demi inconsciente, monte en courant se réfugier dans sa chambre. Grand-mère la pourchassa sans cesser de taper. Une fois dans son sanctuaire, Cassie claqua la porte. Grand-mère l'enferma à double tour.

Cassie s'en fichait éperdument. Elle était surtout soulagée d'avoir échappé à la violence. Couverte d'hématomes, les mains en sang, elle enfouit son visage boursouflé dans l'oreiller.

Grand-mère lui ouvrit à six heures le lendemain matin, exaspérée par les martèlements incessants de Cassie. Brandissant son bâton, elle s'écarta pour laisser passer l'adolescente, qui se rua dans la salle de bains. Elle en émergea une vingtaine de minutes plus tard. Grand-mère jeta les draps à ses pieds.

– Je veux que tu les laves immédiatement. Et qu'il n'y ait plus la moindre tache !

– Pourquoi crois-tu que je t'appelle depuis une heure ? s'écria Cassie. Je n'avais pas de protections. Tout est dans ma valise, en bas.

– Tu n'avais qu'à y penser avant. Tu aurais dû savoir que tu allais être réglée.

Gloria tourna les talons. Cassie ramassa les draps et descendit à la buanderie, où elle les frotta indéfiniment à la main, sans parvenir à effacer toutes les marques de sang. Elle avait mal partout. En larmes, le corps et l'âme douloureux, elle s'effondra sur le sol glacial en pierre.

Elle avait dû s'endormir car, lorsqu'elle rouvrit les yeux, le soleil était un peu plus haut dans le ciel. Elle resta là un moment, à réfléchir, puis elle prit une décision. Il n'existait qu'une seule personne vers qui elle pouvait se tourner.

Elle vérifia que Grand-mère était toujours dans sa chambre. Il n'était que sept heures. Delta n'était pas encore levée. Cassie alla s'habiller, couvrit son visage tuméfié d'un foulard, ramassa le linge trempé et sortit sur la pointe des pieds.

Mme Roebuck était déjà en train d'arroser ses fleurs. Elle vit Cassie traverser la rue et pousser le portail.

– Bonjour, Cassie ! M. O'Reilly m'a dit que tu étais rentrée. J'avais cru comprendre d'après ta grand-mère que tu devais prolonger ton séjour jusqu'à la fin de la semaine.

Cassie lui fit une réponse vague, mais Mme Roebuck saisit tout de suite l'ampleur de la catastrophe. Elle posa son tuyau.

– Viens, petite, entre.

Cassie hésita, puis suivit Mme Roebuck jusque dans sa cuisine, toujours si accueillante.

– Pourriez-vous m'aider avec ma lessive, s'il vous plaît ?

Mme Roebuck s'approcha de Cassie, l'obligea à lever la tête. L'adolescente avait fait de son mieux pour cacher ses bleus en mettant une jupe très longue et un cardigan, mais elle ne pouvait guère dissimuler les blessures à son visage.

– Tu veux en parler, Cassie, pendant que je prépare du café ?

– Je suis tombée de cheval. C'est ma faute. Je voulais me faire remarquer, j'ai été fouettée par une branche et...

Mme Roebuck mit la bouilloire sur le feu, sans intervenir.

– Quand cela s'est-il passé, Cassie ?

– Avant-hier. C'était notre dernière promenade.

– Tu t'es fait mal aux mains, aussi.

– Oui, un peu.

Cassie s'efforça de sourire, mais ses lèvres étaient trop gonflées.

– On dit que pour devenir un bon cavalier, il faut chuter.

Cassie faillit soupirer de soulagement. Mme Roebuck acceptait ses explications.

– Alors, qu'est-ce que tu veux que je te lave ? Delta est en grève ?

– J'ai eu un petit accident. Grand-mère est très fâchée. Vous comprenez, je ne les attendais pas si tôt et... J'aurais sans doute dû prévoir...

Mme Roebuck claqua la langue et secoua la tête. Mais c'était à Gloria qu'elle en voulait, pas à Cassie. Elle s'empara de la pile de linge et disparut dans la buanderie pour le faire tremper. Puis elle revint avec un tube de cachets d'aspirine.

– Prends-en deux tout de suite, ordonna-t-elle en remplissant un verre d'eau. Ensuite, je vais soigner tes hématomes. C'est tout de même curieux que personne n'ait songé à te mettre de la pommade ou... Et cette petite coupure, là, au coin de la bouche. Elle saigne encore.

Cassie demeura silencieuse, incapable d'inventer une excuse plausible.

– Où as-tu mal, encore ?

Cassie haussa les épaules.

– Je t'ai posé une question, Cassie.

Cassie dévisagea Mme Roebuck, cette femme qui l'aimait tant et qu'elle aurait rêvé d'avoir comme maman. Ses yeux se remplirent de larmes. Elle posa la tête sur la table.

Après l'avoir baignée, pansée, enveloppée dans un épais peignoir, Mme Roebuck fit asseoir Cassie, encore sous le choc, devant son fameux poêle à bois. Elle lui donna un lait chaud avec du miel.

– A présent, tu vas te coucher, ma petite.

– Il faut que je rentre, madame Roebuck. Grand-mère se demande sûrement où je suis passée.

– Qu'elle s'interroge, riposta sèchement Mme Roebuck. De mon côté, je me pose pas mal de questions.

Elle emmena Cassie à l'étage et la mit dans le lit de Maria.

– Tu restes là et tu dors, d'accord ? Je m'occupe du reste.

Elle embrassa Cassie sur le front, puis sortit en fermant doucement la porte.

Cassie s'abandonna dans la fraîcheur des draps. L'aspirine avait déjà produit son effet, les douleurs s'estompaient. Bientôt, elle s'assoupit. Elle n'entendit pas

Grand-mère faire irruption dans la maison et ordonner son retour. Elle n'entendit pas Mme Roebuck la renvoyer vertement en la menaçant d'appeler un médecin qui exigerait des explications concernant l'état de santé de Cassie. Elle n'entendit pas Gloria répliquer que Cassie était tombée dans l'escalier.

Elle rêvait de Dex. Il montait son premier cheval de course et gagnait par dix longueurs.

Elle s'éveilla vers midi, quand Mme Roebuck vint prendre de ses nouvelles et lui redonner des cachets. Elle s'assit pour les avaler, puis s'enfonça dans les oreillers. Elle avait chaud au cœur. Les gens bons ne se laissaient jamais vaincre.

Elle retomba dans un sommeil profond.

7

Penland, New Hampshire
1958

Une guirlande de fleurs couronnait le visage lumineux de Mary-Jo. Elle maintenait le voile qui cascadait sur ses magnifiques cheveux noirs.

Cassie remonta l'allée derrière sa meilleure amie. C'était elle qui avait été choisie pour tenir la traîne. Dans la chapelle, au passage de Mary-Jo, toutes les têtes se tournèrent. Cassie eut l'impression que certains avaient du mal à retenir un cri d'admiration devant la beauté de la mariée.

Son père l'attendait au pied de l'autel. Le dos rigide, il fixait le bout de ses chaussures. Cassie se demanda comment aurait réagi son propre père, s'il s'était trouvé à cette place. Lorsque sa fille s'immobilisa, Mme Christiansen se tourna vers elle et lui sourit. Mary-Jo sourit à son tour, radieuse, puis leva les yeux vers le tabernacle.

L'orgue se tut. Cassie ajusta la traîne de la mariée. La robe de Mary-Jo était somptueuse. Son père avait acheté le tissu une dizaine d'années auparavant en prévision de l'événement, lors d'un voyage en Thaïlande. Il l'avait enveloppé dans un papier de soie et entouré de boules antimites dans l'attente du grand jour.

Il était enfin arrivé, mais M. Christiansen restait voûté,

cassé. Submergée par un sentiment de pitié, Cassie l'observa à la dérobée. Elle savait combien la décision de Mary-Jo de devenir nonne l'avait blessé et déconcerté.

– Ce que j'ai détesté, c'est quand on lui a coupé les cheveux, confia Maria, un peu plus tard.

– Je suis d'accord, renchérit Rosella. Mary-Jo avait une chevelure exceptionnelle.

– Ce n'étaient que des cheveux, répliqua Cassie malgré elle.

Les images de la cérémonie qui venait de se dérouler la hantaient. L'habit blanc, tout simple, de Mary-Jo. Les Sœurs qui lui enlevaient sa robe et son voile de mariée. Mary-Jo, les bras en croix, prostrée devant l'autel. Les sanglots de M. Christiansen. Mme Christiansen, pâle et silencieuse, qui posait une main réconfortante sur son épaule. Pourquoi Mary-Jo ? Comment savait-elle que Dieu l'appelait ? Lui était-il apparu un soir, brusquement, en lui annonçant qu'elle avait été choisie ? S'agissait-il d'une sorte de révélation intérieure ? Mais surtout, pourquoi Mary-Jo ne s'était-elle jamais confiée à Cassie ?

Juste après Noël, elles avaient passé des vacances ensemble trois mois à peine auparavant. Mary-Jo ne lui avait rien dit. Elles avaient chahuté comme toujours, lancé des boules de neige, patiné, mais jamais sa meilleure amie ne lui avait parlé de son projet. Avec le recul, Cassie songeait que Mary-Jo priait peut-être un peu plus longtemps chaque soir, mais elle avait toujours été très dévote. Soudain, Cassie se rappela s'être réveillée, une nuit, et avoir cru entendre quelqu'un sangloter, au loin. En hiver, ils dormaient dans la maison, car la grange était beaucoup trop froide. Cassie avait remonté les couvertures jusqu'à son front pour s'isoler, puis s'était rendormie.

A présent, elle savait qui avait pleuré cette nuit-là. Le père de Mary-Jo. Elle le chercha du regard.

– Il est rentré, lui dit Maria. Il n'a pas voulu rester pour le déjeuner. Il est brisé.

Mary-Jo, vêtue de son habit tout neuf, bavardait avec sa mère. Elle était religieuse. Elle était devenue une de ces Sœurs qu'enfants, elles avaient fuies en gloussant. Une de ces Sœurs qui les avaient plus tard réprimandées, ou récompensées. Mary-Jo était des leurs.

Elle irradiait le bonheur. Allant de l'un à l'autre, elle acceptait avec sérénité les félicitations et les vœux. C'était Cassie qui souffrait, Cassie qui avait un mal fou à admettre que son amie, avec qui elle s'était roulée dans l'herbe, avait chassé les papillons et galopé dans les prés de Locksfield, consacrerait désormais son existence à Dieu. Un flot de ressentiment l'envahit.

Mary-Jo s'approcha d'elle, et Cassie baissa la tête. Mary-Jo lui prit la main, l'embrassa sur la joue. Cassie la regarda dans les yeux, et Mary-Jo lui sourit. Mais ce n'était pas un sourire de complicité. Elle souriait pour Cassie, qui n'était plus sa meilleure amie. Dieu avait pris sa place.

Dans la voiture de Mme Christiansen, tout le monde se réfugia dans le silence. Il pleuvait.

M. Christiansen était parti au volant de son propre véhicule. En traversant la ville, ils remarquèrent sa Dodge, devant un bar. Mme Christiansen se gara, entra dans l'établissement. Environ cinq minutes plus tard, elle ressortit et appela Frank. Agé de vingt et un ans, celui-ci venait d'obtenir son permis de conduire. Sa mère le pria de ramener M. Christiansen à la maison.

Il pleuvait de plus en plus fort.

– Qu'est devenu Prince, madame Christiansen ? demanda soudain Cassie.

La mère de Mary-Jo – de « Sœur Thérèse » – se pencha pour essuyer le pare-brise embué.

– Mary-Jo l'a donné, Cassie. Elle a donné tout ce qu'elle possédait. Prince est parti le dernier.

– Je vois.

– Elle s'est assurée qu'on s'occuperait bien de lui, Cassie.

Elles parlaient de Mary-Jo comme si elle était morte. Mme Christiansen se tourna vers la jeune fille. Elle souriait, mais son regard était triste.

– J'espère que tu continueras de venir nous voir.

– J'y compte bien !

Mais elles savaient l'une comme l'autre que ce ne serait plus jamais comme avant. Cassie leur rendrait visite régulièrement au début, puis ses séjours s'espaceraient. Fini, les nuits de bavardage dans la grange, les promenades en jean rapiécé et chemise à carreaux, les barbecues sous les étoiles. Plus Cassie vieillirait, plus sa relation avec Mme Christiansen deviendrait formelle. Autour de la table de la cuisine, elles aborderaient toutes sortes de sujets. Bien sûr, Cassie lui demanderait des nouvelles de Mary-Jo. Mme Christiansen lui dirait que tout allait bien. Mais rien ne soulagerait leur douleur, rien ne remplirait le vide que la vocation de Sœur Thérèse aurait créé dans leurs existences.

Le silence revint à l'approche de Westboro Falls. Cassie essaya d'imaginer ce que serait la première soirée de Mary-Jo au couvent. Elle prierait sûrement, avec ses Sœurs. Puis elle se coucherait, en chemise de nuit, avec une croix cousue dans le dos. Elle croiserait les bras sur sa poitrine et attendrait le cadeau béni du sommeil.

Cassie colla son nez sur la vitre pour contempler les larmes incessantes de la pluie.

8

Depuis son séjour fatidique chez les Von Wagner, l'existence de Cassie avait changé à plus d'un égard. Pour commencer, à son immense soulagement, Grand-mère s'était empressée de la retirer de l'Académie. Comme elle avait payé d'avance les frais de scolarité, Cassie avait dû les rembourser en travaillant pendant une année dans une imprimerie. Une fois ce dédommagement accompli, elle avait eu le droit de conserver la moitié de son salaire mensuel, l'autre revenant à Gloria en échange du logement et de la nourriture.

Mais surtout, Cassie avait rencontré un certain Joe.

A son retour de chez Leonora, elle oubliait de manger et de dormir, tant elle pensait à Dexter. Elle avait écrit à Leonora pour lui demander ses coordonnées, mais cette dernière n'avait même pas daigné lui répondre. Elle avait même envoyé un mot au palefrenier principal, qui avait été si gentil avec elle, mais l'enveloppe lui était revenue par retour du courrier avec la mention « n'habite plus à l'adresse indiquée ». Cassie ne savait pas où était parti Dex, et Dex n'avait pas la moindre idée de l'endroit où vivait Cassie.

Petit à petit, au fil des mois, la douleur s'était estompée.

Avec surprise, Cassie s'était rendu compte qu'elle regardait d'autres garçons quand elle prenait un soda au drugstore, le samedi matin, en écoutant le juke-box.

Un jour, alors qu'elle s'y trouvait avec une collègue de l'imprimerie, elle remarqua un jeune homme, assis près de la fenêtre. Visiblement, il attendait sa petite amie. Une heure plus tard, il était encore là, toujours seul. Les compagnes de Cassie étaient parties depuis longtemps, elle lisait au bar. Il se leva soudain et vint s'installer à côté d'elle. Cassie, qui n'avait pas l'habitude d'être draguée, piqua un fard en se demandant s'il était prudent de répondre aux questions de cet inconnu.

Il semblait très respectable, et il l'était, puisqu'il s'appelait Joe Harris, et qu'il était le fils d'un des avocats les plus réputés de la ville. Leur conversation s'anima, et très vite, Cassie se mit à rire et à plaisanter avec lui.

– Ainsi, je ne suis qu'une occasion, lança-t-elle, alors qu'il venait de lui commander un milk-shake. Apparemment, ta copine t'a posé un lapin.

– En fait, j'attendais mon copain Pete. On devait jouer au base-ball. Il a dû oublier, comme d'habitude.

Cassie en fut secrètement ravie, sans en comprendre les raisons : après tout, elle ne connaissait ce garçon que depuis une demi-heure.

– Je peux t'appeler ce soir ? demanda-t-il en la raccompagnant chez Grand-mère.

– Bien sûr. Entre dix-huit et dix-neuf heures, parce qu'après, je dois sortir.

C'était faux, mais à ce moment-là, Grand-mère serait à sa partie de bridge. Ils auraient donc tout le temps de bavarder tranquillement.

Joe lui serra la main et assura qu'il téléphonerait. Sans doute à dix-huit heures vingt-neuf minutes et trente secondes, précisa-t-il. Cassie s'esclaffa.

Gloria, qui l'attendait, passa à l'attaque dès que Cassie eut refermé la porte.

– A qui parlais-tu ?

– A un garçon. Je l'ai rencontré au drugstore.

– C'est le fils de Fred Harris, déclara Grand-mère, avant d'avaler une des pilules que le Dr Fossett venait de lui prescrire.

– Si tu savais qui c'est, pourquoi m'avoir posé la question ? riposta Cassie.

Elle se détourna, mais Grand-mère l'arrêta dans son élan.

– Je ne sais pas ce qui te prend, depuis quelque temps. Tu m'adresses à peine la parole.

– Si tu veux bien m'excuser, je vais monter me changer. Je joue au tennis avec Eleanor Greene cet après-midi.

– Je te manquerai quand je ne serai plus là, tu verras !

Cassie se réfugia dans sa chambre. Non, Grand-mère ne lui manquerait pas quand elle serait morte. Pas une seconde. Au contraire, elle attendait ce moment avec impatience.

La sonnerie retentit à dix-huit heures vingt-neuf minutes et trente secondes, comme promis. Joe invita Cassie à sortir le lendemain soir. Cassie feignit d'avoir déjà un rendez-vous. Il lui demanda si elle était libre le surlendemain. Elle lui expliqua que ce serait peut-être un peu compliqué mais, devant l'insistance de Joe, finit par céder. Ils discutèrent pendant une demi-heure, puis, prétextant qu'elle était déjà en retard, Cassie raccrocha. Elle contempla l'appareil quelques minutes avant de monter l'escalier en chantant. A mi-parcours, elle s'immobilisa. La dernière fois qu'elle avait chanté, c'était le jour où Dex l'avait embrassée...

Joe et Cassie se fréquentèrent assez régulièrement. Il avait une vieille Packard Super 8 1950 décapotable, dont ils profitaient surtout les jours de grand soleil. Comme tous les jeunes de leur âge, ils allaient au cinéma en plein air, au bal et au stade. Joe était plein d'entrain. Il était grand, il avait des cheveux noirs, et ses lunettes ne gênaient pas du tout Cassie, car il les enlevait toujours avant de l'embrasser. Ses baisers étaient exquis. Il dansait bien. Il était attentionné, tendre. Avec lui, Cassie se sentait aimée et protégée. Il lui confia que dès le premier jour, au drugstore, il avait eu le coup de foudre. Il avait tout de suite su qu'elle était la fille de ses rêves.

La réciproque était moins sûre. Joe avait beau être gentil et drôle, Cassie mit beaucoup plus de temps que lui à tomber amoureuse. Au fond, elle faisait de la résistance, non parce qu'il ne lui plaisait pas, mais parce que, dans un petit coin de sa tête, les mises en garde de Grand-mère lui revenaient avec insistance.

– C'est vrai qu'il est charmant, répétait-elle souvent. Mais jamais ses parents ne t'accepteront. Jamais.

Cassie lui demandait chaque fois pourquoi, mais Gloria secouait la tête en insistant :

– Jamais.

Pour finir, Cassie avait décidé que ce n'était qu'une ruse de plus pour l'éloigner de quelqu'un qui l'attirait visiblement. Aussi elle redevint vite sourde à ses recommandations. Si Grand-mère pensait qu'on ne voulait pas d'elle, Cassie lui prouverait le contraire.

Ce soir, Joe l'emmenait au bal de débutante de Jennifer, la cousine de Gina et de Maria, qui habitait dans la petite ville d'Ashburn, à quelques kilomètres de Westboro Falls. Cassie se regarda dans la glace et vérifia sa toilette pour la centième fois.

Satisfaite, elle descendit pour se rendre chez le voisin, M. O'Reilly. C'était lui qui avait trouvé le tissu dans son grenier. Il le lui avait offert en lui recommandant de le porter chez Mme Laxman, la couturière.

– Elle a bien travaillé, constata-t-il, tandis que Cassie virevoltait dans son salon. Je parie que tu n'aurais rien trouvé de mieux chez Macy. Qu'en pense ta grand-mère ?

– Elle n'a rien dit. Elle est souffrante.

– Ça ne m'étonne pas d'elle. On dirait qu'elle tombe malade dès que tu as l'occasion de sortir t'amuser un peu.

Cassie sourit, mais ne dit rien.

– Je ne sais pas ce que j'aurais mis, si vous ne m'aviez pas donné ce tissu. Joe connaît toutes mes autres tenues par cœur, et je suis trop fauchée pour m'en acheter une neuve.

Sur ce, Cassie fit volte-face et vint embrasser M. O'Reilly sur la joue. Il s'empourpra.

– Attention, Cassie McGann. Il se pourrait que je te demande en mariage.

– Joe ne me demandera pas ma main ce soir, ne vous inquiétez pas.

– Je suis prêt à parier le contraire.

Depuis l'incident du livre sur les chiens, Cassie et M. O'Reilly s'étaient encore rapprochés. Elle lui avait expliqué le pourquoi et le comment de son acte, et M. O'Reilly avait approuvé. Après tout, cet ouvrage lui appartenait, elle pouvait en faire ce qu'elle voulait. Il était heureux qu'il ait pu servir à nourrir les bébés africains, plutôt que de prendre la poussière sur une étagère.

– Tu es ravissante, Cassie, déclara-t-il, tandis qu'elle se précipitait à la fenêtre pour saluer Joe, dont la voiture venait d'arriver.

Cassie le gratifia d'un nouveau baiser, puis courut rejoindre Joe, qui ajustait son nœud papillon devant sa Packard fraîchement lavée.

M. O'Reilly l'observa fièrement. Il la considérait un peu comme sa fille.

Sur le chemin, Joe passa prendre George West, le cavalier de Maria, qui monta devant. Sur la banquette arrière, Maria et Cassie bavardèrent en essayant de maintenir leurs jupes à plat. Leurs jupons de tulle rendaient cette tâche presque impossible. Les deux garçons, très chic en smoking blanc, discutaient avec beaucoup de sérieux du prochain match de l'équipe de base-ball. Cassie et Maria parlèrent de Gina, qui rentrait exprès de New York pour l'occasion et avait promis de porter la robe d'un couturier parisien, que lui prêtait la maison où elle travaillait comme mannequin.

A Westboro Falls, Grand-mère avait quitté son lit pour regarder Cassie, Maria et Joe monter dans la voiture. La mode actuelle était très audacieuse, songea-t-elle en s'installant pour boire son lait chaud tout en lisant *Pride and Prejudice*. Une douleur lui transperça la poitrine. Elle reprit un cachet, au cas où.

★
★ ★

Animé en alternance par un orchestre de seize musiciens et un quintette de jazz, le bal de Jennifer fut une réussite.

S'octroyant une pause bien méritée entre deux danses, Cassie et Joe se réfugièrent dans un coin tranquille. Joe lui dit qu'elle était ravissante, et elle lui offrit un petit cœur en or, pour lequel elle avait dépensé ce qui lui restait d'économies. Il la remercia d'un baiser, en prenant soin de ne pas maculer son maquillage, puis, en souriant, lui avoua qu'il aurait peut-être quelque chose pour elle un peu plus tard. A cet instant, l'orchestre entonna *Moonglow*, leur air préféré, car c'était celui qu'avait joué le juke-box, quand ils s'étaient connus un samedi matin au drugstore.

Cassie ne se lassait pas de danser avec Joe. Il lui donnait l'impression de flotter. Joue contre joue, elle savoura son bonheur. Comme la plupart des enfants qui ont enduré une enfance pénible, Cassie était une idéaliste, une romantique. Joe resserra son étreinte, lui embrassa les cheveux. Lovée contre lui, Cassie sentit quelque chose de dur, dissimulé derrière sa pochette. Un genre de petite boîte. Son cœur se mit à battre à toute allure.

La musique s'arrêta, et tout le monde se retourna pour applaudir les musiciens. Sauf Joe et Cassie, qui s'enlaçaient tendrement sous un pin à la lisière de la piste.

– Si on allait se promener au bord du lac, Cassie ? proposa-t-il. J'ai à te parler.

Cassie hésita. Elle savait que si elle acceptait de le suivre, elle ne pourrait plus revenir en arrière. Joe allait lui demander de l'épouser, et elle allait accepter. Mais comment être certaine de ne pas commettre une bêtise ? Comment savoir si elle allait supporter de vivre cinquante ans auprès d'un garçon qu'elle connaissait depuis à peine trois mois ? Un sentiment de peur la submergea. Mais Joe la retenait fermement par la main. L'instant de panique passa. Elle se tourna vers lui.

– Viens, insista-t-il. C'est important.

Cassie lui sourit et, bras dessus, bras dessous, ils empruntèrent l'étroit sentier qui menait au lac.

– Cassie McGann ? beugla-t-on subitement au micro.

Cassie se figea, l'oreille aux aguets.

– Si une Cassie McGann se trouve parmi vous, il y a un message urgent pour elle au pied de l'estrade.

Cassie ferma les yeux, accablée.

– Je ne le crois pas, marmonna-t-elle. Pas ce soir, je vous en supplie, mon Dieu, pas ce soir !

Joe la rattrapa par le bras.

– Je ne t'ai pas entendue, Cassie. De quoi s'agit-il, selon toi ?

– A ton avis, Joe ? Ce ne peut être que Grand-mère !

La mère de Jennifer la guettait. Elle entraîna Cassie à l'intérieur de la maison. Joe leur emboîta le pas.

– C'est ma grand-mère, n'est-ce pas ? devina Cassie, avec une pointe d'amertume.

– Je crains que oui, répondit Mme Gathorne. Un certain Dr Fossett a téléphoné. Il juge préférable que tu rentres immédiatement. Veux-tu que je te ramène ?

– J'y vais, madame, intervint Joe. Ce n'est pas un problème.

Il roula très vite, comme si chaque minute perdue

risquait de ternir leur bonheur. Cassie, murée dans un silence morose, luttait contre une rage intense.

– C'est toujours comme ça, lâcha-t-elle enfin. Depuis que je suis môme. Elle fait semblant d'être malade et m'appelle à son chevet, surtout quand elle s'imagine que je m'amuse bien. J'ai été obligée de lui laisser le numéro de téléphone de Jennifer, ce soir, au cas où. « Mon cœur, tu sais bien... »

Joe se tourna pour la dévisager. Son aigreur, sa colère le surprenaient. Il posa une main sur la sienne, et elle s'appuya contre son épaule.

– Son cœur se porte à merveille, reprit Cassie. Le Dr Fossett affirme que les douleurs dont elle se plaint sont d'ordre gastrique.

– Pourquoi cette urgence, alors ?

– Connaissant ma grand-mère, si je n'étais pas rentrée tout de suite, elle se serait suicidée dans le seul but de me narguer.

Gloria était bien vivante. Joe attendit dehors, pendant que Cassie allait parler avec le médecin. Elle le découvrit sur le seuil du salon, en train d'examiner la collection d'argenterie dans la vitrine de Grand-mère. Il s'en éloigna, ramassa son manteau. Cassie se rendit compte qu'il s'était servi à boire.

– Ce n'est qu'un refroidissement. Elle a un peu de température. Les poumons sont congestionnés. Je lui ai donné de la pénicilline. Elle doit en prendre toutes les six heures.

Il ramassa sa mallette et sortit. Cassie le suivit.

– Ce qui veut dire que je dois rester là.

Le Dr Fossett l'examina de bas en haut.

– Je crains que oui. Ce n'est pas le moment d'aller danser. Je repasserai demain matin.

Joe descendit de sa voiture et courut jusqu'à Cassie.

– Tout va bien ?

– Il faut que je reste ici, Joe. Grand-mère a de la fièvre.

– La bonne ne peut pas veiller sur elle ?

– Delta n'habite pas ici. Je suis désolée, mais le médecin m'a demandé de ne pas la laisser seule.

Joe et Cassie restèrent un moment sous la véranda, sans rien dire, ne sachant trop que faire.

– Je reste avec toi, décida-t-il brusquement.

Cassie leva le bras.

– Tu es fou ? Retourne là-bas et amuse-toi. Ça ne sert à rien qu'on soit deux à gâcher notre soirée.

– Comment veux-tu que je m'amuse, si je sais que toi, tu es en train de te morfondre ?

Il l'entraîna dans la maison et ferma la porte.

Cassie monta voir sa grand-mère. En position presque assise, elle était assoupie. Sa respiration était en effet très rauque. Elle paraissait plus pâle que de coutume. La connaissant, Cassie se demanda si elle ne s'était pas poudré le visage pour l'effrayer.

Gloria se réveilla à l'instant précis où Cassie repartait sur la pointe des pieds.

– C'est toi, Delta ?

– Non, Grand-mère. C'est Cassie.

– Va dire à Delta de me préparer une boisson chaude, ordonna-t-elle.

Cassie redescendit dans la cuisine, où Joe ne tarda pas à la rejoindre. Elle réchauffa du lait.

– Quel âge a ta grand-mère ? demanda-t-il en mettant les bras autour de sa taille.

Cassie haussa les épaules.

– Je n'en sais rien, soixante-quatre, soixante-cinq ans.

– Comme la mienne. Ce n'est pas vieux.

– Et alors ?

– Et alors, elle ne souffre sans doute que d'une vulgaire grippe.

Cassie monta avec la tasse brûlante. Il avait raison. Grand-mère, en dépit de son apparence fragile, et de ses gémissements constants, était de bonne constitution. Elle sortait trois ou quatre fois par semaine pour jouer au bridge et allait au salon de coiffure tous les vendredis.

Cependant, lorsque Cassie pénétra dans sa chambre, elle s'était rendormie, la bouche grande ouverte, la main pendante. Cassie posa la boisson, replaça doucement la main sous les couvertures. La respiration de Grand-mère lui parut moins bonne encore qu'auparavant, mais ce n'était sans doute pas anormal. Elle éteignit la lampe et sortit.

Joe leur avait chauffé du café. Il avait transporté le plateau dans la salle de séjour et mis la radio.

– Pas trop fort, pour l'amour du ciel ! s'écria Cassie. Nous ne voulons pas la réveiller.

– Tu as raison. Viens ici.

– Qu'est-ce que tu fais, Joe ?

– J'ai envie de danser.

Cassie lui sourit, posa la tête sur son épaule.

Ils n'entendirent pas les pas dans l'escalier, ni le grincement de la porte. Ils retombèrent brutalement sur terre quand le plafonnier s'illumina.

Cassie fit volte-face. Grand-mère était adossée contre le mur, en chemise de nuit.

– Qu'est-ce que vous fabriquez ? glapit-elle. Vous ne vous rendez pas compte que j'agonise au-dessus de vos têtes ?

– Je suis désolée, Grand-mère, je ne pensais pas que la radio te dérangerait.

– Franchement ! Tu n'es qu'une écervelée !

Grand-mère chancela, et Cassie se précipita vers elle pour la soutenir.

– C'est entièrement ma faute, madame, dit Joe. Cassie n'y est pour rien.

Gloria l'ignora. Elle avait le souffle court.

– Aide-moi à la remettre dans son lit, Joe. Ensuite, j'appellerai le médecin.

Grand-mère se laissa porter. Elle délirait, la sueur ruisselait sur sa figure. Ils la recouchèrent. Cassie alla chercher un gant de toilette humide pour lui rafraîchir le front, puis elle lui rajouta des couvertures. Ils restèrent auprès d'elle un moment, tandis qu'elle tournait la tête d'un côté, puis de l'autre, en marmonnant des imprécations incompréhensibles.

Elle s'endormit tout d'un coup, profondément. Sa respiration devint moins rauque. Elle avait cessé de trembler. Ils quittèrent la pièce sur la pointe des pieds, et Cassie se rua sur l'appareil.

Le Dr Fossett était en train de délacer ses chaussures. Il venait de passer deux bonnes heures à jouer au poker. Il avait par la même occasion ingurgité une demi-bouteille de Jack Daniels.

– Je sais qu'il est fort tard, Docteur, mais elle va mal.

– C'est normal. La grippe est très mauvaise, cette année, répliqua-t-il en dénouant sa cravate. Mme Fossett l'a eue, elle a bien souffert.

– Tout de même, il faudrait que vous veniez, Docteur. Elle délire.

– Comme Mme Fossett, assura le médecin en détachant la ceinture de son pantalon. Si elle se réveille, donnez-lui trois cachets d'aspirine. Et n'oubliez pas sa dose de pénicilline. Je passerai dans la matinée.

– Cela ne vous prendrait que dix minutes...

– Ecoutez, votre grand-mère n'est pas la seule victime de cette épidémie. J'ai d'autres visites à faire.

Sur ce, il raccrocha et se laissa choir sur son lit, encore à moitié habillé.

*

* *

Cassie et Joe la veillèrent toute la nuit. Ils se relayèrent pour dormir. A quatre heures du matin, Grand-mère dormait toujours. Pendant que Cassie jetait un coup d'œil sur elle, Joe sortit la petite boîte de sa poche et l'ouvrit. Les pierres scintillèrent à la lueur du feu de cheminée, mais

Joe savait que ce n'était ni le lieu, ni le moment de demander Cassie en mariage. Il rangea donc son cadeau.

Cassie reparut en annonçant que Grand-mère était paisible. La crise semblait passée, il pouvait rentrer chez lui. Joe finit par accepter, à contrecœur, car ils devaient tous deux se lever tôt pour aller travailler. Ils s'embrassèrent sur le seuil de la maison. Devant sa voiture, il se retourna une fois pour agiter la main. Cassie lui souffla un baiser.

Elle rangea la salle de séjour, éteignit le feu. Elle allait monter quand un bruit assourdissant résonna juste au-dessus d'elle. Aussitôt, Cassie monta en courant, se rua dans la chambre de sa grand-mère. Cette dernière gisait, à plat ventre, une jambe coincée sous le lit, l'autre retenue par les couvertures.

La tête de côté, elle ne semblait pas respirer. Ses yeux étaient grands ouverts, et du coin de sa bouche dégoulinait un filet de sang. Cassie resta un instant clouée sur place, horrifiée, avant de se pencher pour essayer de ramasser le corps inerte de Grand-mère. Elle savait déjà qu'il était trop tard. Grand-mère était morte. Elle était morte avant d'avoir atteint le sol.

Le Dr Fossett paraissait plus intéressé par la collection d'argenterie de Grand-mère que par la silhouette vêtue de noir assise derrière lui près de l'âtre. Il souffrait d'un mal de tête lancinant après ses excès de la veille.

– Vous ne pouviez rien faire de plus, Cassie, la rassura-t-il en se penchant pour admirer un petit pot à crème qu'il n'avait pas remarqué auparavant. Avec les personnes âgées, on ne sait jamais où, ni quand.

– Ni comment, répliqua Cassie, curieuse de savoir ce qui avait provoqué la mort de sa grand-mère. Ce n'est pas la grippe qui l'a tuée.

– Non, concéda le Dr Fossett, l'air grave. Non, non. Elle a dû subir un assaut aigu de complications.

– Vous m'aviez dit que son cœur était en bon état.

– D'après mes diagnostics, oui, confirma-t-il en s'éclaircissant la gorge. Je le répète, Cassie, vous n'avez rien à vous reprocher.

Elle ne se sentait absolument pas coupable. Elle observa le médecin, qui remettait une coupelle à sa place. Elle savait qui était fautif, et lui aussi. Il aurait dû revenir quand elle l'avait appelé en pleine nuit. Il n'aurait peut-être pas pu la sauver, mais sa présence aurait évité toute accusation éventuelle de négligence. Grand-mère avait dû sentir qu'elle s'en allait. Si le Dr Fossett avait été là pour le confirmer, elle aurait pu avoir l'extrême-onction. La pauvre femme avait raté son ultime chance de se réconcilier avec Dieu.

– J'ai tout arrangé, annonça Fossett en boutonnant son manteau. Vous n'avez à vous inquiéter de rien.

– Je veux une autopsie.

Fossett cessa momentanément d'enfiler ses gants.

– Je ne comprends pas. C'est inutile. Votre grand-mère est morte des suites de la grippe. C'est ce que j'ai écrit sur l'acte de décès.

– Elle n'est pas morte des suites de la grippe, Docteur. Comme vous le savez vous-même, d'ailleurs. J'ai téléphoné à Joe Harris, qui en a parlé avec son père…

Elle leva les yeux, curieuse de voir la réaction de son interlocuteur. Elle remarqua avec une certaine satisfaction qu'il était devenu blême.

– … Lui pense qu'il a pu y avoir une erreur de diagnostic, conclut-elle.

– Je ne me trompe jamais, bredouilla Fossett.

– C'est surtout qu'on ne remet jamais vos affirmations en question.

Elle se leva pour l'accompagner jusqu'à la sortie. Elle n'exigeait pas l'autopsie pour Grand-mère, mais pour tous les malades que traitait le Dr Fossett. Cassie avait entendu des rumeurs à son sujet : toutes les vieilles filles et les veuves craignaient ses manières de prédateur. Il s'offrait régulièrement un petit souvenir de ses malades condamnés. Pas plus tard que la semaine précédente, il était reparti avec la coupe à fruits en argent de Mme Edith Clarence, avant que celle-ci ait poussé son ultime soupir. C'était elle qui l'avait surpris en train de mettre l'objet dans son sac. Elle avait tenu le coup vingt-quatre heures de plus, le temps de raconter le scandale à sa sœur.

Cassie était bien décidée à ce que Grand-mère ait accompli au moins une bonne action au cours de son existence, même si c'était *a posteriori* : le moment était venu de dénoncer les méfaits du Dr Fossett.

Il marqua une pause sur la véranda.

– Cela m'ennuie d'aborder le sujet maintenant, Cassie, mais votre grand-mère me devait de l'argent depuis plus de trois mois. J'ai pensé qu'au lieu de me payer, vous…

Elle ne le laissa pas terminer.

– Tout a été payé sauf vos deux dernières visites. Pour le reste, nous en reparlerons une fois ses affaires réglées.

Elle lui ferma la porte au nez, puis concentra toute son attention sur Delta, qui sanglotait dans la cuisine entre deux gorgées de cognac. Cassie savait qu'elle était davantage désespérée par la perte de son emploi que par celle de sa patronne.

– Reprenez-vous, Delta, ordonna-t-elle. Combien vous doit-on ?

– Deux semaines et demie, mademoiselle Cassie, renifla Delta. Dieu la bénisse !

Cassie ouvrit le sac de Grand-mère, paya Delta, puis posa sur la table un papier et un stylo.

– Qu'est-ce que c'est que ça, mademoiselle Cassie ?

– Un reçu, Delta. Signez-le, je vous prie. Comme vous le faisiez pour Grand-mère.

Delta s'exécuta, le front plissé. Elle n'avait jamais aimé Cassie. Comme Grand-mère, elle trouvait qu'une enfant dans la maison était un fardeau bien lourd à porter.

– Je ne sais pas si je pourrai revenir ce soir, mademoiselle Cassie. Ma sœur vient me voir, vous comprenez.

– Ne vous inquiétez pas pour moi, Delta. Je suis assez grande pour me débrouiller toute seule.

Ce qui était sûr, c'est qu'elle se passerait volontiers de la compagnie de Delta. Elles n'allaient tout de même pas devenir amies intimes du jour au lendemain, sous le prétexte que Grand-mère était morte. D'ailleurs, Cassie avait envie d'être seule. Elle avait même refusé la proposition de Joe de passer dans la soirée.

Au début, elle se dit qu'elle serait mal à l'aise, toute seule dans cette demeure où quelqu'un venait de mourir. Elle se rendit compte très vite que c'était tout le contraire. Un sentiment de calme l'enveloppait, ainsi que la maison elle-même. Cassie pouvait aller et venir à sa guise, chanter à tue-tête, claquer les portes ou les laisser grandes ouvertes. Elle pouvait inviter des amis. Ou s'installer à la cuisine avec Joe pour discuter de leur avenir. Grand-mère était morte. Elle était partie.

Cassie s'installa sur son fauteuil, que Gloria prenait pour une sorte de trône, du haut duquel elle pouvait diriger son petit royaume à la baguette. Cassie s'étira en se demandant ce qu'elle ressentait. En voyant le corps inerte par terre, elle avait reçu un choc terrible, mais une fois la dépouille emportée, elle n'avait éprouvé qu'un sentiment de paix intérieure.

Elle tourna la tête vers le secrétaire. Cassie en avait la clé. Elle pouvait accéder à tous les secrets de la défunte. Que contenaient ces tiroirs ? Des lettres, peut-être, des photos de sa mère ? Cassie hésita, puis décida de résister à la tentation. Elle n'était pas encore prête à affronter certaines vérités. Rien ne pressait. Grand-mère était morte.

Ce fut Joe qui lui donna les résultats de l'autopsie par téléphone. Gloria avait succombé à une occlusion coronaire fulgurante. Ses douleurs, qui, selon le Dr Fossett, étaient d'origine gastrique, étaient en fait les symptômes d'une angine de poitrine. L'état des artères de Mme Arbuthnot le prouvait de façon irréfutable. Si le médecin avait effectué un diagnostic correct, il lui aurait prescrit des cachets appropriés plutôt que des remèdes contre l'indigestion. C'était une chance qu'elle ait pu vivre aussi longtemps.

Cassie écouta son discours avec beaucoup de calme. Une chance pour qui ? Pas pour sa petite-fille, en tout cas.

– Tu es là ? murmura Joe.

– Oui, bien sûr. Je réfléchissais, c'est tout.

– Tu veux que je passe ?

– Non, Joe. C'est gentil, mais je vais bien. Attendons les obsèques.

– Le Dr Fossett ne s'en tirera pas comme ça. Beaucoup de gens vont te remercier, tu sais.

– Je ne veux pas de leur gratitude, Joe. Je suis simplement rassurée de savoir qu'il ne pourra plus exercer.

Elle raccrocha après lui avoir promis de le revoir très bientôt.

La messe parut interminable. Le regard rivé sur le cercueil recouvert de velours, Cassie s'efforçait désespérément d'éprouver du chagrin. Mais son cœur demeurait de glace. Les larmes refusaient de couler. Elle ne ressentait pas de haine, ce qui la rassura. En fait, elle ne ressentait rien.

Avant les funérailles, elle avait pris le train pour rendre visite à Sœur Josepha, au couvent.

– Il n'est stipulé nulle part dans la Bible que tu *dois* aimer tes parents. Je suppose que cela s'applique également aux grands-parents, chère Cassie. On leur doit le respect, certes. La loyauté. Le pardon pour leurs péchés. Mais rien n'oblige à les aimer, car ça n'aurait aucun sens. L'amour, c'est quelque chose de magique, qu'on ne peut éprouver pour chacun. Surtout ceux qui dispensent le mal.

– Alors à quoi correspond le commandement « aime ton prochain » ?

– Je pense qu'il s'agit surtout de nous faire prendre conscience des autres et de leurs problèmes. Si tout le monde faisait un petit effort, on éviterait bien des guerres, non ?

Cassie avait ressassé cette conversation pendant tout le trajet du retour. Les conseils de Sœur Josepha l'avaient tranquillisée car, de temps en temps, elle se réveillait en sursaut en pleine nuit, paniquée par son manque de sentiment.

A présent, devant la dépouille de l'unique membre de sa famille, le prêtre, pour lequel Grand-mère n'avait jamais eu un mot gentil, faisait l'éloge de la défunte. Cassie se demanda soudain pourquoi elles n'avaient jamais eu de nouvelles de parents, même éloignés. Elle se rappelait vaguement une tante, plutôt grande, à l'accent prononcé. Un jour, quand elle avait douze ans, un certain cousin avait téléphoné : il allait au Canada et voulait leur rendre visite en passant. Grand-mère, de retour de chez le coiffeur, lui avait arraché l'appareil des mains. Pour des raisons que Cassie ne comprenait pas, elle avait raconté qu'elles allaient déménager, et que malheureusement, elles ne seraient plus à Westboro quand il y viendrait. Lorsque Cassie avait demandé à Grand-mère où elles allaient s'installer, celle-ci lui avait ordonné de monter dans sa chambre et de se mêler de ses affaires.

Après l'enterrement, on se réunit à la maison. Les amies de Grand-mère furent polies, mais distantes. Celles de Cassie étaient désolées pour elle, mais ne pleuraient guère le départ de cette femme qui l'avait fait tant souffrir.

Heureusement, Cassie n'était pas seule au monde. Elle avait Joe. Il fut le dernier à partir. Il lui proposa de l'aider à ranger, mais Cassie refusa : elle ne tenait pas à faire parler les mauvaises langues. Elle promit de le retrouver deux semaines plus tard.

Puis un matin, environ un mois après le décès de Grand-mère, le père de Joe, qui était l'avocat de Gloria, appela Cassie et la pria poliment de venir le voir à son cabinet. Cassie comprit tout de suite, d'après le ton de sa voix, qu'il avait de mauvaises nouvelles à lui annoncer. Elle connaissait les parents de Joe, qui l'avaient reçue à déjeuner et à dîner plusieurs fois. Ils paraissaient très heureux du choix de leur fils.

Simplement, ils avaient quelques inquiétudes concernant les origines de la jeune fille. Piliers de la communauté de Westboro, ils ne pouvaient accepter n'importe qui. Naturellement, toute la ville savait combien Mme Arbuthnot était une femme respectable, en dépit de sa dureté envers Cassie. Jamais le moindre scandale n'avait terni sa réputation. Elle avait toujours prétendu descendre d'une vieille famille anglaise. Pourtant, dès qu'elle cherchait à se renseigner, Mme Harris se heurtait à un mur. L'histoire de Mme Arbuthnot semblait démarrer le jour où elle s'était installée à Westboro Falls. Avant cela, mystère.

En général, lorsqu'il avait besoin de la voir, M. Harris demandait à Cassie d'apporter certains dossiers. Cette fois, il voulait seulement la rencontrer.

M. Harris l'accueillit personnellement à l'entrée de son bureau et l'invita à s'asseoir dans un fauteuil confortable. Cassie portait un tailleur neuf, bleu marine. M. Harris admira sa tenue, et Cassie le remercia.

– Je n'irai pas par quatre chemins, Cassie.

Elle leva les yeux vers lui, mais elle n'était pas surprise.

– Votre grand-mère vous a laissée sans argent, expliqua-t-il en coupant le bout d'un gros cigare.

– C'est normal. Elle ne m'aimait pas.

– Je sais, Cassie, j'en ai conscience, mais tout de même… il n'y avait personne d'autre.

– Il y a bien la maison.

M. Harris examina longuement son cigare.

– Justement, la maison. C'est Delta qui en hérite.

Le choc fut terrible, mais Cassie s'efforça de ne rien montrer. Ce n'était pas tant la valeur du bien, que le fait d'avoir l'impression de recevoir une gifle.

– Apparemment, elle a modifié son testament sans que je sois au courant. C'était dans les papiers que vous m'avez apportés l'autre jour. Bien entendu, si j'avais eu vent de ses intentions, je l'en aurais dissuadée…

– Ça n'aurait rien changé, vous savez.

– On ne sait jamais, Cassie. On ne sait jamais.

Dans le silence qui suivit, M. Harris fit tourner son siège vers la fenêtre. Il souffla un nuage de fumée.

– Malheureusement, il y a aussi des dettes. Une fois les bijoux, les meubles et les tableaux vendus, il ne vous restera pas grand-chose.

– Je ne comptais pas dessus.

– Saviez-vous que votre père vous avait légué une somme considérable ? demanda-t-il en revenant brusquement face à elle

Cassie n'en avait jamais rien su.

– Cet argent devait couvrir vos frais de scolarité, ce qui a été le cas, mais il devait vous en rester une partie à votre majorité. Je crains que votre grand-mère n'ait tout dépensé. C'était un vrai panier percé.

Cassie s'en étonna.

– Hormis ses rendez-vous hebdomadaires au salon de coiffure, elle était plutôt économe. Elle ne partait jamais en voyage. Elle a toujours refusé de s'acheter une voiture.

– Je ne sais pas, Cassie, je commence à peine à m'y retrouver dans ses comptes. Tout ce que je peux vous dire, c'est qu'elle avait l'habitude de sortir quatre cents dollars en liquide chaque mois.

Cassie fronça les sourcils, le regard sur la fenêtre. Elle remarqua à peine la circulation, dans la rue. Quatre cents dollars ? Tous les mois ? Chaque fois que Cassie lui avait demandé – et c'était rare – un vêtement, une paire de chaussures, Grand-mère avait refusé sous le prétexte que son école coûtait trop cher.

– Je suis navré de ne pas pouvoir vous remonter le moral, déclara M. Harris en se mettant debout, signe que l'entretien touchait à son terme.

– C'est gentil à vous d'avoir pris le temps de m'en parler en tête à tête, monsieur.

– J'y tenais beaucoup. Nous vous apprécions énormément, Cassie.

Elle lui sourit et lui serra la main.

Elle repartit le pas léger. Les nouvelles n'étaient pas mauvaises, bien au contraire. Grand-mère l'avait bel et bien détestée, elle avait donc eu raison de lui fermer son cœur. Il ne lui restait plus qu'un mystère à résoudre : pourquoi cette haine ? Cassie accéléra, soudain pressée de rentrer. Peut-être que la vérité était là, depuis toujours, enfermée dans le secrétaire.

Lorsqu'elle entra, le téléphone sonnait. C'était Joe, qui voulait l'emmener dîner. Cassie prétexta une migraine et prit rendez-vous pour le lendemain soir. Puis elle monta chercher le sac de sa grand-mère, dans lequel se trouvait la clé du bureau.

A minuit, elle en était au point mort. Assise par terre, entourée de lettres, elle ne savait rien de plus. D'après toute cette correspondance, Cassie avait complètement gâché la vie de Gloria, et elle ne le lui pardonnerait jamais.

Cela n'expliquait pas pour autant l'intensité de sa haine. Certaines familles adoptaient des enfants et les aimaient comme les leurs. Pourquoi Grand-mère avait-elle détesté sa propre petite-fille ?

Tout d'un coup, un détail la frappa. Grand-mère avait soigneusement conservé toutes ses lettres, pourtant, aucune d'elles n'était datée d'avant son installation à Westboro Falls, en 1943, deux ans après la naissance de Cassie. Quant aux photos, elles étaient inexistantes.

Cassie s'était plus ou moins attendue à découvrir un album de famille. Elle avait cherché en vain, et n'était tombée que sur un portrait sépia de ceux qui devaient être ses arrière-grands-parents. Il n'y avait nulle trace des parents de Cassie. Pourquoi Grand-mère n'avait-elle aucun souvenir de sa propre fille ?

Cassie soupira. Grand-mère avait-elle emporté ses secrets jusque dans sa tombe ?

C'est alors qu'elle pensa à la clé, la plus petite, qui était jointe à celle du secrétaire. Tous les tiroirs étaient ouverts. Elle examina de nouveau l'intérieur.

Elle tomba par hasard sur la minuscule serrure à deux heures du matin, alors qu'elle allait tout abandonner pour se coucher. Si elle n'avait pas eu un tel sens de l'ordre, peut-être ne l'aurait-elle jamais trouvée. Agenouillée, elle replaçait les lettres triées dans leur compartiment quand elle aperçut un petit trou.

Elle hésita. Avait-elle le droit d'enfreindre le secret ? Elle décida que oui, et inséra la clé. Mû par un ressort, le tiroir plat s'ouvrit subitement. Cassie y découvrit une longue enveloppe blanche adressée à son nom.

Tremblante, elle s'assit, la déchira. Elle n'avait plus aucune raison de tergiverser.

Cassie,

Te connaissant, tu finiras par trouver cette lettre. Et si ce n'est pas toi, ce sera quelqu'un d'autre. Peut-être l'inconnu qui achètera ce secrétaire. Après l'avoir lue, il ou elle te la transmettra.

Tu t'es toujours posé des questions sur tes origines. Je vais tout te raconter maintenant. Tu es née à la lisière de Kerby, une petite ville de l'Oregon, où ta mère avait tourné dans un spectacle de burlesque. Ton père dirigeait une troupe de comédiens itinérants. C'était un ivrogne, il avait une liaison avec ta mère. Puis elle est tombée enceinte, et lorsqu'il l'a découvert (au bout de plusieurs mois), il l'a renvoyée. C'était bien dommage, car ta mère était une remarquable actrice et avait une jolie voix. Au début de sa carrière, on lui prédisait un brillant avenir. Mais ce milieu est difficile, et pour toutes sortes de raisons que je t'épargnerai, elle a dû se contenter de tournées de troisième ordre. Bien qu'ayant cohabité quelques années avec ton père, elle ne s'est jamais mariée. Aussi, tu es ce que l'on appelle communément une bâtarde.

Ton père a abandonné ta mère à l'ouest et a repris la route de Chicago. Elle n'avait pas un sou, et sa grossesse l'empêchait de travailler. Tu es donc née dans des conditions particulièrement pénibles. Cependant, ta mère n'est pas morte en couches, grâce aux soins d'un médecin qui n'était à l'époque encore qu'un étudiant. Ta mère a survécu, et bientôt, elle a eu assez d'argent pour rejoindre ton père à Chicago, où, contre toute attente, en deux ans, il avait connu le succès... grâce à une femme très riche qu'il a séduite et fini par épouser.

Ta mère a réussi à convaincre ton père de se séparer d'une somme coquette pour ton éducation. Puis elle est partie dans l'est.

C'est tout ce qu'il y a à dire sur ta venue dans le monde. Ça t'intéressera peut-être d'apprendre que le jeune médecin qui avait sauvé la vie de ta mère se trouvait par hasard dans la ville où elle vivait. En l'apprenant, il l'a revue et lui a demandé de l'épouser. Mais ta mère ne l'aimait pas. Elle n'avait aimé qu'un seul homme, ton père. En conséquence, le médecin est devenu alcoolique. Cependant, il en savait assez sur ta mère pour provoquer un scandale, le cas échéant, aussi l'a-t-elle payé pour son silence. Ta mère étant morte, cet arrangement ne te concerne plus.

Oui, Cassie. Au cas où tu ne l'aurais pas encore compris, je ne suis pas ta grand-mère, mais ta mère. Je n'ai eu aucun mal à tromper les gens, car j'avais quarante-cinq ans quand je t'ai mise au monde. En venant m'installer à Westboro, je me suis débrouillée pour enterrer mon passé. Jusqu'au jour où le bon Dr Fossett a resurgi.

J'espère que ces explications satisferont ta curiosité. Je te le souhaite. Il aurait mieux valu que tu ne naisses pas.

Ta mère.

Cassie fixa ce dernier mot, celui qu'elle avait tant cherché. Mère. Maman. Quelqu'un qui l'aimerait, qu'elle aurait pu aimer. Et pendant tout ce temps, sa mère était celle qui l'avait tant haïe, tant battue. Grand-mère.

Elle se mit à trembler. Elle ne s'entendit pas hurler, tandis qu'elle jetait la lettre dans le feu mourant. Elle ne sut jamais comment elle avait regagné sa chambre, mais ce fut là qu'elle se retrouva, couchée par terre sur le tapis. Puis elle se mit dans son lit, remonta les couvertures jusqu'au menton et sombra dans un sommeil profond jusqu'au lendemain.

Dans la soirée, elle perçut au loin le carillon de l'entrée. Ce devait être Joe. Elle ne prit pas la peine de descendre. Elle resta où elle était. Engourdie. Peu après, la sonnette cessa, un moteur démarra dehors. Puis, ce fut le téléphone qui se mit à hurler. Elle l'ignora.

A l'aube, elle se leva, s'assit devant sa coiffeuse pour examiner son visage ravagé. Luttant contre une fatigue immense, elle fit sa valise et monta à bord du premier autocar en vue. Les autres passagers l'ignorèrent. Elle ne les voyait pas. La route s'étirait devant elle, à l'infini.

9

New York
1960

En arrivant à New York à l'aube d'une matinée d'octobre, Cassie se rendit directement chez Gina, qui partageait un deux-pièces avec un autre aspirant mannequin au-dessus d'une épicerie fine de Greenwich Village. Vêtue d'un immense sweat-shirt au nom des Giants de New York, le visage couvert de crème, Gina lui ouvrit presque comme si elle l'attendait.

Heureusement pour Cassie, Gina commençait son ascension. Après dix-huit mois de galères, elle avait enfin été repérée par un assistant de Richard Kanin, le photographe à la mode du moment. Celui-ci l'avait engagée pour un reportage dans *Harper's Magazine*. Gina était sur la bonne voie.

Jamais Cassie n'aurait pu l'imaginer à la vue de son logement exigu, comprenant une chambre, une salle de séjour avec cuisine américaine et une salle d'eau minuscule.

Cependant, pour quelqu'un qui ne savait pas où aller, c'était un petit coin de paradis, et Cassie accepta sans hésiter la proposition de Gina de s'installer là en attendant d'avoir trouvé ses marques et un emploi. Connaissant Cassie, Gina se garda de l'interroger sur les raisons de son départ précipité de Westboro Falls. Cassie lui expliqua qu'elle s'était disputée avec Joe, que sa grand-mère était morte, et qu'elle ne voyait donc plus l'intérêt de rester là-bas. Mais son histoire sonnait faux, et les doutes de Gina furent bientôt confirmés lorsque Maria lui écrivit pour lui annoncer que Joe avait complètement perdu la tête en apprenant la fuite de Cassie.

S'il n'avait eu aucun mal à obtenir ses coordonnées, il ne la rejoignit pas à New York. Nuit après nuit, couchée à même le sol, Cassie se demandait pourquoi. Elle avait tant espéré qu'il viendrait la chercher, en dépit du fait qu'elle était une enfant illégitime, et donc inacceptable. Il ne vint jamais.

Il finit tout de même par lui envoyer un mot en décembre. Cassie attendit que Gina et son amie Barbara soient parties travailler pour le lire.

Très chère Cassie,

J'aurais dû t'écrire plus tôt, mais je ne l'ai pas fait, parce que j'étais toujours sur le point de sauter dans ma voiture pour venir te trouver à New York tout t'expliquer de vive voix. Le temps a filé, et je n'ai pas réagi. Quand je t'aurai raconté ce qui s'est passé après ton départ, tu comprendras peut-être pourquoi. Je ne suis pas fier de moi, mais toi qui es si honnête et indulgente, il me semble que tu préféreras connaître la vérité.

Quand je me suis rendu compte que tu avais disparu, je suis devenu fou. Je ne m'étais encore jamais soûlé, mais là, je n'ai pas résisté. Chez toi, nous n'avons trouvé que des piles de courrier sur le secrétaire ouvert, mais il ne semblait rien y avoir qui ait pu te bouleverser. Mon père a alors pensé que tu avais découvert quelque chose, et que tu étais partie avec. Nous sommes bien tombés sur les restes d'une lettre dans les cendres, mais nous n'avons pu déchiffrer que quelques mots « ... que tu ne naisses jamais ».

Mon père a pensé que ta grand-mère t'avait laissé une « surprise ». Dieu le bénisse, il m'a ordonné d'aller immédiatement te chercher. Mais avant que je ne parte, le Dr Fossett nous a rendu visite. Il était furieux, parce que depuis l'autopsie effectuée sur ta grand-mère, on le pousse à quitter la ville. Il a perdu les trois quarts de ses patients du jour au lendemain.

Cassie arrêta de lire et alla se préparer un café très fort. Elle tremblait comme une feuille. Elle devinait la suite. Le Dr Fossett s'était vengé en révélant aux Harris le passé de Cassie. Voilà pourquoi Joe ne s'était pas manifesté.

Elle but lentement son café, s'efforça de se calmer. Puis elle acheva sa lecture. Ses suppositions étaient justes.

Je t'en prie, chère Cassie, tâche de comprendre : nous ne pouvons rien faire. Nous avons discuté toute la nuit, Papa, Maman et moi. Nous n'avions pas le choix. Vu la position de mon père ici, jamais nous ne pourrons nous marier, ni même nous revoir. Si j'avais mon diplôme, ce serait différent. Nous pourrions nous installer quelque part où personne ne nous connaîtrait.

Comme ma mère, songea Cassie. Non, merci, Joe. Sautant un paragraphe de prétextes fallacieux tels que l'argent, la situation sociale et la responsabilité, elle passa directement à la conclusion.

Voilà. C'est douloureux, pour toi comme pour moi. Mais si je venais à ta rencontre maintenant, j'aurais envie de rester auprès de toi, et nous serions tous deux ruinés. Je ne sais pas si cela pourra te consoler, Cassie, mais je peux t'assurer en toute sincérité que jamais de ma vie je n'aimerai quelqu'un comme je t'ai aimée. Joe.

Cassie relut ces derniers mots et alla s'allonger sur le lit. *Comme je t'ai aimée*. Au passé. Il ne l'aimait plus. C'était fini. Elle laissa le papier flotter à terre, croisa les mains derrière la nuque et fixa le plafond. Elle savait qu'elle ne pleurerait pas : elle n'avait plus de larmes. Désormais, c'était à elle de jouer. Si les gens la méprisaient parce qu'elle était une bâtarde, elle n'avait plus qu'à construire son existence de manière à ce que la société soit forcée de lui ouvrir toutes les portes, quoi qu'il arrive.

Depuis, deux années s'étaient écoulées. Cassie s'immergea dans la baignoire du nouvel appartement de Gina, situé dans un quartier chic, et se rappela le vœu qu'elle avait formulé ce jour-là. Elle ne se débrouillait pas trop mal. Elle avait réussi à chasser Westboro Falls et Joe de son esprit. Gina était désormais un mannequin de renom, et Cassie, grâce à l'aide de son amie, avait enfin un poste stable de vendeuse chez Bergdorf Goodman. Elle était au rayon lingerie et savait que, très vite, elle gravirait les marches de la hiérarchie.

Le loyer était élevé, trop important pour le budget de Cassie. Mais Gina prétendait qu'elle gagnait vingt fois le salaire de Cassie, et qu'il était donc normal qu'elle participe davantage aux frais que son amie. Cassie essayait de se rattraper en s'occupant de la cuisine et du ménage, qui n'étaient pas le fort de Gina. Elle comblait les fins de mois difficiles en travaillant comme serveuse trois fois par semaine. Les deux jeunes femmes s'entendaient à merveille. Gina avait appris à Cassie à se mettre en valeur, à exploiter ses qualités physiques, et très vite, Cassie était devenue une véritable « orpheline professionnelle de New York ».

Car à New York, personne ne semblait avoir de parents. Pour être « in », il fallait s'auréoler de mystère, surtout concernant ses origines. Le grand truc, c'était de changer de nom pour se donner des airs un peu exotiques. Grâce à quoi, on pouvait instantanément devenir quelqu'un et fréquenter les mondanités.

Cassie n'avait aucune envie de modifier son patronyme. Au contraire, elle cherchait à le rendre « acceptable ». En revanche, elle appréciait l'anonymat de cette ville immense et ne souffrait en rien de son côté impersonnel. Bien sûr, elle devait son démarrage à Gina, qui lui avait fait rencontrer des gens. Mais une fois les présentations terminées, le reste dépendait uniquement de soi.

Chez Bergdorf Goodman, elle progressait vite. Dès le premier jour, elle avait clairement montré qu'elle n'avait aucune intention de rester vendeuse jusqu'à la fin de ses jours. Elle voulait devenir acheteuse, et vite. Elle arrivait la première le matin, repartait la dernière le soir, profitait de sa pause déjeuner pour observer les chefs. Elle apprit ainsi quelles marques se vendaient le plus et pourquoi. Elle posa des questions. Elle était comme une enfant : pourquoi ceci ? pourquoi cela ? ce qui irritait certaines et en intriguait d'autres, notamment ses directrices.

Curieusement, elle s'entendait bien avec ses collègues. Seules, une ou deux d'entre elles lui reprochaient son « ambition démesurée ». Les autres admiraient sa volonté, sa détermination et son intelligence.

Au bout de dix-huit mois, elle comptait parmi les assistantes les plus respectées du rayon. Elle eut même droit à une hausse de salaire.

Ce coup de pouce financier lui permit d'arrêter son emploi de serveuse et de profiter davantage de la vie sociale. Grâce à Gina, les soirées s'enchaînaient. Le plus souvent épuisée par une longue journée de pose, Gina n'avait qu'une envie : rester chez elle devant la télévision. Cassie prenait donc souvent sa place, et son cercle de relations s'élargit rapidement.

Son meilleur ami s'appelait Arnie. Né et élevé à New York, il connaissait la ville comme sa poche. Il était passionné de jazz et avait introduit Cassie dans un univers totalement nouveau. Deux ou trois fois par semaine, il l'emmenait dans les bars pour lui faire découvrir des musiciens tels que Coleman Hawkins, Art Blakey, Stan Getz ou les frères Adderly.

Arnie était assez satisfait de sa personne, pourtant, il

avait du mal à suivre Cassie. Bien entendu, il ne tarda pas à tomber amoureux, comme la plupart des jeunes gens qui l'invitaient à sortir. Cassie s'en étonnait toujours, puisqu'elle ne faisait rien pour les encourager. Au contraire. Elle fit part de son désarroi à Gina.

– Justement, lui dit Gina, c'est ce qui les attire. Mais ne t'inquiète pas, ces types t'apprécient pour ce que tu es.

– Je ne veux pas qu'Arnie soit amoureux de moi.

Gina se tourna vers sa coiffeuse et lança par-dessus son épaule.

– Ne t'affole pas. Il me plaît bien. Quand tu en auras assez, envoie-le-moi.

– Il ne me lâchera pas, soupira Cassie. Il devient très sérieux, depuis quelques jours, et ça ne me convient pas du tout. D'un autre côté, je redoute de le blesser.

Gina jeta une robe sur le lit, en prit une autre.

– Ecoute-moi bien, Cassie McGann, il va falloir que tu te décides un jour ou l'autre.

– Je sais parfaitement ce que je veux. Pour le moment, ça ne laisse pas beaucoup de place pour Arnie.

Gina vint se planter devant elle.

– Qu'est-ce que tu veux, Cassie ?

– Qu'on ne me traite plus jamais de bâtarde.

Elle sortait de son dernier entretien avec son supérieur, quand elle l'aperçut. Son cœur se serra. Un homme au rayon lingerie. Dieu merci, c'était assez rare.

Cherry, une petite stagiaire, s'efforçait de le satisfaire, mais d'après la couleur de ses joues, elle avait du mal. Cassie s'interposa.

– Puis-je vous aider ?

L'homme, qui était très grand, se tourna vers elle.

– Tout dépend si vous partagez les objections de cette demoiselle, répliqua-t-il en la regardant droit dans les yeux.

Jamais elle n'avait rencontré un regard aussi bleu, aussi perçant. Jamais elle n'avait vu un homme aussi beau, hormis à l'écran.

– Quel est le problème, Cherry ?
– Je lui ai simplement demandé de faire le mannequin.
– Nous n'offrons pas ce genre de service ici, monsieur. En quoi puis-je vous être utile ?
– Vous voulez dire que vous voulez bien le faire à sa place ?
– Non, monsieur, je veux dire que je peux peut-être vous aider à trouver des modèles qui vous plaisent.
– J'ai déjà trouvé, riposta-t-il en soulevant un voile de dentelle. Je veux simplement savoir si c'est la bonne taille. C'est pourquoi j'ai prié cette demoiselle de le tenir devant elle.
– Vous ne connaissez pas la taille exacte de votre femme, dit Cassie.
– Ce n'est pas pour ma femme.
– Votre fille, alors.
– Non plus.
– Je vois.
– C'est pour…
Il marqua une pause, fixa Cassie :
– C'est pour une amie.
Cassie fit signe à Cherry qu'elle pouvait aller s'occuper ailleurs.
– Nous sommes du même gabarit, Mlle Garson et moi-même.
Il hocha la tête et alla s'asseoir. Il avait des jambes interminables. Il ressemblait vaguement à Gary Cooper, mais en plus triste.
Il posa son feutre sur ses genoux.
– Que le spectacle commence !
Cassie s'empara du premier vêtement, une combinaison de satin noir. Elle la plaça devant elle. L'inconnu se mit à pianoter sur sa cuisse. Au bout de deux bonnes minutes, il opina.
– Parfait. Ensuite ?
Cassie lui présenta une chemise de nuit en crêpe de Chine coquille d'œuf, au décolleté plus que plongeant.

– Pas si haut ! protesta-t-il. Personne n'a les seins au niveau des clavicules. En tout cas, pas à ma connaissance.

Cassie s'exécuta, rougissante.

– Vous avez l'air d'avoir trop chaud. Ça va ?

Si elle n'avait pas tenu à sa place, elle lui aurait volontiers tiré la langue et jeté la chemise sur la tête. Mais elle était à la veille d'une promotion intéressante, aussi elle endura l'épreuve en remerciant le ciel que les hommes fréquentent si peu le rayon lingerie.

– C'est mieux comme ça, monsieur ?

– Oui, merci. Et maintenant, la culotte.

Cassie plia le vêtement avec soin et le plaça délicatement sur la combinaison, histoire de gagner du temps.

– La culotte est de la même taille que la combinaison, monsieur. Vous n'avez pas d'inquiétude à avoir.

– C'est gentil à vous, mais la dame en question a des formes. Un peu comme vous. Si ça ne vous ennuie pas...

Cassie retint son souffle et ramassa la culotte noire.

– Elle est à l'envers.

– Excusez-moi, monsieur.

Il réfléchit longuement, puis secoua la tête.

– Non, ça ne va pas. Peut-être avez-vous d'autres modèles en satin noir ?

Cassie en sélectionna plusieurs, de coupes diverses, et les étala sur le comptoir en verre en l'invitant à faire son choix. Il avait un drôle d'accent. A en juger par son comportement, il ne pouvait être que texan. Mais il ne l'était pas. Son allure était trop sophistiquée. Il n'était pas anglais, mais plutôt... oui, bien sûr ! Irlandais.

– Montrez-moi celle-ci, je vous prie, mademoiselle.

A cet instant, la supérieure, qui avait vu le manège depuis son bureau, passa.

– Tout va bien, monsieur ? Mademoiselle McGann ?

– Très bien, madame. Nous n'arrivons pas à nous décider pour la culotte, c'est tout.

– Ah ! Je vois. Si vous avez besoin de moi, Mademoiselle McGann, je suis juste là.

Elle s'éloigna.

– Elle me fait penser à une de mes juments. Du moins, de dos, déclara l'inconnu.

Plus tard, Cassie décida que c'était à ce moment-là qu'elle était tombée amoureuse de Tyrone Rosse, car elle eut un mal fou à réprimer un éclat de rire. Cependant, elle se ressaisit aussitôt et leva devant elle un slip minuscule.

– Franchement, je ne comprends pas que vous me proposiez ça. C'est indécent !

Cassie rongeait son frein, mais elle ne dit rien. L'homme quitta soudain son siège.

– Je vais prendre celle-là. Et la chemise de nuit, et la combinaison. Je veux aussi un négligé. Comme celui de Grace Kelly dans *Fenêtre sur cour*. Vous voyez ce que je veux dire ?

– Je crains que non, monsieur. Peut-être pourriez-vous me le décrire.

Il se frotta le menton, l'air songeur, puis fronça les sourcils.

– C'est bizarre, je me rappelle seulement qu'il était très sexy. C'est au moment où Grace Kelly arrive chez Stewart. Il est dans son fauteuil roulant, et…

– J'ai vu le film, interrompit Cassie.

– Cette scène est d'un érotisme torride, vous ne trouvez pas ?

Cassie afficha un sourire aimable et pointa l'index vers un mannequin en vitrine.

– Quelque chose comme ça vous conviendrait-il ?

– C'est pas mal. Oui, pas mal du tout. Je le prends s'il est à votre taille.

– Vous voulez dire la taille des autres vêtements.

– Oui. C'est-à-dire la vôtre. Vous aimez cette couleur ?

– Je trouve ce bleu très raffiné.

– Tant mieux. Vendu.

Il sortit de la poche de son pantalon une liasse de billets et se mit à les compter pendant que Cassie rassemblait la marchandise. Elle était ravie d'avoir vendu le négligé : c'était un des produits les plus chers du magasin, et elle allait toucher une jolie commission.

– Enveloppez-le à part, marmonna-t-il sans lever les yeux. Combien est-ce que je vous dois ?

Cassie fit le total sur un carnet, puis le retourna vers l'inconnu. Il acquiesça.

– J'emporte tout avec moi, sauf le négligé, que je vous demande de faire livrer.

– A quelle adresse, monsieur ?

– Où habitez-vous ?

– Je crains que nous n'ayons pas le droit de communiquer nos coordonnées aux clients.

– Ne dites pas de bêtises.

– C'est le règlement, monsieur.

Elle lui tendit son carton.

– Si vous voulez bien inscrire l'adresse…

– Je ne peux pas. Il faut que vous me disiez où vous habitez.

– Je ne comprends pas ! protesta naïvement Cassie. Ça n'a aucun rapport.

Il secoua la tête.

– Je veux savoir où vous habitez, parce que c'est là que je veux faire livrer le négligé.

Il s'empara du carton contenant le négligé et le remit entre les mains de la jeune femme.

– Tenez, c'est mieux comme ça, on économisera des frais.

Sur ces mots, il remit son chapeau et sortit.

Cassie n'entendit plus parler de lui pendant une période qui lui parut durer plusieurs mois, mais se réduisit en fait à trois jours. Gina, que les histoires de rencontres ennuyaient généralement, avait dressé l'oreille quand Cassie lui avait raconté son aventure. Elle avait trouvé cela drôle, mignon. C'était au moins aussi romantique que le mariage de Grace Kelly avec le Prince Rainier.

Cassie protesta vivement. Ce fou furieux était venu acheter de la lingerie pour une autre femme, puis il était reparti.

– Erreur ! lança Gina en agitant les mains pour que son vernis sèche plus vite. Tout est dans la manière dont tu en parles. Dans ton regard. Il t'a conquise. Toi qui ne voulais plus jamais entendre parler des hommes !

Cassie lui jeta un oreiller, que Gina intercepta sans peine avec la jambe.

– Montre-moi ton négligé, ordonna-t-elle.

– Pas question ! Ce n'est pas du tout moi.

– Bon ! Dans ce cas, offre-le-moi !

– Désolée. Je vais le ranger dans le fond d'un tiroir. Un jour, je le porterai peut-être.

Le troisième soir, alors que Gina trempait dans son bain après une dure journée de travail, Cassie céda à la tentation. Elle essaya le négligé. Il était magnifique. Très sexy. Elle se contempla dans la glace, envahie par une étrange sensation de chaleur. Après tout, ce n'était qu'un négligé. Mais elle avait tout d'un coup l'impression d'être une femme. Une femme désirable. Elle s'assit sur le bord de son lit, tourmentée. Le seul fait de porter ce vêtement suffisait-il à provoquer une telle multitude de sentiments ? Sinon, de quoi s'agissait-il ?

On frappa à la porte de l'appartement.

– C'est sûrement Buck ! cria Gina. Fais-le entrer, veux-tu, et raconte-lui quelques blagues.

Cassie sourit et se précipita dans le vestibule. La chaîne était mise. Elle entrouvrit, s'attendant à découvrir le dénommé Buck Irvine, le dernier joueur de football américain en date sur une liste déjà longue.

– Salut, Buck !

Elle s'effaça pour le laisser entrer.

La silhouette se retourna. Ce n'était pas Buck. C'était l'inconnu.

– En fait, je m'appelle Tyrone. Tyrone Rosse, mademoiselle McGann. Puis-je entrer ?

En resserrant ses vêtements, elle prit conscience de ce qu'elle avait sur le dos.

– Je ne suis pas habillée.

– En effet. Cependant, le peu que vous portez vous sied à merveille.

Il s'avança jusque dans le salon. Cassie referma derrière lui, s'obligea à respirer normalement, et courut dans sa chambre.

– J'en ai pour une minute ! promit-elle. Je vais juste me changer.

Gina surgit, enveloppée d'une serviette.

– Qui est ce bel étranger ténébreux en train de boire notre whisky ?

– C'est lui ! persifla Cassie en enfilant une robe de laine. Monsieur Je-sais-tout-du-rayon-lingerie.

– On dirait le frère de Gary Cooper, fit remarquer Cassie. En plus jeune, bien sûr.

– Pas tant que ça ! Il a sûrement plus de trente ans.

Gina alla se coller contre la porte entrouverte de leur chambre, puis revint se sécher les cheveux avec une autre serviette éponge.

– Cassie, les hommes sont comme le vin. Ils se bonifient avec l'âge.

Cassie s'empourpra. Elle mit ses escarpins et alla rejoindre son visiteur.

– Comment avez-vous découvert mon adresse ? lui demanda-t-elle en remplissant son verre.

– Mon meilleur ami dirige le FBI, répliqua-t-il, impassible. Je lui ai demandé de me rechercher une ravissante jeune Caucasienne, petite, aux cheveux noirs, âgée de dix-neuf ou vingt ans et portant le négligé le plus onéreux de chez Bergdorf Goodman. Abracadabra !

– Je suppose que vous vous êtes adressé à l'une des vendeuses.

– Tout homme a un prix. Toute femme, aussi. Plus cher, en général.

Cassie s'esclaffa. Tyrone hocha la tête.

– Je me doutais bien que vous étiez encore plus jolie quand vous riez. Je savais que ce ne serait pas une tâche facile.

Il avala son whisky, posa le gobelet sur la table basse.

– Bien ! Où voulez-vous dîner ?

– Je regrette, mais j'ai déjà un rendez-vous.

– Avec qui ?

– Cela ne vous regarde en rien, mais je sors avec mon ami Arnie. Nous allons écouter Duke Ellington, à Carnegie Hall.

– Le concert n'a lieu que demain, riposta Tyrone. Alors ? Où voulez-vous dîner ?

– Comment savez-vous que ce n'est que demain ? Vous êtes un fan de Duke Ellington ?

– C'est inscrit sur votre agenda, lequel est grand ouvert sur le bureau. Mardi 25, Carnegie Hall, concert avec Arnie. Je vous signale au passage que c'est Count Basie que vous allez voir, pas le Duke. Donc… où voulez-vous dîner ?

Cassie resta à court de mots.

Gina émergea alors de la chambre, en fourreau noir, les cheveux empilés sur le crâne, un collier de perles autour de son cou de cygne. Cassie éprouva un sentiment de désarroi en voyant cette apparition digne de *Vogue* traverser gracieusement la pièce. Un coup d'œil sur Gina, et Cassie McGann n'intéresserait plus du tout Tyrone. Elle plissa le front. Pourquoi s'en soucier ? Cet homme n'était rien pour elle. Il ne lui plaisait même pas !

– Bonjour. Je m'appelle Gina.

Tyrone lui serra poliment la main.

– Bonsoir, Tina. J'attends toujours de savoir où nous allons dîner.

Gina rit aux éclats. Elle alla se servir un Martini.

– Vous connaissez cette chanson, « Mais ils disparaissent tous de vue, parce… »

– Tais-toi, *Tina*, grogna Cassie en observant Tyrone à la dérobée.

Gina lui sourit et lui adressa un clin d'œil. Puis elle leva son verre.

– J'aimerais aller chez Harry's. S'il vous plaît.

C'était chez Harry's que Cassie avait débuté comme serveuse, lorsqu'elle était arrivée à New York. Ce n'était pas du tout un endroit pour un homme élégant et fortuné comme M. Tyrone Rosse. Cependant, au grand désarroi de Cassie, lorsqu'il vit où elle l'emmenait, il ne cilla pas.

Il se comporta pendant tout le repas comme s'ils étaient au restaurant du Waldorf. Il étudia longuement la carte, plastifiée et proposant un nombre très limité de plats, avant d'opter pour un pâté à la viande spécial chez Harry's avec une double portion de frites. Cassie, elle, commanda un hamburger et une salade.

Tyrone savoura son soda comme s'il s'agissait d'un grand vin et interrogea Cassie sur ses passions. Elle lui avoua qu'elle avait un faible pour la musique de jazz et les musées. Elle ne lui parla pas de son amour pour les chevaux car, depuis son départ de Westboro Falls, elle avait fait une croix sur son passé. Elle lui dit qu'elle lisait beaucoup, notamment les romans historiques, et qu'elle aimait danser. Il lui confia qu'il adorait cela, lui aussi. Pourquoi n'iraient-ils pas ensemble, après le dîner ? Cassie sourit, mais attendit d'en savoir davantage sur son compagnon avant de répondre oui ou non. Elle lui demanda quels étaient ses autres centres d'intérêt. Il haussa les épaules : ceci et cela. Il lui expliqua qu'il n'habitait pas aux Etats-Unis mais en Irlande, et qu'il était là pour affaires. Cassie voulut savoir à quoi correspondaient ces « affaires », mais une fois de plus, il haussa les épaules : ceci et cela.

Acheter. Revendre. Il avait des amis en Amérique, aussi. Des gens plutôt riches, qui étaient également ses associés. Cassie rit en lui demandant s'il appartenait à la Mafia, et Tyrone opina, très sérieusement, en affirmant que dans sa profession il était parfois amené à négocier avec des gangsters. Cassie ne savait pas s'il se moquait d'elle ou non. Elle serait souvent confrontée à ce dilemme, avec M. Rosse.

Tandis qu'ils attaquaient la tarte aux pommes et à la crème fraîche, Tyrone pria la jeune femme de lui parler de son métier. Cassie lui assura qu'elle était passionnée par ce qu'elle faisait. Cela le surprenait-il ? Il lui dit que non, et qu'elle avait tort de se mettre ainsi sur la défensive. Puis il l'interrogea sur ses ambitions professionnelles. Cassie hésita, lui renvoya la question.

– Moi, je veux être le meilleur dans ce que j'entreprends, lui confia-t-il en buvant son café.

– Moi aussi, je crois.

*
* *

Dans le taxi, il lui demanda où elle voulait aller danser. Elle connaissait un club dans la 52e Rue, où la musique était bonne, à condition d'aimer le jazz.

– J'aime tout ce que vous aimez, Cassie McGann.

Ils dansèrent jusqu'à ce que Pete, le propriétaire, commence à empiler les chaises et que les musiciens plient bagage. Tyrone donna au pianiste un billet de cinquante dollars et une demi-bouteille de whisky et lui demanda de continuer à jouer. Le pianiste rigola. Tyrone obligea Cassie à choisir ses mélodies préférées. Elle les énuméra toutes, sauf *Moonglow*.

Ils rentrèrent à pied, sans se parler. Tyrone chantait des chansons d'amour irlandaises.

En parfait gentleman, il la laissa devant chez elle et attendit qu'elle fût à l'intérieur de l'appartement… avant de la demander en mariage. Cassie le dévisagea, ahurie.

– Pardon ? balbutia-t-elle.

– J'ai dit : voulez-vous m'épouser, Cassie McGann ? Et ne me dites pas que nous venons à peine de nous rencontrer.

– Pourquoi ? C'est la vérité.

– Parce que ça n'a aucun rapport, voilà pourquoi.

Cassie resta clouée sur place.

– Très bien, concéda-t-il. Je suppose que vous voulez un peu de temps pour y réfléchir. Je vous appelle demain matin.

Il repartit en direction de l'ascenseur.

– C'est déjà le matin !

– Tant mieux. Je vous téléphone tout à l'heure !

Il disparut.

A onze heures, Mme Wellman appela Cassie dans son bureau. Elle avait le plaisir de lui annoncer qu'elle était promue au rang d'acheteuse du rayon lingerie. Elle bénéficierait d'une hausse de salaire conséquente et pouvait espérer un bel avenir chez Bergdorf Goodman. Cassie était ravie. C'était précisément ce pour quoi elle avait tant travaillé. Pourtant, son bonheur n'était pas total. Peut-être était-elle encore fatiguée de sa soirée ? Elle avait dormi à peine une heure. Ce soir, elle allait se coucher très tôt. L'enthousiasme qu'elle aurait dû éprouver reviendrait peut-être après une bonne nuit.

Cependant, en quittant le bureau de Mme Wellman, Cassie se sentit un peu déçue. Elle s'était tellement bien amusée avec Tyrone. Quand sa chef l'avait convoquée, elle avait cru tout d'abord que Tyrone l'avait appelée au magasin, pour connaître sa réponse.

A peine était-elle sortie, que l'appareil se mit à sonner. Cassie hésita, puis poursuivit son chemin. Non, c'était absurde d'imaginer que l'appel pouvait être pour elle. D'ailleurs, elle avait réfléchi : Tyrone Rosse s'était fichu d'elle.

– Mademoiselle McGann ? C'est pour vous.

Cassie se retourna, perplexe.

– Un certain Dr Rosse. Il dit que c'est très urgent.

Cassie se mordit la lèvre pour ne pas sourire. Mme Wellman prit cela pour un signe d'inquiétude.

– J'espère que tout va bien chez vous. Il semblait terriblement agité.

Cassie prit le combiné.

– Alors ? Vous pouvez me répondre ?

– Je crains que non. Je ne pensais pas que c'était à ce point urgent.

Mme Wellman ôta ses lunettes et se dirigea discrètement vers la sortie.

– Je vous laisse, ma chère. J'espère que ce n'est rien de grave.

Restée seule, Cassie se sentit plus libre de s'exprimer.

– Vous n'auriez pas dû me joindre ici. Nous n'avons pas le droit de recevoir des coups de fil personnels pendant les heures de travail.

– Allez au diable, avec vos règlements à la noix ! gronda Tyrone. Je pars pour la Virginie tout à l'heure.

– Vous allez revenir bientôt, je suppose.

– Evidemment que je vais revenir, Cassie McGann ! explosa-t-il. Pour vous chercher et vous emmener chez moi. Alors, c'est oui ou c'est non ? Faut-il que je vienne dans votre magasin me mettre à genoux devant vous et la jument ?

Cassie reprit son souffle, ferma les yeux.

– J'attends !

– C'est non, murmura-t-elle.

– Quoi ? rugit-il. Comment ça, c'est non ? Que voulez-vous dire par là ?

– Simplement que j'ai besoin d'un peu de temps.

– Je vous accorde jusqu'au week-end. A mon retour.

Il raccrocha brutalement. Cassie attendit un instant, car elle avait aperçu Mme Wellman sur le seuil.

– Entendu, Docteur. Merci. Oui, j'attends votre appel ce soir.

Mme Wellman se rapprocha, l'air anxieux.

– J'espère que ce n'est pas une mauvaise nouvelle ?

Cassie afficha un sourire courageux.

– Je retourne à mon poste. Je suis désolé que le Dr Rosse m'ait téléphoné ici.

– Mais non, mais non, ma chère. De toute façon, bientôt, vous aurez votre bureau et votre téléphone. Vous n'aurez plus à vous soucier de quoi que ce soit.

Cassie la remercia de nouveau et tourna les talons. Mme Wellman l'interpella :

– Vous êtes vraiment très pâle, vous savez. Ça ne me regarde pas, mais je vois bien que quelque chose vous tracasse. Je vous donne le reste de votre journée. Rentrez chez vous vous reposer.

Cassie ne discuta pas. Elle avait beau être jeune et en pleine santé, cette nuit blanche l'avait épuisée. Elle alla chercher son manteau et changer de chaussures.

Il neigeait de plus en plus fort. Pour fêter sa promotion, Cassie décida de s'offrir un taxi. Elle en dénicha un qui venait de s'arrêter. Une jeune femme en manteau de fourrure se penchait par la vitre pour payer le chauffeur, tandis qu'une autre dame, plus âgée, mais très élégante, descendait, un carton Bergdorf Goodman à la main. Cassie, qui s'était approchée pour attendre son tour, eut l'impression de l'avoir déjà vue quelque part.

Un instant plus tard, elle comprit qui c'était, quand la cliente s'extirpa de la fenêtre et se retourna.

– Nom de nom ! s'exclama Leonora. Bon sang de bon sang, Cassie McGann !

Elle jeta un bras sur les épaules de Cassie et l'entraîna jusqu'à la vitrine, devant laquelle s'était postée sa mère. Par-dessus son épaule, Cassie vit que quelqu'un d'autre venait de s'engouffrer à sa place dans le taxi.

– Maman ! s'écria Leonora. Regarde un peu qui est là !

Mme Von Wagner dévisagea la jeune fille en manteau de tweed marron, sans la moindre émotion.

– Tu te souviens de Cassie McGann, non ? La petite peste qui m'a battue au tennis, celle qui est venue à Long Island !

Mme Von Wagner hocha la tête.

– Je ne m'en souviens que trop.

– Qu'est-ce que tu fais à New York, Cassie ? Non, non, ne me dis rien. Allons prendre un café, ou plutôt, un verre.

Cassie observa Mme Von Wagner à la dérobée.

– Ne vous inquiétez pas. Je ne vais pas vous mordre.

– Maman détestait Grand-père, expliqua Leonora. De toute façon, il est mort.

Mme Von Wagner sourit machinalement.

– Allez-y donc toutes les deux. Je vais rendre ces vêtements au rayon lingerie, et ensuite, j'ai un déjeuner.

– D'accord. A tout à l'heure à l'appartement, dit Leonora.

Elle héla un autre taxi, tandis que sa mère disparaissait dans le magasin.

Elles allèrent au Plaza et commandèrent des cocktails au champagne. La boisson remonta suffisamment Cassie pour qu'elle puisse écouter sans grand intérêt l'histoire de la vie de Leonora.

– Je reviens tout juste d'Europe. J'étais en Suisse, dans une école épatante. Quand je dis épatante, c'est pour les garçons. On a passé notre temps à faire le mur, et personne ne nous a jamais rien dit.

Elle rejeta ses cheveux blonds, plus longs et plus soyeux que jamais, signala au serveur de leur apporter encore deux cocktails, et plus vite que ça ! puis se concentra sur Cassie.

– J'ai couché avec tellement de types, que j'en ai perdu le compte. Le dernier amant était un prince. Il était horrible. A mon avis, il était pédé.

Cassie frémit, mal à l'aise. Le serveur posa leurs verres devant elles. Leonora en profita pour lui souffler un nuage de fumée dans la figure.

– Et toi, Cassie ? Tu l'as perdue ?

Cassie devint écarlate, non pas d'embarras, mais de rage.

– Ça ne te regarde pas, Leonora.

Cette dernière s'esclaffa.

– Seigneur ! Tu es incroyable ! Je suis étonnée que tu ne sois pas devenue nonne !

Leonora écrasa sa cigarette d'un geste impatient, et en alluma aussitôt une autre en scrutant la salle.

– Tu ne m'as toujours pas dit ce que tu faisais à New York.

Cassie se demanda si elle devait ou non lui dire la vérité : qu'elle travaillait dans le grand magasin devant lequel elles venaient de se retrouver. Au risque de raviver le mépris de Leonora. Peut-être était-ce l'occasion de ce que Sœur Jeanne qualifiait de « mensonge pieux tout à fait compréhensible et immédiatement pardonnable ».

Elle opta pour la seconde solution.

– Je suis chanteuse.

– Pas possible ! Dans un night-club ?

– A l'opéra. Au Metropolitan.

Leonora fronça les sourcils, soudain emplie d'admiration pour cette fille qu'elle avait toujours considérée comme une ratée.

– D'accord. Dans le chœur ? En costume de paysanne ?

– Non, répondit calmement Cassie, que le champagne commençait à étourdir. Je suis soliste. J'ai étudié pendant deux ans sous la maîtrise du Dr Rosse, le grand professeur autrichien.

– Bon sang ! s'exclama Leonora. Si tu crois que j'ai entendu parler de lui… Tu joues en ce moment ?

– Absolument. Je vais incarner Brangaene, dans *Tristan und Isolde*.

Leonora s'empara d'un exemplaire du *New York Times* qui gisait non loin de là et l'ouvrit à la rubrique spectacles. Cassie se retint de rire en voyant Leonora parcourir la liste des théâtres. Elle était très au courant de ce qui se passait au Metropolitan, car l'un des courtisans de Gina, un financier fortuné, était passionné d'opéra. La pauvre Gina, qui avait horreur de cela, assistait régulièrement à d'interminables représentations de Wagner. Justement, elle avait vu *Tristan und Isolde* la semaine précédente.

Leonora releva la tête, impressionnée.

– Nom de nom, siffla-t-elle, l'index sur *Tristan und Isolde*. Tu peux m'avoir des places ?

– Bien sûr. Je ne savais pas que tu aimais l'opéra.

– Ce ne serait pas possible ce soir, par hasard ? Je repars demain.

Cassie sirota son cocktail et prit tout son temps pour répondre. Elle savait par Gina que le spectacle s'était vendu à guichets fermés.

– Tu ne vas pas me croire, mais j'avais deux amies de Newport qui devaient venir. Malheureusement, elles souffrent toutes les deux d'une gastro-entérite.

– C'est dommage pour elles. Je peux avoir leurs billets ?

– Si tu veux. Ça m'ennuierait que personne n'en profite. Elle sourit.

– Je te revaudrai ça, Cassie. Tu comprends, il y a un type qui me plaît énormément. Sa femme est en voyage, et il se trouve qu'il adore l'opéra. Oui, vraiment, je te revaudrai ça.

– Mais non, mais non. C'est moi. Il y aura une enveloppe à ton nom, au contrôle.

Sur ces mots, Cassie se leva et quitta le Plaza en imaginant d'avance l'embarras dont Leonora allait être l'objet.

De retour chez elle, euphorique après tout ce champagne, Cassie s'allongea sur son lit et pensa à Tyrone. Sa tête voulait lui dire non. Mais son cœur lui dictait tout autre chose. De quel côté devait-elle pencher ? Elle aimait tant sa vie à New York. Voir des amis, écouter de la musique, se promener dans Central Park avec Arnie, faire du lèche-vitrines avec Gina, traîner au lit le matin en écoutant les bruits de la ville qui se réveillait. Elle était libre. Du moins, elle l'avait été jusqu'au fameux incident au rayon lingerie.

Voilà qu'elle envisageait le plus sérieusement du monde d'épouser un homme dont elle ne savait presque rien. Ils avaient passé une seule soirée ensemble.

Il lui avait accordé un délai de réflexion jusqu'au week-end. Tu parles ! se dit-elle rageusement en bourrant son oreiller de coups de poing. Il était complètement fou ! Elle aussi, d'ailleurs, pour perdre son temps à réfléchir à une telle proposition. Elle ne le connaissait ni d'Eve, ni d'Adam. Elle savait qu'il habitait en Irlande, dans une propriété qui s'appelait Claremore. Quel était son métier ? Quel était son passé ? Pour qui avait-il acheté toute cette lingerie, par exemple ? Une amie. Pas sa femme, pas sa fille, une amie. C'était un cadeau des plus intimes, pourtant, elle en était à se demander en toute bonne foi si elle devait ou non l'épouser !

Elle était ivre. Voilà l'explication. Les cocktails qu'elle avait bus avec Leonora lui étaient montés à la tête. Elle était complètement soûle.

Elle se mit d'un côté, puis de l'autre, puis de nouveau sur le dos. Un nouvel obstacle se présentait à elle : le problème de ses origines. Si elle aimait cet homme, elle serait bien obligée, tôt ou tard, de lui révéler son secret. Quelqu'un pouvait surgir dans leur existence, le Dr Fossett, un habitant de Westboro Falls, une relation des Harris... S'il n'était pas prévenu, Tyrone serait furieux. Elle imaginait d'avance la scène, comme une illustration dans un ouvrage ancien, Tyrone en haut des marches du perron, pointant le doigt dans la direction que devait prendre Cassie, bannie de sa vie pour toujours.

Elle fut réveillée par la sonnerie du téléphone. Elle s'assit dans le noir, se demanda où elle était. Le bruit strident persista. Les souvenirs lui revinrent d'un seul coup, et elle songea qu'elle avait dû dormir une bonne partie de l'après-midi.

– Allô ? Ici Cassie McGann.

– Alors ?

– Vous m'avez dit que j'avais jusqu'à la fin de la semaine.

– En tant que votre médecin, j'ai droit à un rapport intermédiaire.

– Mon état n'a pas changé.

– Dans ce cas, il requiert mon attention immédiate.

Il raccrocha. Cassie se laissa choir sur son matelas. Le téléphone sonna de nouveau. Elle décrocha.

– Si vous voulez que je réponde oui, monsieur Rosse, vous avez tout intérêt à me laisser un peu tranquille !

– Qui est M. Rosse ? s'exclama Arnie. Et où es-tu ? Le concert débute dans dix minutes !

Pendant l'entracte, Cassie tenta d'expliquer la situation à Arnie. Malheureusement, elle fut incapable d'inventer un « mensonge pieux tout à fait compréhensible et immédiatement pardonnable ». Si seulement il était venu la chercher, comme il le faisait d'habitude. Mais le mardi, il travaillait tard ; il n'avait donc pas le temps de rentrer chez lui se changer, puis de passer prendre Cassie. Dans le cas contraire, elle n'aurait pas eu à lui parler de Tyrone. Ils auraient écouté le concert, mangé chez Harry's, pris un verre dans un bar, échangé un baiser… et l'affaire se serait terminée là. Or, voilà qu'elle lui racontait comment un Irlandais extravagant avait fait irruption dans sa vie, et que c'était complètement fou, car même si elle l'avait voulu, elle n'aurait jamais pu l'épouser.

– Pourquoi pas ? rétorqua Arnie, qui semblait particulièrement intéressé par le bout de ses chaussures. Il est déjà marié, ou quoi ?

– Je n'en sais rien !

– Tu n'en sais rien ? Un type te demande de l'épouser, tu y réfléchis, et tu ne sais même pas s'il est *déjà marié* ?

Autour d'eux, les fans de Count Basie les observaient avec curiosité. Cassie voulut entraîner Arnie à l'écart, mais il la repoussa.

– Ce n'est pas pour cette raison. En admettant que je le veuille.

– Pas possible ! s'exclama Arnie, de plus en plus fort. Pourquoi ? Tu es mariée, toi ?

– Non !

– Alors pourquoi ? Si tu as envie d'épouser ce type, qu'est-ce qui t'en empêche ?

Cassie avait envie de hurler. Parce que je suis une bâtarde ! Parce que je suis une bâtarde ! Parce que je suis une bâtarde ! Elle opta pour une solution nettement moins dramatique.

– Parce que c'est impossible.

Arnie la dévisagea, les yeux ronds comme des soucoupes.

– Parce que c'est *impossible* ? Nom de nom, Cassie ! Tu ne peux pas épouser un type que tu as rencontré pas plus tard qu'hier *parce que c'est impossible* ? J'ai tout entendu, mais là, franchement, tu dépasses les bornes !

Arnie secoua la tête, sidéré. La sonnerie marqua la fin de l'intermède.

– Viens. Nous en reparlerons tout à l'heure.

– Sûrement pas ! Je vais me faire cuire un œuf !

S'arrachant à son étreinte, il se faufila à contre-courant parmi la foule et s'enfonça dans la nuit. Le temps que Cassie se fraye à son tour un chemin, il avait disparu.

*
* *

Lorsqu'elle revint de sa pause-déjeuner le mercredi, Cassie ne vit pas l'homme assis près du comptoir en verre – celui sur lequel elle avait disposé les modèles pour Tyrone – quitter son siège et se mettre à genoux.

Elle ne remarqua que les vendeuses qui la regardaient

en s'efforçant de ne pas glousser. Elle s'apprêtait à leur demander quelle était la source de leur hilarité, quand elle aperçut un crâne, de l'autre côté de la vitrine. Tyrone. Elle se figea.

Tyrone se redressa légèrement, et elle constata avec effroi qu'il tenait entre les mains un bouquet de violettes. Il le lui offrit, mais Cassie demeura clouée sur place, les mains collées au corps. Tyrone les déposa sur le comptoir.

– Alors ?

– Mettez-vous debout, siffla-t-elle. Et allez-vous-en d'ici.

– Pas avant que vous ne m'ayez dit oui.

– Vous m'aviez donné jusqu'à vendredi.

– C'était avant de savoir combien vous êtes têtue.

– Je vous *en supplie*, levez-vous.

– Je vous *en supplie*, épousez-moi !

Cassie le dévisagea avec fureur, puis se tourna vers les vendeuses, qui frôlaient l'hystérie. Elles se maîtrisèrent rapidement devant son air courroucé.

– Cherry, allez demander à Mme Wellman de faire intervenir le détective de la maison, je vous prie.

Cherry se précipita vers le bureau. Tyrone ne parut aucunement offusqué. Il sourit.

– Le règlement interdit-il aussi les demandes en mariage ?

– Il interdit le harcèlement des employés.

– Ma chère, vous ne vous imaginez pas à quel point je peux être obstiné, moi aussi.

Cassie se pencha vers lui.

– S'il vous plaît, mettez-vous debout.

– Vous connaissez mes conditions : un seul mot, qui commence par « o ».

– Pas ici. Pas devant tout le monde.

Tyrone scruta les alentours. Un véritable attroupement s'était formé. Il se leva, et Cassie ferma les yeux, soulagée. Il profita du fait qu'elle ne se tenait plus sur ses gardes pour s'approcher et la soulever dans ses bras.

Cassie tenta de se débattre, mais Tyrone était beaucoup plus fort qu'elle. Il se dirigea tranquillement vers la sortie.

De son bureau, Mme Wellman avait observé la scène, impuissante. Elle pria pour que le détective du magasin arrive à temps.

Il n'apparaissait toujours pas.

Comme Tyrone passait devant sa porte, elle crut bon d'intervenir.

– Excusez-moi, monsieur, que faites-vous, exactement ?

– N'ayez aucune inquiétude, madame. Tout va bien.

– Non, tout ne va pas bien ! protesta Cassie.

– Je suis son médecin, le Dr Rosse, poursuivit Tyrone. Je crains que ma patiente, Mlle McGann ici présente, n'ait négligé mes instructions.

Il salua poliment Mme Wellman et continua son chemin. Mme Wellman n'osa pas insister. Elle frappa dans ses mains pour signaler aux vendeuses de se remettre à l'ouvrage.

Une fois dehors, Tyrone chercha du regard un taxi. Il se planta au beau milieu de la rue, ignorant les Klaxon et les dérapages des véhicules autour de lui. Lorsqu'une voiture s'arrêta enfin, il ouvrit la portière arrière et déposa Cassie sur la banquette. Puis il alla ouvrir la portière du chauffeur.

– Descendez !

Derrière eux, un embouteillage se formait, les Klaxon hurlaient. Le chauffeur, petit et frêle, mit pied à terre et se mesura à cet étrange client qui le toisait.

– Qu'est-ce qui se passe, Mac ?

– Il se passe qu'on gèle et qu'il neige, voilà ce qui se passe.

Il lui donna l'adresse de Cassie, puis alla s'installer auprès d'elle. Il s'excusa auprès du chauffeur, ôta sa veste, la mit sur les épaules de la jeune femme. Elle l'accepta parce qu'elle avait froid, mais refusant de montrer sa reconnaissance, colla le nez sur la vitre.

– Sale temps, hein ? fit remarquer le chauffeur.

Tyrone l'ignora. Il chassa les flocons qui s'étaient accumulés sur la jupe de Cassie.

– Laissez tomber. Je ne mourrai pas de pneumonie.

– Je n'ai jamais pensé ça !

Il se mit à siffloter l'air de *Pierre et le Loup*.

– Pourquoi m'emmenez-vous chez moi ?

– Pour que vous puissiez vous baigner et vous changer.

– Pourquoi ?

– Parce que la nuit va bientôt tomber.

Il se remit à siffler. Cassie renonça à discuter.

Il la déposa devant chez elle en lui annonçant qu'un taxi viendrait la prendre à dix-huit heures précises. Avant qu'elle ne puisse protester, il ordonna au chauffeur de le ramener en ville. Cassie entra en courant, plus que jamais décidée à lui résister.

Tyrone alla faire des courses et ordonna qu'on livre immédiatement tous ses achats chez Mlle McGann, à l'adresse suivante.

Gina ouvrit la porte au livreur. Il lui remit plusieurs cartons, tous joliment emballés. Elle alla les déposer sur le lit de Cassie.

– Le Père Noël est un peu en avance cette année ! cria-t-elle à travers la porte de la salle de bains avant de retourner à la cuisine.

Ce soir, elle avait invité Buck à dîner, et elle s'affairait à préparer un plat de pâtes.

Cassie, entourée d'un drap en éponge, émergea dans la chambre et vit tous les paquets sur le lit. Intriguée, elle les ouvrit l'un après l'autre. Dans le premier, elle trouva une paire d'escarpins de marque italienne ; dans le second, un ensemble de sous-vêtements en satin et des bas de soie ; dans le troisième, une robe fourreau noire à fines bretelles ; enfin, dans le quatrième, une étole en fourrure blanche.

Tyrone n'avait pas jugé utile d'écrire un petit mot.

– Je n'ai pas de sac ! gémit Cassie, tandis que Gina, avec une patience d'ange, la recoiffait.

– Arrête de bouger, veux-tu ? Je vais t'en prêter un. J'en ai des centaines !

– Je n'ai pas de gants, non plus !

– J'en ai des tonnes. Là !

Gina fit tourner Cassie sur elle-même et l'examina de bas en haut.

– Tu es superbe ! s'écria-t-elle, enchantée. Magnifique ! Tu ne ressembles pas du tout à quelqu'un qui s'apprête à refuser une demande en mariage.

Cassie enfila les gants et s'empara du sac que Gina lui tendait.

– Tu dirais oui, toi ? A un Irlandais cinglé ? Dès le deuxième rendez-vous ?

– Je crois qu'il faut savoir saisir sa chance au bon moment, répondit Gina, l'air grave.

Cassie se regarda dans la glace. La robe lui seyait à merveille, les bas mettaient en valeur le galbe de ses jambes.

– Comment te sens-tu ? lui demanda Gina.

– Pas mal.

– Pas mal ! répéta Gina. Pas mal. On dirait que tu sors tout droit du magazine *Vogue*.

– Tu crois ?

– J'en suis sûre.

Cassie se contempla de nouveau, puis soudain ôta les escarpins, baissa la fermeture Eclair de son fourreau.

– Dans ce cas…

– Hé ! Qu'est-ce qui te prend ?

– Rien. Ce n'est pas moi, c'est tout.

Elle arriva avec un quart d'heure de retard, comme le lui avait conseillé Gina. Elle hésita un instant devant les portes battantes. Tyrone allait et venait comme un futur papa à l'extérieur de la salle d'accouchement. Il consultait sans cesse sa montre, puis levait les yeux au ciel. Apparemment, il n'appréciait pas qu'on le fasse attendre.

Un groupe de dames âgées aux cheveux bleutés et aux silhouettes épanouies sortit. Tyrone se retourna, mais n'aperçut pas Cassie parmi elles. Il alla s'asseoir, prit son verre. Il ramassa un journal et tenta courageusement de s'y intéresser. Cassie décida que le moment était venu d'entrer.

Elle fut devant lui avant qu'il ne la remarque. Aussitôt, il se leva d'un bond, lâchant le quotidien et évitant de justesse de renverser sa boisson.

– Cassie ! s'exclama-t-il comme s'il ne l'avait pas vue depuis un an. Donnez-moi votre manteau.

Elle nota un léger changement de ton lorsqu'il se rendit compte qu'elle ne portait pas la fourrure. Elle lui tourna le dos pour qu'il lui prenne son pardessus en tweed. Puis elle fit volte-face en souriant. Elle était en robe de laine bleu marine et mocassins, un simple collier autour du cou. Ses cheveux brillants lui tombaient sur les épaules. Tyrone aurait dû être vexé par cette rebuffade. Mais elle était l'incarnation de la beauté innocente.

– Savez-vous que vous êtes très belle, Cassie McGann ?

Il lui prit le bras et l'entraîna vers le bar où, pour la seconde fois en une semaine, elle but du champagne. Quand le taxi envoyé par Tyrone l'avait arrêtée devant le Plaza, elle avait éprouvé un moment de panique. Et si elle tombait sur Leonora ? Celle-ci voudrait se venger du mauvais tour que lui avait joué Cassie pour les billets d'opéra. Après tout, quelle importance ? Leonora ne pourrait rien lui faire, tant que Tyrone Rosse serait à ses côtés.

Tyrone était un « sacré bonhomme », comme aurait dit Arnie. Grand, il était large et solide sans paraître lourd. Il était parfaitement proportionné. En contemplant ses mains, Cassie se demanda soudain s'il montait à cheval. Il avait des mains de cavalier. Et ce regard, ces grands yeux bleus, mélancoliques quand il était sérieux, brillants d'espièglerie lorsqu'il riait.

Il se laissa admirer en feignant d'être absorbé par ses

pensées. Puis il signala au serveur de leur rapporter du champagne.

– J'ai pensé qu'on pourrait dîner, puis aller danser. Qu'en dites-vous ?

– Excellente idée.

Tyrone la dévisagea.

– Cassie McGann, vous êtes sans nul doute la plus belle femme que j'aie jamais vue. Slainte.

Il leva son verre.

– Comment ?

– Slainte. A votre santé, en irlandais.

De leur table, ils avaient vue sur le parc, mais Tyrone n'avait d'yeux que pour Cassie. Elle tenta de lui résister, car elle avait décidé de rester lointaine et sophistiquée. Gina lui avait expliqué en long et en large qu'on pouvait être aimée sans s'impliquer. A New York, c'était le comble du chic. On maîtrisait ses émotions. On maintenait les distances. S'engager, c'était plouc.

En discuter était une chose, le vivre en était une autre. Assise en face de Tyrone, Cassie avait un mal fou à ne pas se laisser envoûter par ce regard bleu et cette voix de baryton.

– Quelque chose ne va pas ? s'enquit-il brusquement.

Cassie détourna la tête.

– Non, non.

– Vous êtes un peu rouge.

– Il fait chaud.

Cassie posa son verre d'eau glacée contre sa joue, mais la sensation de brûlure revint très vite, dès qu'elle le regarda de nouveau. Elle sut alors qu'elle était perdue.

Pendant que Tyrone commandait leurs desserts, elle contempla les flocons de neige sur Central Park. L'espace d'un instant, elle regretta de ne plus être une enfant. Tout était si simple. On décidait tout pour elle. Quant au mariage, c'était un jeu auquel on jouait dans le jardin de Mme Roebuck.

– A quoi songez-vous ?

– A mon enfance.

– Elle n'est pas bien loin. Vous avez l'air d'avoir quinze ans.

Il la dévisagea en se frottant la bouche avec un doigt.

– Et vous, vous avez l'air de quelqu'un qui hésite à acheter un cheval.

Tyrone s'esclaffa.

– Vraiment ? En voilà une idée !

On leur apporta les desserts. Ils firent semblant de les déguster, mais ils n'avaient guère d'appétit. Ils avaient à peine touché aux entrées et aux plats.

Tyrone but une gorgée de vin, puis prit les mains de Cassie dans les siennes.

– Je vous aime, annonça-t-il, un peu trop fort au goût de Cassie. Même si vous êtes empoisonnante !

Sur ce, il vida son verre et se leva pour l'emmener danser.

Il se révéla un partenaire encore plus habile que Joe, ce qui agaça prodigieusement Cassie.

– Vous avez tort de lutter, Cassie McGann, lui murmura-t-il au bout d'un moment. Nous sommes faits l'un pour l'autre.

– Pas du tout, protesta-t-elle, sans grande conviction.

– Dès que je vous ai vue dans ce magasin, j'ai su que vous étiez la femme de ma vie.

– Vous achetiez de la lingerie pour une amie.

– C'était un cadeau de rupture. Il a suffi que je vous aperçoive, et plus rien d'autre n'a compté.

L'orchestre jouait *Stardust*. Au milieu de la piste, Tyrone souleva Cassie et l'embrassa.

– Je vous aime, Cassie McGann. Et vous m'aimez aussi.

– Mais non. C'est impossible.

– L'amour, c'est une maladie. On n'en connaît pas le remède.

Il la fit virevolter sur les derniers accords de la mélodie.

– En Inde, enchaîna-t-il, être amoureux suscite la sollicitude de tous. Ce sont des gens sages. Ils savent que c'est une maladie. Or, vous comme moi, nous sommes très atteints.

– Je ne sens rien.

– Si, et vous le savez.

L'orchestre redémarra sur un autre air, et ils se remirent à danser. Il avait raison. Cassie le savait, mais elle refusait de l'admettre. Tout cela était tellement inattendu. Il était plus âgé qu'elle, il avait de l'expérience. Elle sortait à peine de l'adolescence et s'efforçait de se comporter en adulte. Elle était encore à la recherche de quelque chose, sans trop savoir quoi, alors que lui était certain d'avoir trouvé.

Mais c'était plus facile pour les hommes. Ils étaient plus directs, ils tergiversaient moins. C'étaient des conquérants. Ils ne passaient pas des heures à discuter avec leurs copains, à s'interroger. Ils fonçaient.

Tyrone réclama une fois de plus ses lèvres. Elle se pelotonna contre lui. Si seulement il pouvait arrêter de l'embrasser, elle saurait garder la tête froide. Mais à chaque baiser, ses bonnes résolutions se volatilisaient. Il l'intoxiquait littéralement.

Ils quittèrent l'établissement et hélèrent un taxi.

– Où allons-nous maintenant ?

– Je propose qu'on retourne boire un café au Plaza. Et un digestif.

Elle n'eut pas l'occasion de protester : il l'enlaçait avec ferveur.

Une fois dans le hall, il l'entraîna vers les ascenseurs.

– J'ai une suite, expliqua-t-il. Je n'ai aucune envie d'aller au bar à cette heure-ci.

Ils longèrent le corridor jusqu'à sa chambre, Tyrone la devançant de quelques pas, sa clé à la main. Cassie retint son souffle, se recommanda de rester lucide. Elle boirait un café, rien de plus, puis elle le remercierait pour cette merveilleuse soirée et s'en irait.

Tyrone poussa la porte. Cassie entra. Elle ne vit rien du décor, sinon le lit, dans la pièce attenante. Tyrone ferma cette porte-là, puis lui prit son manteau et l'embrassa. Elle tenta de s'écarter.

– S'il vous plaît, je… je n'arrive plus à respirer.

– Tant mieux.

– Arrêtez ! Je vais m'évanouir.

– Excellent.

Elle parvint enfin à lui échapper. Adossée contre le mur, elle le dévisagea, stupéfaite par sa démonstration passionnée. Sidérée, surtout, par sa propre réaction. Il lui sourit, appela le service de chambre. Pendant qu'ils attendaient le café, il sortit une flasque de voyage et remplit deux verres d'alcool.

– Qu'est-ce que c'est que ça ?

– Un aphrodisiaque.

– Pardon ?

– Laissez tomber… C'est du cognac.

– Non merci. Je n'en bois jamais.

– En avez-vous souvent l'occasion ?

– Bon, d'accord, concéda-t-elle. Je n'en ai jamais bu.

– Goûtez, l'encouragea-t-il. Ça n'a jamais fait de mal à Napoléon.

– Et à Joséphine ?

Tyrone sourit et leva son gobelet.

– Slainte.

– Slainte, répondit-elle.

– Parfait ! Je ferai de vous une Irlandaise irréprochable.

Cassie n'était pas certaine de le vouloir. Elle dédaigna le cognac, mais se précipita sur le café lorsqu'il arriva.

– Vous n'avez même pas mis les sous-vêtements ? s'enquit Tyrone en lui présentant sa tasse.

– Co… comment ?

– J'ai dit : vous n'avez même pas mis les sous-vêtements ?

Elle ne répondit pas. Elle but.

– La plupart des femmes auraient apprécié la robe. Et les escarpins. Et la fourrure.

– Je ne suis pas comme la plupart des femmes.

– Non, acquiesça-t-il. En effet.

Il alla s'asseoir.

– Pourquoi ne portez-vous pas la tenue que je vous ai offerte ?

– Parce que ce n'était pas moi.

– Vous voulez dire qu'elle ne vous allait pas ?

– Ce n'était pas moi.

– J'ai du mal à imaginer que les sous-vêtements ne vous convenaient pas.

– C'est pourtant le cas.

Cassie mentait. Pire, elle les avait sur elle.

Tyrone lui sourit soudain, comme s'il l'avait deviné. Cassie songea que le moment était venu de se lever, de prendre son manteau et de partir. Elle ne bougea pas.

Elle fut sauvée par le téléphone.

Tyrone s'excusa pour répondre. Cassie se leva pour aller dans la salle de bains.

Juste avant de fermer la porte, elle entendit Tyrone répondre à son interlocuteur. Ou plutôt, à son interlocutrice, une certaine Hélène, avec qui il flirtait ouvertement.

Cassie s'enferma et s'appuya contre le mur, comme elle l'avait vu faire au cinéma. Cette histoire ne se déroulait-elle pas comme celles des films qu'elle allait voir de temps en temps avec Gina ?

Elle entrouvrit la porte.

A présent, Tyrone promettait un déjeuner à sa petite Hélène chérie. C'était donc cela. Tyrone Rosse n'était qu'un séducteur. Et elle, une petite vendeuse naïve.

Elle s'adressa à son reflet dans la glace.

– Cassie McGann, tu n'es qu'une imbécile !

Elle ressortit sur la pointe des pieds. Tyrone avait déboutonné le col de sa chemise et dénoué sa cravate. Il était toujours en grande conversation, le dos tourné. Cassie ramassa ses affaires et disparut.

Elle s'éloigna en courant, à l'opposé des ascenseurs. Elle se rua dans l'escalier de secours. A mi-parcours, se rendant compte que personne ne la poursuivait, elle marqua une pause. Elle décida de lui laisser assez de temps pour la chercher dans le hall, puis remonter dans sa suite.

Puis elle repartit.

Lorsqu'elle arriva chez elle, après avoir attendu indéfiniment un taxi, Tyrone était sur le canapé. Cassie se figea.

– Que faites-vous ici ?

– Vous le voyez bien.

Elle chercha Gina des yeux, mais Tyrone était seul. Il lui expliqua qu'elle était allée se coucher.

– Vous méritez une fessée, ajouta-t-il.

Elle lui lança un regard noir, mais ne dit rien.

– Cette façon de vous enfuir...

– Je ne me suis pas enfuie !

– Vraiment ? Vous auriez pu au moins me remercier et me souhaiter une bonne nuit.

Cassie se dirigea vers la cuisine, histoire de gagner un peu de temps. Tyrone ne tarda pas à l'y rejoindre.

– Alors ?

– Alors, quoi, encore ?

– Pourquoi vous êtes-vous enfuie ?

Cassie décida de préparer du café.

– Vous ne passiez pas une bonne soirée ?

– Si, avoua-t-elle en un murmure.

– Dans ce cas, pourquoi êtes-vous partie comme ça ?

Il était juste derrière elle, à présent. Il mit les bras autour de sa taille, et ils demeurèrent ainsi, l'un contre l'autre, en silence, pendant plusieurs minutes. Pour finir, Cassie s'écarta en secouant la tête.

– Je n'ai pas l'habitude des hommes comme vous. Je ne sais pas si je saurai...

– Que craignez-vous ?

– De toute évidence, vous avez connu de nombreuses femmes.

– C'est exact. Commençons donc par le commencement. Cette femme au bout du fil était une vieille amie, l'épouse d'un très vieil ami, et nous sommes en affaires ensemble. Elle se trouve à New York en ce moment, et j'aime bien déjeuner de temps en temps avec mes vieux amis. Vous n'y voyez pas d'objection ? Ensuite, oui, j'ai connu de nombreuses femmes, mais aucune... pas une seule... comme vous.

– Les liaisons sans avenir ne m'intéressent pas.

– Ce n'est pas ce que je veux avec vous.

– Mais tout à l'heure... vous... vous m'auriez demandé de... ?

Elle se mordit la lèvre, mal à l'aise.

– Jamais de la vie ! J'étais simplement heureux d'être en votre compagnie.

Cassie le fixa avec intensité. Il disait la vérité. Elle fut submergée par un sentiment de honte, car juste avant que le téléphone ne sonne, elle s'était décidée à coucher avec lui.

Il emporta le café au salon. Cassie s'attarda dans la cuisine pour effacer une larme furtive. Puis elle alla s'asseoir en face de lui.

– Alors ? C'est oui ?

– Tyrone...

– Vous n'avez plus d'excuses. Je veux que vous m'épousiez, un point, c'est tout.

– J'ai quelque chose à vous dire, Tyrone. Je suis une enfant illégitime.

– Oui ? Et... ?

Elle redressa la tête, surprise. Tyrone l'observait, mais sans la moindre trace de colère.

– Je suis une bâtarde, Tyrone. Vous ne pouvez pas vous marier avec une bâtarde.

Il s'esclaffa.

– Personne ne m'en empêchera ! Ça n'a aucune espèce d'importance !

Cassie bondit de son fauteuil et vint se planter devant lui, les mains sur les hanches, les yeux luisants.

– Ça n'a aucune espèce d'importance ? répéta-t-elle. Pour vous, peut-être, mais pas pour moi !

– Vous vous faites du souci pour rien, vous savez. D'ailleurs, chez moi en Irlande, beaucoup de gens se demandent si je n'en suis pas un. Un bâtard.

C'en était trop. Elle lui jeta un mocassin à la figure. Puis le deuxième. Tyrone les attrapa et les examina de près.

– Vous avez de tout petits pieds.

Cassie resta muette. La vie était injuste. Imprévisible. Il n'aurait pas dû réagir comme cela. Il aurait dû s'exclamer, horrifié, que c'était épouvantable. Puis il aurait dû la serrer contre lui et la bercer en lui murmurant des mots de réconfort. Mais il restait là, avec un sourire idiot, à lui dire qu'elle avait *de tout petits pieds*.

– Tyrone… vous ne pouvez pas m'épouser.

– Ma chère, je vous épouserais si vous étiez la fille du Pape.

Cassie poussa un cri, outrée par ce blasphème. Puis elle vit toute la tendresse dans le regard de Tyrone. Elle fondit. Il lui tendit les bras.

– Allez au diable, Tyrone Rosse.

– Pourquoi, Cassie ?

– Je ne m'attendais pas à rencontrer quelqu'un comme vous.

– Et réciproquement, Cassie McGann.

Ils s'enlacèrent en silence, puis Tyrone, après s'être assuré qu'elle allait se coucher, repartit pour son hôtel.

Il resta à New York jusqu'à Noël. Il voulait que Cassie retourne avec lui en Irlande pour les fêtes. Malheureusement, sa tante préférée mourut subitement, et il dut s'en aller plus tôt pour assister aux obsèques.

Il lui expliqua qu'il ne tenait pas à la présenter à sa famille en pleine période de deuil. Cassie était d'accord. Elle resta à New York pour préparer leur mariage, qui devait avoir lieu au mois de mars. Tyrone espérait être de retour bien avant, mais il l'avait prévenue qu'une fois sur son sol natal, il aurait un travail fou à rattraper.

Avant Noël, avant ce décès inattendu, Cassie et Tyrone avaient passé tous leurs moments libres ensemble. Cassie avait donné sa démission chez Bergdorf Goodman. Mme Wellman, qui était une grande romantique, avait pardonné ses frasques à Tyrone. Leur histoire lui paraissait digne d'un film de Doris Day.

Tyrone avait montré à Cassie des photos de sa propriété, Claremore. La maison était très belle. Ils avaient discuté de leur avenir, du nombre d'enfants qu'ils auraient. Cassie n'avait aucun mal à s'imaginer devant un feu de cheminée, entourée de visages rieurs. Dans ses fantasmes, le soleil brillait jour après jour, et rien ne pouvait ternir leur bonheur.

Ils avaient fait des courses aussi, Tyrone exigeant d'être là pour approuver les choix de Cassie. Après tout, il la verrait tous les jours. Il voulait être sûre qu'elle soit habillée à son goût.

Ils se marièrent enfin au mois de mars, comme prévu, dans une petite église du quartier italien. Gina avait dessiné la robe de la mariée, un somptueux fourreau de satin blanc bordé de fourrure.

Comme il l'avait craint, Tyrone n'avait pu regagner New York que deux jours avant la cérémonie. Il avait appelé Cassie trois fois par semaine, pour lui dire qu'il l'aimait et lui demander ce qu'elle faisait. Lorsqu'il revint en Amérique, il était accompagné d'un certain Niall Brogan, un roux élégant, qui serait son témoin. Il avait invité plusieurs amis, visiblement fortunés, et qui, tous, semblaient le vénérer. Cassie, elle, avait convié ses relations new-yorkaises. Maria et Gina étaient ses demoiselles d'honneur. Arnie lui-même avait consenti à venir et à jouer du piano lors de la réception qui suivrait. Mme Roebuck avait fait le voyage, elle aussi.

Cassie était tellement nerveuse que le prêtre dut lui

demander de parler plus fort. En redescendant l'allée au bras de son mari, Cassie adressa un sourire à Mme Roebuck, celle qui lui avait donné tant de bonheur dans son enfance.

Au fond de l'église, incognito parmi la foule, se trouvaient Mme Von Wagner et sa fille. Toutes deux arboraient des chapeaux à large bord et des lunettes noires. Leonora ne quitta pas Tyrone des yeux. Pas plus que sa mère.

La réception eut lieu dans le restaurant italien préféré de Tyrone, le meilleur du quartier. Des profusions de fleurs blanches ornaient les tables. Andrea, le propriétaire, présenta à Cassie le panier traditionnel de dragées. Cassie repensa à sa première communion. Ses amies l'embrassèrent, la félicitèrent. Ceux de Tyrone lui baisèrent la main. Un ou deux d'entre eux, que l'alcool rendait plus audacieux, l'embrassèrent sur la joue. Elle dansa avec Tyrone, tandis qu'Arnie s'acharnait sur le piano. Tyrone chanta une ballade irlandaise pour la mariée. Il avait une voix magnifique.

Ils durent annuler leur lune de miel à Paris à la dernière minute, parce que Tyrone devait regagner immédiatement l'Irlande pour régler quelques affaires en cours. Cassie n'en prit pas ombrage : avec lui, elle serait toujours en voyage de noces. D'ailleurs, elle mourait d'impatience de voir sa nouvelle demeure.

Dans l'avion (c'était la première fois qu'elle volait), Cassie se tourna vers lui en souriant.

– Je ne sais pas si tu y as pensé, mais tu es mon mari, et je ne sais même pas quelle profession tu exerces.

– C'est vrai, concéda-t-il. C'est sans intérêt. J'entraîne des chevaux de course.

Cassie ne réagit pas, mais son cœur se mit à battre follement. Plus rien ne manquait à son bonheur.

Deuxième partie

10

Claremore, Co. Wicklo, Irlande
Printemps 1961

Lorsqu'ils atteignirent enfin Dublin, Tyrone emmena Cassie prendre le thé à l'hôtel Russell, où ils dévorèrent des tartines grillées avec des montagnes de beurre frais. Puis Tyrone s'excusa, car il avait quelques affaires à régler. Le crépuscule tombait quand ils purent enfin quitter la ville, à bord de la Jaguar verte flambant neuve qui avait été livrée à l'aéroport.

Tandis qu'ils se faufilaient dans les embouteillages, Cassie aperçut quelques monuments, dont Tyrone lui raconta l'historique : l'ancien parlement qui était maintenant le siège de la banque d'Irlande, le portail de Trinity College, le Square Fitzwilliam. Là, il dut s'arrêter brièvement, le temps de boire un verre et de conclure une affaire avec un jeune agent d'élevage. Cassie l'attendit dans la voiture.

Elle en profita pour admirer la beauté de l'architecture géorgienne, les élégantes demeures, avec leurs fenêtres à guillotine surmontées d'impostes magnifiques. Au bout de quelques minutes, des enfants se mirent à taper contre la portière. Cassie fut horrifiée. Sales, déguenillés, pieds nus, ils n'avaient guère plus de sept ou huit ans.

Comme ils insistaient, elle baissa la vitre.

– Tu nous donnes un penny ? demanda l'un d'entre eux, avec un fort accent. Donne un penny, m'dame.

– Un penny ? répéta Cassie en ouvrant son sac. Pour quoi faire ?

– On va s'amuser un coup, déclara-t-il sérieusement. Donne un penny.

Cassie examina son porte-monnaie. Tyrone lui avait donné un peu d'argent, au cas où.

– Je suis désolée, mais je n'ai pas de penny.

Le garçonnet s'était penché vers elle.

– C'est pas grave, ça, ça ira bien ! répliqua-t-il en lui arrachant un florin.

Ils s'enfuirent avant que Cassie ne puisse réagir. Elle les regarda se précipiter dans une boutique au coin de la rue. Cassie sourit et décida qu'elle ne dirait rien à Tyrone.

Au moment où ils démarraient, elle vit les gamins qui ressortaient du magasin. Ils fumaient. Elle les observa par-dessus son épaule, tandis que Tyrone bifurquait dans la rue Baggott.

– Quelque chose ne va pas, madame Rosse ?

– Ces mômes. Ils fumaient.

– Ils sont nés comme ça.

– C'est effarant.

– C'est l'Irlande.

Bientôt, Dublin fut derrière eux. En dépit de l'obscurité, Cassie devina qu'ils traversaient un paysage majestueux.

– Nous ne sommes plus très loin, annonça Tyrone. La maison est à la lisière de Kildare.

On devait les attendre car, au moment où Tyrone emprunta l'allée, la maison parut s'enflammer. Une bougie vacillait à chaque fenêtre, et des lanternes éclairaient la porte d'entrée.

– Il n'y a pas d'électricité ? s'exclama Cassie, amusée.

– C'est sans doute coupé. Deux gouttes de pluie, et tout le système se détraque.

Cassie fixa la demeure, qui lui paraissait sortie d'un conte de fées. La lune s'était levée, illuminant tout au fond un décor de montagnes. L'endroit était tel que Tyrone l'avait décrit : belle pierre de taille, hautes cheminées, grandes fenêtres flanquées de volets, escalier menant au perron.

Tyrone et sa jeune épouse descendirent de la voiture. Une boule de fourrure se rua sur lui, le renversant presque dans sa précipitation.

– Voici Brian, expliqua Tyrone.

Le chien-loup lui lécha la figure.

– A ta place, je retiendrais mon chapeau.

La bête se tourna alors vers Cassie et posa les deux pattes avant sur ses épaules. Il la renifla, la gratifia d'un coup de langue sur le bout du nez.

– Tu es adoptée, la rassura Tyrone.

Ils gravirent les marches.

– Vous voilà enfin ! gronda un homme d'un certain âge en brandissant sa lampe à huile. On vous attendait à dix-huit heures.

– J'ai été retenu à Dublin, Tomas. J'ai de la chance d'avoir pu rentrer ce soir.

– Et votre pauvre épouse. N'avez-vous pas pensé à elle ?

Tomas lui sourit timidement. Il avait les cheveux blancs, mais son visage était lisse comme la peau d'un bébé.

– Heureux de vous connaître, madame. Je suis Tomas.

– Comment allez-vous, Tomas ? Monsieur Rosse m'a beaucoup parlé de vous.

– En bien, j'espère ?

– Lève ta lanterne, Tomas, qu'on puisse la voir, nous aussi !

Tomas s'exécuta. Silence.

– Dieu soit loué ! souffla quelqu'un. Elle est jolie comme un cœur.

Cassie sourit, et des cris de joie fusèrent.

– Ils craignaient que vous ne soyez une vieille sorcière.

La plupart d'entre eux n'ont encore jamais vu une Yankee.

Comme elle s'apprêtait à entrer, Tyrone la souleva dans ses bras.

– *Caed mille failte*, madame Rosse, murmura-t-il en la déposant délicatement dans le vestibule éclairé de dizaines de bougies. Mille millions de vœux de bonheur.

Il l'embrassa, à l'immense satisfaction de l'assistance.

Cassie regarda autour d'elle. Le hall était somptueux, avec son large escalier en courbe. Un feu brûlait dans l'énorme cheminée. Une dame corpulente en tablier s'avança.

– Je suis Mme Muldoon, madame, la femme de Tomas et la cuisinière. Voici ma fille Erin, qui nous donne un coup de main.

Elle poussa devant elle une adolescente aux cheveux frisés et criblée de taches de rousseur. Cassie lui adressa un sourire. Erin hocha la tête et se retira dans l'ombre.

– Bon ! tonna Tyrone. On ne va tout de même pas rester ici à mourir de soif !

Tomas poussa les portes menant à la salle à manger et au salon, où tout avait été préparé en leur honneur, nourriture et boissons en abondance, vases, pots et carafes remplis de fleurs printanières. Cassie cria de joie et prit la main de Tyrone.

– Depuis deux jours, on n'arrête pas, avoua Tomas en riant. Vous vous êtes peut-être marié en Amérique, monsieur, mais c'est à Claremore qu'on fête l'événement.

– Regardez toutes ces fleurs ! s'enthousiasma Cassie.

– Ce sont les premières de la saison, lui dit Tomas. Je suis prêt à parier qu'il ne reste plus une seule jonquille dans tout le comté. Quant aux agapes, Mme Muldoon ne s'est pas couchée depuis une semaine. En tout cas, je ne m'en suis pas aperçu.

– C'est somptueux !

– Ils ronchonnaient tous parce qu'on s'était mariés de l'autre côté de l'océan, murmura Tyrone. Plutôt que d'encourir le risque d'une guerre civile, j'ai préféré leur laisser carte blanche pour notre retour. Tu n'y vois pas d'objection ? Si j'avais refusé, ils m'auraient étranglé.

Elle le suivit jusqu'au bar, où il versa deux whiskies.

– Aucune, assura-t-elle. C'est superbe.

– Pas autant que toi.

Ils portèrent un toast à leur bonheur.

Quand ils eurent tous mangé, les hommes d'abord, servis par les femmes, puis les femmes elles-mêmes, on roula le tapis du hall d'entrée pour danser. On sortit un violon, un tambourin, un accordéon, et un instrument que Cassie ne connaissait pas.

– C'est une cornemuse irlandaise, lui expliqua Tyrone. Il faudra qu'on en joue lors de mes obsèques.

Cassie se tourna vers lui, les yeux ronds.

– C'est une drôle de chose à dire à un moment pareil, non ?

– Pas du tout ! s'exclama Tyrone en riant. Sache que les Irlandais sont amoureux de la mort.

Puis il la saisit par le bras et l'attira à l'écart pour admirer une succession de gigues. Les bras le long du corps, les filles exécutaient des figures endiablées avec leurs pieds, tandis que les hommes tournaient autour d'elles. Cassie savoura ce moment : elle ne voulait rien oublier, ni l'éclairage des bougies, ni les visages à la lueur des flammes, ni la fumée de cigarettes et de pipes. Elle souhaitait imprégner dans sa mémoire ces femmes en robe noire, ces hommes en chemise blanche et en cravate. Et tous ces enfants magnifiques, endimanchés, serrant un verre de limonade entre leurs mains.

Au milieu de la soirée, un prêtre fit son apparition. On l'accueillit avec tout le respect qui lui était dû. Très grand, il était bâti un peu comme les joueurs de football de Gina. Il était beau, moins que Tyrone, mais fort séduisant tout de même avec ses boucles noires et son visage ouvert.

– Je suis enchanté de vous connaître, madame Rosse, bien qu'on m'ait privé du plaisir de vous unir.

Cassie s'en excusa et s'empressa de lui raconter pourquoi ils avaient préféré se marier à New York, mais elle eut l'impression, comme souvent lorsqu'elle parlait avec des hommes d'Eglise, qu'il l'écoutait à peine. Son regard semblait la pénétrer, jusqu'au fond de son âme, et elle se rappela son effroi, les premiers jours au couvent, quand les Sœurs l'observaient.

Tyrone vint à la rescousse.

– Je ne voulais pas prendre de risques, déclara-t-il. Voyez comme elle est belle. Vous auriez été capable de renoncer à vos vœux et de l'épouser vous-même !

Le Père Patrick hocha la tête en souriant. La glace était brisée. Tyrone repartit avec Cassie pour lui apprendre l'art de la gigue.

– Ils ne vont pas tarder à s'en aller, promit-il tout bas. Dès qu'ils seront partis, je te mets au lit et je te fais l'amour comme tu ne l'as jamais imaginé.

Sans un mot, il la porta dans leur chambre. Il pénétra dans la pièce obscure, éclairée seulement par la bougie que Cassie tenait entre ses mains. Il la déposa délicatement sur le lit, puis plaça la bougie sur la table de chevet. Il l'embrassa, lentement, tendrement, puis avec plus de ferveur. Elle s'accrocha à son cou, passa une main dans ses cheveux, lui chuchota de faire attention. Il lui murmura qu'elle n'avait rien à craindre. Il détacha sa robe, qui glissa sur ses sous-vêtements en satin. Il lui caressa les seins, et un frémissement la parcourut.

Il s'allongea auprès d'elle, la peau brûlante. Elle frissonna, une plainte lui échappa. Sans cesser de s'embrasser, ils s'explorèrent mutuellement, effleurant les courbes des cuisses, l'arrondi du ventre, le cambré des reins. Puis, avec une grande douceur, il la posséda. Elle gémit, cria, s'agrippa à lui avec une passion féroce, embrasée par le désir. Il rit de joie et de plaisir, cala un bras sous son dos, la maintint ainsi un moment en suspension. Au paroxysme de l'émotion, elle lui mordit l'épaule. Il tremblait. Petit à petit, il relâcha son étreinte, la reposa sur le matelas en la couvrant de baisers. Ils restèrent ainsi enlacés toute la nuit.

La lumière du jour s'immisçait sous les paupières de Cassie. Dehors, il pleuvait. A ses côtés, le lit était vide et glacial. Tyrone était déjà levé et parti. Il l'avait prévenue que c'était son habitude : il se levait à six heures pour surveiller la première écurie. Il ne rentrait prendre son petit déjeuner que vers huit heures trente, après le retour de la seconde écurie. Cassie se redressa en frissonnant, saisie par le froid.

Elle se tourna vers les fenêtres. Tyrone avait dû en laisser une ouverte. Mais non, elles étaient toutes deux bien fermées. Cassie cligna les yeux en se disant que M. Rosse aurait au moins pu avoir la délicatesse de tirer les rideaux. Puis elle s'aperçut qu'il n'y en avait pas. Elle remonta la couette jusqu'à son menton et chercha à tâtons son peignoir. Mais ses bagages, pas encore défaits, étaient à l'autre bout de la pièce. S'enveloppant dans sa couverture, elle courut chercher son sac de voyage, puis revint en claquant des dents dans le lit.

C'était la première fois qu'elle voyait Claremore à la lueur du jour. La pluie s'abattait contre les vitres, le vent soupirait dans la cheminée. La chambre paraissait bien différente de la veille. Elle était vaste, trop grande pour s'y sentir à l'aise. Les meubles étaient épars : une commode, une chaise en bois... l'unique placard était ouvert, rempli de vêtements masculins. Le lit était gigantesque, orné à sa tête de bas-reliefs représentant des angelots. Il n'y avait pas un seul tapis.

Les toiles d'araignées abondaient, les insectes morts aussi. Dehors s'étalait un paysage de prés verdoyants, au bout desquels se dressait une colline qui paraissait à la fois brune, verte et mauve. Le ciel était plombé.

Ayant mis sa chemise de nuit et son peignoir, Cassie se dirigea d'un pas vif vers une grosse valise dans laquelle elle espérait trouver une paire de chaussettes, des chaussons et son manteau en tweed. Elle les enfila rapidement et se dirigea vers la porte. Un bon bain chaud lui remonterait le moral.

Elle trouva son chemin jusqu'à la salle de bains et fit couler l'eau. Elle apparut brunâtre tout d'abord, puis reprit une couleur normale. Elle était glacée. Exaspérée, Cassie s'en alla à la recherche de Mme Muldoon. Sur le palier et dans l'escalier gisaient des restes de bougies et des dizaines de bouteilles vides. Une odeur de tabac imprégnait l'atmosphère. Cassie ne s'en soucia pas. Il suffisait d'aérer, et tout redeviendrait normal. Ce qui l'inquiétait nettement plus, c'étaient ces énormes taches d'humidité sur les murs, et l'état de décrépitude des peintures.

Elle s'avança jusqu'au salon. Il lui parut aussi triste que la chambre à coucher. Le feu était éteint, ce qui n'arrangeait rien. Tous ces meubles, songea-t-elle, si vieux, si usés... et toute cette poussière ! Les vases remplis de fleurs égayaient l'ensemble, mais pas suffisamment pour redonner bon moral à Cassie.

Un bruit de pas et le claquement d'un seau la firent se retourner.

C'était Mme Muldoon. Elle parut étonnée, non pas de la voir debout, mais qu'elle ne soit pas habillée. A ses yeux, la maîtresse de maison se devait d'être déjà à l'ouvrage. Cassie, elle, avait décidé qu'elle ne s'obligerait plus à sauter du lit à sept heures moins le quart chaque matin. Elle en avait parlé à Tyrone, qui l'avait encouragée à faire comme elle le voulait. Cependant, elle n'avait aucune intention d'annoncer à Mme Muldoon quel serait son emploi du temps quotidien. Cela ne la concernait pas. Il fallait mettre les points sur les « i » tout de suite.

– Madame Muldoon... L'eau du bain est froide.

– C'est normal, madame. On n'allume la chaudière que le vendredi pour le week-end.

– Je ne comprends pas. Comment puis-je me baigner tous les matins ?

– Vous le prendrez froid, madame. Et maintenant, si vous voulez bien m'excuser, j'ai du travail.

Elle disparut. Cassie resserra son manteau autour de sa taille, s'arrêta devant une mare de pluie en plein milieu du hall, puis s'aventura jusqu'à la cuisine.

Si le reste de la maison était en mauvais état, la cuisine laissa Cassie muette de stupéfaction. Apparemment, les énormes fourneaux en fonte, les casseroles suspendues au-dessus de l'âtre, la vieille bouilloire qui crachotait sur le feu et les éviers en pierre étaient d'origine. Lorsqu'elle entra, Cassie aperçut un chat, sur la table, qui s'offrait une part de foie. Mme Muldoon le chassa avec son manche à balai.

– Vous savez, j'aimerais vraiment pouvoir prendre un bain chaud ce matin, reprit Cassie. Le voyage a été long et fatigant.

Elle sourit. En vain. Mme Muldoon, avec son tablier sale et ses manches roulées jusqu'aux coudes, les cheveux gris s'échappant de sa charlotte, resta de marbre.

– On n'allume la chaudière qu'avec la permission de monsieur.

– Madame Muldoon, je suis glacée. J'ai besoin d'un bain chaud.

– On n'allume la chaudière qu'avec la permission de monsieur.

– Et les feux ?

– Je m'en occuperai plus tard, madame.

– Vous allez vous en occuper immédiatement. Je suis frigorifiée.

– Si je peux me permettre, vous feriez mieux de vous habiller chaudement et d'aller marcher dehors.

– Ça ne changera en rien la température à l'intérieur de la maison.

– C'est vrai qu'ici, on gèle. Parfois, en plein hiver, on est mieux à l'extérieur.

Mme Muldoon se détourna et s'affaira devant un jambon et un chou.

Cependant, la nouvelle Mme Rosse ne se laissait pas vaincre comme ça. Elle fouilla tous les placards en quête de brocs. Elle les remplit tous et les disposa sur le fourneau. Mme Muldoon l'observa du coin de l'œil, sans un mot, sans lui proposer son aide.

En attendant que l'eau bouille, Cassie s'offrit une tasse de thé.

– Si vous ne disposez d'eau chaude que le week-end, comment faites-vous pour la vaisselle ?

– A l'eau froide. Suffit de frotter. Quand c'est vraiment trop sale, je mets une marmite à bouillir. Je laisse sécher, puis j'essuie avec un chiffon.

– Ce n'est pas très hygiénique.

– Si ça l'était pas, on serait pas ici à en discuter.

Cassie entreprit de monter les brocs deux par deux dans la salle de bains. Imperturbable, Mme Muldoon continua de découper son jambon et son chou. Il ne lui vint pas à l'idée de proposer son assistance à Cassie. Et Cassie était beaucoup trop fière pour la lui quémander.

Elle plongeait l'orteil dans son bain, quand Tyrone fit irruption sans frapper. Cassie était nue comme un ver. Il n'y avait pas de verrou à la porte.

– Qui t'a allumé la chaudière ? demanda-t-il, par simple curiosité.

– Personne, répliqua-t-elle en nouant ses cheveux avec un ruban. J'ai fait bouillir chaque centimètre cube de cette eau moi-même.

– Vraiment ? Chaque centimètre cube ? s'esclaffa-t-il.

Puis il vint l'embrasser.

– Viens, murmura-t-il en déboutonnant sa chemise.

– Tyrone, j'allais prendre un bain.

– Tu te refuses à moi, femme ?

– Tyrone, je meurs de froid.

– Je vais te réchauffer, ne t'inquiète pas.

Lorsque Cassie revint enfin dans la salle de bains, l'eau était glacée.

Quand elle le rejoignit au salon, Tyrone avait ouvert le champagne et allumé le feu. Il avait remplacé sa tenue d'équitation par un costume en tweed impeccablement coupé. Cassie avait choisi une robe en jersey de soie rouge, à col roulé, qui plaisait tout particulièrement à son mari. Devant la cheminée, ils se portèrent mutuellement un toast. Les superbes flûtes en cristal de Waterford paraissaient un détail incongru dans ce décor décrépit. Ils burent en se regardant dans les yeux. Oubliant complètement le salpêtre et les papiers peints décollés, Cassie se dit qu'elle était au paradis.

– A ta première journée à Claremore, dit Tyrone en levant de nouveau son verre.

Cassie alla se poster devant la fenêtre, tandis qu'il remettait des bûches sur le feu. La pluie s'estompait, un soleil timide s'infiltrait à travers les nuages, rehaussant le vert des prés.

– Alors, enchaîna-t-il en s'approchant d'elle. Que penses-tu de ma demeure ancestrale ?

Cassie ne savait pas exactement quoi lui dire. A l'endroit où elle se trouvait, le plafond gouttait, et elle venait d'apercevoir un mulot s'engouffrer derrière le lambris.

Mais Tyrone la contemplait avec tellement d'amour qu'elle n'eut pas le cœur de lui avouer le fond de sa pensée : cette maison méritait d'être démolie et entièrement reconstruite.

– C'est un lieu merveilleux, Tyrone. L'endroit le plus beau que je connaisse.

Il lui sourit.

– Cassie McGann, je t'aime. Tu as raison, Claremore est l'endroit le plus beau du monde, mais cette bâtisse est un désastre.

Cassie retint son souffle, un peu surprise par cet aveu.

– C'est un taudis, poursuivit-il. Je devrais avoir honte. Je me suis laissé accaparer par mes chevaux. Je n'avais pas de femme dans ma vie. Franchement, l'idéal serait de tout démolir et d'en reconstruire une neuve.

Cassie rit aux éclats, puis appuya sa joue contre la poitrine de Tyrone.

– Qu'est-ce qui te fait tant rire ?

– C'est exactement ce que je pensais ! avoua-t-elle. Ce n'en est pas moins l'endroit le plus beau que je connaisse. Parce que tu es là.

Ils dégustèrent du saumon fumé et des œufs de caille devant le feu. Cassie, qui s'était attendue à manger le jambon et le chou, manifesta son étonnement en découvrant ces plats raffinés.

– Mme Muldoon ne cessera jamais de nous surprendre, déclara Tyrone.

Puis il lui proposa, sans grand espoir d'une réaction enthousiaste, d'aller voir les chevaux.

Cassie, qui n'osait exprimer sa passion de peur d'empiéter sur le territoire de son époux, haussa les épaules. Pourquoi pas ? Tyrone alla lui chercher son manteau et une paire de bottes. Main dans la main, ils traversèrent la pelouse sous un pâle soleil d'avril.

L'état des écuries contrastait fortement avec celui de la maison. De toute évidence, c'était là que Tyrone avait investi toute son énergie et son savoir-faire. L'ensemble était immaculé, des portes blanches des stalles aux charnières laquées de noir, en passant par le carré de pelouse admirablement tondu au milieu. L'installation était tout à fait classique, comme chez Leonora, mais la ressemblance s'arrêtait là. Chez les Von Wagner, tout était parfait, mais impersonnel. Ici, tout respirait la passion. Dès qu'ils entendirent la voix de Tyrone, les chevaux se postèrent à l'entrée de leurs boxes en tapant du pied. Cassie savait que ce n'était pas l'heure du repas : les bêtes appelaient leur maître.

Tyrone lui fit tout visiter, pendant que Tomas et les

lads balayaient une cour d'une propreté déjà irréprochable. Tyrone déclara qu'il n'allait pas l'ennuyer en lui racontant l'histoire de chacun de ses chevaux, ce qui contraria secrètement Cassie. Il se contenta de lui parler de leur forme du moment, de leurs récents exploits en course, de ceux sur qui il misait cette saison. Il connaissait le nom, l'origine et le prix d'achat de chacun des quarante chevaux de l'écurie. Pas une fois il ne révéla l'identité de leurs propriétaires. Lorsque Cassie lui en demanda la raison, il grogna que c'était un mal nécessaire.

– Et moi, serais-je un mal nécessaire, si je devais te confier un cheval, Tyrone ?

– Contente-toi de me faire des enfants, Cassie McGann. Ainsi, nous resterons amis à tout jamais.

– Qui sont tes meilleurs clients ? insista-t-elle.

– Ceux qui ne viennent jamais.

L'un des palefreniers s'approcha pour le prier de venir voir Walkover, qui s'était donné un coup au grand galop la semaine précédente, assez haut, au-dessus des coudes.

– Je n'avais encore jamais vu ça, confia Tyrone à Cassie, en lui montrant la cicatrice. Je n'étais pas là évidemment, puisque nous étions à New York. Mais je n'imaginais pas qu'un cheval puisse se blesser aussi haut. Aux deux coudes, en plus.

Cassie examina l'animal.

– Il n'a pas pu faire ça avec ses jambes arrière, répliqua-t-elle malgré elle. C'est impossible.

Tyrone se pencha à son tour.

– Et qu'y connaissez-vous, madame Rosse ? Que savez-vous de la manière dont un cheval peut ou ne peut pas se faire mal ?

Cassie se redressa, mais elle était assez petite pour cacher son visage rougissant derrière le flanc de la bête.

– Je suppose que c'est une question de bon sens.

– Tu as raison. Ce crétin s'est coupé avec ses sabots avant. Regarde.

Il plia la jambe du cheval.

– On a du mal à croire qu'ils puissent les plier si loin, n'est-ce pas, Ted ?

Le lad acquiesça.

Tyrone et Cassie émergèrent du box de Walkover. Tyrone lui dit d'un ton soudain triste :

– Un mois au repos, quel dommage. J'avais prévu de gagner le Prix Wills Gold Flake avec lui.

Cassie lui emboîta le pas, songeuse.

Un jour, au cours du repas, Cassie aborda de nouveau le sujet de la maison. Le moment lui paraissait propice, car un poulain de deux ans, dont Tyrone pensait le plus grand bien, venait d'effectuer une course fort encourageante à Leopardstown.

– Si on pouvait décorer cette salle à manger, juste cette pièce-ci et le salon, ce serait au moins un début.

– Avec des « si »... grogna-t-il.

– Je pense à tes clients plus qu'à moi.

– Qu'ils aillent au diable, mes clients ! Tout ce qu'ils veulent, c'est se tenir devant un bon feu, un verre à la main, pour vous raconter combien ils ont eu raison d'acheter le cheval gagnant au départ. Les propriétaires, je les envoie balader.

Cassie sourit. Elle commençait à s'habituer aux sautes d'humeur de Tyrone.

– Très bien, je l'avoue, je pensais à moi. J'aimerais refaire la chambre et les deux pièces de réception. Je voudrais les réchauffer, pour qu'elles soient toujours accueillantes et confortables quand tu y reviens après une longue journée de travail.

Tyrone la dévisagea, l'air pensif, en mâchant son pain grillé.

– Combien cela coûtera-t-il ?

Cassie haussa les épaules.

– Ce que tu peux y mettre.

– Si Villa Maria gagne sa course demain, tu auras carte blanche.

Cassie quitta son siège et se précipita pour l'embrasser.

– Je cherche seulement à améliorer le quotidien.

Tyrone lui mordilla le gras de la main et rit. Puis il se leva, jeta sa serviette sur la table et s'adressa à son chien, qui était couché à ses pieds mais s'étirait déjà à la perspective d'une petite promenade digestive.

– Seigneur ! Elle est là depuis... quoi, deux semaines ? Et déjà, elle a pris l'accent indigène !

Il se tourna vers elle, l'étreignit.

– Tu as déjà amélioré mon quotidien en acceptant de m'épouser.

Cassie sortit le chien avec Tyrone, ainsi qu'ils en avaient pris l'habitude. Ou plutôt, le chien gambada à sa guise, pendant que Cassie et Tyrone marchaient, bras dessus, bras dessous. Le parc de Claremore avait lui aussi grand besoin d'être restauré, mais Cassie pensait que cela pouvait attendre, car en dépit de son aspect désordonné, il avait beaucoup de charme. Les jonquilles poussaient en abondance, et à la lisière des bois s'étalait un tapis de crocus mauves et jaunes.

– Crocus, crocii, la taquina-t-il. On ne t'a pas appris le latin, dans ton couvent américain ?

– Si, bien sûr. J'ai tout oublié, c'est tout.

En effet, elle ne se souvenait que de deux mots : *equus caballus*.

Ils étaient tous là, les chevaux de Tyrone, la tête au-dessus de la porte de leurs stalles immaculées, pendant que les lads nettoyaient leur paille. Le maréchal-ferrant était déjà sur place et à l'ouvrage. Tyrone expliqua à Cassie qu'il devait ferrer les chevaux qui allaient courir à Thurles dans l'après-midi. Elle lui demanda de l'emmener voir Villa Maria, qui devait porter tous les espoirs ainsi que les paris des lads, au Prix Ransom de Leopardstown.

– C'est une pouliche remarquable, annonça-t-il. Elle est fille de Ballygood et de Molten, qui a gagné le Prix

Triple Crown, il y a quatre ans, c'est-à-dire trois courses, la One Thousand Guineas, l'Oaks et la St. Léger. Villa Maria est partante dans la Guineas. Nous verrons bien ce qui arrivera. Tomas va te la sortir.

Cassie s'effaça pour la laisser passer. Elle fut impressionnée par sa taille et sa musculature.

– Elle n'a pas tout à fait trois ans, déclara Tyrone. En effet, elle paraît plutôt en avance. Mais n'oublie pas que l'anniversaire officiel des chevaux est le 1er janvier. La plupart d'entre eux venant au monde à partir de la mi-février, bien peu d'entre eux correspondent à leur carte d'identité. Celle-ci n'est née qu'au début du mois de mars.

– Elle est tellement grande ! Et puissante.

– C'est comme ça qu'on les élève, par ici, Cassie McGann. C'est l'herbe. Une bonne herbe issue d'un sol calcaire. C'est ça, le secret. Ça, et Tomas, notre génie, qui sait comment les nourrir.

D'un signe de tête, il indiqua à Tomas de rentrer la pouliche, car elle montrait des signes d'impatience. Puis il entraîna Cassie jusqu'à son bureau.

– Tu les fais courir dès l'âge de deux ans. C'est un peu cruel, non ?

– C'est diabolique, tu veux dire, répondit-il en fermant la porte. Mais ce sont les exigences du métier.

Tyrone se plongea avec Mme Byrne, sa secrétaire, dans la liste des participations.

Pendant qu'ils discutaient tous deux des détails concernant les chevaux en course ce jour-là, Cassie s'approcha de la fenêtre. Elle était très impressionnée par ce que Tyrone avait réussi à accomplir en peu de temps. A New York, il lui avait raconté qu'il était né et avait grandi à Claremore. Cassie avait trouvé son histoire délicieusement romantique. Aujourd'hui, elle voyait le domaine de ses propres yeux, les stalles, les paddocks, les pistes d'entraînement, et elle comprenait tout ce qu'il avait dû y mettre de volonté et de travail.

Claremore lui était revenu après la mort de son père, douze années auparavant. Jack Rosse avait toujours aimé les chevaux, mais ne les avait élevés et entraînés que pour son plaisir. Malgré cela, en vingt ans de « plaisir », comme il le disait, il avait eu à son actif plus de trois cents gagnants. Il n'avait jamais visé le haut niveau, mais au moins, comme il n'avait de cesse de le répéter à son fils, ses bêtes portaient la « marque maison ».

En tant que jockey amateur, en revanche, le père de Tyrone était un des meilleurs. Il avait couru le Prix Grand National à six reprises, arrivant troisième une fois. Sa course préférée était sans nul doute le Prix Kim Muir du festival de Cheltenham, où il montait le cheval de son meilleur ami, le Dr George Grainger. Un tableau commémorant cette victoire était suspendu au-dessus de la cheminée dans le salon de Claremore. On évoquait encore avec délectation les célébrations qui avaient suivi cette victoire.

Depuis sa plus tendre enfance, Tyrone avait accompagné son père à l'écurie, qui à l'époque ne comportait que dix boxes. Ses connaissances en la matière étaient immenses, et il s'était fait un devoir de les transmettre à son fils.

Tyrone aimait son père et l'existence qu'il lui apprenait à mener. Il était aussi passionné de chevaux.

– C'est indispensable, Tyrone, si tu veux jouer le jeu. En ce qui me concerne, le jour où les affaires prendront le pas sur le plaisir, j'arrêterai tout.

Beaucoup de ses détracteurs avaient affirmé que si Jack Rosse avait une attitude aussi décontractée, c'était bien parce qu'il pouvait se le permettre. Cependant, en grandissant, Tyrone s'était rendu compte que derrière sa façade débonnaire son père était toujours horriblement déçu et honteux quand un de ses chevaux ne se montrait pas à la hauteur de ses espérances.

Tyrone avait une vingtaine d'années, lorsque son père avait misé sur By Myself, un cheval très nerveux, mais promis à un avenir brillant.

Pour sa première course en catégorie trois ans, il lui avait fait mettre des œillères. L'animal avait eu tellement peur qu'il avait raté son départ, perdant trois à quatre longueurs, ce qui était considérable sur la distance à parcourir. Puis, s'adaptant tout d'un coup à la situation, il avait démarré à vive allure, doublant tous ses concurrents pour gagner haut la main. Encouragés par cet exploit, Tyrone et son père le présentèrent au Prix One Thousand Guineas. Les bookmakers devinrent fous. Mais le matin de la course, By Myself était découvert dopé et agonisant dans son box. Le cheval ne s'était jamais remis et il était mort six mois plus tard. D'après Tyrone, cela avait brisé le cœur de son père, qui l'avait suivi dans la tombe à peine trois mois après.

– C'est pourquoi il faut absolument que je gagne le Derby, conclut Tyrone. Pour mon père. Pour By Myself. Pour les parieurs, paix à leur âme !

Le samedi suivant, Cassie se rendit pour la première fois à l'hippodrome. Elle se dit qu'il existait sans doute peu de lieux aussi charmants que Leopardstown pour cette première expérience.

Tyrone l'avait confiée à l'épouse d'un autre entraîneur pendant qu'il allait seller Villa Maria. La jeune femme se dirigeait vers le bar, et pensait que Cassie allait l'y accompagner. Cassie se déroba poliment. Elle préférait rester où elle était et observer. Elle fut sidérée de constater combien les prêtres étaient nombreux. Ils étaient partout, à examiner les chevaux, lire les journaux et évaluer les gains possibles. Cassie ne put s'empêcher d'être choquée.

Elle se dirigea vers le paddock, où commençaient à défiler les chevaux de la course suivante. Prenant place contre la barrière, elle chercha des yeux Villa Maria, avec sa couverture jaune et vert aux couleurs de Claremore. Elle était à l'opposé, menée par Tony.

– La numéro trois paraît en bonne forme, murmura le

voisin de Cassie. Je crois que je vais prendre le risque. Les écuries Rosse sont à la hausse, en ce moment.

Il s'éloigna vers les guichets. Cassie fixa de nouveau son attention sur Villa Maria. Elle songea à sa nouvelle existence, à ces retrouvailles inattendues avec la passion de son enfance. Villa Maria passait juste devant elle, à présent. Le lad avait du mal à la tenir. Les yeux brillants, les oreilles dressées, elle était aux aguets. Pourtant, elle ne paraissait pas souffrir de la chaleur, comme d'autres pouliches qui, déjà, étaient trempées de sueur.

Lorsqu'elle aperçut Tyrone dans l'enclos, le cœur de Cassie fit un bond. Il était encore plus beau de loin. Il s'approcha, se pencha pour écouter les paroles d'une petite femme d'une cinquantaine d'années, en tailleur bleu marine et chapeau assorti. La propriétaire, vraisemblablement. Tyrone avait ôté son feutre, et ses cheveux volaient au vent. De temps en temps, il les replaçait d'un geste distrait, tout en hochant la tête. Les chevaux venant rejoindre leurs entraîneurs et leurs jockeys, Tyrone s'excusa auprès de la dame.

Cassie le regarda plier la couverture, abaisser les étriers en équilibre sur la selle minuscule. Le jockey, en casaque rose à bande noire, tapotait sa botte avec son fouet. Tyrone vérifia les sangles. La pouliche tourna violemment la tête, entraînant le lad avec elle. Tyrone, lui, avait bougé en harmonie avec elle. Satisfait, il aida le jockey à enfourcher la bête, puis retourna bavarder avec la propriétaire.

Les spectateurs regagnaient les tribunes, ou se ruaient sur les guichets pour un pari de dernière minute. Cassie n'avait aucune idée de la manière dont il fallait procéder, mais elle mourait d'envie de miser. Elle ouvrit son sac et en sortit deux livres.

– Sur Villa Maria, gagnant, s'il vous plaît. Si ça ne vous ennuie pas ? bredouilla-t-elle.

– Il faut me donner son numéro, mademoiselle. Le nom, ça me sert à rien.

– Excusez-moi. Euh... Villa Maria, c'est le numéro trois.

Elle ramassa son ticket, le plia soigneusement à l'intérieur de son gant puis courut vers les tribunes. Tyrone était plus haut, ses jumelles à la main. Elle serait volontiers montée le rejoindre, mais il lui avait clairement dit que, si elle était là pour son plaisir, lui était là pour son travail et ne pouvait pas se permettre la moindre distraction.

Elle se concentra donc sur les chevaux qui se mettaient sur la ligne de départ. Le commentateur annonça la levée du drapeau blanc. Villa Maria, enfermée dans le peloton, se contenta de suivre pendant les deux cents premiers mètres. Cassie, qui n'y connaissait pas grand-chose, lui trouva un air tranquille, alors que plusieurs des pouliches à l'avant, sans doute parties trop vite, commençaient déjà à fatiguer. Soudain, à la sortie du tournant à gauche, sur la première ligne droite, Dermot Pryce, le jockey de Villa Maria, profita d'une ouverture. Cassie se mit à trembler, surexcitée. Villa Maria accélérait, allongeait ses foulées... Cassie se mit à hurler ses encouragements, mais c'était inutile : Villa Maria gagna par six longueurs, sans l'ombre d'un effort.

Favorite à deux contre un, elle avait satisfait son public. Tout le monde applaudit quand Pryce l'emmena vers l'enclos des gagnants. Comme Cassie s'apprêtait à les suivre, Tyrone passa.

– Je t'ai entendue de là-haut ! la taquina-t-il.

Elle lui sourit et lui emboîta le pas.

Lorsqu'elle parvint enfin à se frayer un chemin à travers la foule, le jockey était déjà en train de démonter la selle, tout en discutant avec Tyrone. Celle que Cassie pensait être la propriétaire caressait le flanc de la pouliche avec un sourire enchanté. Tomas se tenait prêt avec la couverture. Le jockey les salua et disparut dans la salle de pesage. Tyrone, remarquant Cassie, lui fit signe de s'avancer.

– Alors ? lança-t-il, du même ton que le jour où il l'avait demandée en mariage.

– Bravo ! C'était superbe.

– C'est le cheval qu'il faut féliciter. Je n'y suis pour rien.

– Tu es trop modeste, Tyrone. C'est ton plus grand défaut, dit la dame en tailleur bleu.

Elle se tourna vers Cassie.

– Qu'est-ce que tu attends pour nous présenter ? Il n'y a pas que les chevaux, sur cette planète, tu sais.

– Cassie, voici Lady Meath. Sheila, mon épouse, Cassie.

– Toutes mes félicitations, dit Cassie. C'est une très belle victoire.

– N'est-ce pas ? Mais elle ne m'appartient pas. Non, non, je n'ai fait que l'élever.

– Tu dis ça comme si c'était aussi facile que de faire cuire un œuf !

– A mes yeux, c'était beaucoup plus malin de l'avoir élevée que de l'avoir achetée, intervint Cassie.

Elle recula, tandis que Tomas faisait pivoter la pouliche pour l'emmener hors de l'enclos.

– Bravo, ma fille, murmura Tyrone en la gratifiant d'une tape sur la croupe.

Aux membres de la presse qui l'attendaient pour le harceler, Tyrone se contenta de répondre qu'il était content de la performance de la pouliche, et qu'en effet, il envisageait éventuellement de la présenter au Prix anglais du One Thousand Guineas. Mais à Cassie et à Lady Meath, il confia par-dessus une coupe de champagne qu'elle n'avait qu'une rivale sérieuse, Time To Remember. Puis il partit seller Needless To Say pour le grand handicap.

– Qui est le propriétaire de Villa Maria, Lady Meath ? s'enquit Cassie.

– Figurez-vous que je ne le sais plus. Mais il me semble que c'est une de vos compatriotes.

Needless To Say finit bon dernier après avoir mené

pendant presque toute la course. Sur le chemin du retour, Tyrone expliqua à Cassie que le cheval avait avalé sa langue. Cassie, qui n'avait jamais entendu parler d'une chose pareille, songea qu'elle avait beaucoup à apprendre.

Elle ôta ses gants. Elle avait même oublié d'aller récupérer ses gains !

Le pourcentage de Tyrone sur cette victoire revenait à moins de cinquante livres, mais au fil de ses conversations téléphoniques, Cassie crut comprendre qu'il avait misé gros... et donc gagné. Elle décida d'évoquer une fois de plus le problème de la restauration de la maison.

Elle lui en parla après le dîner, les digestifs et les câlins. Tyrone se coucha sur le dos et s'esclaffa.

– Cassie McGann, je t'aime ! s'écria-t-il. Tu es une femme accomplie !

Il se remit sur le côté pour la regarder.

– Je t'aurais répondu oui avant le repas. Même si on n'avait mangé que des pommes de terre bouillies et des haricots secs. Même si tu m'avais refusé d'exercer mes droits.

Elle sourit.

– Vraiment ?

– Bien sûr ! Je t'aime !

Il se blottit contre elle, et ils firent de nouveau l'amour.

Cassie réfléchit longuement avant d'entamer les travaux. Elle demanda à Tyrone de lui donner un budget, ce qui le surprit beaucoup, lui qui était un véritable panier percé. Mais Cassie était bien décidée à le respecter. Elle convoqua les entrepreneurs locaux, qui furent invités à lui soumettre leurs devis pour la réparation de la toiture, la réfection des plâtres et des peintures des pièces principales.

Pendant des jours et des jours, elle parcourut toutes les brocantes de la région avec Erin, la fille de Mme Muldoon.

Cassie n'avait pas encore son permis, aussi avait-elle besoin des services de la bonne pour la conduire ici et là : Erin savait manier le poney et la charrette. Au cours de ces promenades, elle découvrit que l'Irlande était une terre de contrastes : la campagne, d'une beauté singulière, côtoyait la pire des misères. Encouragées par les chants des oiseaux, elles traversaient des prés verdoyants, entourés de collines bleutées, puis tombaient dans un petit village triste, équipé de deux boutiques crasseuses et d'une dizaine de pubs. Toutes les maisons étaient grises ou marron, et les enfants grouillaient, déguenillés, le plus souvent pieds nus, toujours sales. Leurs mères entraient et sortaient rapidement des magasins, un châle noir sur la tête, tandis que les hommes, quand ils n'étaient pas à l'intérieur des pubs, se tenaient dehors à fumer et à bavarder.

La première fois, quand Cassie avait annoncé à Erin qu'elles allaient visiter une vieille demeure familiale dont on vendait tout le contenu, la jeune Irlandaise avait poussé des cris d'effroi.

– Quoi ? Pourquoi aller acheter des vieilleries ? Si j'avais de l'argent à dépenser, j'irais à Dublin et je choisirais des beaux meubles tout neufs. Une radio, aussi.

Cassie s'était mise à rire.

– On ne peut pas mettre du mobilier moderne dans une maison comme la nôtre, Erin. Ce serait affreux. Il faut des objets anciens. Il devait y en avoir plein, du temps où mon mari était encore enfant.

– Pour ça, oui, madame. Tout plein. Et en si mauvais état que M. Rosse Senior et mon père, ils coupaient tout pour en faire du bois à brûler.

Cassie s'était accrochée au bord de la charrette en imaginant avec quels trésors ils avaient dû se chauffer.

– Pour moi, avait rajouté Erin en reniflant, c'est le contemporain que j'aime. Et encore, à condition que ce soit pas démodé.

Elles étaient arrivées suffisamment tôt pour inspecter

préalablement les objets en vente. Cassie s'était émerveillée, mais Erin refusait obstinément de se laisser impressionner.

– J'donnerais pas cinq pence pour toutes ces horreurs.

C'était pareil chaque fois. Cassie continuait de s'efforcer d'enseigner à Erin les rudiments de l'art. Erin restait sceptique.

– Regarde, Erin ! Une chaise percée Régence ! Elle est magnifique, tu ne trouves pas ?

– Y a une grande fente sur le côté ! Et qu'est-ce que vous allez faire d'une chaise percée ? Y a des dizaines de W.C., à Claremore.

Si le mobilier ne suscitait guère l'intérêt d'Erin, en revanche, elle s'excitait volontiers devant le linge de maison et la cristallerie.

– Regardez comme ce verre est joliment gravé, madame. Vous devriez le prendre. Et ça, c'est du bon lin. Un vrai plaisir à repasser. Et voyez-moi un peu toutes ces serviettes ! On n'a pas le droit d'en posséder autant. Vous les aurez toutes pour trois fois rien, je parie. Remarquez, ça ne vaut pas plus.

La première fois, Cassie avait commis l'erreur de faire une enchère elle-même. Les prix avaient aussitôt grimpé. A cause de son accent américain. Par la suite, elle demanda donc à Erin d'intervenir à sa place. Ainsi, elle put faire quelques affaires remarquables.

– Si c'est un salon trois pièces que vous voulez, c'est à Neary qu'il faut aller, déclara Erin un jour où Cassie venait d'acquérir un divan Victoria et deux fauteuils. J'y étais avec ma mère pas plus tard que le mois dernier, et ils ont un superbe ensemble en panne de velours.

Une fois, Cassie se laissa tellement prendre au jeu qu'il fallut envoyer Tomas chercher les meubles avec le fourgon à chevaux. Ce jour-là, elle avait acheté la fameuse chaise percée Régence, une commode, deux chaises Victoria à fond en cuir, une paire de vases Sheffield, le tableau d'une dame qui cousait auprès de son petit chien, cinq douzaines de serviettes en lin et six paires de draps, le tout pour moins de cent livres.

– Qu'en penses-tu ? demanda-t-elle à Tyrone, lorsqu'il rentra le soir même.

– De quoi ?

Il se laissa choir dans le fauteuil que Cassie avait rapporté la semaine précédente, et qu'il n'avait toujours pas remarqué.

– De toutes mes acquisitions.

– Très joli, grommela-t-il sans lever les yeux de son journal. Très joli.

Cassie s'assit devant l'âtre en imaginant le portrait de la vieille dame, juste au-dessus. La chaise percée Régence serait très bien dans le coin opposé de la pièce.

– Attends un peu que j'aie terminé. Tu ne reconnaîtras plus ta maison.

– Epatant, murmura-t-il. Bravo !

Puis il se leva, visiblement soulagé, pour répondre au téléphone.

Cassie était contente d'elle-même. Elle connaissait suffisamment bien Tyrone pour savoir que s'il ne lui disait rien, c'était que tout allait bien. S'il était heureux, elle l'était aussi.

Le Prix Guineas n'était plus qu'à une semaine. D'après le peu que lui en avait dit Tyrone, Villa Maria était en bonne forme, et à moins d'un accident, elle avait toutes les chances de remporter cette première classique de la saison. Cet espoir se renforça lorsque, le vendredi, la presse spécialisée annonça la rumeur selon laquelle la pouliche d'Arthur Marshall, favorite, était souffrante. Tyrone appela un de ses agents à Newmarket, qui lui confirma les « on dit » : Time To Remember s'était pris une épine dans le pied à l'entraînement. Elle ne serait sans doute pas au départ.

Tyrone resta parfaitement calme. Il dormit bien, dévora avec appétit. Cassie, elle, avait les nerfs à fleur de peau, le sommeil léger, l'appétit en berne. Elle lui demanda comment il faisait pour ne pas s'énerver. Il lui répondit que ce n'était qu'une course. Les sommes en jeu étaient plus importantes, certes, mais comme toujours, il n'y aurait qu'un seul gagnant. Et, comme toujours, tout pouvait arriver : le cheval pouvait rester enfermé dans le peloton, le jockey mal calculer son temps. Impossible de prévoir quoi que ce soit.

La preuve : l'imprévisible se produisit dès le lundi matin. Tyrone rentrait avec le deuxième groupe d'entraînement, quand il vit le premier des fourgons remonter l'allée. Cassie les aperçut aussi, pendant qu'elle promenait Brian, comme chaque matin. Elle en compta deux, trois, quatre... un véritable convoi. Instinctivement, elle se mit à courir.

– Que se passe-t-il ?

Tyrone attendait, le visage blême.

– Rentre à la maison, Cassie. Ce ne sont pas tes affaires.

– Je vois bien que quelque chose ne va pas, Tyrone.

– Rentre à la maison, répéta-t-il.

Cassie appela Brian, qui se roulait avec béatitude dans le purin, et repartit docilement. En passant devant le bureau, elle y remarqua Mme Byrne, en larmes. Tyrone leur tournait le dos. Il était en grande conversation avec le chauffeur du premier camion.

Cassie poussa la porte du bureau.

– Qu'y a-t-il, madame Byrne ? Pourquoi toutes ces fourgonnettes ?

Mme Byrne leva le nez, et devant l'air anxieux de Cassie, se mit à sangloter de plus belle. Mais à l'instant précis où, recouvrant ses esprits, elle allait lui annoncer la nouvelle, le téléphone sonna. Cassie jeta un coup d'œil dehors. Tyrone se rapprochait, rouge de colère. De peur que sa désobéissance ne l'irrite davantage, Cassie s'éclipsa discrètement par la porte arrière et emmena Brian dans les bois.

Elle se cacha dans les arbres pour observer la scène.

L'un après l'autre, dix-huit des meilleurs chevaux de son mari furent sortis de leur stalle et chargés dans les véhicules. Le personnel, immobile et silencieux, attendait la fin du supplice. Reconnaissant Villa Maria, Cassie porta une main à sa bouche, horrifiée. Tony, son lad fidèle, craqua et partit en courant.

Tyrone s'était planté au milieu du carré de pelouse, les bras croisés. Les moteurs démarrèrent. Il contourna l'écurie, monta dans sa Jaguar et partit en trombe.

Cassie siffla le chien et retourna dans la maison.

Tomas ramena Tyrone aux alentours de dix heures du soir. Il tenait debout, mais il était ivre. Trop soûl pour parler. Tomas et Cassie le montèrent, le couchèrent. Ensemble, ils le déshabillèrent.

Ils redescendirent dans le salon, et Cassie offrit un verre à Tomas. Il refusa : il avait déjà bien bu. Il secoua la tête, poussa un profond soupir.

– Sauf votre respect, cette salope a retiré toutes ses bêtes.

– Qui, Tomas ? Qui a pu faire une chose pareille ?

– La propriétaire de Villa Maria. Une Américaine, comme vous. Une dénommée Mme Von Wagner.

Tyrone avait sombré dans un sommeil profond. Couchée à ses côtés, Cassie se fit tout d'abord des reproches. Ce qui venait d'arriver, c'était sa faute. Si Mme Von Wagner avait repris tous ses chevaux, c'était à cause d'elle. Forcément.

Après tout, Cassie connaissait Leonora, et Mme Von Wagner étant la mère de cette dernière, ce devait être la raison de son initiative. Leonora avait cherché un moyen de se venger, après le coup de Cassie pour les billets d'opéra. Folle de rage, elle avait dû convaincre sa mère de retirer ses chevaux de Claremore.

Dix-huit chevaux. Les dix-huit meilleurs. Les Rosse frisaient le désastre. En trois semaines de mariage, Cassie avait réussi à anéantir l'existence de son mari.

Puis, elle se demanda : pourquoi ? Pourquoi la mère de Leonora aurait-elle pris un tel risque, dans le seul but de satisfaire les caprices de sa fille trop gâtée ? Tyrone Rosse était considéré comme l'un des entraîneurs les plus prometteurs de l'Irlande. Grâce à lui, Villa Maria, en pleine forme, était cotée cofavorite dans la première Classique des pouliches. Mme Von Wagner était-elle prête à compromettre toutes ses chances en changeant d'écurie à la dernière minute ? En admettant qu'elle se soit querellée avec son entraîneur, elle aurait au moins dû lui en parler d'abord. Non, décidément, ça n'avait aucun sens.

Tyrone devait connaître Mme Von Wagner.

Bien sûr qu'il la connaissait, songea Cassie avec un soupçon d'impatience. Elle lui avait confié vingt pur-sang. Bien sûr qu'il la connaissait. Mais comment l'avait-il rencontrée ? Que s'était-il passé entre eux ? Cassie avait beau chasser ces pensées de son esprit, elles revenaient sans cesse à la charge.

Mme Von Wagner avait certainement été sa maîtresse.

Cassie se rappela alors la rencontre sous la neige, devant le grand magasin Bergdorf Goodman. Leonora avait littéralement « enlevé » Cassie alors que sa mère s'apprêtait à rendre plusieurs articles... au rayon lingerie.

Ses paroles lui revinrent précisément. Elle se souvint du carton soigneusement emballé. Celui qu'elle avait enveloppé elle-même, pour Tyrone, quatre jours auparavant. Il était venu acheter de la lingerie pour Mme Von Wagner.

Tyrone avait donc été son amant.

Cassie se tourna vers le corps inerte à ses côtés. Un sentiment de rage l'envahit. Elle eut envie de le bourrer de coups de poing et de pied, de lui arracher les yeux, de le frapper jusqu'à ce qu'il en devienne bleu. L'après-midi de leur rencontre, alors qu'il prétendait avoir eu le coup de foudre pour Cassie, Tyrone s'apprêtait en fait à rendre visite à Mme Von Wagner et sans doute à lui faire l'amour.

Tyrone avait couché avec la mère de Leonora.

Impensable. Elle devait bien avoir quarante ans !

Plutôt que d'attaquer son mari dans son sommeil, ce qui n'était vraiment pas dans sa nature, elle se glissa hors du lit, s'enveloppa dans son peignoir et descendit au salon. Elle ouvrit les volets de la porte-fenêtre et sortit sur la terrasse. L'air était froid, mais elle ne prêta aucune attention à la température. Elle contempla le parc inondé par le clair de lune en s'interrogeant. Que faire ? Où était la vérité ?

Une chose était sûre : ce n'était pas Leonora qui s'était vengée, mais bien sa mère. Tyrone avait dû lui parler de Cassie. Elle avait probablement réagi avec grâce et « compréhension ». Apprenant leur mariage par les journaux, elle n'avait toujours rien dit, parce qu'elle attendait son heure. L'occasion de blesser Tyrone au plus profond de son âme. Dès que celle-ci s'était présentée, Mme Von Wagner était intervenue. Elle avait repris Villa Maria. Quitte à perdre la course, elle avait tranché dans le vif et privé son ex-amant de toutes ses espérances de succès.

Cassie demeura un long moment immobile dans la nuit. Les bois résonnaient du ululement des chouettes. Un renard glapit. Subitement, à contrecœur, elle songea qu'elle était enfin devenue une adulte.

Comme à son habitude, Tyrone, debout à six heures, était déjà parti lorsque Cassie se réveilla. Elle prit tout son temps pour se lever et s'habiller, en se remémorant les événements de la veille, avant de descendre prendre le petit déjeuner. Lorsqu'elle arriva dans la salle à manger, elle y découvrit Tyrone, déjà attablé.

– Je suis rentré plus tôt, expliqua-t-il, comme si de rien n'était.

Cassie l'embrassa sur le front avant de s'asseoir auprès de lui. Il lui sourit, mais ne dit rien, puis se plongea comme chaque matin dans la lecture des journaux sportifs.

– Ils ont divulgué la nouvelle hier, murmura-t-il en lui montrant le gros titre de *Sporting Life*.

Il lut l'article à voix haute, d'un ton détaché, comme si l'affaire ne le concernait pas.

– Ce doit être très dur pour Villa Maria, non ? Un tel déplacement, à la veille de la course ?

Tyrone tourna la page de la revue.

– Du moment qu'elle a de la paille fraîche et une mangeoire pleine, ça ne devrait rien changer, répondit-il. De toute façon, elle aurait été obligée de faire le trajet d'ici à Newmarket demain.

Cassie se versa une tasse de café bien noir. Elle n'avait pas faim du tout. Le calme de Tyrone l'impressionnait. Ivre mort quelques heures auparavant, menacé de faillite, il était là, tranquillement assis, à dévorer un repas gargantuesque.

– A vrai dire, elle est entre de bonnes mains, reprit-il en posant son journal. Cette salope l'a envoyée chez Dick Longmann, le meilleur entraîneur anglais qui soit. Un ami à moi, d'ailleurs.

Il quitta la table, s'étira.

– Ça va, Tyrone ?

– Maintenant que j'ai mangé et que je t'ai vue, oui.

Il se dirigea vers la porte. Brian se leva, bâilla, puis emboîta le pas à son maître.

– Tu vas promener le chien ?

– Non, Cassie McGann, je vais chercher une bouteille de champagne.

Tyrone était ainsi. Il venait de subir une épreuve terrible, mais il n'était pas homme à s'apitoyer sur son sort. Il préférait ouvrir une bouteille de champagne. Il appela Cassie, qui le rejoignit devant le feu qu'Erin venait d'allumer. Ils burent dans des coupes en cristal de Waterford que Cassie avait récemment acquises. Pendant un long moment, ils ne dirent rien. Parce qu'il n'y avait rien à dire.

Ce fut Tyrone qui brisa le silence.

– Je suis désolé pour hier soir, Cassie. Je suis allé voir un copain à Leixlip. Sa femme était sortie, il n'y avait rien à manger chez eux.

– Ça n'a aucune importance, Tyrone. Mais je t'en prie, explique-moi ce qui s'est passé.

– Tomas te l'a dit.

Tyrone se leva pour remettre une bûche dans l'âtre.

– Pas tout.

– Une de mes clientes a repris tous ses chevaux. C'est le risque du métier. Noel Collins, lui, a perdu son écurie tout entière en moins de quinze jours.

– J'ai été à l'école avec Leonora Von Wagner. Nous nous connaissons depuis l'âge de quatorze ans.

– En voilà une nouvelle ! s'exclama Tyrone, sans se retourner.

– Depuis combien de temps connais-tu sa mère ? insista Cassie.

– Dès l'instant où je t'ai vue, tout a été fini entre Sybille Von Wagner et moi.

Il lui fit face.

– En fait, Cassie McGann, enchaîna-t-il, ce n'est pas parfaitement exact.

Il la dévisagea, et Cassie se mordit la lèvre. Evidemment. Il était allé la voir chez elle, n'est-ce pas ? Il lui avait offert son carton de lingerie, et il lui avait fait l'amour.

– En ce qui me concerne, cette histoire était terminée depuis des mois. Mais elle était ma cliente, alors il fallait y aller doucement, doucement.

– Tu lui as acheté de la lingerie, ce jour-là.

– C'était son anniversaire.

– Tu offres toujours de la lingerie à tes ex-maîtresses pour leur anniversaire ?

– Oui, rétorqua-t-il avec un sourire.

Cassie le regarda dans les yeux, puis elle lui tendit les mains. Il la serra très fort contre lui.

Elle se rappela la rage qu'elle avait éprouvée dans la nuit et, l'espace d'un instant, s'en voulut de conserver un calme apparent. Mais quand Tyrone l'embrassa, tous ses ressentiments s'envolèrent.

Cassie se réveilla pour la seconde fois de la matinée, mais cette fois, Tyrone était encore endormi auprès d'elle. Elle l'embrassa sur l'épaule, puis s'empara de son peignoir et alla se faire couler un bain. Après l'incident du premier jour avec Mme Muldoon, la gouvernante avait eu l'interdiction absolue d'éteindre le chauffe-eau. Même en plein été.

Immergée dans l'eau, Cassie laissa vagabonder ses pensées. Elle se remémora l'ardeur de Tyrone, un peu plus tôt, les mots d'amour qu'ils s'étaient chuchotés. Elle s'émerveilla de son courage et de sa résistance. A le voir, personne ne pouvait soupçonner ce par quoi il passait.

Au cours du déjeuner, il lui expliqua que la gêne provoquée par la décision de Sybille Von Wagner serait sans doute de courte durée. Villa Maria était désormais entre les mains de celui que Tyrone considérait comme le meilleur entraîneur de l'Angleterre. Si le transfert avait été effectué dans de bonnes conditions, elle gagnerait la course. Dans ce cas, sa propre écurie se remplirait très vite. Car tout le monde savait, Dick Longmann le premier, que c'était lui, Tyrone Rosse, qui avait fait le gros du travail.

Ils partirent comme prévu pour l'aéroport de Dublin, la veille de la course. Tyrone avait persuadé Cassie de s'acheter une toilette pour l'occasion : robe, chapeau, manteau et escarpins. Ils passèrent la soirée à Londres, en compagnie d'amis de Tyrone, qui les emmenèrent Chez Solange, un restaurant français. Puis ils assistèrent à une revue satirique intitulée *Au-delà des limites*, que Cassie trouva délirante. De retour à l'hôtel, dans les bras de Tyrone, elle se dit avec bonheur qu'en dépit de leurs soucis passagers, l'horizon était clair.

Le ciel, en revanche, était fort chargé, et lorsqu'ils prirent la voiture pour Newmarket avec Ryan et Cath, un autre couple d'amis de Tyrone, il pleuvait à seaux.

– J'espère qu'elle apprécie les terrains lourds, fit remarquer Ryan à Tyrone.

– Si elle est comme sa mère, ce sera plutôt un atout.

La pluie ne cessa qu'une demi-heure avant le départ. Les jockeys de la première course, maculés de boue, confirmèrent la lourdeur du terrain, ce qui provoqua un raz de marée de paris sur Villa Maria, devenue la grande favorite après le forfait de Time To Remember.

En gagnant sa place dans les tribunes, Cassie se félicita d'avoir choisi un manteau en laine, car si le temps s'était éclairci, le fond de l'air était glacial, et le vent, presque violent. Elle fixa ses jumelles sur l'ex-pensionnaire de Claremore, qui se dirigeait tranquillement vers la ligne.

Elle avait cherché des yeux la mère de Leonora pendant le défilé au paddock, mais Mme Von Wagner se faisait surtout remarquer par son absence. Dick Longmann s'était approché de Tyrone pour échanger quelques mots. Il avait compati avec lui : décidément, les propriétaires étaient bien capricieux, mais Villa Maria était en pleine forme.

– Je l'espère, avait répondu Tyrone. Je crois qu'on a eu du flair.

Cassie ne connaissait pas encore grand-chose au jargon du milieu, mais à en juger par le sourire gamin de son mari, elle en déduisit qu'il avait misé une somme conséquente sur la pouliche.

Lorsqu'il rejoignit son épouse dans les loges réservées aux propriétaires et aux entraîneurs, il confia à Cassie qu'il avait tout de même une inquiétude. En effet, sur l'ordre exprès de Mme Von Wagner, Dermot Pryce, le jockey de Villa Maria, avait été remplacé par un petit nouveau, Frankie West. Celui-là même qui aurait dû monter Time To Remember.

– Il n'est jamais monté sur un cheval, grogna Tyrone. Ils peuvent dire ce qu'ils veulent, pour gagner, il faut connaître sa monture. Je ne supporte pas cette nouvelle mode qui veut que la bête et le jockey se rencontrent pour la première fois dans le paddock. C'est absurde.

– Elle me paraît en excellente condition, dit Ryan. Même moi, je pourrais gagner avec elle.

– Jamais de la vie !

Les spectateurs se turent brusquement : les chevaux étaient maintenant sous les ordres du starter. Après un moment qui leur parut à tous interminable, les pouliches se lancèrent enfin à l'assaut de la piste.

Cassie concentra toute son attention sur Villa Maria. Son jockey montait très court ; il l'avait ralentie à la corde. Le peloton, composé d'une vingtaine de pouliches s'était rué sur le terrain soi-disant moins mauvais, du côté des tribunes sur la ligne droite.

Tout d'un coup, Tyrone abaissa ses jumelles.

– Bon sang ! s'exclama-t-il. Il est complètement empêtré.

– Qu'est-ce que tu peux être pessimiste ! dit Ryan. Il reste encore huit cents mètres.

Mais Tyrone savait qu'il avait raison.

Toujours à la corde, Frankie West attendait une ouverture. En vain. A la sortie du tournant, le peloton revint vers la corde. Confronté à une véritable muraille, il tenta une fuite par la droite, mais il était déjà trop tard : Miracle, la pouliche française, fonçait droit devant. West joua furieusement de la cravache, et Villa Maria accéléra. Malheureusement, le poteau arriva trop tôt. Miracle battit Villa Maria d'une encolure.

Tyrone fut le premier à offrir un verre à Dick Longmann en guise de consolation. Il ne se plaignit de rien. Dick déclara d'un ton amer que Dermot Pryce n'aurait jamais mené cette course comme ça.

– C'est le métier, lui répondit Tyrone. Bois.

Sur le chemin du retour, dans l'avion, Tyrone ne dit rien. Tenant Cassie par la main, il garda la tête tournée vers le hublot. Cassie sut alors qu'il était complètement ruiné.

11

À la fin du mois de mai, une semaine avant le grand Derby anglais, les écuries de Claremore, qui auraient dû vibrer d'activité, ne comptaient plus que quatre chevaux.

– Le monde des courses est volage, lui avait expliqué Tyrone, alors qu'elle le rejoignait un matin avec le chien. C'est un milieu dans lequel les mots valent plus que l'action.

D'un naturel optimiste, Tyrone avait omis d'en tenir compte. Villa Maria avait eu beau perdre sa course, il s'était dit que personne ne viendrait lui reprocher la mauvaise performance de la pouliche.

C'était le contraire qui s'était produit.

Les mauvaises langues, et une certaine presse anglaise qui prenait un malin plaisir à rabaisser les Irlandais, avaient soutenu que les écuries Rosse de Claremore étaient en pleine débâcle, et que Mme Von Wagner ne serait pas la seule propriétaire à en retirer ses chevaux. Paniqués, tous les autres clients s'étaient empressés de reprendre leurs bêtes. Tous, sauf Joe Coughlan, le boucher local, qui non content d'avoir confié trois pur-sang à Tyrone, était aussitôt allé en acheter un quatrième. Le seul problème, de l'avis de Tyrone, c'était qu'aucun d'entre eux ne valait « un clou ».

Les rumeurs concernant leurs difficultés financières étaient bien fondées. Cassie n'avait pas tardé à le découvrir, quand les ouvriers, qui avaient envahi la maison en avril, avaient été remerciés trois semaines plus tard. De plus, elle avait retrouvé une pile de courrier non ouvert, sans doute des factures impayées, entre les coussins d'un fauteuil qu'elle s'apprêtait à faire restaurer. Pendant des jours, elle avait tergiversé : devait-elle ou non confier ses angoisses à Tyrone ? A plus d'une reprise, il lui avait clairement fait comprendre que certains aspects de ses affaires ne la concernaient en rien.

Au bout de quelque temps, elle avait fini par ouvrir les lettres.

– Ce sont aussi mes dettes ! s'exclama-t-elle le soir même après le dîner, tandis que Tyrone la toisait, fou de rage, devant le feu de cheminée. Je suis responsable de la maisonnée, je ne peux pas continuer ainsi à dépenser dans le vide !

– Cesse de parler comme une comptable et laisse-moi m'occuper de ces problèmes.

– Je ne peux pas ! riposta-t-elle. Je m'y refuse. Il m'est impossible de gérer quoi que ce soit si je ne sais pas de quel budget je dispose !

Tyrone la dévisagea un long moment, en silence, ce qui, au début, avait souvent déconcerté la jeune femme. Mais plus maintenant. Elle soutint son regard sans ciller.

– On me doit beaucoup d'argent, déclara-t-il enfin. La mère de ton amie n'a pas payé ses factures.

– Du mois dernier, tu veux dire ?

– Elle ne m'a rien donné depuis six mois.

– Tyrone, elle t'avait confié dix-huit chevaux !

– Justement. Elle me doit une somme importante.

– Tu vas devoir la traîner en justice.

– Evidemment. Mais tu connais la chanson, Cassie

McGann : le plus fort, c'est toujours celui qui en a le plus. Or, Sybil Von Wagner a ses dix-huit chevaux.

Tyrone but le reste de son café et alla se planter devant une fenêtre. Il fixa le parc dans l'obscurité. Cassie se mit à réfléchir fébrilement.

– Tu comprends, reprit-il, en général, quand un propriétaire néglige de payer son dû, on retient ses bêtes en guise de garantie. C'est le procédé normal et correct. Ensuite, s'il continue à rechigner, les chevaux nous reviennent.

– Tu n'aurais jamais dû les laisser partir.

– Je sais, Cassie McGann. J'en ai parfaitement conscience. Viens, on va promener Brian.

Ils marchèrent pendant des heures à travers les bois et les prés, bien au-delà du domaine de Claremore. Ils suivirent les sentiers qui menaient aux collines, en explorèrent les crêtes. Pendant tout ce temps, ils parlèrent de l'avenir. Lorsqu'ils s'arrêtèrent un moment au sommet pour contempler Claremore et son patchwork de campagne, Tyrone avait réussi à convaincre Cassie que ses affaires reprendraient bientôt un cours normal. Il lui promit que l'écurie serait pleine avant la fin de la saison suivante. Cassie, de son côté, proposa de restaurer elle-même la maison jusqu'à ce qu'on puisse de nouveau payer les ouvriers.

Ils revinrent bras dessus, bras dessous, l'énorme chien gambadant devant eux.

– Comment vas-tu te débrouiller pour l'argent, en attendant ? demanda Cassie.

– Comme toujours quand je suis fauché. Je vais aller voir ce vieux Flann à la banque.

– Quand on repeint une pièce, c'est mieux de ne pas la regarder tout entière, expliqua Erin à Cassie. En tout cas, c'est ce que dit ma mère. Elle dit qu'il faut se concentrer sur un petit bout à la fois, sinon, on devient cinglé.

Cassie, qui profitait d'une pause café bien méritée avec Erin, songea qu'elle avait raison. Trois jours plus tôt, quand elle avait déménagé tous les meubles du salon, elle tremblait d'excitation à la perspective de décorer la pièce. A présent, épuisée, elle n'en voyait pas le bout.

Elles avaient eu l'excellente idée de commencer par le plus dur, le plafond. Lorsqu'elles eurent enfin terminé, Cassie s'était dit que Michel-Ange avait eu bien du mérite, avec sa chapelle Sixtine.

Et elle n'en était qu'au début. Par la suite, elle voulait refaire le vestibule, la salle à manger, la chambre, le bureau de Tyrone, le palier et les couloirs. Bref, elle risquait fort d'y passer le restant de ses jours.

Quand elle se couchait le soir, elle était tellement lasse qu'elle n'avait même plus le courage de faire l'amour. Tyrone était fatigué, lui aussi, à force de parcourir le pays de long en large en quête de nouveaux clients. Jusqu'ici, il avait réussi à en séduire un, un assureur de Dublin. Prétentieux, imbu de sa personne, il avait assommé M. et Mme Rosse avec ses succès pendant un dîner qui avait duré plus de quatre heures. Mais au moins, il avait fini par signer un contrat.

Le manque de succès de Tyrone commençait à le démoraliser. Il avait eu quelques espoirs juste avant le Prix English Oaks, pour lequel Villa Maria était une fois de plus favorite. Si elle gagnait, Claremore serait vengé. Dick Longmann avait convaincu Sybil Von Wagner de reprendre Dermot Pryce. Malheureusement, en dépit de l'habileté du jockey et de la finesse de Villa Maria, la pouliche, pourtant en excellente position, prit du retard sur les huit cents derniers mètres et finit bonne septième.

Les clients ne s'étaient donc pas précipités à Claremore. A la fin du mois de juillet, l'écurie comptait huit chevaux seulement.

De leur côté, Cassie et Erin avaient achevé la restauration des pièces principales de la demeure. Dieu merci, juste avant d'être remerciés, les ouvriers avaient eu le temps de réparer le toit et de refaire le gros des plâtres. Désormais, peintures et meubles conféraient à l'ensemble une atmosphère confortable et chaleureuse. La banque avait accordé à Tyrone une extension de son découvert, mais Flann l'avait prévenu qu'il serait forcé de tout arrêter si, au bout d'un an, ses affaires ne s'amélioraient pas sensiblement. De nombreuses lettres avaient été échangées entre les avocats de Tyrone et ceux de Sibylle Von Wagner, avec pour tout résultat une facture d'honoraires colossale. Le seul rayon de soleil, au cours de cet été pluvieux, avait été la victoire d'un des « bons à rien » de Joe Coughlan au Prix Galway. S'il considérait ouvertement ce cheval comme un perdant, Tyrone n'en avait pas moins vendu sa Jaguar et misé ses gains à six contre un. Ce triomphe inattendu leur avait donné un peu d'air pour respirer, et ils ne s'étaient séparés que de la moitié des domestiques. Il permit aussi à Tyrone d'emmener Cassie en voyage de noces.

Ils allèrent à Kerry. La première nuit, ils logèrent dans un petit hôtel à la lisière de Gleneigh. L'établissement était tenu par une dame charmante, qui s'affaira autour de Tyrone comme s'il était son propre fils. De la fenêtre de leur chambre, ils avaient une vue magnifique sur la plage de Rossbeigh, tandis qu'à leurs pieds, les palmiers et les plantes exotiques s'épanouissaient dans un climat subtropical.

Cassie s'émerveilla du paysage.

– On se croirait dans les Caraïbes !

– Nous sommes tout au bout du Gulf Stream. D'où cette végétation extraordinaire.

– Quant à la campagne que nous avons traversée en venant... jamais je n'avais vu autant de lacs. Et toutes ces montagnes !

Tyrone mit un bras autour de la taille de son épouse.

– J'oublie toujours à quel point c'est joli, par ici. J'en profite d'autant mieux quand j'y reviens.

Ils se promenèrent sur des kilomètres de sable blanc, ne croisant que deux personnes, un homme qui jouait avec son chien, et un prêtre, le visage levé vers le ciel, les mains croisées derrière le dos.

– Merci, Tyrone, murmura Cassie en lui serrant la main. C'est un véritable paradis.

– Je t'ai amenée ici pour une raison précise, Cassie McGann.

– Il est rare que tu agisses sans une idée derrière la tête. Pourquoi sommes-nous ici ?

– Pour fabriquer un bébé.

Cassie s'immobilisa, Tyrone aussi. Il lui sourit.

– Ecoute-moi bien, Cassie McGann. Tu as arrangé notre maison, et je ne t'en aime que davantage. Mais un peu de peinture fraîche, quelques meubles et des vases remplis de fleurs ne suffisent pas. Du moins, pas à l'Irlandais que je suis. Je veux des enfants.

– Je comprends, acquiesça Cassie. Bien entendu. Nous étions d'accord pour en avoir plein. Mais nous ne sommes mariés que depuis six mois.

– Justement. Il ne s'est encore rien passé.

– Tyrone, je ne sais pas si tu es au courant, mais on n'accouche pas au bout de six mois.

– En effet, mais tu pourrais au moins être enceinte. Peut-être que tu devrais aller consulter le Dr Gilbert, à notre retour.

– Moi ? explosa-t-elle. Et si c'était toi qui avais besoin de ses services ?

– Je vais très bien, Cassie McGann, répliqua-t-il avec un sourire satisfait.

Il se remit à marcher.

– Moi aussi, Tyrone Rosse ! hurla-t-elle derrière lui, avant de courir le rattraper.

– Tu travailles trop, Cassie, voilà le problème.

– Et toi, tu te fais du souci !

Tyrone se figea, se tourna vers l'océan, puis effectua un demi-tour et repartit vers l'hôtel.

– Tu as raison ! lança-t-il par-dessus son épaule. Viens vite. Il nous reste une heure avant le dîner !

Ils dévorèrent avec appétit. On leur servit du saumon frais et du homard, accompagnés d'une excellente bouteille de vin blanc. Puis Tyrone l'initia aux plaisirs du café irlandais, avant de l'entraîner dans le parc, où il l'embrassa sous un palmier et un ciel jonché d'étoiles.

– Je t'aime, Cassie McGann.

– Je t'aime, Tyrone Rosse.

– Viens. La nuit ne fait que commencer.

L'hôtel étant plein, ils passèrent le reste de la semaine dans un gîte de location à Coumeenhoole, sur la péninsule de Dingle, en face de Glengeigh. Le temps changea et, pendant ces premiers jours de septembre, on se serait cru en plein été, tant le ciel était bleu et le soleil chaud. Leur maison était simple, mais confortable, perchée tout au bout de la presqu'île. Ils se promenèrent, pêchèrent, mangèrent et dormirent.

Un après-midi, ils louèrent un bateau pour se rendre à Great Blasket, la plus grande île de l'archipel du même nom. Ils pique-niquèrent face à l'Atlantique, puis explorèrent les alentours. Hormis un troupeau de moutons, l'endroit était désert. Ils s'aventurèrent dans les ruines des maisons et de l'ancienne école, Tyrone racontant à Cassie l'histoire de ces îles qui avaient autrefois accueilli une communauté fort active. Au crépuscule, ils s'abritèrent de la fraîcheur de la rosée, réticents à quitter ce petit coin de paradis.

Le soleil se couchait à l'horizon. Tyrone prit Cassie dans ses bras et l'embrassa. Puis il la repoussa légèrement et la regarda droit dans les yeux.

– Je n'y comprends rien, Cassie McGann. Un seul de tes baisers suffit à me rendre fou. En comparaison, tous ceux que j'ai échangés avec d'autres femmes me paraissent aussi ternes que ces galets.

– La différence, c'est que je t'aime.

Tyrone la serra de nouveau contre lui, et ils écoutèrent le clapotis des vagues. Ils firent l'amour en se laissant envelopper par la nuit.

Cassie fut victime de ses premières nausées sur le trajet du retour à Claremore. Elle n'en fut pas étonnée, car elle savait qu'elle était enceinte. Le soir du pique-nique, quand Tyrone l'avait rejointe dans le lit, leur étreinte s'était teintée d'un sentiment indéfinissable, très subtil, mais différent. Tyrone était terriblement sérieux, Cassie, complètement passionnée. Par la suite, elle lui avait souri en lui demandant pourquoi il fronçait les sourcils et gardait les paupières closes.

– Un de mes amis m'a dit que, si on voulait avoir un beau bébé, il fallait imaginer quelque chose de beau pendant qu'on faisait l'amour.

Cassie l'avait taquiné : il pensait sûrement au Derby. Tyrone avait vivement protesté. Lorsqu'elle était dans ses bras, il ne pensait qu'à elle.

En conséquence, leur fille serait magnifique.

Cassie n'avait pu cacher sa surprise. Elle s'était toujours imaginé qu'un père voulait avant tout avoir un fils.

– Ce sont des bêtises, avait répliqué Tyrone. Des histoires de mamas italiennes. Je veux une fille.

– Pourquoi ?

– Pardi ! Parce que c'est bien plus joli sur un cheval !

Cassie avait ri aux éclats.

Elle ne riait plus du tout, maintenant que la Ford d'occasion que Tyrone avait achetée pour remplacer leur magnifique Jaguar remontait en cahotant l'allée de Claremore.

– On ne m'avait jamais dit que je me sentirais aussi mal, gémit-elle. En admettant que je sois enceinte, ce qui n'est même pas sûr, je ne le suis que de cinq jours ! Comment quelque chose d'aussi normal peut-il provoquer un état pareil ?

– Ça ira mieux bientôt, assura Tyrone, feignant la compassion, mais secrètement triomphant. Peut-être que le Dr Gilbert pourra te donner un remède pour calmer les nausées.

– Non. Je ne peux rien vous donner, lui déclara le Dr Gilbert lorsqu'elle prit place en face de lui dans son cabinet. Rien du tout.

Cassie aurait juré qu'il s'en réjouissait, comme s'il trouvait normal qu'on souffre pour avoir un enfant. Erin avait raison quand elle affirmait que le médecin était « un vieux grincheux ». Grand, voûté, la peau sèche, il serrait une cigarette roulée à la main au coin de ses lèvres.

– J'aimerais savoir si vous confirmez mes soupçons, Docteur. Suis-je ou non enceinte ?

– Si vous le dites, ça me suffit. Je crois toujours les femmes, en pareil cas, parce qu'en ce qui me concerne, elles le savent mieux que moi.

Le Dr Gilbert souffla un nuage de fumée. Quelques cendres s'éparpillèrent sur son costume en tweed. Il ne prit pas la peine de les enlever. Il fixa Cassie par-dessus ses lunettes cassées.

– D'ailleurs, ajouta-t-il, si vous continuez à avoir des maux de cœur, si vous commencez à prendre du poids, vous n'aurez pas besoin de moi pour savoir ce qui cloche.

– Vous ne pouvez pas me faire une prise de sang ?

– Une prise de sang ! railla-t-il.

Il ralluma sa cigarette, mais ne se prononça pas davantage.

Cassie se leva.

– Quand voulez-vous me revoir ?

Il parut étonné par sa question.

– Quand vous aurez un problème, madame. Si vous avez un problème.

Cassie parcourut à pied les six kilomètres qui la séparaient de Claremore, le cœur léger. Dès l'instant où elle s'était doutée qu'elle était enceinte, elle s'était promis de se maintenir en forme. En marchant, elle réfléchit à l'attitude détachée du Dr Gilbert, et pour finir, décida qu'il était un homme sage. A quoi bon s'agiter sous prétexte qu'elle portait un enfant ? Après tout, elle vivait à la campagne, où les familles en comptaient facilement quatre ou cinq, voire six.

Comme Tyrone, elle souhaitait que ce soit une fille. Elle voulait lui offrir une existence à l'opposé de celle qu'elle avait connue. Elle lui donnerait de l'amour et de l'affection, des jeux et des poupées, un vélo comme ses copines, et bien sûr, un poney. Peut-être même un poulain prénommé Prince. La petite aurait le droit de recevoir autant d'amis qu'elle le voudrait. Il y aurait des lits superposés, et on mangerait tous ensemble autour d'une vaste table en bois, dans l'une des granges. Cassie s'achèterait une vieille voiture, un break ; sa fille et ses camarades y entreraient ou en sortiraient par les fenêtres quand ils iraient faire des courses ou retrouver quelqu'un à la gare.

A l'approche de la demeure, elle la contempla, se découpant sur un mur de montagnes. La fumée s'échappait des cheminées. Tyrone et Brian grimpaient les marches du perron en courant : c'était l'heure du déjeuner. Ici naîtrait leur premier bébé. Dans cette vaste maison, où régnaient l'amour et la tendresse.

Ils se mirent à table, Tyrone faisant preuve d'une telle sollicitude qu'on aurait cru que Cassie allait accoucher d'une minute à l'autre. Depuis son retour, ils n'avaient parlé que du bébé à naître, alors que le Dr Gilbert n'avait même pas pris la peine de l'examiner pour confirmer ou non son état.

Soudain, au dessert, Tyrone se redressa.

– Quelqu'un t'a téléphoné. Tu ne devineras jamais qui, aussi je vais te le dire : Leonora Von Wagner.

Il prononça son nom avec un fort accent allemand, mais cette piètre tentative d'humour n'amusa guère Cassie.

– Qu'est-ce qu'elle me veut, encore ? s'exclama-t-elle, le cœur serré.

– Elle ne m'a rien dit. Elle s'est contentée de laisser un numéro de téléphone. Apparemment, elle vient de s'installer en Irlande.

En longeant l'allée de Derry Na Loch, la demeure nouvellement acquise par Leonora, Cassie se demanda pour la dixième fois en autant de minutes quelle mouche l'avait piquée d'accepter cette invitation à déjeuner. Tyrone l'avait taxée de curiosité, et Cassie s'était emportée, sans doute parce que c'était vrai. Elle était intriguée. Que faisait Leonora en Irlande ? Pourquoi tenait-elle tant à revoir Cassie ? Avait-elle changé ? Plus elle se reprochait d'avoir cédé, plus les questions se bousculaient.

Elle avait mal au cœur. Enceinte de trois semaines à peine, elle était victime de nausées abominables tous les matins. Elle s'accrocha à la portière de la voiture, conduite par Tomas. Comment allait-elle supporter neuf mois de ce supplice ?

La maison, un manoir géorgien blanc à portique, était énorme et imposante. Un majordome en veste noire et pantalon à rayures vint lui ouvrir. Il jeta un coup d'œil discret, mais visiblement méprisant, vers la vieille Ford qui repartait en brinquebalant. Il conduisit Cassie au salon, où l'attendait Leonora.

Elle était plus belle que jamais. Plus mince que lors de leur dernière rencontre à New York, elle avait la silhouette d'un mannequin, des seins parfaits, une taille de guêpe, les hanches minces. Ses cheveux blonds étaient plus courts, coupés en un dégradé subtil afin qu'au moindre mouvement de tête, sa coiffure retombe en place. Elle portait une robe Chanel blanc et bleu, avec veste assortie, et des escarpins bleu marine. Cassie s'avança, mal à l'aise.

Leonora jeta une cigarette à moitié consumée dans la cheminée et se leva pour accueillir Cassie comme si elles étaient les meilleures amies du monde.

– Cassie, ma chérie ! s'exclama-t-elle en l'embrassant sur la joue. C'est merveilleux, n'est-ce pas ?

Le majordome versa deux coupes de champagne, pendant que Leonora, saisissant Cassie par le bras, l'entraînait vers le canapé.

– Sais-tu que je me suis mariée ?

– Non, je n'étais pas au courant.

– La nouvelle était dans tous les journaux, pourtant.

– Je ne lis que *Sporting Life*.

Leonora sourit et alluma une autre cigarette américaine.

– Dommage que Tyrone n'ait pas pu t'accompagner, murmura-t-elle en observant Cassie à la dérobée. Il est vraiment très séduisant.

– Qui as-tu épousé ?

Leonora s'esclaffa, s'étouffant presque avec sa fumée.

– Seigneur ! J'avais oublié à quel point tu étais sérieuse. Tu veux savoir qui j'ai épousé ? Mon prince pédé !

Cette déclaration provoqua un nouveau sursaut d'hilarité. Cassie scruta les alentours, affolée.

– Ne t'inquiète pas, il n'est pas là. Il est allé à Rome voir sa maman.

– Tu es heureuse ?

Leonora dévisagea Cassie comme si elle était complètement folle.

– Je ne me suis pas mariée pour ça ! Ne me dis pas que c'est ton cas ?

– Pourquoi t'es-tu mariée, alors ?

– Parce que je m'ennuyais à mourir !

Leonora jeta sa cigarette au feu et arracha Cassie du sofa avant qu'elle ait pu terminer son champagne.

– Allons manger. Je crève de faim !

La salle à manger était encore plus somptueuse que le salon. Meubles signés, tableaux de maîtres, chandeliers en argent, tapis persans, sculptures de chevaux, une collection de portraits de famille miniatures au-dessus de l'âtre... tout était « parfait », alors que Leonora n'y était installée que depuis deux semaines. Cassie songea qu'avec de l'argent, on pouvait tout faire.

Leonora dévora en silence sa soupe, son rôti de bœuf en croûte et sa tarte au pommes. Cassie, qui toucha à peine à son repas, s'étonna : comment Leonora restait-elle aussi mince en mangeant autant ?

Dès qu'elle eut terminé, elle s'excusa. Elle revint quelques minutes plus tard. Cassie la trouva un peu pâle, mais toujours aussi exubérante.

– Alors ? Parle-moi de ton mari ! l'encouragea-t-elle en prenant un fruit. Comment se comporte-t-il au lit ?

– Ça ne te regarde pas, Leonora.

– Tu as raison. Si je te pose la question, c'est uniquement parce que je suis jalouse. Le mien n'est pas pédé pour rien : il est nul.

Leonora observa Cassie, tandis que le majordome et une bonne, au courant de toutes les conversations, débarrassaient. Cassie attendit qu'ils fussent partis.

– Pourquoi t'es-tu mariée, Leonora ? insista-t-elle.

– Je te l'ai déjà dit, ma chérie, parce que je m'ennuyais à mourir.

Leonora acheva sa pomme et alluma une cigarette. Elle souffla des ronds de fumée vers le plafond et sourit, avant d'ajouter :

– Il a beau être une tante, il n'en est pas moins prince.

– Evidemment. Quand je pense que j'ai oublié de te faire la révérence !

Leonora bâilla.

– Viens, je vais te montrer la maison.

Au cours de la visite, elle expliqua à Cassie qu'elle s'était décidée très vite, peu après le mariage de Cassie et de Tyrone, d'ailleurs. Elle avait choisi de s'installer en Irlande parce que tout le monde en avait « par-dessus la tête de la France ».

– Tu n'aurais jamais dû épouser un prince. Tu aurais dû jeter ton dévolu sur un marine.

– Et toi, tu devrais être à la tête d'un couvent ! Allons nous asseoir dans le boudoir pour boire le café.

– Pourquoi tenais-tu tant à me voir, Leonora ? Ne me dis pas que tu en as déjà assez de ta nouvelle vie ? Tu te sentais un peu seule ?

– Ecoute-moi bien, Cassie. La solitude : connais pas. Plus maintenant. Il me suffit de décrocher mon téléphone. L'ennui ? Ça, bien sûr... tu ne t'ennuies jamais, toi, dans ce pays où il pleut sans arrêt ?

– Tu n'es ici que depuis quinze jours !

– Je m'ennuie souvent au bout de quelques minutes.

Leonora se servit un autre café. L'espace d'un éclair, une lueur de mélancolie passa dans son regard, mais elle se ressaisit aussitôt.

– Si j'ai voulu te revoir, c'est parce que tu me manquais.

– Tu me détestes.

– Qu'est-ce que tu racontes ? Je t'adore. Tu es ma meilleure amie. Naturellement, nous avons eu nos malentendus, mais tu es la seule à avoir osé me contredire. J'admire ton style, figure-toi !

– Tu ne m'as pas encore répondu.

Leonora se mit debout, très agitée, en quête d'un nouveau paquet de cigarettes. Elle l'ouvrit d'un geste nerveux, en alluma une, se planta devant la fenêtre, fuma à toute allure.

– Je vais acheter des chevaux de course, annonça-t-elle. Je veux que ton mari soit leur entraîneur.

Cassie resta à court de mots. Elle s'était attendue à tout, sauf à cela.

– Pourquoi ? bredouilla-t-elle.

– Parce qu'il est le meilleur entraîneur de l'Irlande, voilà pourquoi.

– D'après qui ? Ta mère ?

– Ma mère peut aller se faire cuire un œuf. Elle est sotte et égoïste.

– Combien de chevaux comptes-tu acquérir ?

– Une douzaine, pour démarrer.
– Pourquoi ?
– Parce que c'est un chiffre rond.
– Pourquoi des chevaux de course ?
– Parce qu'il paraît que c'est ce qui se fait en Irlande.
– Tu es sérieuse ?
– Au début, c'était une idée de mon mari. Ensuite, j'ai pensé : après tout, pourquoi pas ? Ce pourrait être rigolo. Gagner un Derby, ce serait plutôt marrant, non ?

Cassie secoua la tête en riant. Marrant, oui. Le pire, c'était que Leonora Von Wagner, fortunée comme elle l'était, pouvait parfaitement y parvenir !

Tomas l'attendait à l'entrée. Le majordome lui tendit son manteau.

– Tu en parleras à Tyrone, ma chérie ? S'il est d'accord, qu'il me passe un coup de fil !

Tyrone refusa. Fermement.

– Je ne me reposerai plus jamais sur un seul gros propriétaire. Surtout une Von Wagner.
– Douze chevaux, insista Cassie. Elle veut démarrer avec douze chevaux. A toi de les trouver et de les acheter. Elle pense pouvoir convaincre son mari d'en acquérir six de plus par la suite.
– Pas question !
– Leonora et Franco sont très liés avec Tonan, le fils de Mahmoud, celui qui vient de reprendre les chevaux de son père en France.
– Et alors ?
– Et alors, Leonora parle sérieusement. Rien ne la stimule davantage que la rivalité. Elle veut faire mieux que Tonan.

Tyrone marqua une pause avant de se verser un deuxième whisky.

– Elle dit qu'elle paiera les dettes de sa mère envers toi, persista Cassie. Cela te permettrait de régler tes problèmes avec la banque.

– Jusqu'au jour où ta copine décidera de retirer toutes ses bêtes, ou d'abandonner totalement la partie, une fois qu'elle aura découvert à quel point c'est dur.

– Je t'en prie. Fais-le pour moi.

– Pourquoi pour toi ?

– Parce que je veux voir revivre tes écuries.

– Même si les chevaux appartiennent à Leonora Von Wagner ?

– Même s'ils appartenaient à Khrouchtchev.

Tyrone but en silence devant le feu. Puis il posa son verre sur le manteau de la cheminée et se dirigea vers la sortie.

– Pas question ! conclut-il avant de disparaître.

Cassie lui trouva néanmoins un air un peu moins convaincu.

Au début du mois de décembre, les écuries de Claremore comptaient dix-neuf chevaux, dont huit appartenaient à Leonora Von Wagner. Le bon sens et Cassie avaient eu raison des réticences de Tyrone. Refuser une pareille proposition serait un véritable suicide financier, avait argué Cassie, quand Leonora leur avait donné carte blanche pour sélectionner les pur-sang. De plus, une semaine après leurs retrouvailles, Leonora avait remboursé toutes les dettes de sa mère. En conséquence, Tyrone n'avait plus aucune excuse valable pour ignorer les supplications de son épouse.

La situation n'en était pas moins délicate. Tyrone avait détesté Leonora au premier coup d'œil. Celle-ci était trop vaniteuse pour s'en rendre compte, mais il avait été outré par son insolence et son mépris. Moins il la verrait, mieux il se porterait. Heureusement, en tout cas au début, Leonora ne tenait pas à l'accompagner dans ses recherches en Irlande, en Angleterre et en Amérique. Elle l'avait confié à Tyrone au cours d'un de ces dîners mondains dont elle ne se lassait pas.

– Mon cher, je n'y connais absolument rien. Tout ce que je veux savoir, c'est quand ils gagneront.

Puis elle avait orienté la conversation sur son grand sujet de préoccupation du moment : le scandale du secrétaire d'Etat et de la Guerre, M. John Profumo, qui venait de se fiancer avec une certaine Christine Keeler.

– J'étais là quand ils se sont rencontrés ! avait raconté Leonora, sans se soucier si l'histoire intéressait ses invités. Franco et moi étions à Cliveden, au mois de juillet. Cette fille, Keeler, se baignait entièrement nue dans la rivière, et Profumo ne la quittait pas des yeux. Franco prétend que les services secrets sont intervenus immédiatement. N'est-ce pas, Franco ?

Ce dernier, qui ne l'avait absolument pas entendue, était en grande conversation avec un jeune décorateur très élégant.

Tyrone et Cassie étaient partis tôt, sous le prétexte que sa grossesse la fatiguait beaucoup.

– C'est dommage. On allait bien s'amuser. Tristan, le type à côté de qui tu te trouvais, à table, a apporté de l'herbe.

– Moi, je me contente de celle que je donne à manger à mes chevaux, avait rétorqué Tyrone. Ah, à propos ! Je vous ai acheté un yearling, fils du gagnant du Derby en 1954, Never Say Die. Il est petit, mais bien proportionné. Il n'a coûté que trois mille cinq cents livres.

– Epatant ! avait répondu Leonora, avec une indifférence totale. Restez une heure de plus. On va bien rigoler !

– Désolée, je suis épuisée, avait marmonné Cassie.

Leonora avait fixé longuement Tyrone, qui ne lui prêtait déjà plus attention.

– Les bébés ! Beurk !

Sur ces mots, elle avait tourné les talons.

La veille de Noël, à midi, Tyrone organisa une réception pour tous ses vieux amis et quelques-uns de ses nouveaux propriétaires. Leonora et Franco étaient repartis aux Etats-Unis pour les fêtes, épargnant ainsi aux époux

Rosse une discussion qui aurait sûrement été âpre. Fort réussie, la fête dura jusqu'à la tombée de la nuit.

Le temps s'était considérablement rafraîchi. En s'habillant pour le dîner, Cassie songea qu'elle n'avait jamais eu aussi froid. Le vent, qui s'était levé dans l'après-midi, semblait s'engouffrer partout. Elle en découvrit l'explication lorsqu'elle descendit : quelqu'un avait laissé la porte d'entrée grande ouverte. Cassie la ferma, en frissonnant, resserra son cardigan, puis se dirigea vers la cheminée où brûlait un bon feu.

Tyrone, qui venait de faire sa tournée des écuries, chantait à tue-tête dans son bain. Cassie jeta une bûche dans l'âtre et, une fois de plus, se sentit fouettée aux mollets par un courant d'air glacé. Elle ressortit dans le vestibule : la porte d'entrée était béante. Elle la referma. Et la verrouilla.

A peine s'était-elle rassise devant les flammes, qu'Erin surgissait.

– Excusez-moi, madame, mais il y a quelqu'un qui referme sans arrêt la porte d'entrée.

– Oui, c'est moi, Erin.

L'Irlandaise fronça les sourcils, comme si Cassie était cinglée.

– Et la Sainte Famille ?

– Quoi, la Sainte Famille ?

– On lui laisse toujours la porte ouverte, madame, et les feux allumés, et la table de cuisine bien garnie, au cas où, comme dirait ma mère, notre maison serait choisie.

Cassie, qui n'avait jamais entendu parler de cette croyance, dévisagea avec envie la jeune fille aux grands yeux verts. Quelle innocence ! songea-t-elle. C'est merveilleux.

– Notre Donal croit encore au Père Noël, lui confia Erin en ranimant le feu déjà très en forme. Et il aura quatorze ans le mois prochain.

Cassie sourit en déchiffrant le message d'Erin. Malheur à celui qui tenterait d'ôter ses illusions au pauvre Donal. Ou même à Erin.

Elle s'enveloppa dans son chandail et se résigna à supporter les courants d'air.

La Sainte Famille ne s'arrêta pas chez les Rosse ce soir-là. En revanche, tout le voisinage semblait y avoir élu domicile. A vingt et une heures, quand Tyrone et Cassie purent enfin s'asseoir en toute tranquillité pour dîner, le village tout entier avait défilé. Les lads étaient venus chercher leurs étrennes, ainsi que Tomas, qui serait volontiers resté toute la nuit à bavarder et à boire, si Mme Muldoon ne l'avait pas mis dehors. Devant l'air épuisé de Cassie, Tyrone rit aux éclats : les célébrations n'en étaient qu'à leur début. Si elle souffrait déjà, d'ici le jour de l'an, elle serait prête pour un séjour au sanatorium !

Cassie savoura chaque instant de leur premier Noël, chez eux, en compagnie de l'enfant à naître. Tyrone la prit par la main et lui fit faire un vœu sous le sapin, qu'il avait décoré lui-même entre deux allers-retours aux écuries ou à Dublin pour acheter des cadeaux de dernière minute. Cassie, enceinte de seulement trois mois, était traitée avec tous les égards, Tyrone lui interdisant le moindre mouvement qui l'obligeait à lever les bras. Même lorsqu'elle se préparait pour se coucher, il était là pour l'aider à enfiler sa chemise de nuit.

Après la messe de minuit, ils revinrent à la maison et éteignirent toutes les lumières sauf celles du sapin. Ils s'enlacèrent en silence, humant les parfums de pommes de pin et de bûches incandescentes.

Le jour de Noël, ils déjeunèrent en tête à tête. Ils s'amusèrent à placer tous leurs futurs enfants autour de la table, imaginant les célébrations à venir. Après le repas, ils ouvrirent leurs cadeaux en buvant du champagne.

– Ce n'est pas fini ! promit Tyrone, alors que Cassie découvrait une extravagance de plus.

Il l'emmena dans la nursery, où elle n'avait pas eu le droit de mettre le pied depuis plus de deux semaines. Il poussa la porte et s'effaça. Cassie se figea sur le seuil, les yeux écarquillés. Tout était prêt pour le bébé. Tout était rose.

– Ce que tu peux être sûr de toi, c'est incroyable, Tyrone Rosse ! s'exclama-t-elle en se jetant dans ses bras.

– Je sais que ce sera une fille, et toi aussi.

Il lui montra un énorme colis dans un coin, emballé dans du papier kraft. Cassie se précipita dessus. C'était un magnifique berceau ancien en chêne sculpté.

– On l'a restauré, avec Tomas, murmura timidement Tyrone. On a mis des heures. C'était le mien, tu sais. Tu te rends compte que j'ai dormi là-dedans ?

Elle caressa le bois en imaginant Tyrone tout bébé.

– On dit que si j'ai le pied marin, c'est parce qu'on m'a tellement bercé dans ce lit.

Par la suite, chaque jour jusqu'à la naissance, Cassie vint s'asseoir devant le berceau, en laissant vagabonder son imagination.

Les mois se succédèrent à toute allure. Les nuages de mars firent place aux giboulées d'avril, puis au soleil de mai. Tyrone fit courir deux des chevaux de Leonora. L'un d'entre eux arriva second à Leopardstown, l'autre gagna à Curragh. Leonora, présente à la seconde course, posa pour les photographes, puis disparut en compagnie d'un baron anglais dédaigneux qui la suivait partout comme son ombre.

Ces victoires encouragèrent un certain nombre de clients à confier de nouveau leurs bêtes à Tyrone. Au début du mois de juin, l'écurie était pleine. Tout allait bien. Les lads étaient de retour, l'activité battait son plein.

Le meeting de York démontra la force de ses jeunes chevaux. Willowind, un débutant âgé de deux ans, fut battu sur la ligne par un favori qui venait de ses trois courses précédentes. Slang, le handicap de Leonora, mena du départ à l'arrivée, mais fut disqualifié pour avoir bousculé un adversaire, et son jockey, Dermot Pryce, fut suspendu pour le reste de la rencontre.

– Ce n'est pas ma faute, expliqua-t-il à Tyrone après l'enquête. Taffy James a fait tomber ma cravache, je n'avais rien pour remettre ce crétin en ligne droite.

Tyrone savait que Pryce n'y était pour rien, car il avait observé l'incident à travers ses jumelles. Il savait aussi que Slang avait tendance à porter à droite dès qu'il se fatiguait. Malheureusement, Leonora, qui était en voyage dans le sud de la France, annonça en apprenant la nouvelle qu'elle ne voulait plus jamais entendre parler de Dermot Pryce. Tyrone tenta de la raisonner, de lui expliquer qu'il était le jockey le plus en vue de l'Irlande, que même le grand Vincent O'Brien le convoitait. Leonora ne voulut rien entendre et lui raccrocha au nez.

Tyrone n'en prit pas ombrage. Ses chevaux étaient en pleine forme, et surtout, Cassie, dans les dernières semaines de sa grossesse, allait bien. A l'approche de la naissance, Tyrone confia les écuries à Tomas pour pouvoir se consacrer entièrement à son épouse.

– Encore un peu, ronchonna Erin, en tout cas, c'est ce que dit ma mère, et il va se mettre à couver. Comme les oiseaux. Et je te range ceci, et je te remets ça en place !

En effet, un soir en pénétrant dans la chambre, Cassie le découvrit en train d'épousseter.

– Regarde-moi ça ! gronda-t-il. Erin n'a pas pris la peine de déplacer les bibelots. Elle s'est contentée d'essuyer tout autour.

Il fermait les fenêtres par crainte des courants d'air, les rouvrait en affirmant qu'il n'y avait rien de meilleur pour la santé que le bon air de la campagne, puis les fermait de nouveau et coinçait des journaux sous les portes. Il rajoutait des couvertures, les enlevait, empilait les oreillers, les faisait disparaître. Les nuits étaient pour lui un supplice.

– Je crois que je vais aller prendre un bain glacé, soupira-t-il. Oui, vraiment, je vais prendre un bain glacé.

– Pourquoi, Tyrone ?

– Regarde-toi ! Tu es si belle. Jamais tu n'as été aussi épanouie. Je vais prendre un bain glacé.

Il lui tournait le dos, se remettait face à elle, l'embrassait.

– Ce ne sera plus long maintenant. Sois patient, lui chuchotait-elle avant de s'endormir dans ses bras.

En fait, elle avait peur. On lui avait promis qu'elle retrouverait une certaine tranquillité peu avant la date fatidique, mais il n'en était rien. Elle redoutait de souffrir. Parfois, lorsqu'elle restait dans son lit le matin, pendant que Tyrone était à l'entraînement, elle rêvait de confier ses angoisses à quelqu'un de mieux informé qu'Erin ou sa mère, Mme Muldoon, qui n'avait de cesse de venir dans sa chambre l'asperger d'eau bénite.

– D'après moi, vous êtes un peu trop forte, madame, décrétait la gouvernante. C'est toute cette Guinness que monsieur vous a forcée à boire.

– Ma mère dit que le bébé est peut-être coincé, lui avouait Erin. Ça arrive, parfois. Alors, il faut aller à l'hôpital, et on vous découpe. Après ça, on ne peut plus jamais avoir un bébé par les voies naturelles. N'est-ce pas, maman ?

Mme Muldoon acquiesçait en croisant les bras, et toutes deux se postaient au bout du lit pour veiller sur leur maîtresse.

Cassie eut ses premières contractions le jour du Derby irlandais. Tyrone rentrait de l'entraînement. Il s'apprêtait à dévorer un énorme petit déjeuner avant de partir pour Curragh, quand elle lui annonça la nouvelle. Aussitôt, il fit voler sa veste et sa casquette.

– Tu ne peux pas rater le Derby ! s'exclama Cassie.

– Il n'est pas question que je m'en aille maintenant !

Entre les douleurs, Cassie contempla les arbres, dehors, qui vacillaient avec la brise. Le soleil était déjà chaud.

Elle s'efforça de rester calme et de respirer comme elle l'avait appris, mais elle était terrifiée. Dans la pièce attenante, tout était prêt : un lit recouvert d'un drap propre, des rangées de bassines et d'instruments divers, des serviettes.

Tyrone s'approcha, en bottes et jodhpurs, plus beau que jamais. Cassie l'admira, soudain animée d'une sorte de fureur désespérée. Il paraissait complètement détaché.

– Le médecin est en route, annonça-t-il. Cependant, au cas où, je préfère qu'on t'installe à côté dès maintenant.

Mme Muldoon s'affairait en essayant en vain de masquer son angoisse. Tyrone l'appela pour qu'elle vienne l'aider à transporter Cassie.

– Je n'ai pas besoin de vous ! J'irai toute seule !

Mais au bout de quatre pas, une terrible contraction la saisit, et elle se plia en deux. Tyrone et Mme Muldoon la rattrapèrent juste à temps.

– Elles se rapprochent, il me semble, dit la gouvernante.

Oui. Trop vite. Trop fort.

– Ça va, madame Muldoon, souffla-t-elle. Je n'ai pas encore perdu les eaux.

Mme Muldoon jeta un coup d'œil anxieux vers Tyrone, qui demeura impassible.

– Dans combien de temps le Dr Gilbert sera-t-il là ?

– Je viens de te le dire, Cassie McGann : il est en route.

– Tu en es sûr ?

– Absolument.

– Je l'espère pour lui. C'est lui qui a tenu à ce que j'accouche à domicile. Comme toute femme en bonne santé.

– J'en ai bien eu six, et tous chez moi, intervint Mme Muldoon. Et le soir même, je préparais le dîner pour mon mari.

Cassie ne prit pas la peine de répliquer. Elle luttait contre la douleur.

– Seigneur ! s'exclama-t-elle.

– Détends-toi, lui conseilla Tyrone.

Il lui prit la main, tandis que Mme Muldoon lui essuyait le front. On frappa à la porte. Tyrone alla ouvrir. Pourvu que ce soit le Dr Gilbert !

Ce n'était pas le médecin. C'était Tomas. Cassie eut juste le temps de l'apercevoir avant que Tyrone ne referme. Elle entendit leurs voix sur le palier, mais fut incapable de déchiffrer leurs paroles. Saisie d'un vertige, elle s'évanouit brièvement.

Tyrone était de nouveau à ses côtés.

– Tomas s'occupe de l'eau chaude. Il en faudra beaucoup, car ce vieux Gilbert est un sacré buveur de thé ! plaisanta-t-il.

Cassie lui sourit.

– Seigneur Dieu ! hurla-t-elle soudain.

– C'est ça, c'est ça, la rassura-t-il. Jure encore, ça te soulagera.

– Je ne jure pas, je L'appelle au secours !

– Appelle, appelle, mon amour. Surtout, ne te retiens pas.

La silhouette de Tyrone se brouillait. La sueur ruisselait sur le front de Cassie, sur ses joues. Mme Muldoon était là, un linge à la main, mais plus les contractions se rapprochaient et se renforçaient, plus Cassie transpirait. Tout d'un coup, elle eut la sensation d'être complètement trempée.

– Doux Jésus ! s'écria-t-elle. Que se passe-t-il ?

– Les eaux, madame, dit Mme Muldoon. Le bébé ne va pas tarder à arriver.

Le bébé allait naître. Elle s'apprêtait à accoucher, et le médecin n'était toujours pas là. Cassie grogna, hurla, jura tout ce qu'elle pouvait. Mme Muldoon déposa un gant de toilette frais sur son front. Cassie se rendit compte qu'elle avait mordu la main de son mari. Elle avait un goût de sang dans la bouche. La porte s'ouvrit. Le médecin ! Enfin ! Mais ce n'était pas lui. C'était Tomas, avec un broc d'eau bouillante.

Le bébé bougeait. Elle le sentait. Il se frayait un chemin jusqu'à la vie. La souffrance était atroce. Elle avait l'impression que son corps se déchiquetait, s'écartelait.

Tyrone lui apparut un peu plus clairement, et elle comprit qu'elle rêvait. Il portait une blouse de chirurgien, un masque couvrait sa bouche et son nez. Mais elle savait que c'était lui : elle reconnaissait son regard.

Le médecin ne serait pas là à temps.

Mais si. Tyrone s'était juste préparé, au cas où. Après tout, pourquoi pas ? N'avait-il pas aidé des dizaines de pouliches à mettre bas, sans l'assistance du vétérinaire ?

– Mon Dieu ! Je vais mourir !

Tyrone se pencha sur elle, lui caressa la tête, l'embrassa.

– Respire. Voilà, respire. Mets tes mains sur ton visage. Cela produira un effet anesthésiant. C'est pour cela que les oiseaux cachent leur tête sous leur aile.

Cassie respira. Elle était encore vivante.

A présent, Tyrone discutait avec Mme Muldoon. S'il bavardait, c'était que tout allait bien. Puis, il disparut.

– C'est le grand moment, Cassie.

Hop ! Il reparut. Cassie lui sourit. Seigneur, la douleur !

– Ce sera bientôt fini. Maintenant, écoute-moi bien. Tu peux crier autant que tu voudras, mais suis attentivement mes conseils, mon amour. Quand je te dirai de pousser, tu pousseras. Quand je te dirai d'arrêter, tu arrêteras.

Tomas revint avec un autre broc fumant. Cassie se mordit la main. Je me mords la main. Quelqu'un me dit de pousser. Elle poussa. D'arrêter. Elle arrêta.

– Quand est-ce que tout ça va se terminer, nom de nom ?

Elle jura de nouveau. C'est moi. Cassie. Qu'est-ce que je raconte ? Sainte Marie, Mère de Dieu, je vous en supplie, aidez-moi !

Tyrone a crié. Que dit-il ? C'est une fille ! C'est une fille ! C'est ma petite fille !

Un claquement résonna, et elle aperçut un enfant, le

sien, à l'envers. Soudain, Cassie se mit à rire et à pleurer à la fois.

– C'est une fille, Cassie McGann ! répéta Tyrone. Une petite fille ! Nous avons une petite fille !

Il déposa le petit corps visqueux dans ses bras pour qu'elle puisse le découvrir. Il le lui enleva. L'enveloppa dans une couverture, le lui rendit. Jamais elle n'oublierait ces doigts minuscules, ce visage tout fripé, mais si joli. Elle n'osait pas serrer son bébé, de peur de l'étouffer, de le briser. Un sentiment d'émerveillement l'envahit.

Le Dr Gilbert se présenta une heure et demie plus tard. Il était surpris que le bébé soit venu si vite. En fait, il n'avait eu le message qu'un quart d'heure auparavant. Sa voiture était tombée en panne, il avait dû aller la chercher au garage. Malheureusement, il avait omis de signaler à sa secrétaire où on pouvait le joindre. Pour ne rien arranger, il avait été harcelé toute la journée par des gens qui voulaient un arrêt de travail afin de pouvoir assister au Derby. Enfin, de toute évidence, sa présence n'avait pas été indispensable.

– Vous vous êtes parfaitement débrouillés sans moi. Même la coupure du cordon ombilical est impeccable.

Dans le silence qui suivit, Tyrone alla se planter devant la fenêtre. Le Dr Gilbert l'observa avec une sorte de compassion, avant de se concentrer sur l'enfant.

Tomas frappa.

– Eau chaude ! annonça-t-il.

– On n'en a plus besoin ! aboya Mme Muldoon. Va donc nous préparer du thé !

Le Dr Gilbert se redressa.

– Tout va bien, Tyrone. Vous avez œuvré comme un chef. A votre place, je descendrais ouvrir une bouteille de champagne, pendant que j'examine notre accouchée.

Tyrone embrassa Cassie avant de sortir.

Le Dr Gilbert déclara sa patiente en pleine forme.

– J'aurais mieux fait d'être vétérinaire, grommela-t-il

en fermant sa mallette. Dans cette région, on a davantage besoin d'un bon vétérinaire que d'un médecin. Comment allez-vous appeler cette petite ?

– Joséphine. Joséphine Katherine McGann Rosse.

– Pas mal. Elle est solide. Au jugé, elle pèse trois kilos cinq.

Il se roula une cigarette.

– Il ne devrait pas y avoir de complications. Dans quelques jours, vous serez sur pied. Une fois de plus, je suis navré de ne pas avoir été là à temps. Mais avec un mari comme le vôtre, vous n'aviez rien à craindre.

Cassie sourit, lasse mais heureuse, son bébé dans les bras.

– Tel que je connais Tyrone, il avait sans doute tout prévu. Il aurait probablement été déçu que vous arriviez plus tôt.

Le Dr Gilbert souffla un nuage de fumée vers le plafond, se leva, s'empara de sa mallette et se dirigea vers la sortie.

– Non. Non, je crois que vous vous trompez. Ce qu'il a fait est d'autant plus remarquable que c'est dans cette chambre que sa mère est morte en le mettant au monde.

12

Tyrone admira une dernière fois la crinière rousse de sa fille et embrassa sa femme. Il s'apprêtait à partir pour les Etats-Unis acheter des chevaux.

– Si je ne te connaissais pas mieux, je dirais que tu as dû faire un tour sur le balcon, murmura-t-il.

Cassie lui sourit.

– Ce qui, en langue irlandaise, signifie d'après Erin que tu me soupçonnes d'avoir eu un amant.

Car Erin avait fait ce même commentaire exactement en voyant pour la première fois le bébé. Cassie lui avait demandé de s'expliquer :

– Ça veut dire qu'une fille a fauté, madame. En général, après une *ceilidh*.

– Une *ceilidh* ?

– Une sauterie, un bal, quoi !

Cassie contempla sa fillette endormie dans le berceau en chêne et se blottit une dernière fois dans les bras de Tyrone.

– Combien de temps seras-tu absent ? Je crains de ne pas survivre sans toi, lui chuchota-t-elle.

– Tu auras Joséphine.

– Mais je ne t'aurai pas, toi.

Tyrone l'étreignit avec fougue.

– Au fond, c'est aussi bien que je m'en aille. Je ne sais pas si je supporterais de passer encore six semaines sous ce toit sans te faire l'amour.

– C'est donc la durée prévue de ton séjour ?

– Plus ou moins, à un ou deux jours près, répondit Tyrone en fermant sa vieille valise en cuir. Après la vente de Keeneland, je profiterai de ma présence dans le Kentucky pour visiter quelques élevages. Ensuite, j'irai au Maryland et en Pennsylvanie, avant de remonter au Canada. Je finirai par le grand marché d'août à Saratoga.

La Pennsylvanie. Locksfield, Pennsylvanie. Les jours heureux avec Mary-Jo. Les souvenirs l'assaillirent brutalement. Comme si c'était hier, Cassie revit la break brinquebalante qui s'arrêtait dans un nuage de poussière devant la gare, et tous les enfants qui en émergeaient.

– Tu ne m'avais pas dit que tu irais en Pennsylvanie.

– Je ne l'ai su qu'hier, Cassie McGann.

– Aurais-tu le temps de rendre visite à quelqu'un ?

– Tu connais la surface de cet état ?

– Oh ! Oui, répliqua-t-elle en inscrivant rapidement les coordonnées sur un bout de papier.

Elle le plia et le glissa dans le portefeuille de Tyrone.

– Au cas où tu serais dans les parages de Locksfield. Sinon, j'aimerais au moins que tu leur passes un coup de fil. C'est la famille de Mary-Jo. Je t'en ai beaucoup parlé.

Tyrone dévisagea son épouse en se demandant comment il allait supporter une aussi longue séparation. Il avait déjà du mal à la quitter une journée entière, alors un mois et demi... la perspective était presque insoutenable. Surtout maintenant qu'ils avaient le bébé.

– Prends soin de toi, Cassie McGann, lui recommanda-t-il, devant l'entrée.

Cassie tenait Joséphine contre elle. Tyrone les embrassa une fois de plus.

– Et toi, Joséphine Rosse, surveille bien ta maman. Qu'elle ne fasse pas de bêtises.

– La recommandation vaut pour toi, monsieur Rosse.

Cassie attendit que la voiture eut disparu tout au bout de l'allée avant de retourner à l'intérieur de la maison. Erin patientait, les bras tendus, pour reprendre le nourrisson. Cassie monta dans sa chambre faire sa gymnastique.

Allongée par terre, elle s'efforça de se concentrer. Le seul fait de maintenir la jambe en suspension pendant dix secondes était pénible en soi. Mais même cette douleur ne suffit pas à effacer le flot de tristesse qui l'envahissait. Tyrone allait lui manquer affreusement. Il était parti depuis à peine trente minutes, et déjà, la journée lui paraissait interminable.

Elle coinça les pieds sous son lit pour travailler ses abdominaux. Le cœur lourd, les larmes aux yeux, elle s'obligea à continuer.

Elle se recoucha, le regard au plafond, et laissa libre cours à son chagrin. Elle resta là, immobile, pendant un long moment, aussi malheureuse qu'à l'époque où, enfant, on l'enfermait pour la punir.

C'était probablement un accès de dépression postnatale, songea-t-elle en s'essuyant la figure. Elle savait bien que Tyrone devait partir : c'était son métier. En vérité, elle s'apitoyait sur son sort. Les conséquences de sa grossesse sur son corps l'horripilaient : toutes ces vergetures, cette chair flasque, ce ventre autrefois si ferme, aujourd'hui tout mou. Elle avait fait installer un verrou à la porte de la salle de bains, pour que Tyrone ne risque pas de la surprendre nue dans son bain. Elle était tellement dégoûtée par sa propre silhouette qu'elle évitait de se regarder dans la glace.

Tyrone la taquinait, la cajolait, la rassurait en lui promettant qu'elle retrouverait sa forme d'antan en deux temps, trois mouvements. Elle se fâchait, furieuse de le voir se pavaner devant elle, lui si beau, si musclé. Comment aurait-il réagi, lui, s'il s'était vu ainsi changer du jour au lendemain à vingt-deux ans ? Les hommes ne pouvaient pas comprendre. Dieu lui-même était un

Homme. Mais Cassie était une femme, elle était jeune, elle n'avait rien fait de mal, sinon porter un enfant... un bébé magnifique, qu'elle aimait passionnément... et le résultat était là, désastreux. Non seulement elle était difforme, mais en plus, elle était lasse et déprimée.

Cette mélancolie inexplicable, qui empira au fil des jours, la rendait aussi honteuse que désespérée. Elle aurait dû être heureuse. Elle avait épousé un homme merveilleux, elle vivait dans une demeure ravissante, elle était aidée, elle était en bonne santé, elle avait une fillette adorable. Pourtant, elle était en plein désarroi. Pour essayer de se changer les esprits, elle écrivit des lettres trop enjouées à ses amis en Amérique : Gina, Maria, Arnie... Elle demanda à Mary-Jo d'être la marraine de Joséphine. Elle pria Mme Christiansen de lui donner des nouvelles des uns et des autres, et la prévint que Tyrone lui téléphonerait peut-être. Elle n'oublia pas non plus Mme Roebuck. Les réponses revinrent très vite, toutes enthousiastes. Cassie leur manquait beaucoup. La naissance de Joséphine était un grand bonheur. Mary-Jo, très touchée, acceptait avec joie la proposition de son amie.

Cassie lut tous ces messages d'amour et d'humanité dans son lit, mais au lieu de l'égayer, ils renforcèrent son abattement. Mme Roebuck fut la dernière à réagir, avec une lettre de plus de dix pages. Cassie remarqua combien son écriture était devenue tremblante, pourtant, elle ne se plaignait de rien, surtout pas de ses rhumatismes. Si seulement il n'y avait pas eu le bébé, Cassie aurait pu accompagner Tyrone aux Etats-Unis. Elle aurait vu Mme Roebuck, elle aurait pu l'aider. Si seulement il n'y avait pas eu ce bébé !

Joséphine se mit à pleurer. Elle avait faim. En un éclair, Cassie fut auprès du berceau. Elle serra l'enfant contre son cœur. Etait-elle folle d'avoir ces états d'âme ? De regretter la naissance de ce petit trésor ? Quel égoïsme ! Quelle prétention. Qu'importait sa silhouette. Elle étreignit la petite, l'embrassa. Elle la nourrit, puis la promena dans la pièce pour qu'elle s'endorme sur son épaule. Elle se rappela la première fois qu'elle avait reçu un baiser. De la part de Mme Roebuck. Elle embrassa de nouveau Joséphine, et encore, et encore, en se promettant de le faire chaque jour.

Puis elle s'assit dans le rocking-chair que Tyrone lui avait rapporté un jour de Dublin, fixé sur le toit de la vieille Ford. Elle regretta qu'il ne fût pas là pour chanter une berceuse à leur fille.

> Les vents d'octobre se lamentent autour
> Du château de Dromore
> Mais la paix règne dans ses corridors,
> Qui recèlent tant d'amour.
> Les feuilles meurent et tombent
> Mais toi, mon oiseau de printemps,
> Tu chantes, tout doux, loo la, loo la lan
> Tu chantes, tout doux, loo la lay.

Un mois environ après le départ de Tyrone, Erin et Cassie se rendirent au village, en poussant chacune son tour le landau de Joséphine. C'était une chaude journée d'août. Soudain, apercevant une vache dans le pré devant lequel elles passaient, Erin interrompit son bavardage et courut vers les bâtiments non loin de là. Elle revint, écarlate, le souffle court. Cassie lui demanda ce qui se passait. Erin lui expliqua que la vache allait mettre bas, et qu'elle paraissait en difficulté.

– Vous comprenez, madame, j'ai grandi dans une ferme. On l'aurait encore, si Papa n'avait pas tout misé sur les chevaux.

– Ton père était exploitant agricole, et il a tout perdu en jouant ? s'exclama Cassie.

Elle avait du mal à imaginer Tomas, avec son visage poupon, en père et mari irresponsable.

– C'est pour ça qu'on est en service, répondit Erin. Avec les terres, on avait de quoi se nourrir à dix.

– Ta mère a eu huit enfants ?

– Et ma grand-mère, seize. Ensuite, elle en a adopté deux.

Cassie s'immobilisa et se tourna vers la vache. Le fermier s'était précipité vers elle avec un de ses fils. La bête apparut soudain à Cassie comme une sorte de symbole de la Mère Irlande.

Elle posa une main sur son ventre, tandis qu'Erin reprenait la marche en gloussant avec le bébé. Si une seule grossesse avait suffi à la mettre dans un état pareil, qu'en serait-il au bout de cinq ou six ? A trente-cinq ans, elle aurait la même silhouette que ces vaches qui ruminaient paisiblement.

– Les femmes sont faites pour avoir des enfants, madame, reprit Erin. C'est pour ça que Dieu nous a mises sur cette terre.

– C'est absurde. Je ne vais pas mettre au monde un bébé par an. A mon âge ? A quarante-cinq ans, je pourrais en avoir fabriqué une vingtaine !

– N'est-ce pas ce que veut monsieur ? Il a bien dit qu'il en voulait au moins une douzaine.

– Il a dit qu'il voulait avoir assez de lads pour son écurie. J'espère qu'il plaisantait.

– Dans ce cas, faudra faire comme ma mère, après le petit dernier. Elle a jeté mon père hors de la chambre.

Cassie sourit, mais elle n'était pas amusée. Pour rien au monde elle n'exclurait Tyrone de son lit.

Erin gara le landau devant l'épicerie. Elle prit la liste qu'elle avait glissée sous la couverture, détacha le panier et entra dans le magasin. Cassie resta dehors, préférant s'asseoir sur un banc de bois plutôt que de s'exposer à la fumée de pipes et de cigarettes. Car, comme partout dans la campagne irlandaise, Chez O'Leary était aussi un bar.

Mme O'Leary émergea bientôt avec un carton bien rempli qu'elle cala soigneusement sur le porte-bagages. Erin la suivait. Pendant qu'elle accrochait le panier, Cassie et Mme O'Leary échangèrent quelques mots, puis la femme du patron leur souhaita une bonne journée et s'engouffra dans les profondeurs du pub.

Erin insista pour pousser le landau chargé, sous le prétexte que Cassie n'en aurait pas la force.

– Mme O'Leary me fait pitié, murmura Cassie au bout de quelques minutes. Je ne suis pas là depuis longtemps, mais elle me semble avoir terriblement vieilli, d'un seul coup.

– Quand vous êtes arrivée, elle était enceinte. Depuis, elle a eu des jumeaux.

– Des jumeaux ? Seigneur ! Cela veut dire...

– Que le ciel l'a bénie de neuf enfants en tout. Et tous en bonne santé.

– J'espère que ce sera son dernier. Cette pauvre femme doit approcher de la cinquantaine.

Erin s'arrêta brutalement, les yeux écarquillés.

– Cinquante ans, Mme O'Leary ? Pardi ! Elle n'en a pas encore trente !

Cassie se figea, horrifiée, en pensant à cette femme tout en noir, aux cheveux prématurément gris. Erin repartit d'un bon pied.

Cassie la suivit lentement, songeuse. Si elle ne se méfiait pas, elle serait comme Mme O'Leary avant trente ans.

Elle décida de s'adresser à ses amies en Amérique.

Bien qu'elle comptât les jours jusqu'au retour de Tyrone à Claremore, Cassie se surprit plus d'une fois à le redouter. Lorsqu'il reviendrait, ils referaient l'amour. Ils n'avaient parlé que de cela avant son départ. Tyrone avait même entouré une date sur le calendrier de son bureau pour la « reprise », comme il disait en plaisantant. Mais une fois qu'il serait dans son lit, les conséquences seraient inévitables. Cassie tomberait enceinte, et tout recommencerait. Elle en avait la certitude. Il lui suffisait de regarder Tyrone dans les yeux pour tomber enceinte.

Elle s'en inquiétait tellement que, très vite, ses angoisses se manifestèrent sur le plan physique. N'ayant que peu de lait, elle dut recourir au biberon, ce qui choqua profondément Erin.

– Ma mère dit que vous devez boire de la bière.

– Dis à ta mère que j'ai essayé. J'ai fait tout ce qu'on m'a conseillé. Je suis à sec.

– Dans ce cas... Mais ne vous inquiétez pas pour les nuits. Je m'en occuperai.

Erin se consacra de plus en plus à Joséphine. De son côté, grâce à une discipline de fer, Cassie retrouva à peu près ses formes originales.

Dans la semaine qui précéda le retour de son mari, elle fut la proie d'une angoisse terrible. Faire l'amour était une chose. Finir comme Mme O'Leary, en était une autre.

Elle savait qu'elle ne pouvait retirer à Tyrone ce qu'il considérait en riant comme « ses droits ». Elle n'en avait d'ailleurs aucune envie. Elle l'aimait, elle avait besoin de lui. La seule manière de surmonter le problème était de lui en parler. Ce ne serait pas facile.

Il arriva, plus beau et séduisant que jamais, les bras chargés de cadeaux pour la petite Joséphine. Pour Cassie, il avait choisi une robe en fil d'argent.

Ils burent le champagne en apéritif, puis dégustèrent du saumon poché aux herbes accompagné du même vin blanc que celui qu'ils avaient bu à Glengeigh. Cassie avait appelé l'hôtel pour en connaître le nom et envoyé Tomas en chercher une caisse à Dublin.

Si Cassie lui avait beaucoup manqué, le voyage de Tyrone n'en avait pas moins été un succès. Il avait acheté une douzaine de yearlings pour un certain Peter Guthrie. Ces chevaux devaient rester en Amérique, mais le client était tellement content des services de Tyrone qu'il lui avait demandé d'en acquérir deux de plus en Irlande, et de les entraîner lui-même. De plus, il lui avait présenté plusieurs propriétaires fortunés, qui souhaitaient s'implanter de l'autre côté de l'Atlantique.

Après cela, Tyrone s'était rendu au Canada pour voir

un cheval issu du célèbre étalon Ribot, qui avait terminé sa carrière invaincu. Il avait renoncé à l'acquérir, car il lui trouvait le paturon trop long. Cependant, il n'était pas revenu des Etats-Unis les mains vides, car on lui avait parlé d'un autre yearling, à une cinquantaine de kilomètres de là ; le palmarès des parents n'était guère brillant, mais le poulain était doté d'un physique prometteur, qui lui permettrait de courir sur le plat ou en obstacle. Tyrone l'avait obtenu pour un peu moins de trois mille dollars, un prix dix fois inférieur à celui demandé pour le fils de Ribot.

Il était donc de fort bonne humeur.

Cassie s'apprêtait à lui parler de Mme O'Leary et de ses neuf enfants, quand Tyrone la regarda dans les yeux et lui sourit.

– J'ai vu tes amis, les Christiansen. Je comprends que tu y sois à ce point attachée.

– Tu ne m'en as rien dit au téléphone ! protesta-t-elle. Comment vont-ils ?

– Fort bien. Ils t'embrassent. J'ai même acheté un cheval pour l'oncle de John Christiansen.

Tyrone s'émerveilla de la chaleur de leur accueil. Il avait passé deux nuits chez eux en redescendant vers Saratoga. L'oncle de John Christiansen, James, était un passionné des courses. Il venait de perdre son meilleur pur-sang, retrouvé mort un matin dans son box. Tyrone l'avait donc emmené avec lui à Saratoga. Le vieil homme était enchanté. Il avait tenté en vain de convaincre son nouvel ami de venir s'installer en Amérique pour entraîner personnellement sa dernière trouvaille.

Tyrone continua de raconter péripéties et anecdotes pendant qu'ils prenaient le café et le digestif dans le salon, devant le feu. Cassie riait encore aux éclats quand il la transporta jusque dans leur chambre et entreprit de la déshabiller.

– Tyrone, murmura-t-elle… Je… J'ai quelque chose à te dire.

– Moi aussi, Cassie McGann. Je t'aime. Je t'aime plus que jamais. Depuis mon départ il y a six semaines, je n'ai pas cessé d'imaginer ce moment.

Ils firent l'amour avec passion.

Le lendemain, alors qu'elle s'offrait le luxe d'une grasse matinée, Cassie sut qu'elle était enceinte. Elle le sentait.

Elle posa la main sur son ventre, qu'elle avait eu tant de mal à raffermir. Elle fixa le plafond, ne sachant si elle devait rire ou pleurer. Elle resta là, immobile, incapable de réagir, jusqu'à midi.

Elle attendit deux mois avant d'annoncer la nouvelle à Tyrone. Et encore, elle hésitait à lui en parler. Ils venaient de vivre huit semaines de bonheur absolu. Se sachant enceinte, Cassie s'était montrée encore plus ardente et aventureuse dans leurs étreintes, ce qui avait à la fois surpris et enchanté son mari. Or, elle craignait de provoquer la fin de leur idylle : une deuxième grossesse, un deuxième enfant risquaient fort de marquer la fin de leur lune de miel.

Ce fut un événement extérieur qui amena son aveu. La confrontation américano-soviétique concernant le stockage de missiles russes à Cuba était à son paroxysme. La planète entière retenait son souffle dans la crainte d'une éventuelle guerre nucléaire entre les deux superpuissances. Terrifiée par cette perspective, Cassie se confia à Tyrone. C'était le 24 octobre, les sous-marins Polaris venaient de recevoir l'ordre de se diriger vers l'URSS. Les navires russes transportant les missiles vers Cuba se rapprochaient de la ligne de démarcation. Tyrone éteignit la radio et leur versa deux whiskies. Puis il vint s'asseoir à côté de Cassie, qui lui prit les mains.

– Tyrone, il faut que je te dise… nous allons peut-être mourir demain… je suis enceinte.

Il se tourna vers elle et la dévisagea un long moment.

Soudain, il se leva pour aller contempler le feu, comme il le faisait chaque fois qu'il était préoccupé.

– Je ne sais pas si c'est un bon moment pour mettre au monde un enfant.

– C'est toujours un bon moment. D'ailleurs, les bébés portent chance.

Il revint auprès d'elle, lui sourit.

– Tu es drôlement fertile, ma femme.

Il avala une gorgée d'alcool, le regard sur les flammes.

– Tu voulais cet enfant, Cassie ?

– Non, avoua-t-elle. Du moins, pas avant de l'avoir en moi. Ce que je veux dire, c'est que je n'avais aucune envie d'une deuxième grossesse, surtout si tôt après la première. J'allais t'en parler, mais…

Tyrone se tourna vers elle.

– … ça ne s'est pas présenté, conclut-elle.

– Tu aurais dû, Cassie McGann. On peut contourner ce genre de problème, tu sais.

– Pas selon l'Eglise catholique.

– Il existe une méthode tout à fait acceptable, que l'Eglise catholique approuve.

– Tout à fait acceptable pour qui, Tyrone ?

Il se réfugia dans le silence. Cassie se cala contre un coussin et fixa le plafond.

– C'est absurde, gronda-t-il subitement. Nous parlons d'un être qui n'est pas encore né, alors que notre terre pourrait être en flammes demain.

– Je suis désolée.

– De quoi ? Pas d'être enceinte, j'espère ?

– Non. Je… je ne sais plus. Je ne sais pas très bien où j'en suis.

Ils passèrent le reste de la soirée blottis l'un contre l'autre, à méditer devant les braises.

La perspective d'un anéantissement nucléaire s'effilocha au fil des jours, et les époux Rosse purent envisager avec plus de sérénité la venue d'un deuxième enfant.

Tyrone s'avoua enchanté, à condition que Cassie soit, elle aussi, heureuse. Elle affirma qu'elle l'était. Les navires russes avaient rebroussé chemin, et l'espoir renaissait.

– En tout cas, annonça Tyrone lors d'une de leurs promenades matinales, si c'est un garçon, il ne s'appellera ni Jack, ni Nikita.

– Ni Fidel ! ajouta Cassie en riant.

Le bonheur de Tyrone était contagieux. La grossesse de Cassie se déroulait sans nausées et sans soucis, ses craintes s'étaient envolées. Joséphine était en pleine forme, Tyrone se montrait doux et attentionné. Quand ils marchaient bras dessus, bras dessous dans la campagne, Cassie s'imaginait sans peine entourée de six ou sept bambins, symbole de leur rêve mutuel.

Ce fut alors qu'elle eut un coup de foudre.

En y repensant par la suite, elle s'était souvent demandé quelle mouche l'avait piquée. C'était inexplicable. Un peu comme ce que Tyrone avait éprouvé en la voyant pour la première fois. La passion instantanée. L'amour fou. Sans aucune issue possible.

Pour ne rien arranger, son caprice lui coûtait une jolie fortune.

Cassie avait décidé tout à fait par hasard d'accompagner Tyrone à une vente de chevaux. Ayant plusieurs affaires à conclure, son mari l'avait confiée à Tomas. Ils étaient convenus d'attendre la fin du marché, car il pleuvait à torrents dehors, et la voiture était loin.

C'était en plein mois de février. Les plupart des bêtes présentées étaient de qualité médiocre. Tyrone avait fait sa sélection avant de disparaître, laissant Cassie lire le reste du catalogue, histoire de passer le temps. Les rares femmes présentes l'observaient, intriguées, non pas parce qu'elle était visiblement enceinte, mais parce qu'elle n'appartenait pas à leur caste. Leurs grossesses étaient loin derrière. Grandes, solides, elles étaient ce que Tyrone se plaisait à qualifier de « créatures du troisième sexe », engoncées dans leurs manteaux de tweed boutonnés jusqu'au menton, un chapeau enfoncé sur leurs cheveux courts.

Cassie fixa le catalogue et s'efforça de comprendre ce qui se passait dans le manège. Elle s'était remise à lire des ouvrages sur les chevaux et l'élevage : après tout, c'était un passe-temps comme un autre, et les mois à venir lui interdiraient bien des activités. Autant s'occuper. Il lui paraissait normal de ranimer sa passion d'enfance. Pourtant, curieusement, elle n'en souffla mot à Tyrone. Elle ne cherchait pas à le lui cacher. Elle craignait simplement d'empiéter sur son terrain.

Elle avait recommencé à monter. Un jour, alors que Tyrone était en déplacement dans le nord, elle en avait profité pour demander à Tomas de lui seller Old Flurry, la jument qu'il enfourchait chaque jour pour aller surveiller ses poulains à l'entraînement. Tomas avait commencé par refuser. Mais Cassie avait fini par l'amadouer, et il avait obtempéré. Au début, il lui avait interdit de quitter le manège, mais très vite, en constatant sa compétence, il l'avait autorisée à s'aventurer dans les collines. A deux conditions : la première, qu'elle ne sorte jamais sans lui ; la seconde, que cela reste un secret entre eux.

Ils étaient partis à l'assaut de la campagne, longeant les sentiers en direction des montagnes. Cassie, qui n'était pas montée depuis des années, mourait d'envie d'un bon galop. Tomas ne l'en avait pas découragée. Cassie s'était bien débrouillée, arrivant en bout de course un peu essoufflée, mais confiante. Au retour, Cassie avait remercié Tomas, puis elle était retournée à la maison, où elle avait avalé d'un trait une bonne dose de cognac.

Elle tremblait comme une feuille.

Elle avait lu quelque part que cela pouvait arriver, surtout après une grossesse. Elle ne s'était jamais imaginé qu'elle pouvait en être victime. En enfourchant sa monture, son cœur s'était mis à battre très vite. Elle avait cru tout d'abord que c'était l'excitation, mais elle s était rendu compte rapidement que c'était tout autre chose : la peur. Une peur panique.

Cassie aurait dû faire demi-tour immédiatement, mais elle avait tenu à continuer, dans l'espoir que sa frayeur s'estomperait. Sentant sa terreur, Old Flurry, qui n'était pas née de la dernière pluie, avait pris le dessus, et Cassie avait eu la nette impression de ne plus rien maîtriser. Par miracle, elle avait réussi à l'arrêter au bout du galop et à masquer son désarroi devant Tomas.

Mais elle n'avait plus jamais retenté l'expérience. A une ou deux reprises, Tomas lui avait adressé un clin d'œil en lui proposant de lui seller un cheval. Cassie avait refusé, sous le prétexte que sa grossesse la fatiguait. Tomas n'avait pas insisté, et la jeune femme avait concentré son intérêt sur l'art de l'élevage.

C'était une manière comme une autre de remplir ses journées. Erin avait subtilement monopolisé Joséphine et s'en occupait du matin au soir. Tyrone était présent, bien sûr. Il s'émerveillait devant l'évolution de leur fille, comme devant celle de ses poulains. Il voulait tout savoir, combien elle pesait, si elle avait bien mangé, si elle allait bientôt faire ses dents.

Erin et Mme Muldoon étaient encore pires. Elles se comportaient comme si Joséphine était à elles. Si leurs intentions étaient bonnes, Cassie ne s'en sentait pas moins inutile. Et, par conséquent, désœuvrée.

D'où son intérêt croissant pour l'élevage des chevaux et sa présence à cette vente.

La foule se dissipait. Les meilleurs lots étaient partis, et il ne restait plus que quelques vieilles juments pleines. Tomas s'étira en demandant à Cassie si elle était prête à partir. Cassie se surprit à répliquer qu'elle voulait attendre le passage du numéro 83. Tomas secoua la tête, étonné.

– Quelle drôle d'idée, madame. On a vu les meilleures, et ce n'était pas brillant.

– Ce ne sera pas long, Tomas. Je ne sais pas pourquoi, mais je tiens absolument à la voir.

Tomas s'obligea à respirer calmement et, faute de mieux, relut les origines de la jument. Agée de dix ans, elle était issue de Le Levanstell et d'une fille de Peeping Tom, qui avait gagné huit courses en plat, et dont le pedigree faisait apparaître St. Simon à trois reprises dans les quatre premières générations. Or, St. Simon s'était retiré invaincu dans les années 1880 et avait produit toute une lignée de gagnants pendant un quart de siècle.

Cassie, qui s'était bien renseignée, était donc curieuse de voir cette jument aux origines prestigieuses. Curieuse, certes, mais absolument pas préparée au coup de foudre dont elle allait être victime.

La jument entra dans le ring et vint s'immobiliser juste devant Cassie, en la regardant avec ses grands yeux doux. Jamais Cassie n'avait vu des oreilles à ce point tombantes. Le lad qui la menait tira en vain sur sa corde, mais la jument resta clouée sur place. Cassie la contempla, hypnotisée.

– Sauf votre respect, madame, on se demande bien pourquoi elles ne peuvent pas se soulager avant de se présenter devant le public, grommela Tomas.

– Elle n'est pas en train de se soulager, Tomas. Elle ne bouge pas, c'est tout.

Cassie avait raison. La jument semblait s'être tout simplement enracinée sur place. Puis, soudain, elle décida de repartir.

– Qu'est-ce qu'on me propose pour le lot 83 ? beugla le commissaire-priseur, sans grande conviction.

Il cita les origines du cheval, dans le vague espoir d'attirer l'attention. Les quelques spectateurs qui restaient ne s'attardèrent pas. Cassie en fut étonnée, car l'animal paraissait bien nourri et en bonne forme. Mais personne ne s'y intéressait. Elle en demanda la raison à Tomas. Celui-ci haussa les épaules. Il n'en avait pas la moindre idée.

Seul, un client, un homme en vieux manteau, coiffé d'une casquette à l'envers, manifestait un soupçon de bienveillance.

– C'est pour la viande, déclara Tomas en se levant. Venez, madame, il est temps de nous en aller.

– Pour la viande ? Il ne va pas l'acheter pour l'abattre, tout de même ?

– Il n'y a pas eu d'autre offre.

Cassie se raidit. L'inconnu venait de réagir à une proposition de vingt guinées. La jument s'arrêta de nouveau devant Cassie. Elle agita la main.

Le commissaire-priseur la dévisagea.

– Combien, madame ?

– Deux cent cinquante livres, s'entendit-elle lancer.

– Il faut que ce soit en guinées, madame.

L'émissaire des abattoirs ôta sa casquette trempée et la fit claquer sur sa cuisse. Il se tourna vers Cassie, l'air ahuri, puis sortit. Le coup de marteau résonna. Deux cent cinquante guinées, l'affaire était faite.

– J'ai comme l'impression que vous venez d'acheter un cheval, madame, déclara Tomas. Dieu vous assiste !

– Pourquoi ? Je viens de lui sauver la vie, c'est tout.

Tomas montra la bête du doigt.

– Pour combien de temps ? Cette crétine a un pied-bot ! Sauf votre respect, madame.

Cassie courut vers une cabine téléphonique et laissa un message pour Tyrone, au cas où il rentrerait avant elle, en expliquant que la voiture de Tomas était tombée en panne. Lorsqu'elle revint au manège, Tomas s'était débrouillé pour qu'un fermier local, qui disposait d'une fourgonnette vide, transporte la jument jusqu'à Claremore. Il fallut ensuite surmonter quelques menus obstacles concernant le paiement, car Cassie n'avait pas d'argent sur elle.

Tomas vint à la rescousse, comme toujours. Il connaissait le commissaire-priseur. Une fois au courant de l'identité de l'acquéreur, celui-ci accepta sans difficulté de lui accorder un crédit. Cassie remarqua néanmoins que Tomas lui glissait un billet dans la main avant de la rejoindre.

– Pourquoi le bakchich, Tomas ?

– Vous ne tenez pas à ce que M. Rosse soit au courant, je suppose ? Je lui ai dit qu'on réglerait en liquide.

– Décidément, vous pensez à tout.

– J'avais sûrement pas pensé qu'on sortirait d'ici avec une vieille jument pleine !

Sur le chemin du retour, précédant la camionnette du fermier, Cassie ne put s'empêcher de s'étonner. Comment pouvait-on mettre aux enchères une bête dotée d'un tel pedigree, et qui s'apprêtait si visiblement à mettre bas ?

– Son propriétaire vient de mourir, paix à son âme, expliqua Tomas. C'est ce que John Mulligan, le commissaire-priseur, m'a dit. La famille a horreur des chevaux. Il y en avait dix, ils ont tous été vendus. Trois aux abattoirs…

Cassie jeta un coup d'œil par-dessus son épaule, puis se tourna vers Tomas qui, comme à son habitude, conduisait très lentement, en plein milieu de la route.

– Vous allez pouvoir la garder, Tomas ?

– Sûrement pas à Claremore. M. Rosse piquerait sa crise.

– Il faudrait que je la mette en pension dans une ferme des alentours.

– Oui, c'est possible. Mais elle serait mieux cachée derrière mon cottage, où je pourrais veiller sur elle, vous ne trouvez pas ? J'ai une petite grange, elle y sera assez à l'aise pour mettre bas.

– Tomas, je ne sais pas comment vous remercier.

Il grogna, puis lâcha son volant pour rallumer sa pipe. Observant Cassie à la dérobée dans la pénombre, il sourit.

Tomas installa la jument dans sa grange, lui apporta de la paille fraîche et de l'eau. Cassie caressait sa nouvelle acquisition, lui tirait les oreilles, lui effleurait les naseaux. La jument soupira, se secoua, puis décida de se frotter sur le manteau de sa nouvelle maîtresse.

– Demain, j'irai lui chercher de quoi manger à l'écurie, annonça Tomas. Et je lui prendrai de la Guinness, au village.

– Je vous rembourserai tout, Tomas.

– Pas ce que je trouverai à Claremore, protesta-t-il, en soulevant le pied malade du cheval. Nom de nom ! Sauf votre respect, madame, elle est en piteux état. Regardez-moi ça !

Il tapota le flanc de la jument.

– Je demanderai à Kevin de passer la voir demain. Il doit venir enlever les fers arrière de Fairyglade. Du temps de M. Rosse père, on a eu le même problème, et on avait fabriqué un sabot sur mesure.

Tomas ferma les portes de la grange et repartit vers sa maison. Cassie s'attarda un instant, souhaita une bonne nuit à la jument, puis rejoignit Tomas.

– Elle mettra bas avant vous, madame.

– Bien avant, acquiesça Cassie. Mon accouchement n'est pas prévu avant le mois de mai.

– Ce sera votre premier poulain.

– C'est mon premier cheval.

– Sans doute pas le dernier, murmura Tomas.

Il lui proposa d'entrer boire une tasse de thé, mais Cassie refusa. Tyrone allait commencer à s'inquiéter. Tomas insista pour la conduire en voiture jusque chez elle. Le trajet s'effectua en silence. Cassie se rappela combien, enfant, elle avait prié Dieu pour qu'il lui donne un cheval. Son rêve se réalisait enfin. Elle possédait une jument magnifique, qui s'appelait Graceful Lady.

Leonora quittait Claremore au moment où Cassie arrivait. Elles se croisèrent dans le vestibule, alors que Cassie courait vers le salon pour se réchauffer devant le feu.

– Leonora.

Elle eut du mal à masquer sa surprise. Elle n'avait pas vu Leonora depuis la fin de la saison du plat. Elle la croyait à Saint-Moritz, au ski… ou plutôt, connaissant Leonora, à l'après-ski.

– Ma chère, comment vas-tu ? s'exclama-t-elle en exhalant un dernier nuage de fumée et en l'embrassant sur la joue. Toutes mes félicitations. Il paraît que tu es de nouveau pleine.

Elle s'esclaffa, puis lança un regard derrière elle. Cassie aperçut Tyrone qui s'approchait. Sa cravate était dénouée, et il était en train de remettre son cardigan.

– Cassie, je m'inquiétais !

Elle les observa l'un et l'autre et se demanda s'ils avaient vraiment remarqué son absence.

– Leonora est passée pour discuter de nos projets pour la saison prochaine. Nous avons pensé présenter Slang au Prix du Lincolnshire.

– Pourquoi pas ? répliqua Cassie avec un sourire pincé, avant de se précipiter dans la salle de séjour.

Leonora se tourna vers Tyrone, haussa les épaules, s'avança jusqu'au seuil de la pièce.

– Je m'en vais, madame Rosse, car je donne un dîner et… Seigneur ! Pourquoi n'ai-je pas pensé à vous inviter ? Je suis complètement cinglée. On va s'amuser comme des fous. Nous recevons Peter Sellers, et je l'espère, s'il n'a pas oublié, s'il est encore vivant, Bredan Behan, tout juste rentré de New York. Mon Dieu ! Je vais être en retard. A bientôt au téléphone, Cassie.

Leonora lui envoya un baiser et disparut. Cassie entendit Tyrone lui adresser quelques mots à l'entrée. Puis un bruit de moteur gronda. Tyrone revint dans le salon et rejoignit Cassie devant l'âtre.

– Je ne savais pas que Leonora devait venir aujourd'hui.

– Moi non plus, Cassie McGann, répondit Tyrone en se frottant les mains au-dessus des flammes. Elle dit qu'elle passait par là.

– Pour aller où ?

– Je n'en sais absolument rien, Cassie.

– Puis-je avoir quelque chose à boire, s'il te plaît ?

– Excellente idée.

Tyrone versa un whisky pour lui et du vin blanc pour son épouse, qui s'était réfugiée dans un silence morose. Elle savait que sa réaction était irrationnelle et ridicule, car Tyrone détestait Leonora. Pourtant, le fait était là : elle était jalouse.

Elle prit son verre et choisit un fauteuil plutôt que le canapé.

– Tu n'es pas très causante, madame Rosse.

– Désolée. J'ai froid, je suis fatiguée. Je crois que je vais monter prendre un bain.

– Tu es restée jusqu'à la fin de la vente ?

– Je n'avais pas le choix : la voiture de Tomas refusait de démarrer. Tu n'as pas eu mon message ?

– Bien sûr que si. Je me demandais simplement si tu savais à combien était monté le trois ans de John O'Connor.

– Le fils de Merry Times ? Quatre cents guinées.

– Pas mal.

– Pas mal ? Il a un tendon abîmé.

Tyrone la regarda, sidéré. Cassie l'ignora, vida son verre et monta prendre son bain. Immergée dans l'eau fumante, elle songea que la vie était injuste. Elle aurait pu savourer son bonheur d'avoir enfin un cheval à elle, d'être au chaud dans sa maison, de porter l'enfant du mari qu'elle aimait passionnément. Mais Leonora Von Wagner se glissait dans toutes ses pensées.

Tyrone était-il attiré inconsciemment, car il avait aimé la mère de Leonora ? Peut-être l'appréciait-il depuis le premier jour. En général, les hommes trouvaient Leonora irrésistible. S'ils ne tombaient pas amoureux, ils ne pouvaient s'empêcher de ramper devant elle. Quant à Leonora, ses sentiments vis-à-vis de Tyrone étaient parfaitement clairs.

Le bébé donna un coup de pied et changea de position. Cassie contempla son ventre bombé et y posa les mains. Elle était sans doute moins jalouse que terrifiée. Paniquée à l'idée que Tyrone ne se lasse de son état et tombe dans les bras de Leonora.

Elle refit couler de l'eau chaude, et la salle de bains se remplit de buée. Quand elle serait à l'hôpital pour accoucher, Leonora passerait-elle à Claremore, comme ça, « par hasard » ?

Le Handicap du Lincolnshire devait avoir lieu dans une semaine, et à Claremore on s'affairait. Slang était au mieux de sa forme et, sauf accident, promettait d'arriver parmi les premiers. Ce mois de mars était particulièrement humide, ce qui jouait en sa faveur. Tyrone était tellement occupé qu'il n'avait pas remarqué les absences de plus en plus longues de Cassie, chaque jour. Elle rentrait parfois après lui, les joues roses de plaisir, les yeux brillants de bonheur. Le bon air, l'approche de la naissance, sans doute... Il avait raison, mais il était loin d'imaginer que la joie de Cassie était due à la venue prochaine d'un poulain.

Tomas lui avait dit que ce serait pour très bientôt. Cassie tenait à tout prix à être prévenue dès les premières contractions de la jument, même si c'était en pleine nuit.

– Comment ? avait gémi Tomas. Si je vous téléphone, c'est sûrement lui qui décrochera.

– S'il est tard, envoyez-moi Erin à bicyclette et dites-lui de jeter un caillou contre la vitre de ma chambre. M. Rosse dort très profondément, il ne se rendra compte de rien.

Heureusement, Graceful Lady tint bon jusqu'au week-end du Handicap, juste après le départ de l'équipe pour Doncaster. Tyrone était confiant : Slang avait toutes les chances pour lui. Il n'avait qu'une seule crainte, c'était que la baisse brutale de la température n'assèche le terrain. Leonora devait assister à la course.

Le téléphone sonna à vingt-deux heures trente, alors que Cassie s'apprêtait à éteindre sa lampe de chevet.

C'était Mme Muldoon : la jument allait mettre bas. Cassie sauta de son lit, s'habilla le plus chaudement possible, courut prévenir Erin qu'elle se rendait chez son père et qu'elle y passerait vraisemblablement toute la nuit. Elle partit à pied, éclairant son chemin avec une torche électrique, et atteignit le cottage de Tomas juste après vingt-trois heures.

La jument était couchée. Tomas, en manches de chemise, était agenouillé auprès d'elle dans la paille.

– Comment savez-vous que ça a commencé ? Elle n'a pas pu vous le dire. Ce n'est pas comme nous.

– Le premier signe, c'est l'impatience. Elle bouge sans arrêt.

– Comme nous.

– Je ne peux pas savoir, madame. Quand Mme Muldoon entre en douleurs, je cours boire un coup chez O'Leary.

Graceful Lady se remit debout et se donna un coup de pied, comme si elle souffrait de coliques. Puis elle se mit à déambuler, s'arrêtant de temps à autre pour fixer ses flancs. Tomas lui souleva la queue pour l'examiner, soupira, secoua la tête.

– Tomas, je vous soupçonne de préférer les chevaux aux humains, murmura Cassie en souriant.

Il opina, puis s'accroupit pour allumer une cigarette. Il resta ainsi, assis sur ses talons, le dos contre le mur, pendant de longues minutes.

– Ah, ça y est ! s'exclama-t-il tout d'un coup, tandis que la jument se laissait choir en hennissant. Restez derrière, sinon vous allez être trempée, madame !

Cassie eut un mouvement de recul à l'instant précis où Graceful Lady perdait les eaux. Des litres de liquide se répandirent par terre. Tomas ordonna à Cassie d'ajouter de la paille. Il prit le pouls de la bête, qui, bien que respirant de plus en plus vite, paraissait plutôt calme. Une bonne demi-heure s'écoula. Tomas ralluma une cigarette, Cassie s'installa sur une botte de foin pour attendre.

Subitement, Graceful Lady se mit à gémir. Elle s'était suffisamment reposée, avait récupéré toute l'énergie nécessaire pour affronter l'étape suivante. Les contractions reprirent de plus belle, jusqu'au moment où la tête du poulain apparut. Tomas poussa un hurlement de joie.

– Allez, ma vieille, pousse ! Pousse ! Là... c'est bien. Bravo. Madame Rosse, venez par ici et attrapez les pattes du petit. Tout doucement. Vers la queue... tirez... et maintenant, un coup vers le bas. Parfait ! Epatant ! Tu es une bonne fille ! Mais je parie que ce n'est pas la première fois que tu fais ça !

Il se mit alors à genoux auprès du poulain, vérifia que ses naseaux étaient libres de toute membrane, qu'il respirait bien. La jument reprenait des forces.

– C'est un mâle ! s'exclama Tomas. N'est-ce pas qu'il est magnifique ! Superbe !

Cassie l'entendit à peine. Les mains sur son propre ventre, elle était assaillie par un mélange d'émerveillement et de peur. Tout cela était si mystérieux, si beau, si naturel... Et voilà que le poulain se dressait maladroitement, à l'affût de ce monde qu'il ne connaissait pas quelques secondes auparavant.

Graceful Lady se retourna, en quête de son petit. Elle frémit, se mit debout et entreprit de le nettoyer.

– Il va la téter d'une minute à l'autre. Vous allez voir, dit Tomas.

Un peu plus tard, Cassie et Tomas allèrent boire un thé dans la cuisine. La suite de la naissance s'était déroulée sans complications. La jument avait expulsé le placenta sans incident. Il était trois heures et demie du matin. La maman et le bébé se portaient bien.

– Il va falloir lui donner un nom, marmonna Tomas en se frottant le menton. Je manque d'idées.

– J'ai pensé à Célébration.

– Célébration ? Drôle d'idée. Sauf votre respect, madame.

– Ça me plaît. Après tout, une naissance est une célébration, non ? Et puis, ça sonne plutôt bien, pour un futur gagnant du Derby.

– Ah, parce qu'il va gagner le Derby ?

– Evidemment.

Tomas la dévisagea, renifla, se gratta de nouveau le menton.

– Au fond, pourquoi pas ? Vous avez raison, ça sonne plutôt bien.

Cassie rentra chez elle au petit matin en chantonnant. Célébration, le futur gagnant du Derby. Célébration, le futur gagnant du Derby. Célébration…

Ce nom lui convenait parfaitement. Mais dans son cœur, Cassie l'appellerait toujours… Prince.

13

La victoire sans conteste de Slang était à la une du *Sporting Life* le lendemain matin. La course y était racontée en long et en large, de la puissance du cheval à l'habileté du jockey, Dermot Pryce, qui avait su déjouer ses concurrents. Cassie était au courant de tous les détails bien avant que le téléphone ne sonne dans le hall.

Elle se dirigea lentement vers l'appareil en se demandant pourquoi Tyrone ne l'avait pas appelée une seule fois depuis l'hippodrome. Ni même, par la suite, de son hôtel.

– C'est Tyrone.

– Bonjour, monsieur Rosse. Toutes mes félicitations.

– Il a été magnifique.

– Je sais. Je viens de lire l'article de *Sporting Life*.

– Ecoute. J'ai essayé de te joindre sur la piste…

– Et ?

– Je n'ai jamais pu m'approcher de cette fichue cabine.

– Il y avait sûrement un appareil à l'hôtel.

– Il y en avait plein, mais impossible d'obtenir la ligne. Un problème avec le réseau local de Claremore. Comme d'habitude.

Cassie réfléchit. Avait-elle reçu un coup de fil, la veille ? Bien sûr, celui de Tomas.

– Ensuite, enchaîna Tyrone, quand j'ai enfin réussi, juste après vingt-deux heures, ça ne répondait pas. Où étais-tu ? Au bal avec Tomas ?

– Plus ou moins, marmonna Cassie. En fait, j'ai dormi dans la chambre de Joséphine, parce qu'elle était très agitée. Je n'ai pas entendu la sonnerie.

– Ah ! Bref… c'est formidable, non ?

Cassie s'apprêtait à lui demander à quelle heure il prenait l'avion pour rentrer, quand il lui demanda de patienter un instant. Puis la voix de Leonora lui parvint.

– Salut, Cassie Rosse ! s'exclama-t-elle. Alors, qu'est-ce que tu dis de ton mari ?

Que voulait-elle qu'elle dise ? Cassie décida de biaiser.

– Toutes mes félicitations.

– Toutes tes félicitations ? hurla Leonora. Cassie, on vient de gagner le Handicap du Lincolnshire ! Tu devrais être en train de danser sur la table !

– Ce serait avec grand plaisir, mais je te rappelle que je suis enceinte de sept mois.

– Eh bien, nous, on a fêté l'événement ! Ton époux est une perle. Je l'adore ! Nous revenons par le vol de midi, et nous allons t'asperger de champagne. Tiens, je te passe Tyrone.

Cassie songea que c'était le moment ou jamais de s'exercer à la respiration contrôlée. Elle maintint le combiné à distance, jusqu'à ce que Tyrone ait prononcé son nom au moins trois fois.

– Cassie… où étais-tu ?

– Nulle part, Tyrone. C'est la ligne qui est mauvaise, je suppose.

– Cassie McGann. On dirait que tu es en colère.

– Navrée. Je suis sans doute fatiguée. Après avoir dansé toute la nuit avec Tomas.

Elle raccrocha.

Elle tremblait comme une feuille. De rage. Et d'un

sentiment infiniment plus sournois, la jalousie. D'où téléphonaient-ils ? De la chambre de Tyrone ? De celle de Leonora ? D'une suite commune ?

A les entendre, ils étaient encore imbibés d'alcool.

Cassie s'empara de son manteau, appela Brian et sortit prendre l'air frais.

Tyrone rentra tôt dans la soirée. Cassie l'attendait dans le salon, prête pour la confrontation. Mais elle ne s'était pas préparée à le voir arriver encore ivre. Il poussa le battant de la porte, se rua vers Cassie, la souleva dans ses bras, la couvrit de baisers passionnés.

– Cassie, mon amour ! Nous avons gagné notre première grande course !

– Pose-moi, Tyrone.

– Jamais ! Plus jamais !

– Le bébé !

– Je suis là pour te protéger, ne t'inquiète de rien.

Il l'embrassa de nouveau, puis la remit délicatement par terre en lui prenant les mains.

– Nous avons gagné notre première grande course, répéta-t-il avec douceur.

– Tyrone...

– Tu me fatigues, avec tes Tyrone par-ci et tes Tyrone par-là. Monte vite te changer. Nous allons fêter cette victoire à Dublin.

Il disparut en chantant à tue-tête.

Cassie, qui s'était longuement préparée à une épreuve de force et avait décidé, si cela s'avérait nécessaire, de quitter Tyrone, se mit soudain à rire. Des clowneries de son mari, d'abord, puis d'elle-même. Quelle sotte elle était !

Elle le rejoignit dans la chambre, où ils dansèrent un tango dans le plus simple appareil avant de partir pour la ville.

Ils dînèrent chez Jammets. Ils burent, aussi. Cassie ne connaissait personne, Tyrone non plus. Pourtant, c'était lui qui offrait les tournées. Leonora, bien que complètement soûle, était superbe. Elle ne se lassait pas de répéter à qui voulait l'écouter que Tyrone Rosse était le meilleur entraîneur de toute l'Irlande et qu'elle était folle de lui.

– Je suis folle de ton mari, Cassie ! s'écria-t-elle devant le bar. S'il est aussi doué au lit qu'avec les chevaux... merde ! préviens-moi dès que tu en as marre !

Cassie se contenta de grignoter un bout de poisson. Elle ne prit pas de vin. Pourtant, à la fin du repas, elle se sentait faible et malade. Elle s'excusa pour aller aux toilettes. Leonora s'y trouvait déjà. Les doigts enfoncés jusqu'au fond de la gorge, elle se faisait vomir dans le lavabo. Elle remarqua à peine la présence de Cassie.

– Leonora ! Qu'est-ce que tu fabriques ?

– A ton avis ? Tu vois bien que je me fais vomir.

– Exprès ?

– Comment crois-tu que je reste aussi mince, avec tout ce que j'engloutis ? C'est le meilleur moyen pour manger ce que je veux, quand je veux, sans jamais prendre un gramme.

Saisie d'un vertige, Cassie s'assit sur une chaise, la tête entre les genoux. Leonora ne s'aperçut de rien. Elle se rafraîchit le visage, retoucha soigneusement son maquillage. En quelques minutes, elle était aussi belle et fraîche qu'à son arrivée au restaurant.

En se retournant, elle se rendit compte que Cassie n'avait pas bougé.

– Qu'est-ce que tu as ?

– J'ai que je suis enceinte.

– Je sais, ma chérie, tu me le répètes sans arrêt.

Leonora jeta un ultime coup d'œil dans la glace avant de conclure :

– Tu devrais rentrer chez toi.

Cassie s'en alla, mais pas sur les conseils de Leonora. Elle confia à Tyrone qu'elle n'était pas bien, et il lui proposa aussitôt de la ramener à Claremore. Sans toutefois parvenir à masquer sa déception. La fête battait son plein, ils allaient tous achever la soirée chez Bailey's.

– Je n'en ai pas la force, Tyrone. Mais je ne voudrais pas gâcher ton plaisir. Je peux conduire, tu sais.

Tyrone hésita. Cassie avait son permis depuis six mois, et elle était d'une prudence irréprochable. D'ailleurs, si elle restait avec lui, ce serait sans doute elle qui prendrait le volant.

– Non, murmura-t-il enfin. Il n'en est pas question. Ce ne serait pas juste pour toi.

– C'est pour toi que ce ne serait pas juste, Tyrone. C'est ta victoire.

– Va te faire cuire un œuf, Cassie McGann ! Il ne s'agit que d'une course.

– La plus importante de toutes. Je vois bien que tu n'as pas envie de retourner à la maison tout de suite.

Tyrone la serra dans ses bras.

– Tu crois que ça va aller ?

– Ne t'inquiète pas pour moi. Mais à ta place, je dormirais au club cette nuit.

– Excellente idée !

Cassie confia Tyrone à son ami Maurice Collins en lui recommandant de veiller sur son mari. Maurice lui assura qu'elle pouvait compter sur lui.

Une Bentley conduite par un chauffeur ramena Tyrone à Claremore le lendemain à l'heure du dîner. Cassie était dehors avec Brian quand la voiture remonta l'allée. Lorsqu'elle revint dans la maison, Tyrone dormait profondément, tout habillé.

Deux semaines après la victoire de Slang, il ne restait plus un seul box de libre dans les écuries. La liste d'attente s'allongeait si vite que Tyrone demanda un permis de construire pour une dizaine de stalles supplémentaires. Charmed Life, le poulain de Leonora, avait gagné avec panache sa course de qualification pour le Prix Guineas. Willowind promettait d'être imbattable sur les distances courtes. Les deux chevaux que Tyrone avait sélectionnés pour James Christiansen étaient en progrès constant, et le meilleur des « abrutis » de Tim Coughlan, le boucher, autorisait quelques espoirs.

– Depuis qu'il a dépassé Galway, il se sent des ailes, affirmait Tim, enchanté.

Tyrone, lui, savait qu'il devait tous ces succès à l'attention inspirée de Tomas. La saison s'annonçait bonne.

Jusqu'au jour où Charmed Life se mit à tousser. Au bout d'une semaine, les trois quarts des pensionnaires étaient enrhumés et, à la mi-mai, ils se remettaient encore péniblement. Charmed Life avait raté sa chance au Prix Guineas et, s'il avait repris un entraînement normal, Tyrone hésitait encore à le présenter au Derby anglais.

Cette infortune navra Cassie, mais Tyrone l'endura avec bonne humeur.

– C'est le métier qui veut ça, Cassie McGann. On perd plus souvent qu'on ne gagne.

Leonora se montrait nettement moins philosophe. Elle reprocha à Tyrone de n'avoir pas placé ses bêtes en quarantaine à temps. Elle accusa le vétérinaire, Bill Hutchings, de ne pas les avoir remises sur pied suffisamment vite. Tous deux eurent beau lui répéter que dans un cas comme celui-là seul le temps pouvait enrayer l'épidémie, Leonora s'obstina : elle fit venir deux spécialistes de Newmarket, ce qui lui coûta une jolie fortune, pour arriver aux mêmes conclusions. Furieuse, Leonora prit un avion pour le sud de la France, d'où elle appela quotidiennement pour avoir des nouvelles.

– Cette femme est abominable, s'exclama Tyrone un soir, après une conversation téléphonique d'une demi-heure.

– Je croyais que vous vous entendiez mieux, répondit Cassie, sans quitter des yeux le chandail qu'elle tricotait pour le bébé à venir. Après le Handicap du Lincolnshire, j'ai bien cru que j'allais divorcer.

C'était la première fois qu'elle évoquait l'incident. Tyrone ne se laissa pas impressionner : il rit aux éclats.

– Tu m'imagines avec Leonora ? s'exclama-t-il. Je ne sais pas lequel des deux étranglerait l'autre en premier !

Cassie fixa résolument son tricot, jusqu'à ce que Tyrone vienne s'asseoir auprès d'elle. Il posa un doigt sous son menton et l'obligea à le regarder dans les yeux.

– Cassie McGann… qu'est-ce qui a bien pu te passer par la tête ?

– J'ai eu peur, comme la plupart des femmes enceintes quand elles voient leur mari harcelé par une belle blonde.

– Cassie McGann, tu devrais avoir honte !

Par chance, le poulain de Cassie, tenu à l'écart, échappa à l'infection virulente qui avait décimé la majorité de l'écurie Claremore. Cassie lui rendait visite chaque jour et s'émerveillait de son évolution. Graceful Lady, en mère irréprochable, endurait patiemment les assauts de son fils sur ses tétons.

– C'est une bonne jument, madame, malgré son pied-bot, lui dit Tomas, un après-midi. Nous avons eu raison de la prendre.

Cassie sourit intérieurement. Depuis quelque temps, Tomas ne s'exprimait plus que par « nous » et par « on ». Lui aussi avait fini par tomber sous le charme de Graceful Lady.

Comme ils regagnaient le cottage, Tomas examina la jeune femme.

– Vous n'allez pas tarder à mettre bas, vous aussi.

– Vous croyez ? En principe, j'en ai encore pour une dizaine de jours.

– Sauf votre respect, madame, j'ai l'impression que le petit est descendu.

Le Dr Gilbert confirma le diagnostic de Tomas.

– La naissance pourrait avoir lieu un peu plus tôt que prévu, annonça-t-il en ôtant la cendre de cigarette tombée sur sa veste. Pour un deuxième, c'est assez courant.

Pourtant, votre état ne me satisfait pas complètement. Il se pourrait bien que ce soit un siège.

Sur ce, il décrocha le téléphone et appela l'hôpital.

Cassie se leva d'un bond.

– Il n'est pas question que j'aille à l'hôpital ! s'écria-t-elle. Je veux accoucher à Claremore, comme pour Joséphine.

Le Dr Gilbert se moucha bruyamment.

– Avant cela, on va procéder à quelques vérifications d'usage.

Tyrone l'emmena l'après-midi même. Sur les conseils du médecin, Cassie avait emporté quelques affaires, au cas où elle serait obligée de rester la nuit. Sur le chemin, Tyrone, dans l'espoir de la dérider, lui raconta les plus récents exploits de ses pensionnaires. Mais Cassie restait préoccupée. Le Dr Gilbert n'était pas homme à envoyer quelqu'un à l'hôpital à moins de soupçonner un problème grave.

L'interne qui les reçut était jeune et brusque. Il examina longuement Cassie, la dévisagea en silence en aspirant l'intérieur de sa joue.

– Gilbert avait raison, décréta-t-il enfin. C'est un siège.

Cassie resta figée sur la table, sans trop savoir quoi dire. Sans comprendre.

– C'est simple, reprit le médecin. Vous savez ce que c'est qu'un siège : le bébé va se présenter les pieds d'abord. J'ai essayé de le retourner, mais il est coincé. Je vais donc pratiquer une césarienne.

Il se leva pour appeler Tyrone, qui faisait les cent pas dans la salle d'attente.

Il lui exprima ses intentions.

Pour une fois à court de mots, Tyrone prit la main de Cassie. Il lui sourit, mais sans parvenir à masquer son angoisse.

– Je ne veux pas qu'on m'ouvre, Tyrone, chuchota-t-elle. Demande-lui s'il n'y a pas une autre solution.

– Bien sûr, intervint l'interne sans attendre la question de Tyrone, je pourrais laisser aller la nature. Vous risqueriez alors de perdre l'enfant et d'y passer, vous aussi, madame Rosse. Comme vous le savez, nous avons un devoir envers le bébé à naître.

Cassie se mordit la lèvre pour ne pas éclater en sanglots et s'accrocha à Tyrone. Elle n'avait pas envie de mourir pour sauver son petit. Elle savait pourtant qu'en bonne Catholique responsable, elle n'aurait guère le choix. C'était à elle d'offrir sa vie en échange de celle d'un inconnu. Qui serait peut-être mort-né.

– J'aimerais en discuter avec mon époux.

– Je vous en prie. Mais tâchez d'être rapides. Tout cela exige une certaine organisation.

Le médecin les laissa ensemble. Cassie s'assit, défroissa machinalement ses vêtements.

– Alors ? Faut-il que je meure pour ce bébé ?

– Personne n'a dit que tu allais mourir, Cassie, répliqua-t-il en se perchant sur le bord de la table. Mais vous pourriez tous deux succomber, si tu insistes pour accoucher par les voies naturelles.

– Donc, il va falloir m'ouvrir.

– On va t'opérer, Cassie. Pour vous donner à tous deux les meilleures chances de vous en sortir.

– Pour donner au bébé les meilleures chances de s'en sortir, s'obstina-t-elle.

– Nous n'avons guère le choix.

Cassie se leva péniblement et alla se poster devant la fenêtre. Il n'y avait rien à voir. La vue donnait sur les vitres noircies du bloc opératoire, en face.

– Si, au cours de l'intervention, le problème se pose de sauver ton enfant…

– Notre enfant, rectifia-t-il.

– S'il faut décider lequel des deux doit être préservé, qui crois-tu que le chirurgien choisira ?

– Nous en avons déjà parlé, Cassie.

– Nous n'en avons jamais parlé.

– Indirectement, si. Ce n'est pas à moi de le dire. Nous sommes liés par les règles.

– Les règles ? Quelles règles ? On n'est pas au Jockey Club, figure-toi ! Il s'agit d'une question de vie ou de mort !

– Oui. Et de la vie du bébé. Ou de sa mort.

– Tyrone, souffla Cassie, le plus calmement possible. Je t'aime. Je ne veux pas mourir pour cet enfant. Je veux vivre pour toi.

Il vint l'enlacer.

– Tu ne mourras pas, mon amour. Dieu prendra soin de vous deux.

L'intervention devait avoir lieu dès le lendemain matin. Au cours de la nuit, Cassie fut réveillée par une violente douleur. L'espace d'un instant, elle crut que l'accouchement avait commencé. Elle attendit donc la contraction suivante. Rien ne vint. Elle sombra de nouveau dans le sommeil. Ce devait être une fausse alerte.

On lui fit une piqûre à l'aube, puis on la transporta au bloc. Quelqu'un lui demanda de compter jusqu'à neuf, et ce fut le trou noir.

Elle reprit brièvement conscience dans une vaste pièce blanche. Elle distingua vaguement quelques silhouettes qui s'affairaient autour d'elle. Elle chercha des yeux Tyrone. En vain.

Lorsqu'elle se réveilla ensuite, elle était entourée de rideaux verts. Tyrone, assis dans un fauteuil, se mit debout et lui sourit. Il l'embrassa sur le front, lui serra les mains, très fort, puis se rassit. Cassie sourit. Elle était vivante.

– Comment va le bébé ? C'est une fille ou un garçon ? Où est-il ?

Elle tenta de se redresser, mais une douleur fulgurante lui transperça le ventre. Etouffant un cri, elle se laissa retomber sur les oreillers.

Tyrone continuait de sourire, mais Cassie comprit

qu'il se forçait. Elle sut alors que le bébé n'avait pas survécu.

Une infirmière surgit.

– Ah ! Madame Rosse. C'est vous la dame du mort-né.

Tyrone bondit de son siège, saisit l'infirmière par les épaules et la secoua avec une telle violence que les cachets qu'elle tenait à la main se répandirent sur le lit. Il la fit tourner sur elle-même et la poussa dehors en proférant un torrent d'injures. Cassie resta abasourdie. C'était un cauchemar. Un simple cauchemar. Elle allait bientôt se réveiller.

Tyrone revint auprès d'elle.

– Nom de nom ! gronda-t-il.

Il s'écroula, alors, la tête entre les mains, en sanglots. Cassie essaya de lui caresser les cheveux, mais la perfusion retenait son bras.

– Le bébé, chuchota-t-elle. Notre bébé. Tyrone…

– Il est mort, Cassie. Mort-né. Etranglé par le cordon.

– « Il » ? Tu as bien dit « il » ?

– Oui. C'était un garçon.

Tyrone Junior. Leur fils. Il se serait appelé Michael. Mais Michael n'était plus.

Cassie pleura. Elle pleura longtemps. Elle se rendait compte tout d'un coup qu'elle aurait préféré partir à la place de Michael.

Elle dut s'endormir, ensuite, car lorsqu'elle reprit conscience, il faisait noir. Tyrone, au bout du lit, parlait tout bas à une autre infirmière. La surveillante, à en juger par son uniforme.

– Je vous interdis de vous adresser à mes filles sur ce ton. Vous n'avez pas à les malmener.

– Elle a de la chance d'être encore vivante, répondit-il, d'un ton si calme que seule Cassie comprit à quel point il était furieux. Je vous conseille de réfléchir avant d'en dire davantage. Il n'est pas question que cette infirmière reparaisse ici. Vous m'avez bien compris ? Si jamais elle s'approche de ma femme, je la ferai virer. Et vous aussi.

– Monsieur Rosse…

– Deux des administrateurs de cet hôpital sont des amis à moi. Un seul mot de ma part, et vous vous retrouverez sans emploi. A présent, dites-moi où je peux trouver le Dr Rigby.

– Il n'est pas en service.

– Au fond, c'est tant mieux pour lui. Mais lorsqu'il reviendra, dites-lui que je vais déposer une plainte contre lui pour négligence.

– Le Dr Rigby a fait tout ce qui était en son pouvoir pour sauver l'enfant, monsieur Rosse.

– Il n'est pas intervenu assez tôt. Il aurait dû opérer dès hier, avant que le bébé ne soit engagé. Mon vétérinaire aurait pu le lui dire.

Sur ce, il congédia la surveillante et se rassit près de Cassie.

– Tyrone…

– Chut ! Dors. Je suis là.

– J'aurais dû mourir, Tyrone. J'aurais dû mourir, et tu aurais dû avoir un fils.

– Ne dis pas de bêtises, Cassie. Je ne veux plus t'entendre parler ainsi. Je pourrai toujours avoir un autre enfant. Toi, tu es irremplaçable.

Il se pencha pour l'embrasser sur le front.

– Je suis sincère.

Le lit voisin était occupé par une jeune femme sur le point d'accoucher. Elle dut sentir que Cassie était prête à parler car, pendant une journée entière, elle n'avait pas prononcé un mot. Elle s'était contentée de lire et de sommeiller. Dans la soirée, bien que Cassie ne se soit pas tournée vers elle, elle prit soudain la parole.

– Ça va ? murmura-t-elle avec un fort accent dublinois. J'ai su ce qui vous était arrivé.

– Oui, ça va. Merci.

– Vous fumez ?
– Non, merci.
– Je peux ?
– Je vous en prie.

Leur premier échange s'arrêta là. De temps en temps, lorsqu'elle changeait de position, Cassie voyait que la jeune femme lui souriait. Elle s'efforçait de réagir, mais le cœur n'y était pas.

Le lendemain matin, quand Tyrone repartit à contrecœur pour Claremore, Cassie s'assit et feignit de lire. Sa compagne prit cela pour un signe.

– Je suis Kathleen O'Donnell.
– Et moi, Cassie Rosse.
– C'était votre premier ?
– Le second.
– Mince ! C'est pourri. Quoi qu'ils vous racontent, c'est toujours pourri. Moi aussi, c'est mon deuxième.

Kathleen fut alors prise d'une violente quinte de toux, et Cassie en profita pour l'examiner à la dérobée. Elle était très menue et paraissait âgée d'à peine plus de dix-huit ans. En dépit de l'état avancé de sa grossesse, elle était visiblement anémique. La crise passant enfin, elle souffla, pâle comme le drap, les yeux cernés.

– Et le premier, c'est un garçon, ou une fille ? s'enquit Cassie. Moi, j'ai une fille.

– Moi, un garçon. Sean. Sean Patrick, et vous allez pas me croire, mais il me manque, le petit diable. C'est ma tante qui s'en occupe. La salope. Je connais personne de plus cruelle qu'elle. J'en sais quelque chose, c'est elle qui m'a élevée. Elle me battait si fort que je pouvais plus rien faire sauf ramper sur mes genoux. Mais je pouvais pas laisser Sean Patrick avec son père. En moins de rien, le petit serait tombé dans le feu, ou passé sous un bus. Quel vieux crétin.

– Votre mari est plus âgé que vous ?
– Pas le vôtre ?
– Oui, mais pas de beaucoup.

– Seigneur ! Le mien aura bientôt soixante ans. C'est ma tante qui m'a mariée, pour quelques pence. Tout ça, pour hériter de sa saloperie de ferme.

Elle se tut soudainement. Cassie se rendit compte qu'elle s'était retournée, ostensiblement pour allumer une autre cigarette, mais en vérité, pour pleurer.

Elle attendit quelques instants avant de lui demander ce qui n'allait pas.

– Je devrais pas vous le dire. Le ciel me pardonne. Mais voyez-vous, Sainte Marie, mère de Dieu, ce bébé, je n'en veux pas. J'en ai jamais voulu.

– Pourquoi pas ?

– Parce que ! sanglota Kathleen. Parce que j'allais le quitter, ce vieux crétin. Mais avec un bébé sous le bras, comment faire ? C'est impossible !

Kathleen eut ses premières contractions vers vingt-deux heures ce soir-là. Quand Cassie se réveilla le lendemain à six heures et demie, le lit voisin était encore vide.

L'infirmière que Tyrone avait congédiée était de service. En dépit des menaces de Tyrone, elle se complaisait à harceler Cassie dès que l'occasion s'en présentait.

Elle afficha un sourire superficiel.

– Comment va Mme Rosse ce matin ? aboya-t-elle en secouant son thermomètre. On s'apitoie un peu moins sur son sort ?

Elle fourra le thermomètre dans la bouche de sa patiente et lui prit son pouls.

– Ce n'est pas la fin du monde, vous savez, ce qui vous arrive. Vous êtes mariée, des enfants, vous en aurez d'autres. N'est-ce pas ? Parce que *vous*, au moins, vous êtes encore vivante.

Elle se détourna pour interpeller une de ses collègues.

– Mary ? Tu te rappelles la dame qui a perdu son bébé, il y a deux jours ? Mme Rosse. Peux-tu venir par ici lui changer ses draps, s'il te plaît ?

Sur ce, elle arracha le thermomètre de la bouche de Cassie et le secoua sans même le consulter.

– Debout, madame Rosse ! ordonna-t-elle en se dirigeant vers la sortie.

Sur le seuil, elle fit volte-face.

– Vous aurez plus de chance la prochaine fois. S'il y en a une !

Cassie était à bout de forces. Elle posa délicatement les pieds à terre et tenta en vain de se mettre debout. L'aide-soignante se précipita pour l'aider.

– Ne faites pas attention à Mme Riordan, chuchota-t-elle. Tout le monde la déteste. Vous ne pouvez pas savoir combien on est heureux qu'elle ait été renvoyée.

Cassie sourit. Tyrone avait respecté sa parole.

– Avez-vous des nouvelles de ma voisine ? Kathleen O'Donnell ?

– La pauvre a beaucoup souffert. Dieu soit loué, elle a accouché il y a environ une heure et demie. C'est encore un petit garçon.

Cassie remercia l'infirmière et s'installa dans un fauteuil en attendant la visite de Tyrone. De l'autre côté du couloir, deux jeunes femmes bavardaient, leurs nourrissons au sein. L'une d'elles adressa un sourire timide à Cassie, puis se détourna, gênée.

Cassie songea qu'elles allaient rentrer chez elles avec leur bébé. Les coucher dans le berceau qui les attendait. Leur mettre les chaussons qu'elles avaient tricotés avec amour et patience.

A Claremore, la nursery repeinte en bleu demeurerait vide.

Elles vont ramener leur bébé chez elles.

La chambre que j'ai préparée restera sans vie.

Cassie porta les mains à son visage et sanglota.

14

Un murmure de voix lui parvenait du bureau en dessous, mais elle ne saisissait rien de ce qu'on disait. Ça n'avait aucune importance. Ça ne l'intéressait pas. Elle n'avait envie de rien, sinon de contempler les murs de sa chambre. Elle détestait leur couleur. Elle avait du mal à comprendre ce qui l'avait poussée à choisir cette teinte quand elle les avait repeints. Bordeaux. Quelle horreur ! On aurait dit du sang séché. Comme dans un utérus.

Elle se mit à rire. C'était drôle d'imaginer qu'elle était à l'intérieur d'une matrice. Pendant ce temps, dehors, les gens discutaient en attendant sa naissance. Ils en avaient pour un bon moment. Ils patienteraient le temps qu'elle voudrait. Parce qu'elle refusait de sortir. Et personne ne pourrait l'y obliger, sinon en employant la force. Il existait un moyen tout simple de les en empêcher. Elle n'avait qu'à s'enfermer à clé. Alors, ils ne pourraient pas la forcer.

Tyrone la trouva juste derrière la porte lorsqu'il la poussa.

– Où est la clé ? lui demanda Cassie.

– Il n'y en a pas.

– Il y en avait une, autrefois.

– Il n'y en a jamais eu.

– Peux-tu m'en donner une s'il te plaît ?

Tyrone l'avait gentiment reconduite jusqu'au lit. Il remonta les couvertures sous son menton. Cassie pleurait, le suppliait de lui donner une clé. Tyrone l'embrassa sur le front en lui assurant qu'elle n'en avait pas besoin.

– Mais si, Tyrone ! sanglota-t-elle. Il faut que je m'enferme, tu comprends. Pour qu'on ne puisse plus jamais me faire sortir.

Il lui tendit un verre. Une boisson rose, à bulles. Cassie sourit. C'était bon. Bientôt, elle serait de nouveau dans les nuages. Le problème de la clé s'estompa, elle sentit son corps s'alléger. Elle était bien.

– Erin va venir te faire la lecture à haute voix pendant que je sors, disait quelqu'un.

C'était Tyrone. Cassie lui sourit.

– Je reviendrai très vite. Joséphine dort. Erin a promis de venir te tenir compagnie.

Oui, c'était bien Tyrone. Elle le distinguait mieux, à présent. Comme il était beau ! Cassie lui sourit encore.

– Le Dr Gilbert est reparti.

Ah ! Oui, l'odeur de tabac. Ce devait être ce vieux Dr Gilbert.

– Il dit que tu dois te reposer.

Cassie, tu souris ? Mais oui, évidemment. Tu souris, parce que le médecin, lui, il comprend. Il te conseille de te reposer, parce qu'il sait que tu ne veux pas sortir de cette chambre. Ton utérus.

Tyrone se percha sur le bord du lit. Cassie affichait toujours un sourire vague, lointain. Comme si elle ne le voyait pas.

Le supplice durait maintenant depuis trois mois.

Il la laissa lorsqu'elle fut endormie et redescendit. Le Dr Gilbert avait profité de son absence pour se verser un deuxième whisky.

– Il doit bien y avoir une autre solution, Docteur, dit Tyrone en se servant à son tour. Son état ne s'améliore absolument pas.

– Je vous ai parlé des électrochocs, répondit Gilbert en se plantant devant la fenêtre pour admirer les pelouses fraîchement tondues. Cependant, et à mon avis, c'est une sage décision d'avoir refusé cette proposition. Nous en sommes là.

– C'est-à-dire ?

Tyrone devinait d'avance la réponse. Ou bien ils laissaient faire le temps, ou alors, ils prenaient le risque de déséquilibrer complètement sa santé mentale en la soumettant à un traitement violent.

– Je ne peux pas grand-chose d'autre, Tyrone Rosse. J'en suis navré. A présent, dites-moi lequel de vos deux chevaux va gagner le Prix Curragh, samedi prochain.

Par miracle, ils furent tous deux victorieux, mettant enfin un terme à une interminable succession de défaites. The Walker, le pur-sang de James Christiansen, prit enfin une première place dans une course pour les débutants, et Willowind, de nouveau en pleine forme, atteignit le poteau avec trois longueurs d'avance lors du grand sprint de deux mille mètres. Jusque-là, la saison avait été un véritable désastre, alors qu'elle avait si bien commencé. L'épidémie avait fait encore plus de ravages que ne le prédisait Tomas, et les chevaux, bien qu'ayant repris des forces à l'entraînement, s'effondraient sur l'hippodrome.

Il avait réussi à présenter Charmed Life au Derby d'Epsom. Mais il n'inspirait guère confiance. Coté à cinq contre un, il était passé à dix contre un, et parti à douze contre un ! Après les premiers quatre cents mètres, Tyrone et Leonora s'étaient dit que les bookmakers en seraient pour leurs frais, mais une fois de plus, ils étaient bien renseignés. Charmed Life, favori pendant un moment, avait perdu d'un seul coup ses moyens pour finir avant-dernier. Il avait réitéré son exploit lors du Derby irlandais, aussi Tyrone avait-il décidé de le mettre en vacances jusqu'au Prix des Champions, au mois d'octobre.

L'été avait été d'autant plus pénible que tous les tests effectués sur les pensionnaires des écuries Claremore se montraient obstinément positifs. Conséquence inévitable d'un virus particulièrement virulent.

Ce fut donc avec un soulagement énorme qu'il vit revenir ses deux gagnants, d'autant que The Walker avait été le tout dernier à tomber malade et qu'il était maintenant le premier de retour dans l'enclos des victorieux. Malheureusement, Tyrone n'était pas au bout de ses angoisses. Il avait prévu de se rendre avec deux de ses chevaux à Milan la semaine suivante. L'état de Cassie ne s'étant en rien amélioré, il craignait de ne pas pouvoir la quitter.

La chance se présenta sous la forme de Lady Meath.

Tyrone la rencontra au bar après la victoire de Willowind. Elle vint vers lui, le félicita chaleureusement, lui assura qu'elle était enchantée de constater que Claremore renouait avec le succès. Tyrone lui fit remarquer qu'il ne l'avait pas vue sur les pistes depuis des semaines et lui demanda si elle s'était absentée.

– Non, j'ai été souffrante. J'ai eu un cancer, mais Dieu soit loué, il semble que je m'en sois sortie. Ne fais pas cette tête, je vais bien. Comment se porte ton adorable épouse ?

Tyrone lui avoua ses soucis. Sheila Meath l'écouta attentivement, puis soudain l'interrompit.

– Ce n'est pas un endroit pour parler de ça. Passe prendre un verre chez moi en revenant.

Lorsqu'il quitta la demeure de Sheila Meath tard dans la soirée, Tyrone se sentit mieux qu'il ne l'avait été depuis des mois. Sheila et Cassie s'étaient croisées à plusieurs reprises dans les hippodromes, et s'appréciaient réciproquement. Ils étaient donc convenus que, pendant le séjour de Tyrone en Italie, Sheila s'installerait à Claremore.

– Je m'y connais un peu dans ce genre de problème, Tyrone, lui avait-elle expliqué autour d'un whisky. Je ne vais pas entrer dans les détails, parce que je me trompe peut-être. Mais je crois savoir comment résoudre celui-ci.

Ainsi, Tyrone put-il s'envoler pour Milan avec la certitude que Cassie était entre de bonnes mains. A l'arrivée de Sheila, Cassie avait bien réagi, et les deux femmes avaient bavardé pendant plus d'une heure. C'était la première fois que Cassie entretenait une conversation cohérente depuis sa sortie de l'hôpital. Sheila s'octroya la chambre attenante, où Tyrone dormait depuis le drame, au cas où Cassie aurait besoin d'elle pendant la nuit.

Ce fut le cas. Dès le premier soir, Cassie fit un cauchemar terrifiant, et Sheila la retrouva tout au bout du lit, emmêlée dans les draps. Elle hurlait que son bébé avait disparu. Sheila la calma, lui fit prendre un tranquillisant, mais Cassie ne parvenait pas à se rendormir. Elle resta donc auprès d'elle pour parler jusqu'à l'aube.

– Il faut que je cherche mon bébé, répétait sans arrêt Cassie. Tu sais bien qu'il faut que je le retrouve.

– Oui, Cassie. C'est vrai. Je suis d'accord. Nous verrons cela demain.

Enfin rassurée, Cassie s'était assoupie d'un seul coup. Sheila avait réintégré son propre lit, épuisée. Deux heures plus tard, Erin l'arrachait à un sommeil bien mérité : Mme Rosse s'était volatilisée.

Au début, Cassie eut du mal à repérer la ferme. Elle avait l'adresse dans son sac. Elle s'était arrêtée plusieurs fois pour demander sa route, mais dès qu'elle redémarrait, elle oubliait ce qu'on venait de lui expliquer. Pour finir, un jeune garçon monta avec elle, trop content de profiter de la voiture, et la guida jusqu'à sa destination.

Cassie resta un moment dans le véhicule, à contempler la maison, à peine plus grande que le cottage de Tomas. Et nettement plus sale. Même Cassie pouvait s'en rendre compte. La porte était grande ouverte. Les poules entraient et sortaient à leur guise, picorant partout. Un vieux landau rouillé, mais qui, de toute évidence, servait encore, était garé contre le mur. Un drap et une couverture pendaient sur le côté.

Tant mieux, songea Cassie en se dirigeant lentement vers l'entrée. Si c'est comme ça, tant mieux, tout va s'arranger.

Kathleen ne la reconnut pas tout de suite, quand elle leva les yeux de ses fourneaux. Son bébé en équilibre sur une hanche, elle faisait cuire la bouillie des volailles.

– Oui ? Je peux vous aider ?

– C'est moi. Cassie Rosse. Votre voisine, à l'hôpital.

Elle pénétra dans la cuisine, et même là, Kathleen eut du mal à l'identifier. Amaigrie, pâle, les cheveux en désordre, Cassie, sous son joli manteau de laine bleu marine, était encore en chemise de nuit et chaussons.

Kathleen lui offrit une chaise. Cassie lui sourit vaguement, puis posa son regard sur l'enfant.

– Je vais juste le mettre dans son landau. Il y a du thé tout chaud.

Kathleen sortit, pendant que Cassie s'asseyait. Mais elle ne se versa pas de thé. Elle n'était pas venue pour cela.

Kathleen reparut, se recoiffant machinalement. Elle ôta son tablier, s'installa en face de Cassie, se remplit une tasse.

– C'est comme ça que Tomas l'aime, murmura Cassie. Très fort et brûlant.

– Vraiment ? répondit Kathleen.

Dommage que son mari ne soit pas là : il aurait su comment réagir, lui.

– Qui est Tomas ? ajouta-t-elle.

– Tomas, c'est Tomas. C'est lui qui a aidé Graceful Lady à mettre bas mon Célébration. Comment allez-vous ?

– Très bien, madame Rosse, très très bien. Je suis un peu surprise de vous voir ici, mais, non, je vous assure, je vais bien.

– Tomas est le lad principal de mon époux. Et je vous en prie, appelez-moi Cassie. Si vous voulez que nous soyons amies.

– Cassie. D'accord. Cassie.

Kathleen but en observant Cassie à la dérobée. Elle avait supplié son mari de lui faire installer le téléphone, mais ce crétin avait refusé. Pourtant, là, elle en aurait eu bien besoin.

– Où est Sean ?

– Il a la coqueluche, Cassie. Il est dans son lit.

Kathleen lui offrit une cigarette, oubliant que Cassie ne fumait pas. Pourtant, Cassie en accepta une. Kathleen la lui alluma. Cassie souffla des nuages de fumée en contemplant le plafond. De plus en plus effrayée, Kathleen se mit à parler de tout et de rien. Pour finir, décontenancée par l'attitude réservée de Cassie, elle se réfugia dans le silence.

– Je crois que je ferais mieux de vous expliquer, déclara soudain Cassie. Je vais vous dire ce qui m'amène. Voyez-vous, si je suis là, c'est parce qu'il faut que je retrouve mon bébé.

Kathleen la regarda fixement sans comprendre.

– Vous ne comprenez pas, n'est-ce pas ? Si vous vous en souvenez, j'ai perdu mon bébé. Il faut que je le retrouve. Vous, vous en avez eu un.

Kathleen hocha la tête et ralluma une Woodbine directement sur le mégot de la première.

– Bien sûr que j'en ai eu un. Vous venez de le voir, Cassie. C'est mon bébé que je viens de coucher dans le landau, dehors.

Cassie ouvrit son sac, comme si elle n'avait pas entendu, et sortit son portefeuille. Elle referma le sac, le posa soigneusement sur la table. Elle agita sa cigarette presque entièrement fumée.

– Où puis-je mettre ça ?

Kathleen la lui prit et l'écrasa dans une soucoupe.

– A l'hôpital, vous m'avez dit que vous ne vouliez pas de ce bébé.

– C'est possible que j'aie dit ça, répondit Kathleen en se demandant si elle devait s'enfuir avec son nourrisson sous le bras.

Mais Sean dormait dans la chambre, là-haut.

– Oui, reprit-elle, oui, c'est possible que j'aie dit ça. Mais à l'hôpital, parfois, on débloque un peu. D'ailleurs, quand je l'ai dit, il n'était pas encore né.

Cassie se redressa.

– Vous n'avez pas changé d'avis, j'espère, Kathleen ?

– A quel sujet ?

– Au sujet du bébé.

Kathleen ne dit rien. Intuitivement, elle savait qu'il valait mieux garder le silence.

– Bon. Puisque vous n'avez pas changé d'avis, je le prends. J'emmène votre bébé.

– Mais il n'est pas à vous, Cassie. Vous venez de me dire que vous cherchiez le vôtre.

– Je crains de ne pas le retrouver, Kathleen. Cependant, si vous ne voulez pas du vôtre, et si je repars avec lui, il sera à moi.

– Oui. Oui, je vois.

Cassie ouvrit son portefeuille.

– Combien voulez-vous, Kathleen ? Je peux vous proposer cent cinquante livres.

Kathleen vit enfin une issue à l'épreuve.

– C'est loin d'être assez, Cassie. J'en veux au moins mille.

– Mille, répéta Cassie, songeuse.

– Non... non. Deux mille, annonça Kathleen. Voyez-vous, je tiens beaucoup à mon bébé, même si à l'hôpital, j'ai dit que je n'en voulais pas. Ça va donc vous coûter deux mille livres, Cassie.

Cassie hocha la tête en marmonnant sans cesse cette nouvelle somme. Puis elle se mit debout en lui souriant avec une tendresse immense. Si Kathleen n'avait pas été aussi effarée, elle se serait mise à pleurer.

– Merci, Kathleen.

Cassie reboutonna son manteau.

– Je suis si heureuse de vous avoir rencontrée à l'hôpital. Vous êtes une fille épatante. Je suis contente que l'on puisse s'aider mutuellement. Merci encore. Deux mille livres. Je rentre tout de suite chez moi chercher l'argent.

A court de mots, Kathleen la regarda sortir. Puis, pensant au bébé, elle lui courut après.

En effet, Cassie était penchée sur le landau. Elle n'avait pas l'intention de le kidnapper. Elle lui caressait le front en lui murmurant des mots doux.

– Voilà, voilà, mon amour. Maman va revenir bientôt. Dans quelques minutes. Dès qu'elle aura l'argent. Attends-moi ici et sois bien sage, petit Michael.

Le Dr Gilbert avait décidé que le plus sage serait d'envoyer Cassie dans une clinique, à Bray, jusqu'au retour de Tyrone.

– Je crains que ce soit la seule solution, confia-t-il à Lady Meath.

Cassie gisait dans son lit, assommée par les sédatifs. Elle était revenue sans incident à Claremore avec la voiture. Après l'avoir cherchée en vain partout dans la propriété, Erin l'avait découverte dans le bureau de Tyrone, au téléphone. Elle essayait de joindre Mme Von Wagner.

– Il faut absolument que je la joigne, Erin. Elle a tellement d'argent. C'est la seule qui puisse m'aider à acheter mon bébé.

Sheila Meath comprenait le point de vue du Dr Gilbert, pourtant, elle le persuada de ne rien changer. Cassie n'était-elle pas en progrès ? Au moins, maintenant, elle s'exprimait. Bien sûr, cet incident avec Kathleen O'Donnell était regrettable, mais il n'y avait pas péril en la demeure. Elle promit de prendre Cassie sous son entière responsabilité.

Elle attendit une journée avant d'aborder le sujet avec son amie qui, après avoir dormi presque vingt-quatre heures d'affilée grâce aux tranquillisants, paraissait en bien meilleure forme.

– Te sens-tu assez solide pour te lever, Cassie ? Tu dois en avoir par-dessus la tête de rester enfermée dans cette chambre.

Cassie remonta le drap jusqu'à son menton.

– Si tu n'en as pas envie, je ne t'y oblige pas. Mais il fait si beau. J'ai pensé qu'on pourrait se promener un peu. Aller voir les écuries.

– Pourquoi ?

– Ecoute, je ne te force pas. Je vais y aller toute seule.

Etait-ce la perspective de revoir les chevaux ? La douceur de Sheila ? Cassie descendit de son lit, mais cette fois-ci, prit grand soin à s'habiller. Puis, lentement, accompagnées de Brian, les deux femmes traversèrent les jardins en direction des boxes.

Tomas accueillit Cassie comme si de rien n'était, alors qu'il ne l'avait pas vue depuis trois mois. Il les escorta jusqu'aux stalles. Tomas expliqua à Cassie que Célébration se portait bien. Elle répliqua qu'elle irait volontiers lui rendre visite le lendemain. Tomas et Sheila Meath échangèrent un regard plein d'espoir, puis on décida qu'il était temps de rentrer.

– Moi aussi, j'ai perdu un enfant, tu sais, avoua Sheila, tandis qu'elles marquaient une pause devant la mare que Tyrone avait lui-même creusée. J'avais à peu près ton âge. Il est mort-né.

Cassie réagit comme si elle venait de recevoir une gifle. Sheila s'interrogea un instant sur le bien-fondé de sa stratégie en voyant la lueur de rage dans ses prunelles. Mais Cassie ne dit rien. Elle se détourna pour jeter de la nourriture aux poissons.

– J'ai eu une dépression, ensuite. Je suis restée alitée pendant près d'un an.

Cassie repartit en direction de la demeure, devant son amie.

– Et puis, enchaîna Sheila, une vieille amie de Trinity

College est venue me voir. Elle était médecin, spécialisée dans ce genre de problème. Surtout la perte d'un bébé.

Cassie s'immobilisa, tremblante. Sheila aurait voulu la prendre dans ses bras pour la consoler, mais elle savait qu'elle risquait ainsi de laisser passer la dernière chance. Résistant à la tentation, elle insista :

– D'après elle, il est regrettable que ce soit l'hôpital qui soit chargé de l'enterrement de l'enfant. Cela peut paraître mieux, mais ça ne l'est pas. En n'assistant pas aux obsèques de son petit, on contourne le processus de deuil indispensable pour guérir. Ce qui entraîne la dépression. Elle m'a donc sortie de mon lit et emmenée à l'hôpital où j'avais accouché. Elle m'a forcée à organiser de vraies funérailles. J'ai pleuré. Beaucoup. Mais j'ai récupéré ma santé mentale. Tu as raison, Cassie, il faut que tu retrouves ton bébé. Et que tu l'enterres en bonne et due forme.

Cassie resta silencieuse pendant de longues minutes, le regard fixé sur l'horizon. Elle porta une main à sa bouche. Puis elle se tourna vers Sheila et se blottit contre elle.

Il fallut attendre le retour de Tyrone, bien sûr, d'une part pour accomplir les démarches nécessaires, mais surtout, pour que Tyrone, lui aussi, puisse faire son deuil. Le jour des obsèques, Cassie fut incapable de se lever. Tyrone et Sheila lui parlèrent pendant plus de deux heures, puis l'habillèrent d'une robe noire et d'un chapeau avec un voile. Tyrone les conduisit à l'église, où en compagnie de Tomas, sa femme, sa fille, Sheila Meath, la cérémonie fut prononcée par le Père Patrick. Le minuscule cercueil blanc, recouvert d'une couronne de fleurs blanches, reposait sur des tréteaux, devant Cassie et Tyrone. Ils prièrent longtemps, sans oser le regarder. Puis, Cassie prit la main de Tyrone, dont le corps était secoué de sanglots.

Leur petit garçon fut enseveli dans le cimetière du village, niché dans les collines. Le Père Patrick lui souhaita le repos éternel. Au loin, le glas sonna, tandis qu'au-dessus de leurs têtes, un rossignol chantait.

Par pure coïncidence, ce même jour, alors que Tyrone et Cassie enterraient Michael Joseph McGann Rosse, un homme qu'ils ne connaissaient pas personnellement, mais qui était connu dans le monde entier, disait adieu à son propre bébé. Il était tellement affecté par la perte de son fils Patrick Bouvier que le Cardinal Cushing, qui présidait la messe, dut le calmer. Trois mois plus tard, le 22 novembre, ce même homme était assassiné à Dallas. Cassie et Tyrone délaissèrent leur propre douleur et se joignirent au reste du monde pour pleurer le Président abattu.

15

Claremore
1966

Ce fut lors du grand bal annuel que Leonora donnait à la veille du Derby que l'idée d'adopter un enfant fut évoquée pour la première fois. Tyrone étant imperméable à toute idée de ponctualité, Cassie fut l'une des dernières à arriver. Elle se tenait dans l'immense hall en marbre. Comme à son habitude, Tyrone surveillait le « placement » à table, que la maîtresse de maison mettait bien en évidence pour tous ses invités.

– Décidément, ça ne s'arrange pas, grommela-t-il. Tu es entre les deux hommes les plus ennuyeux de toute l'Irlande, voire de l'univers.

Aussitôt, il déplaça Cassie de façon à ce qu'elle se trouve entre deux gentlemen nettement plus amusants, puis ordonna au majordome d'aller échanger les cartons dans la salle à manger. Le domestique, à qui Tyrone avait coutume de filer des tuyaux sur les « chances » des diverses écuries, fut trop heureux de lui rendre ce service.

Dès qu'ils franchirent le seuil du salon, Leonora se précipita sur Tyrone. Cassie prit une coupe de champagne et chercha avec qui aborder la conversation. Désormais, elle connaissait par cœur les stratagèmes de Leonora et refusait obstinément de s'en offusquer... ce qui avait le don d'irriter « la princesse ».

Très vite, Cassie disparut au milieu d'un cercle d'habitués. Elle les connaissait tous, sauf un Français, genre intellectuel, qui avait interrompu sa discussion pour la dévisager.

– Permettez-moi de me présenter, dit-il en abandonnant la jeune femme avec laquelle il bavardait, pour se rapprocher de Cassie. Jean-Luc de Vendrer.

– Cassie Rosse.

– Enchanté.

Profitant du passage d'un serveur, il reprit deux coupes de champagne frais.

– Attention à ce que vous allez dire sur ce vin.

– Pourquoi ? Il est excellent.

– Je sais. C'est le mien.

Il hocha la tête, l'air très sérieux. Une calvitie naissante mettait en valeur la hauteur de son front et la vivacité de son regard. Cassie sourit.

– Qu'est-ce qui vous amuse ?

– Excusez-moi, c'est affreusement discourtois, mais je... je ne vis qu'avec des chevaux. J'admirais ce que nous appelons vos « points forts ».

– Quel est mon score ? A votre avis, combien vaudrais-je à la vente ?

– Vous vous y connaissez, en chevaux ? répliqua-t-elle.

– Pas du tout. Mais si j'étais un cheval, j'aimerais coûter très cher. Alors ? De quoi voulez-vous parler ? Pour ma part, j'ai deux sujets de prédilection, les femmes et l'amour, pas forcément dans cet ordre.

Il sortit un paquet de Gitanes de sa poche. Cassie rit aux éclats.

– Pas mal, pour un début.

– Je vous demande pardon ?

– En vrai Français, vous allez droit au but.

– Vous vous y connaissez en Français, madame Rosse ?

– J'en sais sans doute à peu près autant sur les Français que vous sur les chevaux, monsieur de Vendrer.

Pensif, il souffla un nuage de fumée.

– Peut-être préféreriez-vous m'énumérer les qualités de vos enfants.

– Pourquoi dites-vous cela ?

Elle fixa son verre, un peu mal à l'aise.

– Les Américaines adorent s'émerveiller toujours de leur progéniture. Vous avez des enfants, je suppose ?

– Non. Je n'en ai pas, du moins, jamais lorsque j'assiste à une soirée.

– Ah, bien ! La France et l'Amérique sont peut-être enfin sur la voie d'une entente cordiale !

Cassie sourit de nouveau, troublée par l'intensité avec laquelle cet homme l'observait. Il était beau, séduisant. Quelque chose d'indéfinissable émanait de sa personne.

Comme il l'escortait jusqu'à la table, Cassie lui déclina l'identité des portraits accrochés aux murs. A force de fréquenter Derry Na Loch, elle les connaissait tous. Elle donna des explications sur tous ces personnages, dont aucun n'avait, de près ou de loin, la moindre relation avec Leonora Von Wagner ou son époux.

Cependant, Cassie était obligée de concéder un point à Leonora. Elle avait acheté Derry Na Loch en l'état. Rien de ce que contenait l'énorme demeure ne venait de sa famille, et pourtant, tout semblait lui être familier. Elle avait beau voyager, se plaindre du climat abominable de l'Irlande, c'était toujours ici qu'elle revenait. Chez elle. Au début, leur relation avait été difficile, car Leonora avait tout de suite relégué Cassie au rang d'« épouse », de femme au foyer, alors qu'elle-même s'arrangeait pour se montrer partout, de préférence en compagnie de Tyrone.

Heureusement, la jalousie de Cassie s'était estompée. Depuis la perte de leur enfant, elle savait l'amour que lui portait Tyrone. C'était un amour profond, impossible à décrire. En pleurant ensemble la mort de leur bébé, ils s'étaient encore rapprochés. Tyrone pouvait être à l'autre bout de la planète, Cassie aussitôt savait s'il songeait à elle.

Un jour, il lui avait téléphoné des Etats-Unis, en plein après-midi, alors que lui-même se levait.

– Je te vois, lui avait-il murmuré. Tout d'un coup, ton image s'est glissée dans mon esprit. Tu es assise sur notre lit. Tu portes ta chemise de nuit pêche. Tu lis des poèmes, et tu penses à moi.

C'était vrai. Son appel ne l'avait même pas surprise.

*
* *

Pour le dîner, Tyrone l'avait placée entre Dan Kelly, un artiste décorateur dont Cassie appréciait particulièrement l'humour, et Seamus O'Connor, un vieil ami qui avait débuté comme commentateur sportif et était devenu l'une des figures les plus brillantes de la télévision britannique. Cassie aimait beaucoup Seamus, car, contrairement à l'image volontiers superficielle qu'il donnait en public, c'était un être profondément généreux et attentionné.

Une centaine de convives étaient installés autour de cinq immenses tables rondes, éclairées aux bougies. Cassie dégusta les deux premiers plats en plaisantant avec ses voisins. Au dessert, Dan se tourna vers sa droite pour flirter outrageusement avec l'épouse de l'ambassadeur d'Irlande. Seamus demanda à Cassie comment elle allait.

– Autrement dit : suis-je remise de ma peine ?

– Certainement pas. Ce n'est pas quelque chose qu'on peut oublier. Mais, nous avons un rôle sur cette terre, c'est de vivre pleinement notre existence, quelles que soient les tragédies que nous traversons. Le contraire serait gâcher ce précieux cadeau qu'est la vie. Il nous faut apprendre à surmonter les épreuves et à vivre avec nos chagrins, sans les laisser nous envahir totalement.

– Je pense que Tyrone et moi avons accepté la mort de notre enfant. Nous y pensons toujours, nous en parlons de temps en temps mais, au fil des mois, cela devient moins douloureux.

Seamus hocha la tête et but une gorgée de vin.

– Avez-vous l'intention d'en avoir d'autres ?

Cassie posa délicatement sa fourchette.

– J'ai souffert de complications, suite à la césarienne. Du moins, c'est ce qu'on m'a affirmé. Bref, il semble que je ne puisse plus concevoir.

– Avez-vous songé à l'adoption ?

– Non. Enfin, si, bien sûr, mais pas plus que cela. Nous avons encore quelques espoirs.

– C'est très compréhensible, Cassie, cependant, au risque de vous choquer… Primo, qu'adviendra-t-il si vous ne tombez pas enceinte ? Vous aurez perdu de précieuses années pendant lesquelles vous auriez pu offrir de l'amour et un foyer à un orphelin. Deuxio, il arrive souvent qu'un couple adopte un petit, et que cela déclenche… Dieu sait quoi. En tout cas, tout d'un coup, la fertilité revient. Nous avons trois amis différents qui ont vécu ce miracle.

Devant le désarroi de Cassie, Seamus eut le tact de changer de sujet.

– Bon ! Assez parlé de ça. Dites-moi plutôt qui va gagner demain.

La conversation dévia sur les chances des différents partants, mais petit à petit Cassie s'en désintéressa. Elle promena son regard dans la salle. Elle voulait s'imprégner de tous les détails, car bien que cela parut impossible aujourd'hui, elle savait que, du jour au lendemain, tout pouvait disparaître. L'impression de stabilité qu'évoquaient ces pièces et leurs occupants pouvait se volatiliser brusquement. Alors, les futurs visiteurs qui s'y promèneraient se demanderaient comment vivait cette magnifique demeure au cours de telles soirées.

Ils ne pourraient jamais l'imaginer, car aucun élément de comparaison ne leur viendrait à l'esprit. Ils seraient incapables d'admirer la façon dont les flammes vacillantes des centaines de bougies dans leurs candélabres d'argent se reflétaient dans les joyaux des femmes et les somptueux verres de cristal.

Ils n'auraient nulle idée de la raideur des domestiques en livrée ; la blancheur cerclée d'or des assiettes de porcelaine ne les ferait pas s'extasier ; la musique, discrète, jouée par un orchestre invisible pendant tout le repas, ils ne l'entendraient pas ; pas plus qu'ils ne verraient la nuée de gentlemen en queue-de-pie qui se levaient et se rasseyaient, tandis que ces dames en robe du soir se glissaient vers la sortie.

En dansant avec Tyrone un peu plus tard, Cassie se promit de ne jamais oublier cette valse de Strauss et le froufrou de sa toilette. Les fenêtres étaient grandes ouvertes sur les jardins, le clair de lune inondait la terrasse. Elle se dit que, pour la plupart des gens qui évoluaient autour d'eux sur la piste, c'était une soirée parmi tant d'autres. Comme celle de la veille, ou celle du lendemain. Sans doute aucun ne tentait, comme elle, de capturer le moment présent. Nombre d'entre eux devaient s'ennuyer à mourir. Ils avaient perdu toute passion, tout sens de l'exceptionnel. Dans les bras de Tyrone, Cassie savourait tous les sons, tous les parfums, les imprimait dans son esprit, pour pouvoir les évoquer plus tard.

Ils partirent à l'aube, dans l'Aston Martin que Tyrone avait achetée un mois auparavant. Les concurrents du Derby étaient sûrement déjà réveillés. Ils devaient trépigner d'impatience dans leurs boxes.

– Je crois qu'on devrait songer à l'adoption, murmura Cassie, alors qu'ils s'engageaient dans l'allée de Claremore.

– Excellente idée. C'est exactement ce que je pensais, moi aussi.

*
* *

Sodium gagna le Derby et, dès le lundi suivant, Tyrone et Cassie avaient rendez-vous avec l'organisme d'adoption. Leur cause parut digne d'intérêt ; si les rapports médicaux de Cassie confirmaient son incapacité à concevoir, on les inscrirait sur la liste des parents potentiels. Sur le chemin du retour, Tyrone demeura silencieux, pensif, à tel point que Cassie se mit à craindre qu'il n'ait changé d'avis.

– Non, Cassie McGann, tu me connais mieux que cela. Simplement, le procédé me déplaît. Non, non, la vérité, c'est que je suis un homme impatient. Une fois ma décision prise ça m'agace qu'on me fasse attendre un an. Ou plus.

– Je ne vois guère d'autre solution, monsieur Rosse.

– Moi non plus, concéda-t-il en se grattant la tête. Mais j'en trouverai une.

Ce qu'il fit sans tarder. La solution, Cassie la découvrit un soir à son retour d'une visite chez un des rivaux, et néanmoins amis, de Tyrone, à Kildare : c'était à lui qu'elle avait confié son poulain, maintenant âgé de trois ans. Tyrone avait explosé de rire, quand Cassie avait fini par lui avouer son « crime », un an après la naissance de Célébration. En voyant la merveille, il lui avait conseillé de le former sans tarder. Cassie avait sauté de joie, jusqu'au moment où il lui avait annoncé qu'il n'était pas question de le prendre à Claremore, pour éviter de mêler vie professionnelle et vie privée.

Il lui avait recommandé d'envoyer le poulain chez Willie Moore, le meilleur entraîneur d'Irlande, après lui. C'était là que Cassie avait passé son après-midi, avant de revenir chez elle découvrir la mère de son futur enfant.

Antoinette était anglaise, grande et belle, très jeune. Terriblement nerveuse, elle ne cessait de repousser ses longs cheveux bruns, ou de tripoter son mouchoir en dentelle. Sa tenue, reflet des milieux aisés traditionnels, était un peu sévère : jupe plissée bleu marine, chemisier blanc impeccable, mocassins, cardigan drapé sur les épaules.

Tyrone bavardait avec elle dans le salon, près de la fenêtre. En parfait maître de maison, il tentait de la mettre à l'aise. Il lui versa une seconde tasse de thé, et en servit une à Cassie.

– Antoinette travaille pour Alec Secker, annonça-t-il, tandis que Cassie prenait place. Tu te souviens d'Alec. Le directeur de Irish Bloodstock Incorporated.

– A vrai dire, j'étais l'assistante de son fils, intervint Antoinette.

Cassie le connaissait bien, lui aussi. Jeune, séduisant, les cheveux noirs et bouclés, remarquable cavalier l'été précédent. Ils avaient assisté à son vingt et unième anniversaire : pour fêter les six victoires d'affilée de sa première saison, son père lui avait offert un cheval d'obstacle à la retraite, qu'il avait chargé Tyrone de lui trouver.

Ils burent leur thé en échangeant quelques banalités. Cassie n'avait nulle idée de la raison de cette visite. Tyrone ne lui fournit aucun indice. Ce ne fut que plus tard, lorsque la jeune femme eut repris la route de Dublin, et alors que Cassie et Tyrone dînaient en tête à tête, que le mystère fut résolu.

– Alors ? demanda Tyrone.

– Alors, quoi ?

– Que penses-tu d'elle ?

– Que veux-tu que je pense d'elle ? De quoi s'agit-il, Tyrone ? D'une audition pour une nouvelle maîtresse ?

– Comment veux-tu que j'en aie une nouvelle, puisqu'il n'y en a jamais eu d'ancienne ?

– Tu en as eu une vieille avant de me connaître.

– Quelle impression cette fille t'a-t-elle faite ? insista Tyrone.

– Elle m'a paru bien nerveuse.

– Tu l'as trouvée jolie ?

– C'est bien ce que je me disais : c'est une audition.

– En quelque sorte, oui, mais pas pour ce que tu crois. Elle est ravissante, et quand elle ne tremble pas de frayeur, elle est vive et intelligente.

– Je comprendrais, si nous étions à la recherche d'une fiancée pour un de nos fils. Là, franchement, je suis perplexe.

Tyrone reprit de la viande froide.

– Elle est enceinte.

– Pas de toi, j'espère.

– Je ne plaisante pas, Cassie McGann. Cette gourde est tombée sous le charme de Gerald, évidemment, et maintenant, elle est dans l'embarras.

– Gerald y est sans doute pour quelque chose, répliqua Cassie sans se départir de son sérieux.

– Ecoute-moi, veux-tu ? Tu ne sembles pas comprendre. Elle en est au début du cinquième mois.

– Et alors ?

– Et alors, elle dit qu'elle veut bien nous laisser son enfant.

Cassie dévisagea Tyrone, qui s'était figé, les couverts en l'air. Au début, elle resta à court de mots. Ce n'était pas le moment de s'exciter. Elle devait rester calme et posée.

– Alors ? répéta Tyrone, de plus en plus impatient.

– Très bien. Pourquoi ne veut-elle pas de ce bébé ?

– Cassie… tu l'as vue ! Elle n'est pas encore majeure.

– Elle est plus âgée que moi quand je t'ai rencontré.

– Le problème, c'est qu'elle n'ose pas l'avouer à son père. Alec m'en a parlé, parce qu'elle pleure sur l'épaule de Maureen depuis six semaines. Elle est au bord du suicide.

– Ses parents apprendront la vérité tôt ou tard, non ?

– Pas forcément. Ils sont à l'étranger. Le père est militaire. Il ne sera muté en Angleterre qu'en janvier prochain. Antoinette reste ici jusqu'en mars.

– Qu'est-ce qui vous dit qu'une fois l'enfant né, vous n'aurez pas envie de le garder ? demanda Cassie à la jeune femme.

– C'est impossible, madame. Même si je le voulais de toutes mes forces.

– Tout peut être fait dans les règles, dit Tyrone. Antoinette aura vingt et un ans en septembre. Le bébé ne naîtra pas avant la fin du mois de novembre. L'adoption sera légalisée par les tribunaux anglais, et il y a fort peu de chances pour que qui que ce soit dans son entourage ne l'apprenne. Puisqu'elle sera majeure.

– Pardon ? s'enquit Antoinette.

– Vous serez majeure, et légalement autorisée à faire adopter votre enfant.

– Elle pourrait accoucher ici, proposa Cassie, après avoir bordé Joséphine dans son lit et lui avoir lu une histoire. Ce serait normal, après tout, puisque nous allons adopter son bébé. Par la suite, quand il sera plus grand, on pourra lui dire qu'il est venu au monde à Claremore.

– Excellente idée, approuva Tyrone. De toute façon, elle va bientôt s'arrêter de travailler. Elle n'aura qu'à s'installer ici, elle nous donnera un coup de main. Quant à ce cher Alec, si on lui pose des questions, il pourra toujours répondre que je lui enseigne les rudiments de l'art équestre.

– Tyrone, une chose me vient à l'esprit, tout d'un coup. Le problème n'a jamais été soulevé, en tout cas pas en ma présence : pourquoi ne veut-elle pas se marier avec Gerald ?

– Nous ne nous aimons pas, madame Rosse, expliqua Antoinette. De toute façon, j'ai quelqu'un d'autre, en Angleterre, à Hampshire.

Cassie la dévisagea, stupéfaite. Elle avait du mal à comprendre. Cette fille avait couché avec Gerald, elle était enceinte de lui, mais ils ne s'aimaient pas, et elle avait un fiancé en Angleterre.

– Vous n'avez pas pris vos précautions.

– Euh… vous savez comment c'est, en Irlande. Je… il ne devait pas me rester assez de… de gel.

Cassie se sentit soudain très vieille. Et complètement

en dehors du coup. Dans ces replis d'une campagne verdoyante au milieu de l'Irlande, on oubliait facilement qu'on était en plein dans les années soixante, où la promiscuité faisait rage. L'ère des Rolling Stones et du cannabis, de la comédie musicale *Hair* et des minijupes ; l'ère du procès de Lady Chatterley, des vêtements unisexes, de Mandy Rice-Davis et de Christine Keeler. La censure était bannie, et l'économie en plein essor. Partagés entre l'excitation et la perplexité, les jeunes voulaient à tout prix se joindre à l'orchestre, même s'ils n'étaient pas toujours convaincus d'en apprécier la musique.

Cassie en avait un exemple vivant en face d'elle : une jeune fille qui tripotait nerveusement son mouchoir, enceinte d'un enfant dont elle ne voulait pas. C'était le résultat d'un acte commis de façon totalement irresponsable, probablement parce que toutes ses copines en faisaient autant.

– Qu'auriez-vous fait, si M. Rosse ne vous avait pas proposé de prendre votre bébé ?

– Je n'en sais rien, madame, avoua Antoinette, en toute sincérité. Mais il aurait bien fallu que je fasse quelque chose.

Cette réponse éveilla la pitié de Cassie, tout en augmentant son irritation. Pourquoi la vie était-elle à ce point injuste ? Il y avait ceux qui désiraient un enfant, prêts à lui offrir un foyer, de la tendresse et de l'amour, mais qui ne pouvaient en avoir… et les autres, qui concevaient sans réfléchir.

La mère du futur bébé de Tyrone et de Cassie s'installa à Claremore pour vivre les dernières semaines de sa grossesse. Elle en profita pour assister Mme Byrne au bureau, avec gentillesse et bonne humeur.

Un lundi matin, en consultant les participations de la semaine, Cassie constata que Value Guide, le trois ans de Leonora, allait prendre le départ de trois courses. Willie Moore préparait Célébration pour l'une d'entre elles.

Célébration n'avait pas couru dans la catégorie des deux ans, car Willie, bien que confiant en l'avenir du cheval, le trouvait un peu trop grand. Il avait donc préféré attendre un peu. Encore un peu « frais » en début de saison, il ne s'était lancé qu'en juillet, à Phoenix Park, où il avait obtenu une place honorable de sixième sur quatorze. Un mois plus tard, il remontait de deux places : désormais, il suffisait de choisir la bonne course. Il en sortirait vainqueur.

Cassie et son entraîneur s'étaient décidés pour le Prix de Gowran Park, une compétition de niveau modeste. Pourtant, à quatre jours de l'épreuve, l'irréprochable Value Guide de Leonora figurait sur la liste.

Curieuse de savoir si les deux chevaux étaient à chances égales, Cassie se renseignait sur les autres courses auxquelles le poulain de Leonora avait participé cette semaine-là, quand Tyrone rentra de l'écurie. Cassie lui demanda ce qu'il en pensait, et il lui répondit qu'il n'était même pas au courant que Value Guide allait à Gowran.

– Il était prévu pour Navan, mercredi. En tout cas, c'est à cela que je l'ai préparé.

Malheureusement, dès midi, il se mit à pleuvoir au nord de Dublin. Contacté le mardi après-midi, le commissaire de l'hippodrome annonça à Tyrone un terrain lourd. Ce qui ne convenait pas du tout à Value Guide. Il fallut donc le retirer de Navan et le laisser dans le Prix Gowran.

– Si c'était le mien, confia Tyrone à Cassie, j'aurais attendu le Prix Curragh, la semaine prochaine. N'importe quel autre propriétaire m'aurait écouté et aurait suivi mes conseils. Leonora n'a rien voulu entendre. Je me demande pourquoi…

Tyrone lui sourit, puis appuya sur l'accélérateur. Il profitait d'une longue ligne droite pour pousser son Aston à fond. Ils atteignaient les deux cents kilomètres heure, quand Cassie le supplia de ralentir.

– Tu pourrais au moins attendre la fin de la course

pour nous tuer tous les deux ! hurla-t-elle par-dessus le vrombissement du moteur. Je suis convaincue que mon cheval a toutes ses chances.

Lorsqu'ils arrivèrent à l'hippodrome, le ciel s'était éclairci, et la météo promettait de rester agréable. Cassie courut trouver Willie Moore. L'épreuve à laquelle participait Célébration était la seconde au programme, et il était sans doute déjà dans le paddock.

Célébration était magnifique. Il défilait en trépignant d'impatience et d'excitation. En contraste, le cheval de Leonora paraissait complètement endormi. Comme tous les pur-sang entraînés à Claremore, il était irréprochable. Les autres opposants semblaient d'un niveau modeste, et cela se reflétait dans les paris engagés. Value Guide était coté à six contre quatre, Célébration, qui serait monté par Dermot Pryce, à deux contre un.

Le jockey de Tyrone, un jeune Australien en pleine ascension dont c'était la première saison en Irlande, s'appelait Dirk Norton. C'était Leonora qui avait tenu à l'engager : tout le monde, entre autres Tyrone, n'appréciait pas sa tactique.

Willie Moore et Cassie allèrent aux guichets. Value était passé à cinq contre quatre, et Willie parvint à obtenir le seul deux contre un disponible, avant que Célébration n'en vienne à sept contre quatre. Cassie misa ses cinq livres sur un outsider, Tote, oubliant comme à son habitude le numéro du cheval, puis rejoignit son entraîneur dans les tribunes.

– Ils sont à égalité, à présent, Cassie, déclara Willie Moore en scrutant le tableau à l'aide de ses jumelles. Tiens ! Voilà que Célébration est favori !

En effet, Célébration était cinq contre quatre, alors que Value Guide redescendait à six contre quatre.

– A mon avis, ces escrocs flairent un bon coup, marmonna Willie. Nous n'avons pas le droit d'être favoris, surtout à ce prix-là.

Du départ à l'arrivée, ce fut une course entre deux

chevaux. Dermot Pryce monta exactement selon les ordres de Willie Moore, et suivit Value Guide à la corde jusqu'au repère. Puis il feinta, comme pour profiter de l'ouverture que Norton avait délibérément laissée entre son cheval et la barrière. Aussitôt, Norton se rabattit. Mais Pryce avait deviné sa stratégie et dévié sur la droite pour entamer la dernière ligne droite. Célébration, qui possédait ce petit plus des grands gagnants, partit comme une furie. Norton joua de la cravache et le rattrapa. Pryce ralentit le rythme, entraînant Célébration dans sa maladresse. A cet instant vital, le cheval de Cassie perdit son avantage, et les deux animaux traversèrent la ligne en même temps.

– Photographie ! annonça le commentateur. Enquête !

Pendant que les bookmakers s'affairaient, Cassie courut avec Willie jusqu'au paddock.

– C'était formidable, non ? Il a très bien couru !

– En effet. Il aurait dû gagner.

– Ce n'est pas lui le premier ?

– Il a été battu d'une demi-tête.

Willie fusilla des yeux le jockey australien, qui menait tranquillement le cheval de Leonora jusqu'à l'enclos du gagnant. Pryce hésitait avec Célébration dans le no man's land, l'espace existant entre celui réservé pour le premier et celui revenant au second.

– Alors ? demanda Willie en aidant Dermot Pryce à descendre. Qu'est-ce qu'il a encore fait, ce crétin ?

– Il m'a donné un coup de pied, répondit Pryce avec un sourire édenté. Juste avant le poteau.

– Ça t'apprendra à ne plus te prendre pour Piggott, grommela Willie. Tu veux déposer plainte ?

– A quoi bon ? grogna Pryce en glissant la selle sur son bras. Ce sera sa parole contre la mienne. Tous les autres étaient loin derrière.

Le jockey disparut dans la salle de pesage, tandis que le lad faisait tourner le cheval dans l'attente du résultat de l'enquête.

Leonora surgit aux côtés de Cassie. Elle la saisit par le bras. Cassie ne l'avait pas aperçue auparavant. Elle était habillée comme pour le meeting de Royal Ascot, et les parieurs semblaient plus intéressés par elle que par les participants.

– Qu'en penses-tu, Cassie ? Je crois que c'est toi qui as gagné.

– Non, tu n'en penses pas un mot, Leonora. Si c'était le cas, tu ne m'adresserais pas la parole.

Leonora s'esclaffa. Puis, de nouveau, elle s'agrippa à Cassie, tandis que le commentateur reprenait la parole.

– Chut ! Voilà le verdict !

– Premier, le numéro quatre, Value Guide.

Leonora poussa un hurlement singulièrement disgracieux, de même que quelques parieurs heureux.

– Second, le numéro neuf, Célébration. Le troisième est le numéro dix-neuf, Lecturer.

Leonora entraîna Cassie en dehors du paddock.

– Viens, ma chérie ! s'exclama-t-elle par-dessus le brouhaha ambiant. Je t'offre un verre !

– Je te rejoins dans un instant, répondit Cassie en se détachant. Je veux d'abord m'occuper de Célébration.

Leonora ne l'écoutait déjà plus, car elle venait d'apercevoir Tyrone. Elle se précipita en avant, une main sur son chapeau, l'autre tendue vers lui. Cassie les regarda s'éloigner, Leonora bouillonnante d'excitation, Tyrone, tolérant, affichant l'expression grave qu'il réservait aux propriétaires volubiles.

Cassie sourit intérieurement et se détourna pour caresser son cheval malchanceux. Il était tellement en forme qu'il soufflait à peine en dépit de son effort.

– On ne peut pas intervenir, Willie ?

– Si, on peut. La prochaine fois, on va enterrer ce crétin.

Le lendemain matin, quand Willie le sortit, il se rendit compte que Célébration boitait. Un petit groupe se forma autour du cheval, le « comité des jambes », comme disait Tyrone. On inspecta soigneusement tendons et ligaments. A l'immense soulagement de tous, aucune inflammation n'était visible. Cependant, on constata une irritation sur le pied, signe que le cheval avait dû se cogner lui-même dans les dernières foulées. Niall Brogan, le vétérinaire de Willie Moore et de Tyrone, était d'avis que les dégâts étaient minimes, mais qu'il valait mieux, par prudence, laisser le cheval au repos pendant deux semaines. La saison du plat tirait à sa fin, ce n'était donc pas tragique. Cassie en éprouva de la déception, mais pas du désarroi. A force d'observer Tyrone, elle avait appris qu'il ne servait à rien, dans ce milieu, de gaspiller son énergie en colères inutiles.

A Claremore, tout allait pour le mieux. Value Guide confirma ses qualités en gagnant le handicap de Curragh à la mi-octobre. Au cours de ce même meeting, le poulain que Tyrone avait acheté et entraîné pour le magnat américain Townshend Warner, rencontré à Laurel Park lors de son voyage de 1962, créa la surprise en coiffant au poteau le favori Champion Stakes. Warner était venu exprès des Etats-Unis pour l'occasion. Il était si content qu'il avait aussitôt commissionné Tyrone pour l'achat et l'entraînement de deux nouveaux chevaux.

Tyrone dut se rendre à Paris pour le Prix de l'Arc de Triomphe. Ne présentant lui-même aucun concurrent, il y allait surtout pour voir deux yearlings français dont on lui avait vanté les mérites. Cassie avait prévu de l'y accompagner, malheureusement, trois jours avant le départ, Joséphine déclara une rougeole. Tyrone proposa de rester, lui aussi, mais Cassie l'en découragea.

Le samedi soir, la fièvre de la fillette grimpa jusqu'à 40°, et elle se mit à délirer. Elle voyait des rats et des araignées partout sur son lit. Cassie la veilla toute la nuit, la changea une demi-douzaine de fois, épongea son front brûlant. La petite était si malade que Cassie crut un moment qu'elle ne s'en sortirait pas. Dieu merci, à l'aube, Joséphine sombra enfin dans un sommeil profond et paisible. A la mi-journée, la crise était passée, sa température étant retombée à 38°. Cassie resta auprès d'elle toute la journée, à sommeiller sur un matelas par terre.

Tyrone téléphona constamment, mais Cassie ne lui dit jamais à quel point leur fille avait été malade. Le lundi, juste avant qu'il ne quitte Paris pour aller voir les yearlings, Joséphine put lui parler. Il poursuivit donc son voyage, très soulagé.

Il devait rentrer le jeudi. Le mercredi soir, il appela pour dire qu'on lui proposait de visiter d'autres écuries, et qu'il ne reviendrait pas avant la fin du week-end. Accoutumée aux caprices du métier de Tyrone, Cassie n'en prit pas ombrage. Elle remonta dans la nursery lire la fin de son histoire à Joséphine.

Le 30 novembre, Antoinette présenta les premiers symptômes de l'accouchement. Au fil des semaines, elle était devenue une amie. Elle avait révélé à Cassie les circonstances de cette grossesse non désirée. La scène s'était passée après une folle soirée à Dublin, où un imbécile avait cru très intelligent de servir des gâteaux au haschisch à toutes les filles, sans leur dire ce qu'elles ingurgitaient. Gerald, lui, avait fumé du début à la fin, comme tous ses camarades. En se réveillant le lendemain matin dans le lit de Gerald, Antoinette se rappelait seulement avoir joué aux cartes et s'être déshabillée. En affirmant qu'elle s'était mal protégée, elle avait menti. En fait, elle n'avait jamais été en état de penser aux précautions à prendre, pas plus que Gerald. Antoinette se rappelait pourtant une discussion sur la contraception, au cours de laquelle les gens, Gerald compris, s'étaient insurgés contre de telles pratiques sous prétexte que ce n'était pas naturel.

Tant de bêtise avait révolté Cassie. Antoinette était évidemment d'accord avec elle.

Le travail débuta vers dix-huit heures. A dix-neuf heures quarante-cinq, elle mit au monde un garçon de presque quatre kilos. Cassie et Erin assistèrent la sage-femme, qui déclara que son existence serait bien plus facile si tous les accouchements se passaient ainsi. Antoinette put même s'asseoir pour voir arriver son bébé. La sage-femme le gratifia d'une bonne tape, coupa le cordon, puis le donna à Erin pour qu'elle le lave. Cassie reprit l'enfant et s'approcha du lit.

– Tenez, dit-elle à Antoinette.

Cette dernière fronça les sourcils.

– Pourquoi ? Je ne comprends pas.

– Il faut que vous le serriez dans vos bras. Au moins une fois. Sans ça, vous ne saurez jamais. Vous n'aurez jamais la certitude d'avoir pris la bonne décision.

Cassie plaça délicatement le nourrisson sur la poitrine de sa mère biologique et recula d'un pas. Il lui fallut beaucoup de courage et de volonté, car elle savait le risque qu'elle prenait. Mais elle n'avait pas le choix.

Antoinette contempla l'être minuscule, son fils, son premier enfant, et ses yeux se remplirent de larmes. Cassie crut à cet instant que sa cause était perdue, mais elle s'obligea à rester impassible. Elle se tourna vers Erin avec un petit sourire. Celle-ci se mordait la lèvre avec angoisse.

La sage-femme ne se doutait pas du drame qui se déroulait sous son nez. Elle s'affairait en remerciant le ciel que tout se soit si bien passé, et que le petit garçon soit si beau. Antoinette le berçait contre elle avec tendresse.

– Bon, Erin ! lança la sage-femme. Où est ce thé que vous m'avez promis ?

Elle ferma sa mallette et gratifia Antoinette d'un sourire.

– Nous vous laissons en paix avec votre bébé, conclut-elle. Je repasserai tout à l'heure m'assurer que tout va bien.

Erin jeta un coup d'œil désolé vers Cassie, qui était restée clouée sur place, puis emmena la sage-femme avec elle.

Après leur départ, Antoinette se tourna vers Cassie avec l'air épanoui d'une jeune maman. Cassie lui effleura la main, le cœur battant. Puis elle se dirigea vers la porte.

– Excusez-moi.

Cassie fit volte-face. Les larmes aux yeux, Antoinette lui tendait l'enfant. Cassie ravala un sanglot.

– Vous le voulez toujours ?

– Oui. Mais vous, êtes-vous sûre de vous ?

– Oh, oui, mentit Antoinette. Absolument.

Elle remit alors à Cassie celui qui serait désormais son fils et celui de Tyrone.

– Comment va le petit ? demandait Tyrone en se ruant vers l'escalier chaque soir.

Cassie lui emboîtait le pas en riant. Fidèle au poste, Erin les attendait dans la nursery, le bébé dans les bras.

– Vous savez, monsieur Rosse, il n'a pas beaucoup changé depuis l'heure du déjeuner.

– Mais si, protestait Tyrone en riant. Sa dent a poussé, le sourire qu'il réserve à son papa est encore plus grand !

– Seigneur Dieu ! grommelait alors Erin, jalouse de l'attention que le petit Mathieu suscitait, aux dépens de « sa » Joséphine. A vous entendre, on croirait que c'est votre premier !

Cassie tentait d'arbitrer, afin que personne n'y perde trop de plumes et que chacun ait sa part d'amour et d'attentions, Erin y compris. Ce n'était pas forcément facile.

S'il apprenait qu'Erin avait commencé à baigner le nourrisson avant son arrivée, Tyrone explosait. Erin s'empourprait et se mettait à bouder.

– Vous aviez vingt minutes de retard, monsieur Rosse. Le bébé est fatigué.

– Erin Muldoon, ce petit est mon fils, et c'est moi qui déciderai s'il est oui ou non fatigué. Est-ce bien clair ?

Sur ce, Cassie intervenait systématiquement, essayant de calmer Erin, d'une part, et jetant des regards suppliants vers Tyrone pour qu'il baisse le ton, d'autre part. Tyrone avait beau savoir qu'il naviguait sur une mer dangereuse, il insistait. Furieuse, Erin jetait l'éponge et allait rejoindre sa mère à la cuisine, d'où Cassie ne réussissait à la sortir qu'à force d'excuses, de flatteries et de promesses.

Une fois persuadée de remonter, Erin ne pouvait s'empêcher de faire des commentaires :

– Vous ne lui avez pas bien séché les pieds, monsieur Rosse.

Ou bien :

– Attention à sa fontanelle !

Et encore :

– Il ne faut pas l'asseoir comme ça ! Vous allez lui briser le cou.

Ou alors :

– Prenez une serviette sèche, monsieur Rosse. Vous ne voulez tout de même pas qu'il attrape une pneumonie ?

Parfois, exaspéré, Tyrone entraînait Cassie dans leur chambre : entre Erin et lui, à elle de choisir. Cassie le raisonnait, sachant combien il prenait au sérieux le bien-être de son fils, et qu'une fois apaisé, il regagnerait au pas de course la nursery pour son moment préféré de la journée : l'histoire du soir.

Avant d'entamer cette demi-heure magique avec leurs enfants, Tyrone et Cassie marquaient une pause sur le seuil de la pièce pour les admirer, émerveillés de les voir si beaux. Joséphine, avec ses cheveux soyeux et ses grands yeux en amande, et Mathieu, coiffé de boucles blondes, toujours en train de sourire.

Tyrone s'installait alors auprès d'eux pour leur raconter un livre. Erin reniflait, méprisante : quelle idée de lire à haute voix pour un poupon de quatre mois ! Tyrone lui répliquait que les bébés comprenaient énormément de choses, même lorsqu'ils étaient encore dans le ventre de leur maman. Puis il reprenait sa lecture de sa belle voix de baryton dont Cassie ne se lassait pas.

Pendant ce temps, Cassie recousait un bouton sur l'un

des cardigans de Joséphine, ou rangeait la pile de couches impeccablement lavées et repassées de Mathieu. Après avoir embrassé les enfants, tous deux jetaient un dernier coup d'œil sur la nursery, encombrée de jouets. Dès qu'il s'absentait, Tyrone revenait les bras chargés de cadeaux. Cassie lui reprochait parfois de trop les gâter, mais il y prenait un tel plaisir qu'elle n'insistait jamais.

– Nous avons de l'argent, autant le dépenser, Cassie McGann. Je ne vois pas l'intérêt de travailler comme un acharné si l'on ne peut pas en profiter immédiatement. Ces moments-là ne se représenteront plus, tu sais.

Ils s'éloignaient bras dessus, bras dessous. Si Erin n'était pas dans les parages, Tyrone s'empressait de pousser Cassie dans leur chambre et dans leur lit.

Leur passion ne diminuait en rien. Si Tyrone rentrait déjeuner, et qu'il avait du temps devant lui, ils buvaient un peu de vin à table, puis passaient le reste de l'après-midi à faire l'amour. S'il devait assister à une course, il rentrait le plus vite possible.

Lorsqu'il partait en voyage, Cassie se remémorait avec délices leurs étreintes. Souvent, au même instant, le téléphone sur sa table de nuit sonnait, et la voix de Tyrone lui chuchotait des mots doux. Cassie souriait, bouleversée.

Les soirs d'hiver, devant le feu, ils parlaient. Tyrone lui racontait son enfance, idyllique aux yeux de Cassie, dans cette vieille demeure, toujours entouré d'animaux, chiens, chevaux, poneys, un lièvre apprivoisé... et même, à une époque, un renardeau, que Tyrone avait sauvé d'un piège de braconnier.

Si Cassie prenait plaisir à l'entendre évoquer ses souvenirs, Tyrone était tellement effaré par ce qu'avait vécu Cassie qu'il supportait mal qu'elle en parle. Pourtant, il savait qu'elle avait besoin de s'exprimer, aussi l'écoutait-il avec attention. Plus le temps passait, moins il comprenait. Comment pouvait-on à ce point maltraiter une fillette ? Comment pouvait-on la battre ? L'enfermer dans sa chambre pendant des journées entières ?

– Il est hors de question qu'on lève la main sur mes enfants, déclara-t-il un jour. Dans cette maison, je ne veux que sérénité et tendresse. S'ils font des bêtises, ils seront grondés, mais jamais ils ne pourront douter de notre amour.

Cassie soupira de bonheur.

– Je t'aime, Tyrone.

La sonnerie du téléphone retentit dans le vestibule. En général, dans de tels moments d'intimité, ils l'ignoraient. Mais cette fois, Tyrone embrassa sa femme sur le front et alla décrocher l'appareil.

– C'est sûrement un de mes crétins de propriétaires, marmonna-t-il en quittant la pièce.

Il revint un instant plus tard.

– C'est pour toi, Cassie. J'ai l'impression que c'est le vieux mari de la princesse. En tout cas, il m'a semblé reconnaître la voix de Franco.

Cassie alla répondre en se demandant ce que pouvait bien lui vouloir l'époux de Leonora. Elle ne tarda pas à le découvrir.

– Bonsoir, ma chère Cassie. J'espère que je ne vous dérange pas trop.

– Pas du tout, Franco. Que puis-je pour vous ? Tout va bien ?

– Euh… tout dépend.

– Quel est le problème ? C'est Leonora ?

– Je ne sais pas trop comment aborder la question. Je…

– Venez-en au fait, Franco. J'ai des invités, mentit-elle.

Sur le seuil du salon, Tyrone lui faisait des grimaces. Elle lui tira la langue. Il porta une main à son cœur et se laissa glisser à terre comme s'il avait reçu un coup de pistolet.

– Pardonnez-moi ! Je peux vous rappeler à un autre moment.

– Non, non, ce n'est pas la peine.

– Voilà. Je voulais savoir si vous étiez au courant.

– De quoi ?

– Savez-vous que votre merveilleux mari vous trompe ?

Le sang de Cassie se glaça. Elle s'accrocha à la console, reprit son souffle.

– Je pense que j'ai mal compris.

– Au contraire, votre silence est éloquent. Vous êtes en état de choc.

Cassie l'imagina à l'autre bout de la ligne, tout sourire.

– Je vais répéter : votre mari vous trompe. Vous ne serez sans doute guère étonnée d'apprendre avec qui. Ma femme. Leonora. Votre amie.

– C'est impossible, murmura Cassie. Inimaginable.

Dans la glace devant elle, elle aperçut le reflet de Tyrone. Sourcils froncés, il paraissait intrigué par son changement de ton.

– Je crains que si, Cassie. Vous vous rappelez quand il s'est rendu à Milan ? C'était la première fois. Ils ont passé deux jours ensemble dans le sud de la France. Depuis, qui sait ? Interrogez votre mari sur son séjour à Paris. Le Prix de l'Arc de Triomphe. Demandez-lui pourquoi il a repoussé son retour d'une semaine.

Sur ces paroles envenimées, Franco raccrocha. Cassie contempla le combiné d'un air hébété. Elle le remit en place lentement, resta le dos tourné à Tyrone.

Il se rapprocha, anxieux.

– Qu'y a-t-il ? Que s'est-il passé ?

– C'était Franco.

– Je sais. Mais tu parais très secouée. Leonora aurait-elle un problème ?

– Tu n'as qu'à l'appeler et le lui demander toi-même ! hurla-t-elle.

S'emparant du téléphone, elle le jeta à la figure de Tyrone, qui le rattrapa de justesse. Puis elle tourna les talons et monta en courant l'escalier. Sur le palier, elle marqua une pause :

– Et pendant que tu y es, demande-lui comment elle a trouvé le Prix de l'Arc de Triomphe !

Elle s'engouffra dans sa chambre et claqua violemment la porte.

Tyrone posa délicatement l'appareil, attendit un instant, puis composa le numéro de Leonora.

Ce fut elle qui décrocha.

– Qu'est-ce qui se passe ? gronda-t-il.

– Oh ! Pas grand-chose, sinon que nous allons divorcer.

16

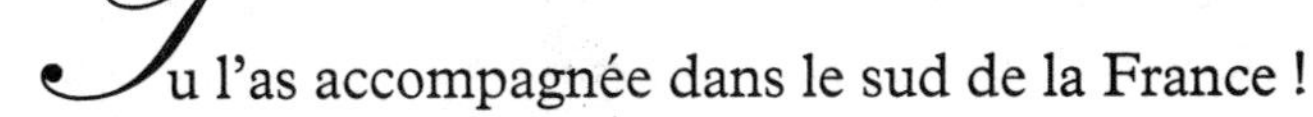

– Tu l'as accompagnée dans le sud de la France !

– Oui.

– Tu n'étais donc pas à Milan !

– Si, j'y suis allé.

– Tu viens de me dire que tu étais avec elle dans le sud de la France !

– Je suis aussi passé par Milan.

– Et Paris ?

– Quoi, Paris ?

– Comment ça « quoi, Paris » ?

Cassie, complètement hystérique, hurlait et pleurait à la fois. Ses joues étaient maculées de Rimmel. Elle porta un mouchoir à sa bouche. Tyrone se tenait au bout du lit. Les mains sur le montant sculpté, il tentait de la calmer, de rationaliser la discussion, disait-il.

– Rationaliser la discussion ! Comment oses-tu, espèce de… espèce de salaud !

– Ecoute, Cassie. D'après ce que Franco t'a dit au téléphone…

– Tu viens d'avouer toi-même que tu étais dans le sud de la France avec elle ! Espèce de porc !

– Je n'ai jamais dit que j'avais couché avec elle.

– C'est inutile ! Franco s'en est chargé. Tu es son amant depuis le jour où tu étais soi-disant à Milan...

– J'y étais.

– Sois franc, tu couches avec elle depuis trois ans !

Cassie ravala un cri et cacha son visage dans ses mains. Tyrone s'approcha, mais elle pressentit son mouvement et, s'emparant du premier livre à portée de main, le visa à la tête.

– Ne me touche pas ! Je t'interdis de me toucher !

– Qu'est-ce que tu as, Cassie ?

– Salaud ! siffla-t-elle. Mufle ! Pendant que je devenais folle toute seule ici, tu étais à Milan et dans le sud de la France avec elle. Alors que j'étais en pleine dépression après avoir perdu notre bébé !

– Cassie, je n'ai jamais...

– Je vais te tuer, répliqua-t-elle, soudain très calme. Je vais te tuer.

Tyrone reprit position au bout du lit, sans quitter des yeux Cassie, qui s'était recroquevillée sur les oreillers. Ils s'observèrent quelques instants en silence.

– Quand tu le voudras, nous parlerons.

– Je vais te tuer.

– Quand tu le voudras, nous parlerons. Et tu m'écouteras.

– Je vais te tuer.

Tyrone s'obligea à respirer normalement, puis lui tourna le dos et alla se planter devant la fenêtre. Il ferait encore un petit effort, mais si elle ne se calmait pas, il appellerait le Dr Gilbert.

Cassie, pendant ce temps, avait ouvert le tiroir de sa table de chevet. Elle en sortit une paire de ciseaux de couture. Tyrone ne s'en aperçut qu'à la dernière minute. Il fit volte-face alors que Cassie se jetait sur lui, son arme au poing. Il leva les mains pour se protéger et l'arrêter dans son mouvement. Il parvint à saisir les ciseaux, mais pas avant que ceux-ci ne lui entaillent le bras gauche. Il poussa un rugissement de douleur, arracha les lames de sa chair, couvrit la blessure de sa main droite.

Cassie s'immobilisa, horrifiée. Entre les longs doigts fins de Tyrone, le sang coulait, teintant sa chemise blanche de longues stries écarlates. La nuque en arrière, Tyrone gémissait de souffrance. Cassie émit un sanglot, tomba à genoux, enfonça les phalanges dans sa bouche. Puis, se balançant d'avant en arrière, elle entoura les jambes de Tyrone et s'y accrocha avec l'énergie du désespoir.

Tyrone exigea de quitter l'hôpital aussitôt après avoir été recousu. Il avait appelé Tomas pour qu'il vienne le chercher, et le fit accélérer sur le chemin du retour.

– Je n'ose pas aller trop vite, vu votre état.

– Dieu du ciel, pour une fois, faites donc ce que je vous dis ! aboya Tyrone. On m'a bourré d'analgésiques. Je ne sens rien du tout.

C'était faux. Il avait eu droit à une piqûre de morphine, mais au bout de trois heures, l'effet se dissipait. Tant pis. Il était trop impatient de retrouver Cassie.

– Plus vite que ça ! exhorta-t-il. Et roulez du bon côté, nom de nom !

Lorsqu'il arriva à Claremore, le Dr Gilbert se servait un whisky dans le salon. Tyrone s'en versa une dose généreuse, malgré les avertissements du médecin. Il l'avala d'un trait, puis se dirigea vers la sortie.

– Elle dort, Tyrone Rosse, annonça le Dr Gilbert. Mieux vaut la laisser tranquille.

– Il faut à tout prix que j'éclaircisse la situation, Docteur, répliqua Tyrone.

– Inutile d'essayer quoi que ce soit avant demain matin. Je lui ai administré un sédatif de cheval.

Tyrone s'offrit un second whisky, puis appela Tomas, qui s'était réfugié à la cuisine.

– Que s'est-il passé, au juste ? demanda Gilbert en se roulant une cigarette.

– Mon épouse croit que je la trompe.

– Est-ce le cas ?

– Plutôt mourir ! s'écria Tyrone avant de se laisser choir sur le canapé.

– Je m'en doutais, murmura le Dr Gilbert.

Tomas apparut, et Tyrone se redressa.

– Tomas, vous allez me conduire à Derry Na Loch. Immédiatement.

Derrière lui, le Dr Gilbert secoua lentement la tête. Tyrone vida son verre, boutonna sa veste en tweed et sortit. Il avait presque rattrapé Tomas, quand il s'évanouit.

– Mais tu étais bien dans le sud de la France avec elle.

– En effet.

– Pourquoi ?

– Nous étions tout un groupe. Rappelle-toi : le cheval avait gagné et…

– Je ne me souviens de rien.

– C'est pourtant la vérité, Cassie. Soyaze, le cheval de Terry Colebourne… Conséquence de la fête qui a suivi, nous avons raté notre avion. Leonora était là *avec* Franco. Elle nous a tous convaincus, Kim Shaugnessy, Peter Willis, Michael Prior-Parker et moi-même, de repartir via Nice où leur yacht était amarré.

– Vous alliez rentrer en bateau ?

– Un de leurs amis milliardaires était venu avec son avion privé. Elle nous a promis un vol gratuit pour Londres. Nous avons assisté à une soirée à bord ce soir-là, puis le lendemain soir. Ensuite, nous sommes revenus en Angleterre.

– Tu es resté le temps de deux fêtes ?

– Je n'avais pas le choix. Il fallait que j'attende que le millionnaire soit prêt à repartir.

– Pourquoi ne m'en as-tu pas parlé à l'époque ?

– Tu étais beaucoup trop malade. Et puis, qu'est-ce que j'aurais bien pu te raconter ? Que je m'ennuyais à mourir et que j'étais impatient de te revoir ?

– Pourquoi as-tu accepté l'invitation ? Tu aurais pu prendre un autre avion.

– J'étais ivre. Depuis la mort de notre fils, je me suis soûlé chaque fois que j'ai pu.

Cassie se réfugia dans le silence. Elle était assise dans son lit, pâle, mais calme. Tyrone lui prit la main. Cette fois, elle ne le repoussa pas.

– Comment savoir si tu me dis la vérité ?

– Cassie, je ne te mens jamais.

– Et à Paris ?

– A Paris, rien. Leonora était là pour le Prix de l'Arc de Triomphe, et nous avons dîné à son hôtel ensuite. Elle a tout fait pour m'attirer dans son lit, comme d'habitude, et moi, j'ai tout fait pour l'en dissuader.

– Autrement dit, tu as fait un effort pour lui résister ?

Une lueur de fureur dansa dans les prunelles de Cassie. Tyrone s'esclaffa.

– Cassie McGann ! Connais-tu un seul homme qui ne soit pas obligé de faire un effort pour résister aux propositions d'une femme aussi superbe ? Cela ne signifie pas pour autant qu'il a envie de coucher avec elle. Mais cela implique qu'il prenne sa décision en toute connaissance de cause : c'est oui, ou c'est non.

– Et toi, tu as toujours répondu non.

– Tu sais que je ne la supporte pas.

– Pourquoi te laisses-tu faire comme si… comme si…

– Cassie, Leonora m'a confié seize chevaux. Seize. C'est près de la moitié de l'écurie. Lui sourire, rire de ses plaisanteries, danser avec elle… c'est la moindre des choses.

Cassie étendit ses mains devant elle sur le lit. Elle tripota son alliance et fixa le brillant de sa bague de fiançailles.

– Tu l'as déjà embrassée ?

– Oui.

– Quand ? Ç'a t'a pris souvent ?

– C'était à bord du yacht. Pour être exact, c'est elle

qui m'a embrassé. Le deuxième soir. Nous dansions, j'avais beaucoup bu. Elle m'a embrassé.

– Tu n'as pas cherché à l'en empêcher ?

– Non.

Tyrone se frotta la joue.

– Certaines personnes prétendent qu'un baiser est en fait le plus intime des gestes amoureux.

– C'est faux, du moins en ce qui concerne Leonora. Remarque, elle a une bonne technique.

Tout d'un coup, Cassie sourit.

– Cependant, tu n'as pas couché avec elle, insista-t-elle, perplexe.

– Non.

– Alors que j'étais à des milliers de kilomètres de là. Complètement folle de douleur.

– C'est vrai.

– Pourquoi lui as-tu résisté ?

– Parce que je n'avais pas envie d'elle, Cassie McGann ! C'est toi que j'aime, nom de nom !

– Mais tu l'as embrassée.

– Oui.

– Pourquoi ?

– A ton avis ? Parce que moi aussi, figure-toi, j'étais fou de douleur !

Cassie entoura le visage de son mari des deux mains. Ils se regardèrent longuement dans les yeux, puis Tyrone se pencha vers elle pour réclamer ses lèvres. Elle mit les bras autour de son cou et l'attira vers elle. Ils restèrent ainsi, tendrement enlacés, pendant des heures.

– Ce que j'ai du mal à comprendre, déclara Cassie au cours du déjeuner, le lendemain, c'est pourquoi Franco s'en est pris à toi.

– Je ne pense pas que tu aies envie de le savoir.

– Si, si.

– Il me déteste.

– Je sais. Mais pourquoi ?

Tyrone réfléchit un long moment avant de répondre. Enfin, il posa ses couverts, repoussa son assiette, alluma un cigare.

– Tu te souviens de Tony ? Le lad que j'avais, il y a quelques années ? Un garçon très doué, charmant. Il aurait pu aller loin.

– Il n'est pas resté longtemps avec nous.

– Non. A cause de Franco.

Sourcils froncés, Cassie cessa d'éplucher sa pomme.

– Je ne comprends pas.

– Franco s'est attaché à lui. Il l'a installé dans un superbe appartement de la rue Baggott. Il lui a acheté de beaux vêtements, il l'a emmené avec lui à l'étranger, il l'a présenté à toutes sortes de gens, de préférence riches. Mais si Franco pouvait se permettre toutes les frasques imaginables, Tony, lui, devait attendre Franco. Un jour, il en a eu assez. Un homme qu'il avait connu sur le yacht de Franco et de Leonora a commencé à le sortir. De retour d'un voyage, Franco l'a appris. Fin de l'histoire.

– Fin de l'histoire ?

– Un soir, j'étais chez Jammet's. Tony a surgi du bar du fond. Au début, je ne l'ai pas reconnu. Quand il m'a vu, il s'est rué vers la sortie. Je l'ai rattrapé, et je l'ai emmené boire un verre chez Davy Byrnes. Il était dans un sale état, comme s'il avait été victime d'un accident de la route. Ce n'était pas ça.

– C'était Franco ?

– Des amis à lui. Ils l'avaient battu sauvagement, en prenant bien soin de lui briser les deux mains. Il ne pourra plus jamais s'occuper de chevaux.

Tyrone marqua une pause, souffla un nuage de fumée vers le plafond.

– Comment as-tu réagi ? Tu as dû faire quelque chose qui a déplu à Franco, pour qu'il te haïsse à ce point.

Tyrone sourit.

– Tu te rappelles comme il était mignon ?

– Euh… oui, jusqu'au jour où il s'est cassé le nez.
– Erreur. Jusqu'au jour où *je* lui ai cassé le nez.

Après cela, Cassie ne pensa plus du tout aux accusations de Franco. Elle savait que Tyrone lui avait dit la vérité. Il était si honnête, si intègre, qu'il était incapable de lui mentir. D'ailleurs, son regard parlait pour lui.

Les événements lui donnèrent raison. Leonora lui ayant demandé le divorce, Franco s'était amusé à appeler toutes ses amies et à leur faire croire que leur mari était ou avait été l'amant de sa femme. Dans certains cas, c'était probablement vrai, mais à force d'accumuler les propos diffamatoires, l'affaire devint très vite la blague de l'année dans les cercles mondains de Dublin. Tout le monde et n'importe qui était soupçonné d'être passé entre les draps de Leonora. Evêques et cardinaux faisaient la queue devant sa porte. Invités à dîner à Derry Na Loch, les hommes arrivaient en pyjama sous leur costume, un rasoir et une brosse à dents bien en évidence dans leur pochette.

Se rendant compte qu'il était devenu la risée de tous, Franco s'enfuit chez sa mère, en Italie, pendant que Leonora peaufinait sa cause pour les tribunaux. Elle ne manquait pas de preuves.

– Bon, d'accord, confia-t-elle un jour à Tyrone et à Cassie. Les acteurs, les serveurs, peut-être. Ceux que je n'étais pas obligée de voir. Les coiffeurs et les lads, pourquoi pas ? Mais un jour, en revenant des Etats-Unis, j'ai découvert un maçon dans mon lit ! Dans mes draps en satin ! Là, je me suis dit que ça suffisait.

Elle s'esclaffa, essayant de traiter l'affaire avec ironie. Cependant, Cassie remarqua qu'elle buvait de plus en plus, depuis quelque temps, et qu'en dépit des vomissements rituels après chaque repas, elle prenait du poids. Tyrone avoua qu'il avait pitié d'elle. Cassie concéda qu'il avait raison. C'était affreux de voir cette femme, qui avait tout pour être heureuse, souffrir à ce point.

Dès l'hiver, comme chaque année, Leonora partit pour Saint-Moritz, Rome, puis New York. Elle ne rentrerait pas en Irlande avant le printemps. En général, Tyrone soufflait lorsqu'elle s'en allait, mais cette fois, Cassie et lui, très occupés par leur nouvel enfant et les démarches d'adoption, s'aperçurent à peine de sa disparition.

La procédure s'avérait d'autant plus compliquée qu'Antoinette était anglaise, Tyrone irlandais, et Cassie américaine. Seuls, les juges anglais avaient le pouvoir de leur accorder une autorisation temporaire, leur permettant de garder Mathieu avec eux en Irlande jusqu'à l'obtention de l'adoption légale par l'administration irlandaise. Heureusement, Seamus O'Connor, très au fait des deux systèmes, et plusieurs autres avocats spécialisés dans ces questions réussirent à faciliter l'opération. A la fin du mois de mars, ils se rendirent à Londres pour un entretien filmé, selon la coutume, par une caméra, en présence de leur avocat et de l'assistante sociale. Antoinette ne participait pas à cette rencontre, ce qui était parfaitement admissible, mais elle avait donné son consentement par écrit. Quant à l'approbation de Gerald Secker, elle n'était pas nécessaire puisqu'il n'avait jamais reconnu l'enfant. Le juge lut le rapport de l'assistante sociale. Tyrone et Cassie y apparaissaient comme des parents potentiels plus qu'acceptables, et Claremore un bon foyer. Il demanda ensuite à l'un et à l'autre pourquoi ils tenaient à adopter Mathieu et réfléchit longuement avant de se concentrer sur le dossier médical de Cassie. Seamus O'Connor les avait prévenus que la dépression de Cassie après le décès de leur second bébé pouvait jouer en leur défaveur. Il leur avait donc conseillé de fournir l'avis d'un psychiatre indépendant, qui avait déclaré Cassie en excellente santé mentale. En ces circonstances, décréta enfin le juge, la garde temporaire pouvait leur être accordée sans délai.

Pour fêter l'événement, Tyrone emmena Cassie déjeuner chez Caprice. Mais ils étaient trop excités et heureux pour manger, et cherchaient surtout à passer le temps jusqu'à l'heure de prendre l'avion pour Dublin. A leur retour, les avocats irlandais leur expliquèrent qu'ils avaient déjà soumis leur requête aux tribunaux. Si tout allait bien, l'affaire serait réglée au plus tard fin septembre. Tyrone protesta, trouvant le temps trop long. Seamus O'Connor promit d'essayer d'accélérer le tout.

Cependant, Tyrone et Cassie gardaient bon espoir. Il n'y avait aucune raison pour que l'adoption leur soit refusée.

Secrètement, Tyrone misait aussi beaucoup sur la réussite du cheval de Cassie dans sa deuxième course de la saison, qui devait se tenir à Leopardstown la seconde semaine de mai. Célébration avait fait ses preuves dès son premier meeting à Thurles. Une honorable place de quatrième, sans fatigue, prouvait qu'il était complètement remis de sa blessure lors de sa confrontation avec Value Guide.

Malheureusement, bien que tout jouât en leur faveur, la préparation, le temps, le terrain, rien ne se déroula comme prévu. Au détour du dernier virage, juste avant l'ultime ligne droite, Dermot Pryce était en seconde position. Devant lui, le jockey, visiblement en difficulté, s'écarta brièvement, lui laissant l'ouverture idéale. Pryce jeta un coup d'œil par-dessus son épaule : le peloton était loin. Célébration allait gagner.

Ce fut alors qu'il chuta.

Il se roula en boule tandis que les autres concurrents galopaient au-dessus et autour de lui. Un violent coup de sabot dans le dos lui coupa le souffle, alors qu'un deuxième atterrissait sur son genou droit. Il resta immobile jusqu'à ce que l'ouragan soit passé, puis, penaud, tenta de se redresser. Qu'avait-il bien pu se passer ?

Il aperçut alors le cheval, mort, de l'autre côté de la barrière brisée par son passage.

Cassie et Willie avaient observé toute la scène depuis les tribunes.

Lorsque Célébration avait voulu se faufiler entre la

corde et le leader battu d'avance, Caunoge, le cheval de Tim McGrath, avait effectué une brutale embardée sur la gauche, coupant sa route à Célébration. Pryce avait évité de justesse une collision frontale, mais Célébration avait alors freiné des quatre fers, avant de se détourner avec une telle vivacité que Pryce avait volé. Il avait de la chance de s'en sortir aussi bien, de même que Célébration, qui était parti comme une flèche vers le poteau, les rênes emmêlées autour de ses jambes. Caunoge, en revanche, avait dû mourir avant de heurter la barrière, victime, comme devait le révéler l'enquête qui suivit, d'un infarctus.

Le lad de Célébration le rattrapa sur la ligne et le conduisit devant son propriétaire et son entraîneur, qui l'attendaient avec impatience, de même que l'ambulance qui devait ramener Dermot Pryce. Pryce fut aussitôt expédié à l'hôpital pour une série de radios. Célébration en était quitte pour une belle frayeur.

Willie emmena Cassie au bar pour un bon remontant. Dans un coin de la salle, Sheila Meath quittait la table à laquelle elle s'était installée avec une amie, pour venir chercher des boissons au comptoir.

– C'est vraiment un coup de malchance, Cassie, lui dit-elle en attendant son tour. Célébration aurait gagné haut la main.

– Je suis navré, pour Caunoge, Lady Meath, intervint Willie. Puis-je vous offrir un verre ?

– Merci, Willie, mais il faut que je m'occupe de cette pauvre Joyce O'Sullevan. Elle est inconsolable.

– C'est toi qui as élevé Caunoge, n'est-ce pas, Sheila ?

– En effet, et c'est dur pour moi aussi de le voir partir comme ça.

Le barman posa les verres de Sheila Meath devant elle. Willie insista pour payer. Cassie observa à la dérobée la femme dans le coin. Très pâle, mais le dos droit, elle fumait une cigarette.

– C'était un cheval magnifique, dit Willie à Cassie. Mais Tim m'avait confié qu'il avait le cœur malade.

Apparemment, juste avant que Mme O'Sullevan ne l'achète, il avait épuisé deux vétérinaires.

– Pourtant, il avait gagné bon nombre de courses. Et il avait obtenu une place de quatrième au Derby irlandais, l'année dernière.

– Les pur-sang sont de drôles de bêtes, Cassie. On a du mal à l'imaginer, mais beaucoup d'entre eux ont des problèmes de cœur. Des malformations auxquelles l'humain ne survivrait pas. Chez les chevaux, cela leur donne ce petit « plus »... jusqu'au jour où ils tombent raides morts.

*
* *

Tyrone n'avait pas pu assister à la course. En effet, l'un des meilleurs deux-ans de Leonora s'était emballé lors de l'entraînement et s'était cassé une jambe en voulant sauter un fossé. Tyrone était resté deux heures auprès de l'animal, jusqu'à ce que Niall Brogan arrive pour l'abattre. Quand Cassie rentra avec ses mauvaises nouvelles, tous deux restèrent longtemps songeurs.

– Tu gagneras la prochaine fois, ne t'inquiète pas, Cassie, lui assura Tyrone en leur versant à boire. Il est doué, il est sur la bonne voie. Tu verras.

– Ce n'est pas tant cet échec qui me désole, avoua Cassie, que l'air ravagé de Joyce O'Sullevan.

– Je regrette de ne pas avoir davantage de propriétaires comme elle. Elle connaît le métier. Buvons à sa santé. Rares sont les personnes qui lui parviennent à la cheville.

Ils sirotèrent en silence, puis, ayant consulté la pendule, Tyrone se leva d'un bond.

– Nom de nom, Cassie ! On a raté l'heure du bain des enfants !

A Claremore, on ne parlait plus que du meeting de Royal Ascot. Tyrone avait décidé d'y envoyer huit chevaux en tout. Stagmount, la toute nouvelle acquisition de Leonora, et Annagh Bridge, que Tyrone avait acheté pour Townshend Warner, étaient inscrits au Prix Cork & Orrery. D'après les pronostics, Annagh Bridge avait toutes les chances de remporter la victoire. Les deux autres favoris de l'écurie étaient Turnispigody, propriété d'une association de quatre médecins, et Value Guide, qui avait été spécialement préparé pour l'occasion.

Value Guide n'avait pas commis la moindre erreur depuis le début de cette saison, et avait gagné ses trois courses avec une facilité déconcertante, preuve de ses progrès au cours de l'hiver. Pour ce pur-sang exceptionnel, Tyrone avait en effet concocté un entraînement particulier : il l'avait envoyé en Italie, où le climat était plus tempéré, plutôt que de le sortir quelques heures chaque jour sous les pluies irlandaises. Value Guide était revenu de son séjour en pleine forme physique et mentale.

De son côté, Willie Moore n'avait inscrit qu'un seul participant, en l'occurrence Célébration, qui en dépit de l'incident de Leopardstown promettait monts et merveilles. Tyrone ne chercha pas à s'excuser auprès de Cassie de lui opposer de nouveau le champion de Leonora. Cassie n'en fut d'ailleurs pas offusquée. Au contraire, elle attendait avec impatience cette nouvelle confrontation, afin de prouver que la victoire de Value Guide à Gowran Park n'avait pas été méritée. Dermot Pryce était parfaitement remis de sa chute, hormis, curieusement, une légère surdité de l'oreille droite.

Au quatrième jour du meeting, le vendredi, jour du Prix Hardwicke, Tyrone comptait déjà quatre gagnants à son actif. Annagh Bridge et Turnispigody s'étaient montrés à la hauteur de ses espérances. Le cheval de Townshend Warner, considéré comme un outsider, avait remporté le Prix Coventry sur photo à vingt-cinq contre un, et Leonora avait empoché le Prix Waterford avec Easy Does It.

Value Guide étant coté d'avance pour le Hardwicke, Leonora récemment devenue Mme Hochfeiler avait toutes les chances de faire un doublé. Quant à Tyrone, son titre de meilleur entraîneur du pays était déjà assuré.

Le jeudi soir, Cassie et Tyrone avaient dîné tôt pour se coucher à vingt-deux heures. Tyrone devait se lever à l'aube, et Cassie tenait à être sur le terrain quand Willie Moore sortirait Célébration de son box. Elle avait très mal dormi, alors que Tyrone avait sombré dans un sommeil profond. Lorsqu'elle avait allumé, à trois heures du matin, pour relire une dernière fois les rapports de forme des concurrents, il avait à peine bougé. Cassie avait fini par s'assoupir après quatre heures trente, si bien qu'elle n'avait pas entendu Tyrone se lever une heure plus tard.

Lorsqu'il vint la réveiller, il était déjà rasé et habillé. Cassie lui en fit des reproches.

– Tu aurais pu me le dire plus tôt ! Tu savais bien qu'il fallait que je me prépare.

– Tu sais combien je déteste te sortir de ton lit. Tu es si belle, quand tu dors.

Cassie se précipita à la fenêtre pour voir quel temps il faisait.

– Il pleut ! s'exclama-t-elle avec bonheur.

– En effet, acquiesça Tyrone. C'est idéal pour ton poulain.

Célébration était déjà dehors quand Cassie apparut. Un seul coup d'œil vers son entraîneur suffit à lui faire comprendre qu'il y avait un problème.

– Il s'est cogné la tête, expliqua Willie. Rien de grave, il a dû faire ça pendant la nuit.

Le lad de Célébration maintenait une compresse fraîche sur l'œil de l'animal, empêchant Cassie d'évaluer les dégâts. Le cheval se tenait parfaitement immobile. Willie laissa courir une main sur sa jambe.

– De ce côté-là, tout va bien, Dieu merci. Il a dû avoir une belle frayeur : il a une sale coupure au-dessus de l'œil droit.

Willie pria le lad d'enlever la compresse, afin que Cassie puisse examiner la blessure. Le sang ne coulait plus, mais il fallait des points de suture. Le vétérinaire était en route. Cassie attendit son arrivée et resta tout le temps de l'opération, plutôt que de rentrer prendre son petit déjeuner, comme le lui avait suggéré Willie. Si les nouvelles étaient mauvaises, elle aimait autant être au courant tout de suite.

– C'est un sale coup, madame Rosse, déclara le médecin. Votre cheval est aveugle de l'œil droit.

Elle chancela.

– Vous voulez dire que c'est irréversible ?

– Ça, je n'en sais rien. Tout ce que je peux vous dire, c'est qu'aujourd'hui, à cet instant, il ne voit rien.

En guise de démonstration, le vétérinaire agita la main devant l'œil malade. Célébration ne bougea pas.

– Il a dû frapper le nerf optique. Ce n'est pas rare.

– Sera-t-il en mesure de courir cet après-midi ?

– Seul votre entraîneur pourra vous le dire, madame.

Le chirurgien s'excusa alors, la salua d'un coup de chapeau et partit soigner un autre cheval, beaucoup plus malade, qui, selon la rumeur, aurait été agressé durant la nuit.

– C'est peut-être ce qui a effrayé Célébration. S'il y a eu des rôdeurs… marmonna Willie.

Le lad reçut l'ordre de préparer le cheval pour l'exercice matinal. Pendant ce temps, on déciderait de l'attitude à adopter. Dermot Pryce arriva, et on lui annonça la nouvelle.

– A nous deux, on forme une sacrée paire ! Moi qui n'entends plus, et lui qui n'y voit pas grand-chose. Je devrais peut-être me munir d'une canne blanche plutôt que de ma cravache.

– Est-ce qu'il peut courir, Willie ? s'enquit Cassie, tandis que le jockey enfourchait sa monture et entamait une ronde tranquille dans le manège.

– Si c'était l'œil gauche, j'aurais répondu oui sans

hésiter, avoua l'entraîneur. La piste d'Ascot se parcourt sur la droite, il aurait pu suivre la barrière. Mais vu son état, il va falloir réviser complètement notre tactique.

Pryce partit au trot, encourageant modérément les espoirs de Cassie et de Willie. Célébration semblait tenir sa voie, mais Dermot Pryce évitait de le faire tourner à droite, au cas où l'animal paniquerait. Une chose était sûre, cependant, pour tous les observateurs : Célébration était au mieux de sa forme.

Réfugiés dans la vieille Jaguar de Willie, Cassie, le jockey et l'entraîneur discutèrent du problème en buvant du café fort arrosé de cognac.

– D'après moi, le mieux serait de le retirer de la course, déclara Willie. Il est doué. S'il se remet de sa blessure, il gagnera à coup sûr la prochaine fois.

Cassie était d'accord avec lui. Elle s'apprêtait à acquiescer, quand une voix s'éleva derrière eux :

– La prochaine fois, il pourrait se tordre la cheville, patron. Ou tomber raide mort. Vous dites toujours que dans le monde des courses, « la prochaine fois », ça n'existe pas. C'est la course dans laquelle on est, qui compte. Qui plus est, je n'ai jamais vu un cheval en aussi bonne forme.

Willie se réfugia dans le silence et se resservit du café.

– Très bien, concéda-t-il. On part. Mais il va falloir jouer serré, Dermot.

– Je suis tout ouïe.

Il fut convenu qu'on ne parlerait de cet incident à personne, pas même à Tyrone.

– Surtout pas à Tyrone, réitéra Willie.

– C'est mon mari ! protesta Cassie.

– Justement. Raison de plus.

Malgré tout, les rumeurs ne tardèrent pas à se répandre sur l'hippodrome. Willie Moore sella Célébration après les autres et l'emmena au dernier moment au paddock, de façon à ce qu'on repère le moins possible son problème de vision. Heureusement, les chevaux circulaient toujours dans le sens des aiguilles d'une montre : ainsi, les spectateurs en bordure de la barrière pouvaient difficilement voir la blessure. Willie avait habilement dissimulé les fils sous une couche de vaseline recouverte de cirage marron. Il fallait vraiment être au courant pour se rendre compte de quoi que ce soit. Quant à Célébration, il se comportait de manière irréprochable. Fier, calme, il faisait honneur à tous ceux qui avaient misé sur lui. Malheureusement, plus les on-dit se propageaient, plus sa cote baissait.

– Ça ne veut pas dire qu'il ne gagnera pas, siffla Willie, en vérifiant les étriers. A condition que Dermot suive bien mes instructions.

– Mettez le champagne au frais, patron ! répliqua Pryce de son perchoir. Si on ne gagne pas, ce sera uniquement à cause de vous.

Pryce évita de se placer juste derrière l'outsider français, qui donnait des coups de pied dans tous les sens. Préférant emboîter le pas à Value Guide, il laissa ainsi l'opportunité à Cassie et à Willie de voir les deux chevaux ensemble pour la première fois depuis la saison précédente.

– Il paraît avoir mieux profité que le nôtre, grommela Willie.

– Il a toujours été solide. On s'était fait la même réflexion à Gowran.

– C'est vrai. Et on a été battus.

– C'est faux, Willie, et vous le savez pertinemment. Cessez vos jérémiades, et allons l'admirer depuis les tribunes.

Cependant, l'optimisme de Cassie restait superficiel. Déjà, sur le chemin de la ligne de départ, Value Guide donnait l'impression de dominer de très loin tous ses rivaux.

Tyrone la rattrapa et l'embrassa avant de courir rejoindre Leonora et son entourage.

– Bonne chance, Cassie McGann. Même si tu gagnes, je t'aimerai encore !

Sur ce, il disparut dans la foule, laissant à Cassie le

soin de rajuster son chapeau. Willie ne tarda pas à la rejoindre, le visage écarlate, les poches pleines de tickets.

Le commentateur annonça le départ. Cassie fixa ses jumelles sur les quatorze partants. L'outsider français, Histoire, démarra au grand galop, imposant un rythme endiablé à ses concurrents. Le peloton commença assez vite à s'étirer et, dès le second virage, Histoire perdit de la vitesse, laissant sa place à Chirador, le plus sérieux concurrent de Célébration hormis le cheval de Leonora. Au bas de la côte, le jockey de Chirador accéléra, gagnant deux à trois longueurs sur le second, Scales of Justice. En troisième position se trouvait Value Guide, suivi de près par Célébration.

Lorsqu'ils atteignirent la ligne droite, la cloche sonna comme il était de tradition à Ascot, et la course prit soudain son plein élan. La distance à parcourir étant assez courte, pour avoir la moindre chance de se placer, il fallait être dans les six premiers.

C'était le cas de Value Guide et de Célébration.

Brusquement, Célébration fit un écart, s'éloignant de Value Guide, derrière lequel Pryce avait maintenu le cheval de Cassie pour qu'il le suive, puisqu'il ne pouvait pas voir la corde. Alors que Value Guide s'attaquait à Chirador, juste devant lui, Célébration, prenant sans doute conscience de son handicap physique, se mit à errer au milieu de la piste et perdit trois bonnes longueurs.

Willie poussa un juron.

– Il n'a plus aucun repère ! hurla l'entraîneur. Notre seul espoir était qu'il se maintienne sur les pas de Norton.

Il ne restait plus que cinq cents mètres à parcourir, et Célébration, privé de ses marques, se mit à ralentir. Norton, en revanche, força le passage et démarra comme une flèche, talonnant Chirador. Fatigué, Scales of Justice ne réagissait plus aux encouragements de son jockey. Pryce se dit que c'était peut-être son unique chance. Il manœuvra de façon à ce que Célébration se retrouve à sa droite.

Célébration avait maintenant de nouveau un repère. Il accéléra avec enthousiasme. Scales of Justice aussi.

Les quatre concurrents volaient désormais vers la ligne, serrés les uns contre les autres. Norton battait les flancs de Value Guide avec célérité. Chirador fut le premier à craquer, et Célébration se retrouva en sandwich entre Value Guide et Scales of Justice. De rage, Norton vint se heurter contre Pryce.

Heureusement, sensible à l'expérience et au talent de son cavalier, Célébration réagit avec ce petit « plus » qui faisait de lui un grand, et acheva sa course sans se soucier de l'étau dans lequel il était.

– Photo ! s'exclama le commentateur. Enquête !

– Décidément, ces deux-là aiment qu'on les photographie, déclara Willie à Cassie pendant qu'ils se frayaient un chemin dans la foule.

– A votre avis... ?

– Qu'en pensez-vous ? Moi, dans des moments comme celui-ci, je me dis toujours que ma mère avait raison : j'aurais mieux fait d'entrer dans les ordres.

Leonora les croisa, blême, sans leur adresser la parole. Tyrone prit Cassie de côté.

– D'après moi, il gagne d'une bonne tête. Si je me trompe, ce qui n'est pas le cas, l'enquête jouera en ta faveur.

Il avait raison.

Norton déposa une plainte contre Pryce, mais fut rapidement débouté. Il fallut attendre un bon moment les résultats de l'enquête. Les spectateurs apprirent alors que Norton avait lui-même été déclaré coupable de malveillance. On lui infligea une amende de vingt-cinq livres, et les parieurs furieux lui crachèrent dessus.

Tyrone, qui avait cherché Cassie partout, la découvrit enfin près des écuries, auprès de son cheval.

– Quel magnifique tableau ! s'exclama-t-il.

– Il est formidable, n'est-ce pas ? murmura Cassie en

caressant le cou de Célébration. Sais-tu qu'il a perdu l'usage de son œil droit cette nuit ?

– Non, avoua Tyrone. J'ai entendu dire qu'il s'était blessé en se donnant un coup dans son box. A ce propos, j'ai quelques bouteilles au frais dans la loge privée de Leonora.

– Je te remercie, mais je ne tiens pas à boire à la santé de mon cheval en compagnie de Leonora.

– Ne t'inquiète pas : elle est partie immédiatement après l'annonce des résultats. Elle était folle de rage. Je crains qu'elle n'ait un peu trop misé sur Value Guide.

– Et toi ?

– Moi aussi, j'avais parié. Sur le tien.

*
* *

Ils burent le champagne dans la loge presque déserte de Leonora, dominant l'hippodrome. Pour une fois, Willie Moore, qui était avec eux, souriait d'une oreille à l'autre. Cassie se dit qu'il avait dû gagner une jolie somme.

– Vous ne voulez pas nous donner une idée de ce que vous avez arraché aux bookmakers ? lui demanda-t-elle.

– Parce que c'est vous, d'accord. Mais n'allez pas en parler à ma femme, sinon, elle va encore vouloir une robe neuve.

– Alors ? Combien ?

Paupières closes, Willie eut un sourire béat.

– Grâce à votre magnifique cheval, madame Rosse, nous avons empoché plus de vingt mille livres.

Cassie ouvrit des yeux ronds, et Willie s'esclaffa.

– Vous plaisantez !

– Pas du tout. A nous tous, nous avons ramassé vingt mille livres. Sans compter le prix.

– Ah ! D'accord. Je comprends mieux. J'avoue que j'avais complètement oublié la récompense.

– Non, non, ce n'est pas tout. En plus, j'avais misé cent livres sur lui pour vous.

Il lui remit un ticket. Cent livres à dix contre un, lut-elle au dos.

– Pourquoi, Willie ? Après ce qui s'était passé la nuit dernière, comment pouviez-vous être aussi sûr de vous ?

– Ecoutez-moi bien, Cassie, répliqua-t-il en remplissant leurs coupes. Vous avez là un animal exceptionnel.

Il leva son verre. Cassie l'effleura avec le sien.

– A Célébration.

– Toutes mes félicitations, Willie, intervint Tyrone. Vous méritez amplement cette victoire.

Puis il adressa un sourire à son épouse.

– A votre santé !

*
* *

Le dimanche matin, alors qu'ils bavardaient au lit, Cassie posa la joue sur la poitrine de son mari.

– Je peux te demander quelque chose ?

– Et si je te répondais non ? riposta-t-il. Ça ne te découragerait en rien.

– Je sais. J'aimerais avoir une permission.

– Accordée d'avance.

Il caressa les cheveux de Cassie, qui avaient poussé et tombaient maintenant sur ses épaules.

– Eh bien... Mon cheval a gagné, tu es le meilleur entraîneur du pays, Joséphine et Mathieu se portent à merveille, nous sommes l'un avec l'autre...

– Accouche, femme !

– Il me semble qu'il serait grand temps de célébrer tout cela. Est-ce que tu te rends compte que nous n'avons jamais organisé une fête ? Je ne sais même pas ce que c'est.

Il la dévisagea, perplexe.

– Tu n'as jamais eu d'anniversaire ?

– Jamais.

– Seigneur Dieu ! rugit-il en se levant d'un bond. Je vais t'offrir la plus grande soirée que tu aies jamais connue !

Tyrone fut fidèle à sa parole. Pour le vingt-septième anniversaire de Cassie, qui tombait le 20 juillet, Tyrone, approuvé par son épouse, invita presque cinq cents personnes. On érigea trois tentes sur les pelouses. Tenue blanche de rigueur, sauf pour Cassie, à qui Tyrone interdit formellement de réfléchir à sa tenue : il lui préparait une surprise.

Une bonne nouvelle leur parvint peu avant la soirée. Au début de la semaine, Seamus O'Connor les appela pour leur dire qu'il avait réussi à avancer la date de l'audience pour l'adoption : pouvaient-ils se présenter au tribunal le jeudi suivant ? Tyrone et Cassie ne purent cacher leur joie, mais l'avocat s'empressa de refroidir leur enthousiasme en leur expliquant que le juge désigné émettait quelques réserves du fait qu'ils étaient de nationalités différentes. Cassie ayant demandé à être naturalisée, peut-être ferait-il preuve de souplesse, d'autant que les rapports des services sociaux étaient irréprochables. Cependant, s'ils le souhaitaient, ils pouvaient attendre de tomber sur un magistrat plus compréhensif. Un autre rendez-vous leur serait alors proposé en septembre.

Cassie préconisait la patience. Tyrone était contre.

– Nous devons être considérés pour ce que nous sommes, Cassie. Pas pour la couleur de nos passeports.

Ainsi se retrouvèrent-ils, tremblants, devant l'austère juge Kenneally.

Ce dernier lut le dossier à voix haute, puis il se tourna vers Tyrone :

– Je vois que vous êtes entraîneur de chevaux de course, monsieur Rosse.

– En effet, Votre Honneur.

– Etes-vous un homme de jeu ?

– Uniquement dans mon métier, monsieur.
– C'est une activité plutôt suspecte, non ?
– Seulement en ce qui concerne les gens malhonnêtes.
– Est-ce, selon vous, un milieu propice à l'éducation d'un enfant ?
– Non, Votre Honneur.
– Alors pourquoi voulez-vous adopter ce petit garçon ?
– Parce que j'ai l'intention de l'élever chez moi, Votre Honneur. Dans ma maison. Pas dans mon écurie. Ni à l'hippodrome.

Le juge l'observa quelques secondes par-dessus ses lunettes, puis accorda toute son attention à Cassie.

– Madame Rosse. Vous avez une fille en bonne santé, vous avez malheureusement perdu un fils, et pour l'heure, vous êtes dans l'impossibilité de concevoir. Est-ce exact ?
– Oui, Votre Honneur.
– Je crois savoir que vous avez déjà tenté d'acheter un nourrisson ?

Cassie jeta un coup d'œil vers Tyrone, qui lui prit la main et l'encouragea d'un signe de tête.

– Comment êtes-vous au courant, Votre Honneur ?
– Contentez-vous de répondre à mes questions, je vous prie.
– Oui. Oui, monsieur, c'est vrai. J'ai voulu acheter le bébé d'une jeune femme : j'avais cru comprendre qu'elle n'en voulait pas.

Le juge opina et prit quelques notes.

– A cette époque, je n'allais pas bien du tout.
– Vous souffriez d'une grave dépression, je crois.
– Oui. C'était aussitôt après la mort de notre fils.
– Votre état mental, depuis cet incident ?
– Je suis en parfaite santé, monsieur. Je pense que les rapports qui vous ont été remis par deux médecins indépendants en témoignent.
– Oui.

Le juge parcourut un document.

– Curieusement, ni l'un, ni l'autre ne mentionne que vous avez attaqué un jour votre mari avec une paire de ciseaux à couture.

Cassie resta à court de mots.

– N'est-ce pas, madame Rosse ?

– Non.

– Je me demande pourquoi.

– Parce que c'était ma faute, Votre Honneur, s'interposa Tyrone. Mon épouse me soupçonnait de lui avoir été infidèle.

– C'est ce que j'ai cru saisir.

Le juge ôta ses lunettes, les essuya soigneusement avec un mouchoir d'une blancheur éclatante.

– Mais vous ne la trompiez pas.

– Non, monsieur.

– Vous arrive-t-il souvent de céder à de tels accès de violence, madame Rosse ?

– Ce fut la seule fois, Votre Honneur.

– Je vois. Vous avez cru votre mari sur parole quand il vous a déclaré qu'il n'avait rien à se reprocher.

– Oui.

– Pourquoi ?

– Parce qu'il ne me ment jamais.

– Ah ! Un peu comme George Washington, je suppose. Incapable de raconter des histoires.

– Je sais mentir autant que n'importe qui, Votre Honneur. Mais pas à ma femme.

– Parfait. Pour un peu, je vous aurais pris pour l'homme modèle, monsieur Rosse.

Le juge eut un sourire sans chaleur et se tourna de nouveau vers Cassie.

– Vous êtes américaine, madame, mais vous avez demandé la nationalité irlandaise.

– Oui.

– En quel honneur ?

– Parce que j'ai l'intention de rester dans ce pays jusqu'à la fin de mes jours.

– Vos parents étaient peut-être originaires d'ici ?

Il marqua une pause, pianota sur le bureau. Cassie se mordit la lèvre, le regard sur Tyrone.

– Alors, madame Rosse ?

– Non.

– Qui étaient-ils ?

– Mon père était metteur en scène, ma mère a été chanteuse et comédienne. Avant ma naissance.

– Et vous ? Avez-vous été actrice ?

– Je suis désolé, interrompit Tyrone, une lueur de colère dans les prunelles, mais je ne vois pas en quoi cela nous concerne, Votre Honneur.

– Chaque détail a son importance, monsieur Rosse. Je me penche sur vos passés respectifs, afin de déterminer quel genre de personnes vous êtes. Je vous conseille vivement de maîtriser votre humeur. Mais revenons-en à Mme Rosse. Expliquez-moi quelle carrière vous envisagiez de mener avant de rencontrer et d'épouser M. Rosse.

– Je travaillais chez Bergdorf Goodman, à New York. J'étais sur le point d'être nommée acheteuse.

– C'est un grand magasin ?

– Oui, monsieur.

– Vous y étiez vendeuse.

– J'allais être promue, Votre Honneur.

– A quel rayon ?

Tyrone se leva d'un bond.

– Votre Honneur…

– Oui, monsieur Rosse ?

Le juge lui lança un regard noir. Pour une fois, Tyrone ravala sa fureur et se rassit.

– J'étais au rayon lingerie, Votre Honneur.

– Merci. Je voudrais qu'on parle un peu plus de vos parents.

Durant le silence qui suivit, Cassie se redressa. Elle s'exprima d'un ton calme, sans ciller.

– Ils n'étaient pas mariés. Mon père était un ivrogne. Il battait ma mère. Quand il a su qu'elle était enceinte, il l'a abandonnée. Elle avait plus de quarante ans. Elle s'est alors installée à l'est, en disant à tout le monde que j'étais sa petite-fille. Je n'ai su qu'après son décès qu'elle était en fait ma mère. Et que j'étais une enfant illégitime.

– Et votre grand-mère. Ou plutôt, votre mère. Comment vous a-t-elle traitée ?

Cassie se réfugia de nouveau dans le silence et chercha la main de Tyrone sous la table.

– Sa mère l'a battue, constamment humiliée, enfermée dans sa chambre pendant des jours et des jours, affamée, maltraitée. Ma femme ne vous le dira pas, Votre Honneur. Elle ne l'avouera à personne parce qu'elle est fière. Elle ne veut pas éveiller la pitié. Elle est au-dessus de cela.

– Merci.

Le juge referma tous les dossiers ouverts devant lui. Il enleva ses lunettes, fixa le plafond.

– Cette affaire aurait pu se conclure beaucoup plus rapidement, s'il n'y avait eu un obstacle de dernière minute en la personne de Gerald Secker.

Cassie et Tyrone se dévisagèrent, stupéfaits.

– Mais il n'a aucun droit, Votre Honneur ! protesta Tyrone.

– Nous n'avons pas besoin de son consentement, en effet. Mais cela ne l'empêche pas de donner son point de vue au tribunal. Malheureusement, après avoir reçu sa lettre, nous n'avons jamais pu retrouver sa trace. Nous avons appris depuis qu'il avait quitté le pays pour accomplir une sorte de pèlerinage aux Indes.

– Pouvez-vous nous informer du contenu de ce courrier, Votre Honneur ?

Le juge ressortit un papier, qu'il poussa vers eux. Cassie et Tyrone le lurent rapidement. Le texte, tapé à la machine, n'était qu'une succession de commentaires salaces sur les origines de Cassie et sa dépression. En conclusion, le signataire s'interrogeait sur le bien-fondé de sa démarche en vue de l'adoption de son fils illégitime.

Tyrone rendit le papier au juge.

– Secker n'a pas pu écrire ça. Vous en êtes conscient, j'espère ?

Le juge hocha la tête.

– De toute façon, insista Tyrone, ce ne sont que des mensonges.

– De toute évidence, cette lettre n'a pas été rédigée par le père de l'enfant. M. Secker est parti il y a plus de deux mois. Le cachet de la poste date de trois jours. Ceci étant, il était indispensable pour moi de procéder à quelques vérifications. Il apparaît clairement que quelqu'un veut du mal à Mme Rosse...

Cassie se tourna vers Tyrone et comprit, à son expression, qu'il avait déjà deviné l'identité de l'auteur.

– En effet, enchaîna Kenneally, si je devais me fier uniquement à ce document, ce serait sans la moindre hésitation que je vous refuserais la garde de ce petit. D'où l'importance de ce genre d'audience. Si je ne vous avais pas rencontrés l'un et l'autre, je n'aurais pas pu me faire une idée de qui vous êtes en réalité. Je n'aurais pas pu constater l'honnêteté et le courage de Mme Rosse. Je n'aurais pas observé la force de votre amour. En d'autres termes, j'aurais été dans l'incapacité de conclure qu'à mes yeux, surtout après cette épreuve, vous me paraissez les parents rêvés pour l'enfant que vous souhaitez adopter. C'est donc avec grand plaisir que je vous accorde cette requête.

En peignoir dans sa chambre, Cassie se remémorait leur joie, deux jours auparavant. Tyrone n'allait pas tarder à rentrer de Dublin. Au rez-de-chaussée, traiteurs et serveurs mettaient la touche finale aux préparatifs de la fête. Enfin, elle entendit l'Aston Martin remonter l'allée dans un rugissement. De sa fenêtre, elle regarda son mari sortir plusieurs cartons du coffre.

Tyrone leva les yeux, aperçut Cassie, sourit, lui tira la langue, puis se précipita à l'intérieur de la demeure.

– Où étais-tu ? s'exclama-t-elle, quand il fit irruption dans la pièce, à peine visible derrière une montagne de paquets.

– Il a fallu que j'aille jusqu'à l'aéroport ! explosa-t-il. Et tu ne me croiras jamais, mais le vol avait une heure de retard.

– Qui allais-tu chercher ? Tu es seul, il me semble.

– Personne. C'était ça.

Il indiqua le plus grand des cartons.

– Je peux l'ouvrir ?

– Certainement pas ! rétorqua-t-il. Tu vas te mettre là, debout, et fermer les yeux.

Cassie s'exécuta docilement. Elle sentit Tyrone s'approcher. Il effleura son épaule d'un baiser en la débarrassant de son négligé.

– Pas maintenant, mon amour. Nos invités seront là d'un instant à l'autre.

– Chut !

Il lui banda les yeux avec une écharpe en soie.

– Qu'est-ce que tu fabriques ?

– Chut ! répéta-t-il.

Cassie attendit, réprima un rire. Tyrone lui intima aussitôt le silence. Elle perçut un froissement de papier. Puis, de nouveau, ce fut le silence.

– Nom de nom, dans quel sens met-on ce machin ? grommela Tyrone.

– Je peux peut-être t'aider ?

– Sûrement pas. Ah ! Voilà !

Tyrone mit les bras autour de sa taille, l'embrassa sur la nuque, agrafa le porte-jarretelles.

– A présent, lève la jambe, Cassie McGann.

Elle obéit.

– L'autre.

De même.

Le satin était doux, sur ses hanches.

– Et le soutien-gorge ?

– Il n'y en a pas.

– Non ?

– Non.

Tyrone entreprit alors de lui enfiler ses bas. Cassie se serait volontiers lovée contre lui, mais le temps pressait. D'ailleurs, plus ils attendraient, meilleur ce serait.

Elle se laissa faire, sans bouger.

– Je peux regarder, maintenant ?

– Non.

– J'aimerais bien voir...

– Si tu triches, je t'obligerai à descendre comme ça accueillir nos invités.

Tyrone s'attaqua à ce que Cassie imaginait être le plus gros des cartons.

– Jambe gauche.

– Ce serait sûrement plus facile par la tête.

– Jambe gauche.

Elle obtempéra.

– Jambe droite.

Bras gauche, bras droit. Manches longues, vaporeuses...

– Je peux regarder ?

– Non !

– Quand... ?

– Quand je te le dirai.

L'étoffe de la robe était soyeuse et moulait ses courbes comme une seconde peau. Dans le dos, le décolleté semblait dangereusement plongeant.

– Maintenant ? demanda-t-elle, quand il eut enfilé les sandales fines à talons hauts.

– Non. Je te le dirai.

– Il faut que je me coiffe.

– Tu es coiffée.

– Il faut que je vérifie.

– Je m'en charge.

Il l'inspecta, en quête de la moindre mèche rebelle.

– Tout va bien, annonça-t-il. A présent, assieds-toi là et attends que je vienne te chercher.

Il sortit de la pièce et ferma la porte. Cassie resta sur son tabouret de coiffeuse, enchantée. Dehors, les premières voitures ralentissaient devant le perron.

Les mains croisées, Cassie patienta. Elle n'avait pas la moindre idée de l'allure qu'elle pouvait avoir. Elle aurait parfaitement pu enlever le bandeau pour s'admirer, puis le remettre, mais elle n'en fit rien.

Le temps s'écoulait. Les véhicules continuaient leur ronde. Crissements de pas sur le gravier. Rires. Murmures de conversations. Elle n'entendit pas Tyrone revenir.

Soudain, elle sentit qu'il y avait quelqu'un à ses côtés. Ce ne pouvait être que lui.

– Tyrone ?

Il ne dit rien. Il plaça les mains sous ses aisselles et la souleva de son siège. Puis il la dirigea vers la porte de la chambre.

Il lui enleva le bandeau.

– Je peux me regarder dans la glace ?

Il secoua la tête.

– Pourquoi pas ?

– Tu sauras à quel point tu es belle quand tu liras l'admiration dans les yeux de ceux qui t'attendent en bas.

Il rajusta légèrement sa coiffure, à l'endroit où avait été placée l'écharpe.

– Bon anniversaire, Cassie McGann, chuchota-t-il. Bon anniversaire, mon amour.

Il lui prit la main et ouvrit. Au rez-de-chaussée, les invités avaient envahi le hall, tous vêtus de blanc. Lorsque Cassie apparut en haut de l'escalier, aux côtés de Tyrone, ils se turent. Cassie fronça les sourcils et jeta un coup d'œil vers son mari, mais celui-ci faisait signe à quelqu'un tout au fond, qui à son tour hocha la tête vers une personne invisible.

Soudain, dans une véritable explosion de musique, un orchestre de swing composé de douze musiciens se lança dans un arrangement de *Pennsylvania 6/500*, l'un des grands succès de Glenn Miller. Cassie éclata de rire et s'accrocha au bras de Tyrone. Elle avait toujours rêvé qu'un jour, quand ils seraient riches et célèbres, ou seulement riches, ou tout simplement célèbres, ils donneraient une grande soirée comme dans son film favori, *The Glenn Miller Story*. Et voilà qu'ils reproduisaient la scène en descendant les marches devant un océan de sourires. Alors qu'amis et relations se précipitaient pour la saluer et la féliciter, Tyrone la serra contre lui et commença à danser.

– N'est-ce pas ce qu'ils font dans le film ? murmura-t-il.

Cassie, folle de bonheur, approuva.

– Si, monsieur Rosse.

Incapables de résister au rythme endiablé des cuivres, les invités ne tardèrent pas à les imiter. Tyrone poussa discrètement Cassie jusqu'à son bureau et ferma la porte derrière eux.

– Merci pour ce cadeau merveilleux, mon chéri, dit-elle en caressant sa robe, d'un rouge vif. Où as-tu été chercher ça ?

– Je l'ai fait venir de Paris. Mais ce n'est qu'une partie de la surprise.

– Elle a dû te coûter une fortune !

– Ah ! Ces Américaines ! Qu'est-ce qu'elles peuvent être terre à terre, par moments !

– Elle est vraiment magnifique.

Tyrone s'esclaffa.

– Si tu t'observes dans le miroir une seule fois avant la fin de la fête, je te déshabille devant tout le monde !

– Ne t'inquiète pas, le rassura-t-elle. Je n'aurai pas cette audace.

Tyrone sortit quelque chose d'un tiroir. Il lui tendit une petite boîte entourée d'un ruban rouge.

– Voici le reste.

A l'intérieur, sur le coussin de velours, Cassie découvrit un pendentif en forme de cœur, gravé de son initiale sur une face, et de celle de Tyrone, sur l'autre. Encouragée par son époux, elle l'ouvrit : les portraits miniatures de Joséphine et de Mathieu lui sourirent.

– Pour célébrer notre famille, déclara Tyrone. Tu auras droit à la troisième surprise après le dîner.

Un buffet somptueux avait été dressé. On dégusta saumons, homards, volailles et viandes rouges au son d'un orchestre de Palm Court. Cassie et Tyrone présidaient une table ronde au milieu de la tente principale. La jeune femme apparaissait comme une rose éclatante sur un manteau de neige : les nappes, les fleurs, les tenues des musiciens… même le violon du soliste était blanc ! Après le repas, on dansa de nouveau.

Cassie s'abandonna avec plaisir sur la piste avec Tyrone, resplendissant en smoking blanc. Fidèle à sa promesse, elle avait évité de se regarder dans une glace, mais les regards emplis de ravissement suffisaient à la rassurer. L'étoffe, brillante et sensuelle, contrastait avec son teint de porcelaine et moulait ses courbes à la perfection.

Seule, Leonora manquait à l'appel. Ils avaient longuement tergiversé, au moment de lancer les invitations. Cassie, magnanime comme à son habitude, avait souligné la nécessité de montrer une certaine diplomatie :

– Après tout, elle représente plus d'un tiers de ton écurie. C'est toi-même qui me l'as dit.

Cependant, après l'incident de la lettre de dénonciation, au cours de l'audience chez le juge des affaires familiales, Tyrone avait remis leur décision en cause. Pour une fois, Cassie était d'accord avec lui, non parce qu'elle voulait prendre sa revanche, mais parce qu'elle redoutait ses propres réactions face à cette femme dont la haine ne connaissait pas de bornes. Au final, ils avaient conclu que bannir Leonora serait une erreur. Les mauvaises langues s'en donneraient à cœur joie.

Apparemment, Leonora avait renoncé à venir. Ce qui inquiétait d'autant plus Cassie : ce n'était sans doute pas sans raison.

En effet. Leonora s'était tout simplement contentée de calculer son entrée.

Tyrone venait d'arrêter les musiciens et d'ordonner qu'on éteigne tout. Un projecteur illuminait un coin de l'immense chapiteau. Le gâteau apparut, une confection aux proportions hollywoodiennes, visiblement en carton-pâte, mais superbement conçu et décoré.

Un tonnerre d'applaudissements l'accueillit, et il fut aussitôt poussé en direction de Cassie.

Roulement de tambour, déflagration des trompettes et des saxos. Le dessus se souleva. Mais au lieu d'un acteur déguisé en Al Capone, armé d'une mitraillette en plastique chargée de balles de ping-pong, comme l'avait prévu Tyrone, ce fut Leonora qui en surgit, le pistolet pointé sur Cassie. Celle-ci leva les bras pour se protéger de la pluie de balles, puis Leonora, lui ayant réservé la toute dernière, visa Tyrone. Les invités rugirent et tapèrent dans leurs mains, persuadés que l'intervention de Leonora avait été délibérément mise en scène. Spectaculaire, en cape et bonnet signés Courrèges, passablement éméchée, elle souffla des baisers autour d'elle.

Répondant à un ordre impérieux, deux serveurs se précipitèrent pour l'aider à descendre de son perchoir sur la table, où elle s'attarda quelques instants afin que tout le monde puisse s'extasier devant sa tenue aussi sensationnelle que vulgaire. Le chapeau, un ridicule béguin de la même matière que la robe, était retenu par un gros ruban qui lui cachait la bouche. La cape, qui lui tombait jusqu'aux pieds, était ornée du col aux chevilles de pompons dorés. En dessous, elle ne portait qu'un collant à paillettes dorées.

Quelques hommes sifflèrent. Tyrone leva une main pour leur intimer le silence.

– Au nom de tous, ici présents, je tiens à remercier la Principessa de cette apparition théâtrale. Elle nous étonnera toujours.

Tyrone se tourna vers elle et s'inclina avec un sourire ironique. Leonora lui envoya un baiser.

– Cela étant, enchaîna Tyrone, je souhaite faire remarquer à madame que l'invitation stipule clairement : tenue blanche de rigueur. Vous le constatez comme moi, elle a transgressé la règle, en mettant un... pantalon doré. Aussi sûr que le jour suit la nuit, un châtiment s'impose.

Un murmure parcourut l'assemblée, tandis qu'on s'interrogeait sur ce qui attendait Leonora.

– Je propose donc à tous ceux qui le veulent d'aider madame à se débarrasser de ce vêtement interdit.

A peine avait-il fini que Leonora, dans l'impossibilité de s'échapper à temps, disparut dans une mêlée d'hommes et de femmes. Bientôt, dans un brouhaha de rires et de cris de victoire, le caleçon fut projeté dans les airs.

La mission accomplie, on regagna sa table pour se rafraîchir. Leonora se leva lentement. Coiffée de son bonnet, chaussée de bottes en vernis blanc, le triangle de son bikini visible entre les pans de sa cape, elle était grotesque. Elle lança un regard noir à Tyrone, puis tourna les talons et sortit.

Tyrone lui souffla un baiser dans le dos.

– Je ne suis pas sûre que tu aies eu la bonne réaction, monsieur Rosse, murmura Cassie au bout de quelques instants. C'était drôle, je te l'accorde. Quant à tes notions de diplomatie, elles méritent d'être révisées.

– Tu parles ! s'exclama-t-il en riant. Elle est tellement imbibée qu'elle ne s'en souviendra pas. De toute façon, il n'était pas question qu'elle te vole la vedette ce soir. Viens danser.

Plus tard, il l'entraîna dehors, sur les pelouses. La nuit était chaude, les jardins, éclairés de torches à l'ancienne, féeriques. Il la fit tournoyer dans ses bras, l'éloignant de la tente jusqu'à ce que la musique ne leur parvienne qu'en un mince filet. Alors, il se mit à chanter la mélodie.

– Où m'emmènes-tu, à présent ? voulut savoir Cassie.

– Tu vas recevoir la troisième partie de ton cadeau.

Il la conduisit par la main jusqu'à la nouvelle rangée de boxes. Ils entrèrent sur la pointe des pieds, de façon à ne pas réveiller les chevaux. Tyrone s'immobilisa devant la stalle du bout, sur la porte de laquelle était accroché un énorme nœud en satin blanc.

– Bon anniversaire, mon amour.

Cassie sourit, se mordit la lèvre, et tira avec douceur le battant du haut. Il y eut tout d'abord un silence, puis elle entendit un cheval se mettre debout, et sa tête apparut.

Cassie se tourna vers Tyrone, le front plissé.

– Alors ?

– Toi et tes « alors », soupira-t-elle. Qu'est-ce que c'est ?

– A ton avis ? Une voiture de course ?

Tyrone ouvrit en grand et fit sortir le cheval.

– Il est pour toi, Cassie McGann. Pour tes vingt-sept ans. Encore bon anniversaire.

– Mais j'en ai déjà un, Tyrone. Et même deux. Non, trois, en comptant le yearling.

– Tu n'en as aucun à monter, madame Rosse.

Elle examina le cheval bai aux grands yeux doux et aux oreilles un peu pendantes. Il devait être âgé d'environ cinq ans.

– Quatre, rectifia Tyrone. C'est Sheila Meath qui l'a élevé. Elle l'a sélectionné et entraîné juste pour toi. Comme toutes les bêtes qui viennent de chez elle, il a reçu une éducation irréprochable. Ce n'est pas un pur-sang, il ne te jouera donc pas de mauvais tours. C'est le fils de None Better, la jument qu'elle m'avait confiée un temps.

– Tyrone, il est magnifique. Mais pourquoi ?

– Pour qu'on puisse monter ensemble.

– Je ne sais pas monter.

– Mais si. Tu as un peu peur, c'est tout. Cela arrive souvent, quand on a eu des bébés.

– Comment as-tu su que je... ?

– Pour l'amour du ciel, Cassie, j'ai séjourné chez tes amis les Christiansen ! Ils m'ont raconté combien tu étais douée.

– Pourquoi ne m'en as-tu jamais parlé ?

– J'ai supposé que si tu n'avais pas abordé toi-même le sujet, c'est que tu ne tenais pas à me mettre au courant.

Cassie songea alors qu'elle aimait Tyrone plus que jamais, si c'était possible. Il ne lui avait jamais demandé si elle savait monter, et si oui, pourquoi elle s'y refusait. Il avait attendu le bon moment, puis discrètement, patiemment, avait tout organisé avec Sheila Meath.

Elle rentra le cheval dans son box et le contempla un moment avant de l'enfermer.

Puis elle se tourna vers Tyrone et se blottit dans ses bras.

– Je suis la femme la plus heureuse du monde. Le sais-tu ?

– Oui.

Bras dessus, bras dessous, ils reprirent le chemin de la maison. Juste avant d'arriver, Tyrone profita de la pénombre pour étreindre Cassie avec ferveur.

– Quand pourrai-je voir ma robe ?

– Quand je te l'enlèverai.

Ils rejoignirent leurs amis sur la piste. Le grand orchestre joua un dernier morceau, laissant la place à un spectacle de cabaret. Ensuite, on dansa de nouveau, aux rythmes d'un quartette de jazz. Les premiers départs eurent lieu vers trois heures du matin, les autres s'échelonnèrent jusqu'à l'aube. Pour les quelques rescapés, Mme Muldoon et Erin avaient préparé des œufs brouillés et du bacon. Quand Cassie et Tyrone saluèrent les derniers partants, les musiciens avaient rangé leurs instruments. Tyrone demanda au pianiste de leur jouer une ultime mélodie, *One For The Road*, et ils dansèrent, joue contre joue.

– Jamais je n'ai passé une aussi bonne soirée. Sauf, peut-être, la toute première fois à New York. Quand nous avons dansé alors que les serveurs empilaient les tables. Tu m'as raccompagnée chez moi en chantant.

Tyrone alla lui chercher un châle, et ils sortirent pour contempler le lever du soleil. Ils suivirent l'allée flanquée de chênes centenaires, dépassèrent le petit bois où ils se cachaient parfois pour faire l'amour. Soudain, Tyrone s'arrêta, la tête inclinée. Cassie écouta avec lui. Des profondeurs de la forêt leur parvint un chant qu'elle n'oublierait jamais de sa vie. Le chant d'un oiseau.

– Un rossignol, chuchota Tyrone.

Bouleversés, ils écoutèrent cette mélodie étonnamment claire, aux notes riches et puissantes, suivie de trilles et de gazouillis.

L'oiseau chanta longtemps dans l'air frais du matin. Cassie avait l'impression de vivre un rêve. Jamais, de toute son existence, elle n'avait imaginé qu'une créature aussi minuscule puisse émettre une telle musique.

Ils s'assirent pour savourer ensemble ce bonheur.

Le jour s'était levé lorsqu'ils repartirent vers la maison.

– Qu'as-tu envie de faire maintenant ? demanda Tyrone.

– Je n'en sais rien. La matinée est si belle ! J'ai passé une nuit tellement extraordinaire.

– Si nous allons nous coucher maintenant, nous ne nous relèverons plus.

– Je sais. Tu es fatigué ?

– Absolument pas, Cassie McGann. Et toi ?

Elle posa la tête sur son épaule.

– Non. Tu me connais. Je vais être en pleine forme jusqu'à ce soir. Ensuite, je dormirai une semaine entière.

– Dans ce cas, je propose qu'on essaie tout de suite ton cheval.

Vaguement inquiète, Cassie suivit Tyrone, qui l'avait précédée dans l'escalier en courant. Elle éprouvait en même temps un sentiment d'excitation, comme autrefois, chez Mary-Jo, quand elles se levaient à l'aube et traversaient les pelouses scintillantes de rosée pour aller chercher leurs poneys.

Elle ôta ses escarpins sur le seuil de sa chambre, puis soudain, aperçut son reflet dans la glace. La robe était superbe, magnifiquement coupée, d'un rouge vibrant. Elle comprenait maintenant pourquoi sa tenue lui avait valu tant de compliments. Elle se tourna à demi, pour se voir de dos. Le décolleté était vertigineux. Elle s'admira d'un côté, puis de l'autre, en se remémorant les sensations qu'elle avait éprouvées dans les bras de Tyrone, la veille, lorsqu'ils dansaient.

Il émergea de la salle de bains en col roulé et jodhpurs. Cassie, encore en bas de soie noire, était en train de boutonner son chemisier de laine marine. Tyrone lui pinça la fesse en passant.

– A tout à l'heure ! lança-t-il avec un sourire lascif.

Il revint s'asseoir sur le lit pour enfiler ses bottes, tandis que Cassie, devant sa coiffeuse, achevait de se préparer.

Ils sellèrent les chevaux eux-mêmes : la journée démarrait à peine. Tomas était occupé à préparer le premier repas des bêtes, les lads se dirigeaient tranquillement vers les stalles.

Tyrone présenta à Cassie une selle et une bride flambant neuves.

– Elle a été confectionnée sur mesure, expliqua-t-il. Elle lui convient parfaitement. Ne t'inquiète pas si ça grince un peu, il faut qu'elle se fasse.

Bientôt, ils furent prêts à partir. Cassie vérifia ses étriers, et Tomas vint l'aider à s'installer.

– Alors ? s'enquit Tyrone. Comment le sens-tu ? Tu lui sied à merveille.

– Ne te soucie pas de lui, rétorqua Cassie. Tu devrais plutôt me demander comment je me sens, moi.

– Tu es ravissante !

Il l'entraîna hors de la cour.

– Remontons vers la maison, suggéra Tyrone, en ralentissant Old Flurry pour rester aux côtés de Cassie.

Dès que tu auras l'impression de maîtriser la situation, tu tenteras un trot dans le paddock.

Ils remontèrent une allée bordée d'arbres, sans le moindre problème.

– Décidément, je ne me suis pas trompé, murmura Tyrone. Allez ! On accélère.

– Il a le trot rebondissant ! s'écria-t-elle en riant.

– C'est peut-être comme cela que tu devrais l'appeler : Rebond !

– Pourquoi pas ? répliqua-t-elle en changeant de direction. Ce ne serait pas mal.

Toutes ses craintes s'étaient envolées. Elle avait confiance en elle et en ses capacités. Le jeune cheval répondait sans rechigner à ses ordres.

– Sheila connaît bien son affaire, déclara-t-elle en ralentissant.

– Elle est très douée, acquiesça Tyrone. Tu verras, d'ici peu, tu iras te présenter au Salon du Cheval de Dublin.

Ils décidèrent de se promener dans les collines, au-delà du muret ceignant la propriété, en passant par la piste d'entraînement. De là, en hauteur, ils pourraient s'extasier devant la vue de Claremore.

– Un petit galop ?

– Avec plaisir !

– On ne fait pas la course ! prévint Tyrone. Reste derrière moi.

Tyrone donna un coup de pied dans le flanc d'Old Flurry, qui démarra aussitôt. Cassie ne tarda pas à l'imiter. L'espace d'un éclair, elle avait eu peur. Pas de tomber, mais plutôt de ne pas savoir se faire obéir. Vite rassurée, elle lâcha du lest.

Elle rattrapa Tyrone alors qu'il s'immobilisait, bien avant le mur.

– Alors ?

– Alors toi-même ! répliqua-t-elle.

– Il suit bien.

– Il est… comment dire ? Docile.

Elle lui caressa le cou.

– Tu fais une bien jolie cavalière, madame Rosse. Rappelle-moi de ne jamais te laisser partir à la chasse sans chaperon.

Ils poursuivirent leur route jusqu'au promontoire, puis se retournèrent pour admirer la beauté de Claremore étalé à leurs pieds, baigné par le soleil matinal.

– Connais-tu un endroit plus magique que celui-ci ?

– Tomas prétend que c'est ici que Dieu est venu se reposer après la Création du monde. Tu vois ce pli, dans la montagne ? Toujours d'après Tomas, c'est là qu'Il aurait posé la tête.

– Tomas, Tomas… grommela Tyrone. Qu'y a-t-il ?

Cassie fronçait les sourcils, une main à la gorge.

– Mon pendentif.

– Quoi, ton pendentif ?

– Celui que tu m'as offert. Il a disparu.

– Il n'a pas pu disparaître, Cassie. Il est sûrement tombé dans ton chemisier.

Cassie chercha.

– Non. Il a dû tomber quand nous nous sommes mis au galop. Je sais que je l'avais avant d'aborder le pré, parce que la chaîne s'était accrochée à mon bouton.

Elle regarda autour d'elle, désemparée.

– Si je l'ai perdu, je ne sais pas ce que je deviendrai.

– Nous en rachèterons un.

– Ce ne sera pas pareil.

– Tu ne l'avais pas bien fermé ?

– Il me semble que si.

– Bon, viens, nous allons le retrouver.

– Tyrone, c'est impossible.

– Dis une prière à saint Antoine.

Cassie s'exécuta, tandis qu'ils rebroussaient chemin, chacun scrutant le terrain de son côté. Ils traversèrent de nouveau le pré. Tyrone était devant Cassie.

Elle en était à son quatrième ou cinquième « Je Vous Salue Marie », quand il poussa un cri.

– Là ! Je l'ai trouvé !

Il arrêta Old Flurry. Un rayon de soleil se refléta sur le petit cœur en or.

– Oh ! Tyrone ! Merci, merci ! Je ne sais pas ce que je serais devenue si je l'avais perdu !

– Tu as prié saint Antoine ?

– Pas que lui, et pas qu'une fois !

Tyrone mit pied à terre et se pencha pour ramasser le bijou.

– Tiens ! Dieu est bon !

Ce furent ses ultimes paroles. Comme il se redressait, un insecte dut piquer Old Flurry, car le cheval, contre toute attente, donna un brusque coup de pied. Son sabot heurta Tyrone à la tempe, le renversant violemment.

Cassie sauta de sa selle et courut vers Tyrone, qui gisait, face contre l'herbe. Elle entendit quelqu'un, au loin, répéter son nom encore et encore, en hurlant. Elle ne se rendit pas compte que c'était elle.

Elle se mit sur les genoux, tira sur Tyrone. Les hurlements résonnèrent de plus en plus fort dans ses oreilles quand elle le retourna sur le dos et découvrit son regard vide. Au-dessus de l'œil, sa tempe était enfoncée, et un filet de sang coulait le long de son nez, jusqu'à sa bouche. Les cris cessèrent, remplacés par des sanglots. Cassie berça Tyrone dans ses bras en le suppliant de lui parler. Mais il ne dit rien. Il ne bougea pas. Ses yeux bleus restaient fixes, sans vie.

– Tyrone ! Tyrone, dis quelque chose ! Tyrone, je t'en prie, parle-moi. S'il te plaît, s'il te plaît, mon amour…

Mais sa voix s'était tue à jamais. Cette voix qui l'avait taquinée, séduite, cette voix qui avait ri et chuchoté tant de mots d'amour… n'était plus.

Cassie le serra contre elle de toutes ses forces.

INTERMÈDE I

Le présent

C'est un mardi, tôt le matin. Un petit groupe s'est formé au bord de la piste d'Epsom, dominant la ligne droite du fond, à quelques centaines de mètres de la ligne de départ. La matinée est fraîche et belle, l'herbe, encore perlée de rosée. Plus bas, dans la lande et dans les enclos proprement dits, les préparatifs vont bon train pour divertir ce que l'on prévoit être un record de spectateurs. Mais cet affairement n'intéresse que peu ou pas du tout ces gens au bord de la barrière, juste avant la colline mondialement connue de Tattenham. Ils n'ont d'yeux que pour les deux chevaux qui viennent vers eux au grand galop.

A l'avant se tient une femme, vêtue d'un manteau en gabardine beige doublé de peau de mouton. Elle ne porte pas de chapeau, et la brise effleure ses longs cheveux noirs. A ses côtés se trouvent deux hommes, le premier, aux cheveux blancs, voûté par des années de monte, le deuxième, plus petit, sémillant, en imperméable marron clair. Les autres sont un cameraman, un preneur de son et un accessoiriste.

Le premier observe l'approche des chevaux en fumant une cigarette. Derrière leurs jumelles, le second et la jeune femme suivent le parcours avec intérêt.

Il faut environ une minute aux chevaux pour couvrir la distance. En dépit de leur habitude et de leur expérience, tous trois ressentent un frisson d'excitation en entendant le grondement des sabots sur la terre. Les jockeys sont haut perchés, en parfait équilibre, les narines des chevaux frémissent.

Toutes les têtes bougent à l'unisson, tandis que les cavaliers ralentissent avec précaution pour éviter tout risque de blessure.

L'homme en imperméable retire son chapeau et passe une main sur son crâne presque chauve.

– Alors ? dit-il à la jeune femme. Selon vous, nous venons de voir passer le gagnant du Derby de demain ?

Le cameraman braque son objectif sur elle.

– Pour le battre, il faudrait un cheval exceptionnel.

– Le vôtre, par exemple.

– Par exemple.

– Vous êtes donc confiante ? s'enquiert-il avec un sourire charmeur.

– Je suis terrifiée, avoue-t-elle, très sérieusement.

– Il s'agit du fils de Commitment, petit-fils de votre pur-sang Célébration, et de la jument Last Waltz, elle-même issue de Song. Pourquoi s'appelle-t-il Rossignol ? Si je comprends bien, ce nom a pour vous une signification toute spéciale.

– En effet, John, surtout si demain après-midi on annonce Rossignol vainqueur.

17

Claremore
1969

Les gouttes de transpiration ruisselaient sur son front, jusque dans ses yeux, l'aveuglant à moitié. Sous les quatre couches de vêtements qu'elle avait mis, elle sentait la sueur dégouliner dans son dos et entre ses seins. Mais son souffle était régulier, ses jambes, ses bras lestés de poids de cinq cents grammes, solides. Cassie continua de courir.

Elle fit demi-tour et entama l'ultime ascension vers Claremore, dont elle apercevait déjà le portail. Elle atteignit l'allée, la remonta sans peine.

Elle s'essuya le visage. C'était le mois de mars, et des tapis de jonquilles se balançaient dans le vent. Mais ces fleurs n'étaient plus synonyme de printemps, de chaleur et de bonheur. Ce n'était qu'une saison parmi d'autres, qui allait apporter ses difficultés, ses obstacles, ses découragements.

En pénétrant dans la maison, le premier son qui lui parvint fut la toux de Mathieu. Ruisselante, elle marqua une pause au pied de l'escalier, en se demandant pourquoi, en plus de tout le reste, son petit garçon était asthmatique.

Tout avait commencé soudainement, une année auparavant, avec une brutalité et une violence telles, que Cassie avait cru ne jamais arriver à l'hôpital à temps. Tomas les y avait conduits le plus vite possible mais, en berçant l'enfant contre elle, Cassie avait vraiment cru qu'il ne respirait plus.

Mathieu avait oscillé entre la vie et la mort pendant deux jours. Cassie était restée à son chevet, paniquée, mais les médecins avaient fini par le sauver. A présent, à la porte de la nursery, elle rassembla tout son courage avant d'entrer. Parfois, la nuit, incapable de dormir malgré sa fatigue, elle l'entendait tousser. Elle se bouchait alors les oreilles en priant pour que ce supplice s'arrête. Puis elle tombait de son lit et allait le trouver, blême, les yeux cernés, s'accrochant à ses draps dans un effort désespéré pour calmer la quinte. Cassie le ramenait avec elle, il se pelotonnait sur son épaule, et ils finissaient par s'endormir tous les deux.

Que pouvait-elle faire ? Rien. Le Dr Gilbert, toujours fidèle, venait dès qu'elle l'appelait, quelle que soit l'heure du jour ou de la nuit. Après avoir soigné le petit, il s'installait avec Cassie à la table de la cuisine pour boire un whisky.

– C'est sans doute congénital, avait-il un jour expliqué à la jeune femme. Nous ne pouvons que le supposer, car nous ne connaissons pas les dossiers médicaux de ses parents biologiques. Et cette faiblesse peut remonter à une ou plusieurs générations. Peut-être un de ses ancêtres a-t-il souffert de tuberculose. Je comprends qu'on l'ait baptisée la maladie du diable. C'est diabolique à traiter.

Bien entendu, ils faisaient tout ce qui était en leur pouvoir pour aider Mathieu. Cassie et Erin époussetaient sa chambre deux à trois fois par jour avec un chiffon humide. Le tapis avait été remplacé par du lino, les couvertures en laine, par du coton. On avait supprimé toutes les peluches, au point que la chambre paraissait nue comme une cellule de moine.

En vain.

Cassie avait abandonné sa grande chambre pour celle attenante à la nursery. Elle avait pris toutes ses affaires, laissant les vêtements de Tyrone suspendus dans l'armoire et ses chaussures alignées impeccablement en dessous. Puis elle avait tourné la clé dans la serrure.

Ce matin, Erin était déjà là, quand Cassie poussa la porte. Elle lisait une histoire à Mathieu, qui l'écoutait, pâle comme un linge. En apercevant Cassie, il sourit, et son regard s'éclaira.

– Bonjour, mon chéri. Encore une mauvaise journée, mon pauvre trésor ?

Elle s'approcha du lit, mais Erin s'interposa aussitôt.

– Allez vite vous changer ! Vous êtes trempée. Il ne manquerait plus que vous soyez alitée, vous aussi !

– Je peux tout de même embrasser mon fils, non ? riposta-t-elle en le soulevant.

– C'est ça ! Vous êtes mouillée jusqu'à l'os. Serrez-le contre vous, et il attrapera une pneumonie !

Erin lui reprit le petit et lui frotta vigoureusement le dos.

– Allez ! Allez ! insista-t-elle. Vous allez vous rendre malade.

Cassie se pencha pour embrasser l'enfant, puis sortit, en s'essuyant de nouveau le front. Erin avait raison, évidemment. Comme toujours. Déjà, elle frissonnait. Elle alla donc se doucher, comme chaque jour après sa séance d'entraînement. Incapable d'affronter son passé, elle utilisait désormais la salle de bains des enfants.

L'eau froide lui glaça le sang, mais Cassie n'en sentit pas la morsure. Le Père Patrick avait un jour sous-entendu que Dieu avait donné son asthme à Mathieu pour la détourner de son chagrin et du souvenir de Tyrone. Cassie avait eu du mal à retenir sa colère. Il avait dit aussi que la maladie du garçonnet pouvait être une sorte d'appel au secours : une façon de signaler à sa maman que sa place était auprès de lui, et non dans les écuries avec les chevaux. Cassie avait écouté ce sermon en silence, refusant de discuter, de riposter que si elle passait tout son temps dans la nursery, elle n'aurait plus de quoi nourrir sa famille.

Heureusement, peu après le départ du prêtre, le Dr Gilbert était passé. Cassie lui avait exposé ses griefs, et ils en avaient parlé jusque tard dans la nuit. Elle ne comprenait pas comment, au début, elle avait pu être si méfiante envers cet homme bon, attentionné et généreux. Pauvre Dr Gilbert, dont les comportements conservateurs l'avaient tant irritée ! Il était devenu son confident, son sauveteur.

Cassie s'empara d'une serviette. Les problèmes de santé de Mathieu n'étaient pas son seul souci. Joséphine ne mangeait plus. Elle avait perdu l'appétit à peu près au moment où Mathieu avait eu sa première crise. Probablement avait-elle enfin compris que son papa ne rentrerait plus jamais à la maison. A présent, elle picorait, et pouvait facilement se passer de repas pendant deux ou trois jours de suite.

– Vous pourriez lui donner le bon exemple, l'admonestait Erin. Pourquoi voulez-vous qu'elle se nourrisse, si vous ne vous nourrissez pas vous-même ?

– Elle vous voit manger. Ainsi que votre père. Les bons exemples ne manquent pas.

– C'est pas pareil, rétorquait Erin. C'est pas pareil du tout.

Erin levait alors les yeux au ciel. Cassie ravalait un hurlement de colère et se retirait dans sa chambre. Allongée sur le lit, elle enfonçait les dents dans la chair de son poignet pour ne pas sangloter. Une fois calmée, elle allait chercher Joséphine. S'il faisait beau, elle l'emmenait se promener. S'il pleuvait, elle s'asseyait avec elle pour lire ou jouer. Mais Joséphine se renfermait de plus en plus.

– Laissez-la donc tranquille, madame Rosse, conseillait Tomas. Les enfants sont comme les chiens : ils ne se laissent jamais mourir de faim. Vous verrez, ça s'arrangera.

Cassie savait que ce conseil était judicieux, mais elle avait du mal à le suivre. Joséphine refusait tout, même les gâteaux et les tablettes de chocolat. Pire encore, un jour, elle s'était remise à manger. Un tout petit peu. Mais pas pour elle. Pour Erin, ou pour Mme Muldoon. Dès que Cassie surgissait dans la cuisine où elles étaient attablées, la fillette repoussait son assiette. Comme pour reprocher à sa mère l'absence de son papa.

Une fois séchée et changée, Cassie revint dans la nursery border Mathieu dans son lit. Elle embrassa le petit garçon au visage émacié, qui s'accrocha à son cou et se serra contre elle. Erin s'était installée dans le fauteuil. Elle tricoterait là, jusqu'à ce que Mathieu s'endorme, puis elle se retirerait sur la pointe des pieds et se coucherait tout habillée, en cas d'urgence. Cassie passa ensuite chez Joséphine, mais celle-ci dormait déjà, tournée vers le mur, un mouchoir trempé de larmes entre ses doigts.

Cassie l'observa un moment, au comble du désespoir. Jamais elle ne s'était sentie aussi seule. Elle avait ses enfants, elle était entourée : elle avait Erin, Tomas, Mme Muldoon, le Dr Gilbert, des amis. Mais aucun d'entre eux ne pouvait imaginer ce qu'elle avait vécu : s'être trouvée en plein soleil, et l'instant d'après, plonger dans les abîmes du chagrin.

Un peu plus tard, dans son propre lit, elle éteignit la lampe de chevet en s'adressant à Tyrone.

– Je suis si fatiguée, murmura-t-elle. A bout de forces. Je ne vais pas pouvoir continuer ainsi. C'est trop dur, sans toi. Et ça n'a plus aucun intérêt. A quoi bon toutes ces souffrances, toutes ces angoisses, Tyrone ? C'est insoutenable. Quand je rentre à la maison, je ne vois plus ton chapeau jeté n'importe comment sur la console du vestibule. Tes jumelles ne traînent plus sur ton fauteuil. Envolés, les tickets froissés. Et ta voix… elle me manque tellement, Tyrone. Je meurs à petit feu, jour après jour.

Elle écrasa son oreiller sur sa bouche pour étouffer un sanglot qui menaçait de se transformer en hurlement.

Elle appuya encore, au point de suffoquer. Elle le maintint ainsi jusqu'à ce que ses pleurs aient cessé. Personne ne l'avait encore vue laisser libre cours à son désespoir. Personne ne l'avait entendue.

Se mettant sur un côté, elle fixa l'obscurité qui avait envahi la pièce minuscule et pensa au lendemain. Demain, elle devait rencontrer le directeur de la banque, « ce vieux Flann », comme disait Tyrone en riant. Le décès tragique et prématuré de son mari avait laissé ses affaires dans un état déplorable. Exécuteur testamentaire et avocats commençaient à peine à faire le tri.

Les dettes étaient colossales. Pour chaque livre gagnée aux courses ou par son travail, Tyrone en avait dépensé cinq. Persuadée que tout allait bien, Cassie ne s'était jamais inquiétée de savoir si tout était payé. Après tout, son mari était un homme sérieux et responsable. Lorsqu'il l'inondait de cadeaux somptueux, après une victoire, elle protestait vaguement, lui reprochant son extravagance. Mais pas un instant il ne lui était venu à l'esprit qu'il vivait largement au-dessus de ses moyens. Le succès des écuries Claremore était tel que Cassie ne s'interrogeait pas sur l'état de leurs finances.

Tyrone non plus.

Plus il avait gagné, plus il avait dépensé. Nouveaux boxes, restauration des stalles existantes, entretien des pistes d'entraînement, machines et accessoires neufs, amélioration des conditions de travail de ses lads, augmentations de salaires, acquisition de chevaux, voitures, vêtements, nourriture, champagne à profusion… et cadeaux. Toujours des cadeaux. Pour le simple bonheur d'offrir. Parfois, outre sa femme et ses enfants, il gâtait aussi Erin et Mme Muldoon. Il n'oubliait pas non plus ce cher Brian, auquel il apportait régulièrement une laisse, un os en caoutchouc, une couverture. L'existence auprès de Tyrone avait ressemblé à une longue fête. A présent, tout cela était du passé. Les ballons avaient éclaté, la lune avait disparu derrière les nuages.

Le moment était venu de payer. D'après l'avocat, depuis un certain temps déjà, Tyrone négligeait de régler ses impôts. Après enquête, on avait découvert que cela faisait quatre ans, non compris l'année de la mort de Tyrone. Les équipements avaient été achetés pour quatre-vingts pour cent à crédit. Il n'y avait que deux solutions : rendre ou rembourser. On commença par vendre les yearlings, à des prix ridicules, pour rassurer les créanciers les plus impatients. Puis, Cassie avait dû se séparer de son argenterie, de ses tableaux et même de ses bijoux, afin de régler ses dettes. Quand le testament avait enfin été homologué, ce qui restait à Cassie tenait dans une seule armoire.

Tout appartenait désormais à la banque. Si elle vivait encore à Claremore, c'était uniquement grâce à la magnanimité de ce cher John Flannery qui, « pour lui être agréable », avait renoncé à saisir l'hypothèque (prise par Tyrone pour couvrir ses dettes). Le résultat ? Un crédit qui s'étalait à l'infini et des taux d'intérêt exorbitants.

La première année, Cassie avait réussi à s'en sortir, péniblement. Elle pouvait remercier les propriétaires qui, par loyauté envers Tyrone, avaient accepté de laisser leurs bêtes à Claremore jusqu'à la fin de la saison, entre les mains de Tomas. La chance avait aussi joué, puisque deux des chevaux de Townshend Warner avaient gagné quatre courses. Annagh Bridge, qui avait remporté le Royal Ascot, avait fini en beauté en prenant une place de troisième au Prix de l'Arc de Triomphe.

La deuxième année avait été un véritable désastre : la majorité des pensionnaires avaient changé d'écurie, et un virus violent avait décimé le reste.

Comme par hasard, Leonora était à l'origine de la défection. Et, fidèle à son habitude, elle avait su choisir son moment.

Les funérailles avaient été grandioses. Au début, Cassie avait tenu à ce que la cérémonie se déroule dans la plus stricte intimité, mais Tomas l'en avait dissuadée avec véhémence.

– Vous ne pouvez pas leur faire ça, madame Rosse. Si vous empêchez les gens de rendre un dernier hommage à monsieur, ce sera la révolte. M. Rosse était Claremore. Il a droit à des adieux dans les règles.

Tomas avait raison. La veille de l'enterrement, tous les habitants du village et des alentours avaient défilé. Silhouette solitaire en haut des marches du perron, Brian à ses pieds, Cassie avait accepté leurs condoléances. Tout le monde était venu, les jeunes, les vieux, les hommes, les femmes, et même les enfants.

– Je ne savais pas qu'il était aimé à ce point, avait-elle confié à Tomas, un peu plus tard.

– Personne ne lui arrive à la cheville, avait répliqué Tomas.

Le jour des obsèques, il pleuvait : une fine pluie d'été, à peine mouillée. Tyrone avait été enseveli auprès de son fils. Joséphine, accrochée à la main de sa maman, avait contemplé d'un air perdu ce cercueil qui contenait, d'après ce qu'on lui avait expliqué, la dépouille de son père. Au son de la cornemuse, chacun à son tour était venu jeter des fleurs dans la tombe.

Le silence était complet, à part les lamentations du musicien.

Personne ne prononça une parole. Sauf Leonora. Alors que Cassie s'apprêtait à quitter le cimetière, elle avait surgi à ses côtés, vêtue de velours noir, un voile de dentelle sur sa chevelure blonde.

– Bien entendu, je vais reprendre mes chevaux, avait-elle déclaré.

Comme si elle la soulageait d'un fardeau, alors qu'en fait, elle allait la priver de sa principale ressource.

– Vraiment, ce n'est pas la peine. Tomas va reprendre…

Leonora avait posé une main baguée sur le bras de Cassie.

– Il n'en est pas question. Je suis sincère. Ce serait inhumain. Je m'arrangerai pour que ce soit fait dès la semaine prochaine. Ne revenons pas là-dessus.

Cassie s'était tournée vers elle et l'avait regardée droit dans les yeux. Une lueur de cruauté luisait dans ses prunelles. Cassie avait su, alors, ce qu'était l'amertume.

– Je ne l'oublierai pas, Leonora, avait-elle chuchoté. Je ne l'oublierai jamais.

Leonora lui avait serré brièvement le bras.

– Ne t'inquiète pas. Si je peux faire quoi que ce soit pour toi, appelle-moi.

Elle s'était engouffrée dans la Rolls Royce qui ronronnait au coin de la rue. Cassie avait suivi du regard le départ de la voiture, en suppliant Dieu de lui pardonner sa haine envers cette femme.

– J'espère qu'elle ne connaîtra jamais la paix, avait soudain prononcé Erin, juste derrière Cassie.

Pour une fois, la chaleur suffocante qui régnait dans le bureau de M. Flannery lui parut supportable, voire bienvenue. En effet, à Claremore, Cassie avait éteint tous les radiateurs sauf ceux des chambres d'enfants.

M. Flannery offrit à Cassie un porto et un biscuit, comme à son habitude, en lui demandant comment elle allait.

– Très bien, merci, répliqua-t-elle en croisant avec grâce ses jambes en bas de soie.

Merci, Tyrone, de m'avoir offert des vêtements de qualité, songea-t-elle, parce qu'ils durent.

– Si je peux me permettre, madame Rosse, vous êtes toujours aussi élégante. Cette fourrure vous sied à ravir, je vous assure.

Il se pencha sur elle pour remplir son verre, et Cassie s'efforça de ne pas avoir un mouvement de recul. Elle ne tenait pas du tout à ce qu'il sache combien elle le trouvait répugnant, avec ses rondeurs presque féminines, son visage lisse et ses lèvres rouge cerise.

– Vous vouliez me voir, murmura-t-elle en déboutonnant sa fourrure pour laisser apparaître une robe moulante en laine de cachemire.

– C'est exact, répondit-il, l'œil malin. C'est exact, répéta-t-il, et d'ailleurs, qui ne le souhaiterait pas ? Il faudrait être fou pour ne pas *avoir envie* de rencontrer une femme comme vous.

Cassie rit poliment et remercia en silence Erin de l'avoir dissuadée de se séparer de sa garde-robe.

– Ça ne vous rapportera rien, madame. Rien du tout, avait-elle insisté. Pas plus que les habits de M. Rosse. Vous avez intérêt à les garder. Débarrassez-vous plutôt de ce qui ne vous servira jamais. Parce que si vous avez l'intention de rester ici, à Claremore, Dieu vous l'accorde, il faudra commencer par calmer ce vieux cochon de la banque.

Erin avait parfaitement raison. Tant que Cassie conserverait une apparence coquette, Flannery, outre le plaisir de savourer sa présence, continuerait de s'imaginer que Cassie se débrouillait mieux qu'elle ne le faisait en réalité.

– Voulez-vous enlever votre manteau ?

– Volontiers, monsieur Flannery. Il fait si bon, chez vous.

Le banquier l'assista et en profita pour effleurer les manches de sa robe. Dans le miroir au-dessus de la cheminée, Cassie le vit enfouir son visage dans la fourrure avant de la suspendre au perroquet.

– Bien ! déclara-t-il, écarlate, en venant se placer derrière sa table. Parlons affaires...

– Pour un homme qui travaille autant, je vous trouve vraiment très... en forme, interrompit-elle.

Il la dévisagea avec une petite moue de plaisir.

– C'est gentil à vous, madame Rosse, mais vous savez, je prends de l'âge. J'aurai bientôt cinquante-deux ans.

– Pas possible ! s'exclama-t-elle, une main sur le cœur, en se reprochant son hypocrisie. Je n'arrive pas à le croire !

– Si, si, cinquante-deux ans.

– Je m'étonne qu'aucune femme dans cette ville n'ait su vous séduire.

– Ah ! Eh bien, peut-être que... peut-être est-ce simplement que j'attends d'être... séduit... par une femme en particulier. N'est-ce pas ?

Il la contempla par-dessus ses lunettes d'un air qu'il espérait espiègle. Cassie sourit, baissa les paupières, et ravala un haut-le-cœur à la seule idée d'un dîner en tête à tête en sa compagnie. Quant à coucher avec lui... il était du genre à garder son tricot de corps sous son pyjama, et elle comptait bien ne jamais en avoir la preuve.

– Bref, revenons à nos moutons, madame Rosse. Je crains que le moment soit venu pour nous de réviser votre situation.

Il s'y attela avec un malin plaisir. Tyrone avait souvent déclaré que ce « vieux Flann », vert de jalousie depuis le premier jour, ne serait heureux que lorsqu'il deviendrait lui-même le propriétaire de Claremore. Bien entendu, le domaine était hors de sa portée. A moins que la banque ne saisisse l'hypothèque et que l'on vende Claremore pour une bouchée de pain afin de rembourser les derniers créanciers... notamment ladite banque. Auquel cas, ce « vieux Flann » serait sans nul doute le premier et le dernier à faire une offre lors des enchères.

– Vous avez beau m'expliquer que l'avenir s'ouvre à vous et que la prochaine saison des courses vous autorise tous les espoirs, conclut-il... J'avoue, et je vous en prie, ne m'en veuillez pas, car vous savez que je suis là pour vous aider, mais... j'ai bien peur que vous n'ayez encore besoin de nos services.

Cassie tripota délibérément sa broche en émeraude. Elle valait plusieurs milliers de livres, et Cassie l'empruntait à un prêteur sur gages, cousin de Tomas, chaque fois qu'elle avait rendez-vous avec Flannery. Le coût, cinq livres par jour, était extravagant, mais le subterfuge marchait à tous les coups.

Flannery fixa le joyau avec avidité.

– Cher monsieur, je vous remercie, mais il n'en est rien. Au contraire, je pense pouvoir vous rembourser une grande partie de ce que je vous dois.

Tout en parlant, Cassie ouvrit son sac et en sortit plusieurs liasses de billets, qu'elle disposa devant elle sur le bureau. Comme elle l'avait espéré, le regard du banquier se transporta aussitôt sur l'argent.

– Doux Jésus ! Combien avons-nous là ?

– Je n'en suis pas certaine. Environ deux mille livres, il me semble. Cent livres à vingt contre un… Oui, cela fait bien deux mille livres, non ?

Cassie leva les yeux vers lui en déposant le dernier paquet, puis croisa les mains sur ses genoux.

– C'est donc le résultat d'un pari, madame Rosse ?

– Si vous voulez.

C'était bien plus que cela. Ensemble, Cassie et Tomas avaient mis ce plan au point dans l'espoir de gagner du temps, ce temps indispensable pour préparer un cheval à une grande course, ou s'assurer l'aide de quelqu'un d'autre. Mais la saison n'en était qu'à ses tout débuts, et il leur fallait au moins un mois pour trouver une solution. Ils avaient donc convaincu l'affable Joe Coughlan de prêter à Cassie deux mille livres en liquide, juste pour l'après-midi. Si elle obtenait satisfaction, Cassie lui avait promis en échange une semaine de pension gratuite pour ses quatre chevaux. Coughlan s'était esclaffé.

– Pour quoi faire ? Qu'est-ce que j'ai à perdre ?

– Deux mille livres gagnées à la sueur de votre front, l'avait prévenu Cassie. Si Flannery décide de les prendre.

– Il n'en fera rien, avait riposté Tomas d'un ton catégorique. Ce qu'il cherche, c'est à vous pousser hors de Claremore. S'il vous soupçonne de céder à la passion du jeu, il vous laissera cette somme dans l'espoir que vous finirez par tout perdre.

Les dés étaient jetés. Visiblement, Flannery convoitait les liasses. Au bout d'un certain temps, il redressa la tête : Cassie avait sorti son poudrier et feignait de se remaquiller. Elle lui adressa un sourire plein d'insouciance et continua d'appliquer son rouge à lèvres.

Flannery réfléchit un instant de plus, puis empila les billets devant lui.

Cassie se sentit blêmir, mais resta cachée derrière sa glace de poche.

– Non, non, marmonna-t-il soudain. Non, vraiment, il n'est pas indispensable que vous nous remboursiez si vite. Ce n'est pas du tout la raison pour laquelle je vous ai convoquée. Bien entendu, votre position financière demeure précaire, mais tout de même… Non. Il n'est pas question que j'accepte.

– Mais si, monsieur Flannery, prenez tout ! protesta-t-elle. Je serais très ennuyée que vos supérieurs vous accusent de négligence.

Flannery n'y avait pas pensé. Cette déclaration le ramena brusquement sur terre. L'audit annuel était pour bientôt, et il avait déjà reçu un courrier de Dublin l'invitant à récupérer les dettes des uns et des autres.

– D'ailleurs, enchaîna Cassie, si vous n'empochez pas cette somme tout de suite, je risque de la jouer et de tout perdre. Ce n'est pas compliqué.

Flannery marqua une hésitation. Les joueurs étaient des imbéciles. Les joueuses, encore plus. Cassie, comme son défunt mari, était visiblement tombée dans le piège. Il poussa les liasses vers elle.

– Ne dites pas de bêtises, susurra-t-il avec un sourire charmeur. Venez, je vous offre à déjeuner.

Comme à regret, Cassie rangea l'argent dans son sac, pendant que Flannery allait lui chercher son manteau. Cette fois, en l'aidant à le revêtir, il en profita pour lui frôler le sein.

Il lui ouvrit la porte, les joues teintées de rose.

Quelle comédie grotesque ! songea Cassie.

*
* *

– J'ai cru qu'il allait me demander ma main pendant le repas ! confia Cassie à Tomas, ce soir-là dans l'écurie. « Je sais bien que ce n'est ni le moment, ni l'endroit, madame Rosse, d'aborder ce sujet. Mais tôt ou tard, vous allez finir par vous sentir un peu seule, dans votre vaste demeure... » Vous imaginez cela, Tomas ?

– Jamais de la vie, madame. Plutôt épouser un membre de la famille royale anglaise !

– Est-ce à ce point épouvantable ? s'esclaffa Cassie. Moi qui croyais être la seule à mépriser ce vieux cochon !

Ils achevèrent leur ronde d'inspection, dont la durée avait diminué des trois quarts depuis la mort de Tyrone, puisqu'il ne leur restait plus qu'une dizaine de pensionnaires. La défection de Leonora les avait privés de la moitié des chevaux, et le mystérieux virus qui avait sévi dix mois plus tôt avait achevé la tâche.

Cassie avait décidé de reprendre les affaires de son mari peu après son décès. Cependant, les règlements des courses interdisant encore aux femmes d'entraîner officiellement, la licence était au nom de Tomas. Cassie lui en avait parlé quelques semaines après les obsèques, à l'époque où, en général, ils expédiaient les bêtes les plus fragiles à l'étranger pour l'hiver. Tomas n'avait pas discuté, il n'avait posé aucune question. Il s'était contenté de hocher la tête, puis s'était remis au travail comme si de rien n'était.

– Vous savez que je n'y connais rien, avait insisté Cassie. Absolument rien.

– Personne n'y connaît rien avant de débuter, madame Rosse. L'essentiel, c'est de bien les nourrir. Là-dessus, vous avez déjà quelques points d'avance.

– Moi ?

– Euh... enfin, moi.

Tomas l'avait saluée d'un coup de casquette, puis avait

disparu dans la salle attenante pour préparer ses recettes secrètes.

Au mois de mai suivant, arrivée la première comme à son habitude, Cassie avait ouvert un box et découvert la catastrophe. Interim, un cheval âgé de trois ans, en pleine forme la veille, se tenait la tête entre les genoux, les yeux enfoncés, la bave à la bouche, la respiration courte et irrégulière.

Tomas s'était précipité sur le thermomètre.

– La bonne nouvelle, c'est qu'il n'est pas tombé, avait-il marmonné. La mauvaise, c'est qu'il n'est pas le seul dans cet état.

– Comment cela ?

– M. Toad, Whirlybird, Rockin'in Rythm et Annagh Bridge sont souffrants, eux aussi.

A l'aube du matin suivant, quatre de leurs meilleurs pensionnaires gisaient, morts, dans leur stalle. Niall Brogan, le vétérinaire, n'en revenait pas : jamais il n'avait vu une chose pareille. Il était venu dès que Cassie l'avait appelé et leur avait administré des doses massives d'antibiotiques. Mais il avait tout de suite déclaré que c'était une question de chance. Interim, apparemment le plus atteint de tous, avait survécu. Cassie l'avait veillé jour et nuit, assise sur un seau à l'envers, jusqu'au moment où, fatiguée, elle était allée chercher une botte de foin frais. Au bout de quelques heures, Interim s'était soudain mis à brouter. Il n'avait plus cessé pendant les huit heures qui avaient suivi. Cassie l'avait encouragé en le caressant et en l'épongeant pour qu'il ne se déshydrate pas complètement. A minuit, il avait dominé le mal.

Annagh Bridge semblait lui aussi en voie de guérison. La fièvre, un peu moins forte, s'était stabilisée aux alentours de 39° pendant vingt-quatre heures, puis avait commencé à baisser. Malheureusement, deux jours plus tard, alors qu'il paraissait avoir surmonté le pire, elle était revenue en force. Il avait succombé très vite.

Sur les vingt-deux pensionnaires restants, cinq avaient

perdu la vie, et dix autres avaient contracté le virus. Fort heureusement, Niall Brogan, anticipant une épidémie foudroyante, les avait vaccinés systématiquement, et les derniers atteints avaient nettement moins souffert. Les sept rescapés avaient été mis en quarantaine, puis, une fois déclarés en bonne santé, confiés à d'autres écuries. A la fin de la saison, huit parmi les dix survivants avaient participé à une vingtaine de courses, sans le moindre résultat.

Ils n'étaient plus que huit au début de la saison suivante : deux d'entre eux appartenaient à Townshend Warner, l'un des seuls propriétaires à avoir soutenu Claremore vaille que vaille ; Moviola, la toute dernière acquisition de James Christiansen, Célébration, que Cassie avait repris à Willie Moore pour l'hiver, et bien sûr les quatre « mollassons » de Joe Coughlan.

Le choix était maigre, pourtant Cassie et Tomas devaient à tout prix en sortir un gagnant.

– S'il faut une victoire d'ici un mois, six semaines, dit Tomas en se grattant la tête, il faut éliminer d'emblée Célébration. Il a du mal à se remettre de son ver solitaire, il ne sera jamais prêt à temps. Moviola est trop fort et encore un peu lent, ceux de Joe sont trop mous. Restent ceux de M. Warner.

Ils allèrent les inspecter l'un après l'autre. Tootsie, une belle jument, issue de l'Irlandaise Night Club Girl qui avait remporté huit courses sur le plat, et Reverse, un poulain très prometteur.

– On pourrait miser sur lui, déclara Cassie, après de longues tergiversations entre les deux stalles. Quand M. Warner me l'a confié, il m'a dit que selon l'agent qui le lui avait acheté tous les espoirs étaient permis.

– Ah ! gronda Tomas. Sauf votre respect, madame, ces pur-sang américains, je m'en méfie. Comment disait mon vieux sergent-major, déjà ? Ah, oui ! Ils sont surtout forts en gueule.

– Nous verrons bien, Tomas Muldoon.

De retour dans son bureau, Cassie consulta le plan d'entraînement. Reverse était inscrit pour un tour le vendredi suivant. Elle nota les noms des cavaliers. Pat Ward monterait Tootsie, Liam Docherty, Gearhan, un des « mollassons » de Joe Coughlan, et Tomas, Moviola.

– Qui s'occupera de Reverse ? s'enquit Tomas.

– Moi, répliqua Cassie en sortant.

Tomas lui courut après.

– Vous avez complètement perdu la tête, madame ? s'écria-t-il. C'est pas d'une petite balade en forêt qu'il s'agit, mais d'un entraînement pur et dur !

– Je sais ce que c'est, Tomas. Je l'ai fait trois fois par semaine pour Willie Moore.

– Qui vous a appris ?

– Willie.

– Willie ! Willie Moore vous a appris ? Et moi, alors ? J'aurais pu en faire autant !

Cassie sourit en le voyant presque trépigner de rage.

– Tant qu'à me ridiculiser, j'ai préféré le faire loin de la maison.

– Et qui vous dit que vous saurez tenir Reverse ?

– Willie Moore, Tomas. Hier soir, il m'a confié Fly In Me Eye en me disant que, si je m'en sortais avec lui, plus rien ne m'arrêterait.

Cassie marqua une pause, puis sourit de nouveau :

– J'ai même dépassé Tipperary. D'après Willie, c'est un record.

Ce succès, Cassie le devait à une préparation acharnée pendant tout l'hiver : six mois à parcourir les collines, à multiplier les abdominaux, à se construire une musculature, à se maintenir accroupie pendant des heures « en position ».

– Tant que vous ne pourrez pas rester comme ça pendant un quart d'heure sans flancher, inutile de penser à la course, lui avait répété sans relâche Willie Moore. En tout cas, si vous voulez le faire bien.

L'exercice consistait à se placer comme le jockey sur

son cheval, mais sans l'aide de ce dernier, ni même, d'une selle. Genoux pliés, cuisses parallèles au sol, les mains en avant comme pour serrer les rênes... cela paraissait facile. La première fois, victime de crampes, Cassie avait dû se redresser au bout d'une minute.

Il lui avait fallu quinze jours pour tenir deux minutes trente, six semaines pour supporter dix minutes de ce supplice, et six mois pour parvenir à ses fins. Pendant ce temps, elle montait régulièrement.

– N'oubliez pas, Cassie, lui avait déclaré Willie, le jour où elle avait enfourché pour la première fois un deux-ans. Il a probablement plus peur que vous.

– Est-ce possible ?

– Il faut lui donner confiance, Cassie. Il le sentira à travers vos mains. S'il a l'impression que vous le craignez, il vous jettera.

– Pourquoi est-ce que je fais ça, Willie ? s'était-elle écriée, tandis que le poulain se cabrait, avant de se mettre à courir de côté. Je serais tellement mieux dans mon lit, à lire un roman !

Ce matin-là, Willie l'avait accompagnée, d'une part pour la rassurer, d'autre part pour observer ses progrès. Voulant franchir les haies ou enjamber les fossés, s'effarouchant devant un tuyau de drainage ou son ombre, le fringant cheval avait tout tenté pour déstabiliser Cassie sur le chemin de la piste. Une fois sur le terrain, il avait essayé de se lancer avant même qu'ils aient vérifié leurs étriers, et Cassie avait dû faire preuve d'autorité pour le retenir.

Mais sa frayeur initiale s'était estompée. En se rendant au départ, Cassie s'était rendu compte que le pire qui pouvait lui arriver était de se tuer en tombant. Mais cela ne l'inquiétait pas, car alors, elle retrouverait Tyrone. Elle avait donc ignoré ses craintes pour se concentrer sur l'animal, dont l'unique intention était de se débarrasser de sa cavalière.

Elle s'était décontractée, avait lâché les rênes. Pris de court, n'ayant plus rien à combattre, le poulain s'était détendu lui aussi et était devenu plus docile. Willie avait hoché la tête, satisfait. Ayant rappelé les instructions de base à ses lads, il avait invité Cassie à partir la première. Elle s'était mise au trot, tranquillement, avec douceur, mais fermeté.

Au bout de deux cents mètres, Willie l'avait rattrapée pour lui lancer un ultime conseil. Cassie avait acquiescé. Le cheval avait accéléré en un galop irréprochable.

Il avait alors fallu l'arrêter, sans toutefois le contrarier, ni lui blesser la bouche. Mais il serrait le mords entre ses dents et faisait tout pour que Cassie perde le contrôle. Plutôt que de le brusquer, Cassie était restée en équilibre parfait sur sa selle et avait lâché du lest. Dès qu'elle l'avait senti réagir, elle l'avait repris, mais sans heurts.

Willie les avait rejoints de nouveau. Il avait fait demi-tour pour revenir avec Cassie, en silence. Elle avait caressé le cou de son cheval, mais s'était bien gardée de demander à son entraîneur ce qu'il pensait.

Willie avait enfin daigné prendre la parole dans la sellerie.

– Si jamais le règlement change et qu'on autorise les femmes à courir, vous serez la première, avait-il déclaré.

Ce vendredi-là, une heure après le lever du soleil, Reverse obéit à Cassie sans le moindre problème. Elle n'osa pas l'obliger à suivre la jument de trois ans qui galopait à ses côtés, de peur de le décourager. Elle avait trop souvent entendu Tyrone dire qu'en le laissant se faire battre par un concurrent plus âgé, un jeune poulain pouvait en avoir le cœur brisé.

– Le secret, Cassie McGann, l'entendit-elle lui chuchoter, c'est qu'il reste de bonne humeur. Et enthousiaste. Les bons chevaux n'apprécient pas d'être dominés. Pourquoi les déprimer dès l'entraînement ?

De retour au bureau, ils se penchèrent sur les courses à venir. Reverse pouvait participer au Prix Naas dans trois semaines, et au Prix Curragh, dans quatre. Cassie opta pour la deuxième solution. Tomas y consentit, tout en lui signalant qu'un mois de préparation ne suffirait peut-être pas.

– Nous aviserons le moment venu, Tomas.

– Il faudra être sûrs de nous, madame Rosse. La course du Curragh est toujours difficile.

– Reverse est en forme.

– Il le sera certainement en juillet ou en août. Mais d'après moi, il a besoin d'un peu de temps. On aurait peut-être intérêt à glisser Tootsie dans un prix modeste à l'étranger.

– Nous aviserons, Tomas, répéta Cassie.

Il opina, effleura le bord de sa casquette et partit préparer le petit déjeuner des chevaux. Cassie connaissait suffisamment bien sa démarche pour savoir qu'il n'était pas entièrement d'accord avec elle.

Ce soir-là, trop fatiguée pour aller courir, trop lasse pour affronter Erin qui était d'humeur boudeuse, Cassie décida de s'installer dans la bibliothèque pour regarder la télévision.

Elle s'assit devant le poste sans le voir ni l'entendre et fixa les livres de comptabilité, auxquels elle n'avait pas touché depuis le décès de Tyrone. Elle avait toujours la sensation d'empiéter sur son territoire quand elle venait dans ce qu'il avait appelé « son refuge ». Elle ne l'y avait jamais dérangé, sauf en cas d'extrême urgence. Ils n'y avaient jamais discuté de quoi que ce soit. Lorsqu'ils avaient à se parler, Tyrone enfermait ses dossiers dans son bureau, avant de prendre Cassie par la main et de l'entraîner au salon.

Aujourd'hui, les livres de comptabilité reposaient là où Cassie les avait rangés après s'être forcée à trier tous les papiers de Tyrone. Elle avait retrouvé les mots qu'elle lui avait adressés, les petits billets doux qu'elle avait glissés dans sa poche juste avant une course importante ou un dîner mondain qui l'ennuyait. Juste pour lui rappeler qu'elle l'aimait. Il y avait un tiroir rempli des cartes d'anniversaire et des étiquettes de chacun de ses cadeaux. Il avait tout conservé. Tyrone avait aussi collectionné les photos, mais elle n'avait pas eu le courage de les regarder. Sans doute ne l'aurait-elle jamais. Et les lettres, celles qu'elle lui avait écrites des Etats-Unis, juste avant leur mariage, entourées d'un ruban, placées dans l'ordre chronologique.

Les livres de compte, Cassie les avait soigneusement évités. Tout d'un coup, elle se surprit à se lever, à les empiler sur la table. Recouverts de cuir, ils étaient gravés des chiffres de l'année en question. Le premier datait de 1948, quand Cassie avait entamé sa seconde année au couvent. Dix-neuf cent quarante-huit. Elle avait sept ans quand Tyrone avait entamé son premier bilan. Que contenait-il ? Que recelaient-ils, tous ? Etaient-ce des journaux intimes ? Cassie osait à peine les ouvrir.

Lorsqu'elle en eut enfin le courage, elle tomba sur des pages et des pages de notes sur tous les paris que Tyrone avait lancés. L'écriture était nette, dynamique : encre noire pour le nom du cheval, du meeting et les cotes, encre bleue pour les gains, rouge pour les pertes. En consultant les volumes, Cassie fut stupéfaite de constater l'ampleur de ses mises. Elle savait que Tyrone aimait jouer, mais elle n'avait jamais réalisé qu'il en avait fait une occupation à plein temps. Ni qu'il avait risqué très gros, à plus d'une reprise, alors qu'il pouvait difficilement se le permettre.

Cependant, il semblait avoir gagné plus souvent qu'il n'avait perdu, surtout à l'époque où Leonora lui avait confié ses chevaux. Les sommes avaient augmenté considérablement, la fréquence des paris aussi. Mais il n'avait jamais limité ses choix à ses propres bêtes, dont il connaissait pourtant les chances et la forme. Il avait joué partout, même en France et en Amérique. Ce qui expliquait les cadeaux extravagants comme les robes de couturier en provenance de Paris.

– Petit diable, murmura Cassie en souriant. Espèce de gredin. Tu ne m'en as jamais touché un mot. Même quand tu te lestais de plusieurs milliers de livres.

Elle avait été persuadée qu'il vivait uniquement de son métier d'entraîneur et de sélectionneur. Maintenant qu'elle pénétrait elle-même cet univers, elle se rendait compte que c'était impossible, qu'on ne pouvait pas devenir riche uniquement en s'occupant des chevaux des autres. Pour être fortuné, il fallait jouer.

Etait-elle donc condamnée à cela jusqu'à la fin de ses jours, plutôt qu'une seule fois, dans le seul but de rééquilibrer son budget ? Quelle naïve elle était ! songea-t-elle subitement. Il ne fallait surtout pas mettre tous ses œufs dans le même panier. Mais comment s'y prendre autrement pour empêcher Flannery de saisir l'hypothèque ? Elle n'avait qu'une solution : suivre les traces de Tyrone. Prendre des paris. Etudier non seulement la forme, mais aussi le contenu, se renseigner grâce au « téléphone arabe » sur les bons et les mauvais coups.

Elle se balança sur son siège, dépitée. Tout cela était trop compliqué pour elle. Aurait-elle la volonté et l'audace de défier son défunt mari ?

Elle monta embrasser ses enfants. Tous deux étaient déjà endormis. Pour une fois, Mathieu était paisible.

Elle se retira dans sa petite chambre. Elle détestait le noir, à présent. Autrefois, même chez sa mère, l'obscurité ne l'avait jamais inquiétée. Désormais, elle laissait sa lampe de chevet allumée. Quand elle parvenait à s'endormir. Le sommeil était devenu quelque chose à combattre, au cas où il la transporterait au pays des cauchemars. Elle n'avait pas rêvé de Tyrone pendant les premiers mois, sans doute grâce aux sédatifs puissants que lui avait prescrits le Dr Gilbert. Maintenant, elle se réveillait en sursaut, dégoulinante de transpiration, engourdie par le chagrin et la terreur. Elle se levait alors, descendait à la cuisine se préparer une tisane, qu'elle buvait près du poêle en attendant l'aube et les premiers chants des oiseaux. Si elle n'avait pas d'entraînement, elle se recouchait parfois pendant une heure, mais en règle générale, dès les premiers rayons de soleil, elle s'activait.

Certains jours, par beau temps, elle se rendait dans le bois, à l'endroit où ils avaient écouté le rossignol. Elle s'asseyait sur un vieux tronc d'arbre et priait le ciel pour que le petit oiseau se manifeste de nouveau. Ce serait le signe que Tyrone était là, présent, quelque part. Peu importe où. Juste là. A veiller sur eux.

Mais la forêt résonnait de gazouillis informes et de battements d'ailes. Au bout d'un moment, Cassie se remettait debout, désemparée, et allait retrouver les chevaux.

On choisit de présenter Reverse au Prix Curragh. Ou, plus exactement, Cassie en décida ainsi. Tomas le trouvait encore trop enrobé. Cassie en convenait, mais deux événements l'incitaient à risquer le tout pour le tout. D'une part, Tootsie avait du mal à démarrer sa saison. D'autre part, bien que toujours un peu enveloppé, Reverse se montrait si rapide à l'entraînement, une semaine avant la course, que même Tomas était presque convaincu. Cassie venait de le lancer au grand galop sur mille deux cents mètres, battant tous les records au chronomètre enregistrés jusque-là à Claremore.

– Et encore, Tomas, je l'ai à peine poussé ! déclara-t-elle en mettant pied à terre. Qu'est-ce qu'il va donner si je le lui demande ?

– Il est un peu essoufflé, madame Rosse, marmonna Tomas, l'air sceptique. Je préférerais…

– Allons ! Allons ! Encore une séance, et il devrait être fin prêt.

Tomas ramassa une poignée d'herbe et la tendit au cheval, qui se régala. Puis il coinça une cigarette entre ses lèvres et contempla les ronds de fumée qui s'élevaient dans le ciel.

Cassie regagna l'écurie en se demandant comment s'y prendre pour lui prouver qu'elle avait raison.

Tout se déroula à la perfection jusqu'à ce que l'équipe de Claremore arrive à l'hippodrome. Reverse était de plus en plus en forme, à l'immense satisfaction de Tomas. Les deux chevaux que Cassie et Tomas craignaient le plus avaient déclaré forfait. Sur trente partants potentiels, il n'en restait plus que huit, parmi lesquels six, selon leurs espions, pouvaient être éliminés d'emblée. Le seul concurrent sérieux, Blazes Man, aguerri par Tim Curley, ne devait pas les effrayer outre mesure. En effet, d'après les renseignements de Tomas, il n'était là que pour le principe, une pratique mal acceptée par les autorités, mais couramment employée par la plupart des entraîneurs en guise de « principe éducatif ». Tous les journaux considéraient Reverse comme le favori. Devant autant de certitudes, Tomas lui-même admettait que ce serait peut-être un « bon coup ». Cependant, ce fut lui qui eut le dernier mot en conseillant à Cassie de ne pas miser avant que le cheval ne soit sellé et sur le chemin de la ligne de départ. Tomas craignait les incidents de dernière minute.

Malheureusement, il avait raison.

En venant à l'hippodrome, Dermot Pryce fut victime d'un accident de la route. Gravement blessé, il fut transporté à l'hôpital. Cassie téléphona aussitôt. On lui expliqua que les jours du jockey n'étaient pas en danger, mais qu'il souffrait de trois côtes cassées, d'une fracture du bassin et de multiples lacérations. Tomas se mit à courir partout en quête d'un remplaçant. Ils ne disposaient que de très peu de temps, car la course de Reverse était la seconde au programme. Les trois premiers qu'il rencontra étaient déjà pris, les deux autres qui auraient pu faire l'affaire ne viendraient que plus tard. En désespoir de cause, Tomas s'adressa à l'apprenti-vedette de l'année précédente, un jeune insolent de Dublin qui s'appelait Brendan O'Dowell. Personne ne doutait de son talent, mais les connaisseurs réprouvaient son style et le jugeaient trop grand.

– Dites-lui de rallonger les lanières de quelques trous, ordonna Cassie en jetant sa selle sur le dos de Reverse.

– Dites-le-lui vous-même, rétorqua Tomas. Nom de nom, vous avez oublié sa couverture !

Tomas arracha la selle et chercha des yeux l'accessoire manquant.

– Puisque vous vous y refusez, je vais trouver O'Dowell, annonça Cassie. Liam va vous aider à finir de préparer Reverse.

Cassie abandonna Tomas et Liam à leur tâche et partit en quête du jockey. Sur le seuil de la salle de pesage, il fumait une cigarette en discutant avec ses collègues.

Cassie l'attira à l'écart.

– Ecoutez-moi bien, O'Dowell. Nous n'avez jamais travaillé pour M. Muldoon. Sachez qu'il respecte vos qualités, mais il estime que vous montez trop court par rapport à votre taille.

O'Dowell se détourna, gratifia d'une grimace un de ses camarades, puis examina Cassie de bas en haut.

– Vous pouvez demander à quelqu'un d'autre, madame, dit-il en écrasant son mégot.

– C'est vous qui avez été engagé, O'Dowell. Vous avez accepté cette proposition, à vous maintenant d'obéir aux ordres

– Les ordres de qui, madame ?

– De M. Muldoon, et du propriétaire, qui, à mon grand regret, n'est pas là.

– Je vois.

Il jeta de nouveau un coup d'œil à son copain, fit claquer sa cravache sur sa botte.

– Il faut que j'y aille, madame. Si vous voulez bien m'excuser.

Cassie le suivit vers le paddock, frémissante de colère. Le jockey ne lui avait pas manqué de courtoisie, mais toute son attitude trahissait l'ironie et le mépris.

– M. Muldoon veut que vous rallongiez vos lanières

de deux trous, ajouta-t-elle, tandis qu'ils traversaient le dernier carré de pelouse.

– Je verrai ça avec M. Muldoon, madame. Histoire de m'assurer qu'il n'y a pas de malentendu. Vous savez bien, ordres, contrordres, tout ça…

Il se tourna vers Tomas, le salua, laissa courir son regard sur le cheval.

– Jolie bête, monsieur, constata-t-il.

– O'Dowell, vous le retiendrez sur les deux cents premiers mètres, dit Cassie. Il est très rapide. Si vous le maintenez en troisième ou en quatrième position jusqu'à la dernière ligne droite, vous les enterrerez tous.

Tomas aida le jeune homme à enfourcher la bête et vérifia les étriers. Aussitôt, O'Dowell entreprit de les raccourcir.

– Laissez-les comme ça, intervint Tomas.

O'Dowell hocha la tête et s'installa, pendant que Liam tirait sur la couverture qui s'était coincée sous un côté de la selle.

– Lâche ça, gronda Tomas. Et sortez d'ici, O'Dowell, il s'échauffe.

C'était peu dire, songea Cassie en apercevant les filets de sueur sur ses jambes, son flanc et son cou. Par ailleurs, Reverse était visiblement gêné par toute cette activité autour de lui et commençait à rouler des yeux.

Liam s'empara de la laisse pour l'entraîner hors du paddock, mais Reverse se cabra brusquement. Le lad vola. Tomas saisit la bride tandis que Liam se remettait debout, un peu secoué mais heureusement, indemne.

– Allez ! dit Tomas. Sortez-le de là ! Et en douceur, O'Dowell !

Le jockey s'efforça tant bien que mal de le calmer, mais Reverse était énervé. Tirant, dansant, il faillit cogner l'un de ses rivaux en se précipitant vers la sortie.

– Venez, murmura Tomas en prenant Cassie par le coude. Nous ferions mieux de les suivre jusqu'à la ligne de départ.

– Mais je n'ai pas encore misé ! protesta-t-elle.

– A mon avis, c'est aussi bien. D'après ce que je vois, la course est déjà finie pour lui.

Ils allèrent se coller contre les barrières.

– Mon Dieu, Tomas ! s'exclama soudain Cassie. Ce petit prétentieux a raccourci les étriers !

Tomas leva ses jumelles. Cassie avait raison. Au lieu d'essayer de tranquilliser le cheval, le jockey s'affairait avec ses lanières.

– L'imbécile. Sauf votre respect madame. Enfin ! Il ne nous reste plus qu'à prier. Pourvu qu'il soit aussi bon cavalier qu'il le dit.

Quelques instants plus tard, un journal, poussé par le vent sur la piste, effaroucha Reverse. O'Dowell se retrouva par terre. Cassie porta une main à sa bouche, horrifiée, et Tomas lâcha un torrent d'injures typiquement irlandaises, tandis que le favori à deux contre un partait au grand galop, tout seul.

On le rattrapa au bout de cinq minutes, à plusieurs centaines de mètres du départ. O'Dowell, qui ne s'était pas fait mal, rejoignit son partenaire récalcitrant et le raccompagna. La course fut encore retardée.

– C'est fichu, assena Tomas. Ne gaspillez pas votre argent.

– Ce n'est pas sûr, riposta Cassie. Après tout, il est solide. Il n'est sans doute pas très fatigué.

– C'est fichu, insista Tomas en se dirigeant vers le bar.

Cassie hésita, ouvrit le sac qu'elle avait serré sous son bras, fixa les billets qu'elle avait préparés d'avance pour son pari. Mille livres. Le deuxième millier était caché dans la doublure de la veste en tweed de Tomas. Les liasses que Joe Coughlan leur avait prêtées pour la deuxième fois. Cassie se demanda un instant si elle n'était pas devenue complètement cinglée. L'idée de jouer une telle somme lui paraissait aberrante. D'autant qu'elle ne lui appartenait pas.

Malgré cela, Cassie se précipita vers les guichets.

– Cent livres sur Reverse gagnant, s'il vous plaît.

Elle était toute seule. Les autres spectateurs étaient déjà dans les tribunes.

– C'est son numéro qu'il me faut, madame.

– Ah ! Oui, bien sûr. Désolée.

Elle chercha son carton, puis s'aperçut qu'elle l'avait fourré dans la poche de Tomas, un peu plus tôt.

– Drapeau blanc ! beugla le commentateur.

– Vite, madame…

Cassie ferma les yeux et s'efforça de visualiser la couverture de Reverse. Elle s'en souvint juste à temps.

– Numéro deux. C'est le deux.

Elle poussa l'argent sous la grille, et le guichetier lui tendit une poignée de tickets.

– Ils sont partis !

Lorsqu'elle regagna sa place, ils avaient déjà accompli deux cents mètres. Reverse était en troisième position. Il rattrapa le second. Cassie se dit qu'elle avait peut-être eu tort de changer d'avis et d'abaisser sa mise.

Mais soudain, bien avant l'endroit décidé, O'Dowell accéléra. Cassie se mordit la lèvre, les jumelles pressées sur ses yeux. Le poulain se maintenait, mais il ne semblait guère impressionner Blazes Man, qui avait une longueur d'avance. Au bout de quelques minutes, pourtant, ce dernier, fatigué, ralentit à la corde, et O'Dowell profita de l'ouverture.

Personne n'avait vu le petit bai noir qui gagnait du terrain à vive allure.

Jusqu'au moment où Reverse et Blazes Man, à cinquante mètres de l'arrivée, s'immobilisèrent brutalement, laissant la place au petit dernier.

Le commentateur annonça le résultat. Badgerstale gagnant, photographie pour le second.

Comme toujours lorsqu'un outsider surgit de nulle part, un silence étonné tomba sur l'hippodrome, puis un murmure de voix parcourut l'assemblée. On consulta avec frénésie journaux et tickets. D'où sortait-il ? Comment s'était-il débrouillé pour prendre la première place ? Cassie fixait la piste, perplexe. Elle ne savait plus si elle était soulagée de n'avoir misé que cent livres au lieu des deux mille prévues sur son cheval, ou furieuse contre le jockey qui l'avait monté.

Lorsqu'elle rejoignit Tomas, la rage l'emportait sur la déception.

– Bien sûr qu'il aurait dû gagner, madame Rosse, acquiesça Tomas pendant qu'ils attendaient le retour de Reverse. Si cet imbécile…

– On lui avait pourtant bien précisé de ne pas bouger avant les tout derniers mètres !

– Certains jockeys écoutent leurs entraîneurs, madame Rosse. D'autres croient avoir la science infuse.

O'Dowell mit pied à terre et entreprit d'enlever la selle.

– C'est un bon cheval, monsieur Muldoon. Une fois calmé, il aura du succès.

– Une fois monté selon les ordres, surtout, jeta Cassie.

– Il ne savait pas vraiment ce qu'il faisait, jusqu'au moment où l'autre est remonté. Puis il a redémarré.

– Il aurait gagné si vous l'aviez monté comme on vous l'avait demandé, reprit Cassie, en haussant le ton.

Mais son avis n'intéressait pas O'Dowell. Il tapota le flanc de Reverse, déclara de nouveau que c'était un bon cheval, puis partit en direction de la salle de pesage.

La photo prouva que Reverse était deuxième d'une demi-tête.

– Deuxième, ça ne sert à rien, Tomas, murmura Cassie devant le bar. Tyrone a toujours dit qu'il fallait être premier ou rien du tout.

– Il était battu d'avance, madame Rosse. Dans le paddock. Avant la ligne de départ. Il avait perdu le rythme deux cents mètres avant l'arrivée.

Cassie ne dit mot et sirota son jus d'orange. Tomas avait raison, et elle le savait. Elle savait aussi qu'elle devait désormais s'en tenir à la devise de Tyrone : pas d'excuses.

Elle ouvrit son sac pour payer une autre tournée. Ses tickets étaient toujours là.

– Débarrassez-vous de ça pour moi, Tomas, voulez-vous.

– Je croyais que vous n'alliez pas miser.

– En effet. Et puis, j'ai pensé, après tout, pourquoi pas ? Ça ne fait rien. Je n'ai pas tout joué. Je n'ai misé que cent livres.

– Avec cent livres, on achète beaucoup de maïs, grommela Tomas.

– Je sais. Mais j'étais persuadée qu'il allait gagner.

Tomas secoua la tête, puis soudain, se figea. Il s'empara des tickets qu'il venait de froisser dans le cendrier et les parcourut avec ferveur. Puis il examina ceux qu'il tenait à la main.

– Quelque chose ne va pas ? lui demanda Cassie.

– Vous m'avez dit que vous aviez parié cent livres sur Reverse.

– C'est exact.

– Faux. Vous avez joué le gagnant.

– Vous êtes fou, Tomas ! J'ai mis cent livres sur le numéro deux.

– Reverse était le vingt-deux !

Cassie cessa de rire et le dévisagea, les yeux écarquillés. Le visage de Tomas s'était fendu d'un large sourire.

– J'ai vu sa couverture, Tomas. Je m'en suis souvenue. C'est vous qui aviez mon carton, mais je me suis rappelé avoir vu le numéro sur la couverture. Le deux.

– Le *vingt-deux*, rectifia Tomas. Elle s'était coincée sous la selle. D'où vous étiez, vous n'avez dû voir qu'un des chiffres.

– Oui. Le deux.

– Le gagnant était le deux.

Cassie s'esclaffa.

– Seigneur ! Je n'en crois pas mes oreilles ! A combien était-il ?

– Trente-trois contre un !

Cassie arrondit la bouche, la referma. Tomas avala son double whisky d'un trait, remit d'aplomb sa casquette et l'invita à l'accompagner aux guichets.

– Si ça se trouve, sauf votre respect, vous avez gagné une sacrée fortune ! Je n'ai pas entendu les résultats, mais... à trente-trois contre un. Remarquez, vu son état et son passé, c'est étonnant qu'il n'ait pas été coté à cent contre un !

Ils s'arrêtèrent devant l'une des vitres.

– Je n'ai pas mes lunettes, avoua Tomas. C'est combien ?

– Ne me dites pas que c'est vous qui avez les tickets ? On m'avait dit que c'était une jolie femme brune aux yeux qui frisent.

– Dis-moi combien tu me donnes, Roméo.

– Neuf livres pour un 2/6d.

– Ça fait soixante-douze contre un ! s'écria Tomas. Madame Rosse, vous êtes riche !

– Tout l'argent était sur le vingt-deux et le cinq, expliqua l'officiel. Personne n'avait voulu mettre quoi que ce soit sur le deux. Combien de tickets avez-vous ?

Tomas les étala en éventail devant lui.

– A mon avis, on les a tous.

18

Au soir du 29 juin, Cassie fut soulagée d'un énorme souci quand Joséphine recouvra brusquement son appétit. Elle n'oublierait jamais ce repas : la fillette engloutit une assiette de bouillon de poulet, quatre côtelettes d'agneau, cinq pommes de terre rôties et reprit deux fois du dessert.

Devant l'événement, sa mère se garda de tout commentaire, se comportant comme si de rien n'était. Cependant, elle adressa un clin d'œil discret à Erin et posa le doigt sur sa bouche juste à temps pour empêcher l'Irlandaise de faire une remarque.

Tout cela, grâce à un cheval.

Ou, plus exactement, un poney. Joséphine fêtait son septième anniversaire et, depuis le miracle du Prix Curragh, Cassie cherchait en vain ce qu'elle pouvait lui offrir. Grâce à l'argent qu'elle avait gagné, elle avait pu rembourser la banque, et satisfaire ses derniers créanciers. Claremore était en sécurité, et il restait même quelques quinze mille livres, prudemment confiées à M. Flannery. Cassie était donc décidée à gâter sa fille.

Erin lui avait suggéré d'acheter des vêtements. Cassie avait aussitôt rétorqué que c'était idiot, puisqu'elle allait renouveler sa garde-robe de toute façon, maintenant qu'elle en avait les moyens.

– J'aimerais qu'elle se souvienne de ce moment.

C'était Sheila Meath, la marraine de Joséphine, qui lui avait donné l'idée du poney.

– Pourquoi n'y ai-je pas pensé ? s'était écriée Cassie.

– Parce que tu avais d'autres préoccupations, ma chérie. Tu as vécu des moments difficiles, ces derniers mois.

Sheila avait aussi proposé de fournir l'animal : un superbe poulain au manteau noir et au caractère de Saint-Bernard. Le matin de l'anniversaire de Joséphine, Cassie avait ouvert les portes-fenêtres du salon et demandé à Erin de tenir le poney sur la terrasse, derrière les rideaux tirés.

– Mon Dieu ! Tu ne verras jamais ton cadeau, avec toutes les tentures fermées.

– Rideaux, maman, avait rectifié Joséphine d'un air solennel. On dit rideaux, pas tentures.

– D'accord, mon trésor. Sois gentille, veux-tu, tire donc les *rideaux*.

Il y avait eu un long silence, quand Joséphine avait découvert sa surprise. Comme si elle n'en croyait pas ses yeux. Elle avait fixé le petit poney, qui s'était immédiatement avancé vers elle. Erin avait eu du mal à le retenir. Puis Joséphine s'était retournée pour se jeter dans les bras de sa mère, avant de courir s'accrocher au cou de sa nouvelle acquisition.

– Un poney ! Un poney pour moi toute seule.

Mathieu avait applaudi et poussé des cris de joie, tandis que le poney pénétrait dans le salon.

– Viens, Josie ! On va emmener ton frère faire sa première promenade à cheval.

Elle avait placé l'enfant sur la selle, et Joséphine les avait menés autour du parc.

– Ça ne va pas arranger son asthme, avait décrété Erin à leur retour.

– Ça ne l'a pas tué non plus. Si vous voulez mon avis, au contraire, c'est tout bénéfice pour lui. L'air frais, un petit goût d'aventure. Je me demande si nous ne le dorlotons pas trop.

– Jamais de la vie ! avait protesté Erin. C'est un miracle qu'il soit encore là. Il est tellement fragile !

En dépit de la réprobation d'Erin, Cassie adopta dès lors un régime moins restrictif pour Mathieu. Elle l'autorisa à jouer avec le poney, à reprendre des peluches dans la nursery. Elle remit Joséphine dans sa chambre, lit et couvertures de laine compris.

Elle agit ainsi non seulement de sa propre initiative, mais sur les conseils de Sheila Meath. Cette dernière croyait fermement à la médecine alternative.

– Les médecins ne racontent que des bêtises, se plaisait-elle à répéter. Regarde ce petit. Comment veux-tu qu'il mène une existence normale, à l'abri du moindre grain de poussière ? A force de l'isoler, tu l'empêches de s'immuniser. La situation ne pourra qu'empirer au fil des ans. Non, il faut absolument que tu consultes le Dr Jimmy FitzStanton, à Killiney. Peut-être même te recommandera-t-il de jeter Mathieu dans un box !

Sheila ne s'était pas étendue davantage sur le sujet, sous le prétexte qu'elle dirait forcément n'importe quoi. Mais elle avait pris un rendez-vous pour Cassie dans les quinze jours.

Entre-temps, il fallait entraîner les chevaux, et plus urgent encore, débusquer de nouveaux propriétaires.

– Comment comptez-vous vous y prendre, madame ? lui demanda Tomas un matin alors qu'il préparait un mélange de céréales.

– Je vais faire une neuvaine à saint Jude, rétorqua-t-elle.

– Bonne idée, grommela Tomas. La cause est perdue d'avance.

– Attendez un peu, et vous verrez, Tomas. Vous verrez.

Le neuvième jour, Reverse participa au Prix Navan, sa deuxième course de la saison. C'était un meeting de niveau modeste, et le cheval gagna sans problème, bien que d'une demi-longueur seulement.

– Il a un peu traîné à l'arrivée, monsieur, expliqua le remplaçant de Dermot Pryce à Tomas. Mais ça ne servait à rien de le bousculer. Il est trop bon.

Tomas et Cassie burent rapidement un verre pour fêter cette première victoire de la saison. Lorsqu'ils regagnèrent leur camionnette, ils trouvèrent un message sous un des essuie-glaces. C'était une carte de visite au nom d'un certain Rudi Brandt. Au dos, il avait écrit à la main qu'il serait très honoré que M. Muldoon et Mme Rosse le rejoignent ce soir-là à vingt heures pour l'apéritif à l'hôtel Jury.

Ils eurent à peine le temps de ramener Reverse à Claremore, avant de faire demi-tour pour retourner à Dublin. Ils arrivèrent avec une vingtaine de minutes de retard.

M. Brandt se montra compréhensif :

– D'après ce que j'ai compris, en Irlande, ce n'est rien. Je commence à m'inquiéter quand les gens ne sont pas là au bout d'une journée.

Il les invita à s'asseoir et fit signe au serveur de s'approcher.

– J'espère que vous aimez le champagne ?

– Beaucoup, avoua Cassie.

Tomas ne dit rien : il aurait préféré un double whisky John Jameson.

Cassie examina attentivement leur hôte pendant qu'il allumait son cigare. Il devait avoir quarante, quarante-deux ans. De taille moyenne, le visage plutôt long, les yeux noirs, une dentition parfaite, il était suisse. Ou du moins, il résidait dans ce pays, à en croire sa carte de visite.

– Cet après-midi, attaqua-t-il en soufflant sur son allumette, j'ai vu votre cheval gagner. Toutes mes félicitations.

– Vous étiez à Navan ? s'exclama Cassie, surprise.

– Comment l'aurait-il vu gagner autrement ? dit Tomas.

– Les courses de chevaux sont ma passion, expliqua Brandt. Je suis ici en vacances.

Le serveur remplit leurs coupes, et Herr Brandt leva la sienne pour porter un toast.

– A vos futures victoires.

– C'est très aimable à vous, murmura Cassie en savourant son premier verre de champagne depuis deux bonnes années. Cependant, je ne pense pas que vous nous ayez fait venir jusqu'à Dublin dans le seul but de boire à notre santé.

– Pardonnez-moi, répliqua-t-il poliment. Vous devez être très occupés. Non, non, si je vous ai conviés, c'est parce que j'aimerais discuter affaires avec vous.

Oubliant soudain son envie de scotch, Tomas resserra sa veste et se redressa sur son siège.

– Monsieur Muldoon, ma requête est fort simple : je souhaite que vous m'achetiez quelques chevaux de course.

– Ah, vraiment, répondit Tomas, affable. Tout dépend combien vous en voulez.

Brandt était visiblement impressionné. Cassie aussi, pour des raisons opposées.

– Vos écuries sont pleines, je suppose ?

– Il nous reste quelques places. Combien de bêtes envisagez-vous d'acquérir ? Et de quelle sorte ?

– Six. Des handicaps.

– Pas de jeunes ?

– Je veux six handicaps. Et il faudra qu'ils soient prêts à courir d'ici un mois. Six semaines tout au plus.

– Tous gagnants, évidemment.

– Evidemment.

Tomas se tourna vers Cassie en la suppliant du regard d'intervenir. Mais celle-ci fixait Brandt d'un air perplexe.

Il était sérieux.

Brandt sortit son carnet de chèques, le déplia soigneusement sur la table. Il extirpa un stylo Mont-Blanc de sa poche intérieure, en retira le capuchon, examina la pointe afin de s'assurer de sa propreté.

– Combien pouvez-vous y mettre ? demanda Tomas.

– Je dispose de cinq cent mille livres, répliqua Brandt. Cependant, je serais d'autant plus heureux que vous ne me forcerez pas à tout dépenser.

– Un dixième de cette somme suffira.

– Tant mieux, et je vous en remercie. Ceci étant, je veux que vous vous sentiez à l'aise. Je vais vous donner deux cent cinquante mille livres pour commencer. Nous réviserons ensemble la situation quand vous aurez conclu vos achats. Cela vous convient-il ?

Brandt se mit à rédiger son papier. Tomas jeta un coup d'œil vers Cassie, qui le dévisageait depuis quelques instants.

– Monsieur Brandt ? Puis-je vous demander… pourquoi Claremore ?

– J'ai apprécié la façon dont votre cheval a couru, répondit-il sans cesser d'écrire.

– Je suis sûre que ce n'est pas la seule raison.

– En effet, madame Rosse, murmura-t-il en rangeant son stylo d'un geste posé. Je suis passé chez vous hier, pendant que vous étiez à l'entraînement. J'ai constaté le nombre de stalles vides. Cela m'a plu. Je veux que mon entraîneur ait besoin de moi.

– Il est complètement cinglé ! décréta Tomas sur le chemin du retour. Ou alors, je rêve.

Cassie relut pour la dixième fois la somme en toutes lettres sur le chèque, à la lueur des lampadaires.

– On ne peut pas être deux à rêver, Tomas.

– Dans ce cas, il est fou. Siphonné.

– Où irons-nous lui acheter ses chevaux ?

– Avant tout, madame Rosse, on va s'assurer que ce n'est pas un chèque en bois.

– Et ensuite ?

– Ensuite, vous pourriez peut-être nous refaire une

neuvaine ou deux. Parce que je vous le dis tout de suite, la tâche ne sera pas facile. Rendez-vous compte, six handicaps ! On ne veut pas des bêtes qui ont déjà démontré leurs capacités ; elles risquent de nous baiser avec leur surpoids, sauf votre respect. Il faut viser des poids plume à gros potentiel. Comment diable allons-nous les reconnaître, je vous le demande ? Si je m'y connaissais, il y a longtemps que je ne roulerais plus avec ce vieux tacot.

Il secoua la tête.

– Seigneur Dieu ! Six handicaps, tous gagnants. Autant chercher six épingles dans une grange pleine de foin.

Le chèque fut honoré, comme s'en doutait Cassie. Elle se mit donc, avec Tomas, à compulser tous les livres et tous les journaux sur le sujet, jusqu'aux petites heures du matin. Lorsqu'elle partit avec Mathieu pour Killiney rencontrer le Dr Jim FitzStanton, ils avaient déjà fait des appels d'offre sur trois chevaux. Deux d'entre eux leur avaient été refusés. Le troisième, qu'ils avaient payé plus cher que prévu, appartenait à un garagiste douteux de Tipperary dont l'affaire était en train de péricliter, et qui était trop heureux de recevoir cette manne tombée du ciel. L'animal était âgé de cinq ans, et Tomas l'avait vu courir au Prix Wexford à la fin du mois de mai. Il avait malheureusement perdu sa course, mais pour une question de malchance.

– C'est à cause du jockey, avait expliqué le propriétaire. Dieu sait que ce crétin a besoin d'être retenu, mais pas après que tous les autres lui sont tombés dessus, hein ?

– Ce qu'il lui faut, c'est un bon régime, déclara Tomas, le jour de la livraison. D'ici deux semaines, il sera comme neuf.

Leurs autres démarches restaient vaines pour le moment.

Heureusement, c'était tout l'inverse en ce qui concernait Jim FitzStanton. Au premier abord, devant cet homme immense aux cheveux blancs et aux lunettes d'écolier qui l'interrogeait sur sa santé morale et psychologique, Cassie le prit pour un charlatan. Elle eut un rire nerveux et lui répondit avec une certaine insouciance, de peur de montrer ses émotions. Puis ils restèrent un moment assis face à face, en silence, à s'observer, pendant que Mathieu se trémoussait et toussait.

FitzStanton appela alors son épouse à l'aide d'un Interphone assez archaïque et lui demanda de bien vouloir s'occuper du petit garçon pendant quelques minutes. Cassie redoutait de confier son fils à une inconnue, mais lorsque Mme FitzStanton apparut, toutes ses inquiétudes se volatilisèrent. C'était une femme douce et sereine, comme elle n'en avait plus connu depuis le couvent. Mathieu se plut tout de suite en sa compagnie, et bientôt, Cassie l'entendit rire et bavarder avec elle dans le couloir.

– Bien ! reprit le Dr FitzStanton. A présent, nous sommes seuls, je pense que ce sera plus facile pour vous de vous exprimer. Cependant, si cela peut vous rassurer, sachez que je suis au courant de votre situation.

– Savez-vous que Mathieu a été adopté, Docteur ?

– Absolument. Sheila Meath m'a raconté toute l'histoire. Mais ce fait ne l'empêche pas d'être affecté par votre état mental. Au contraire. Peut-être est-il encore plus réceptif à ce genre de traumatisme, à cause de cela. Je propose donc, si vous le voulez, que nous en parlions. Comment allez-vous maintenant ? Comment avez-vous vécu ces derniers mois ? Comment va-t-il maintenant ? Comment a-t-il vécu ces derniers mois ? Je vous en prie, n'ayez pas peur d'exprimer vos sentiments. Vous vous apercevrez que cela vous aidera à mieux accepter la perte de votre mari. Vous pourrez manifester votre chagrin ouvertement, librement. Je vous soupçonne de préférer mourir plutôt que de pleurer devant quiconque.

Cassie le dévisagea, stupéfaite.

– C'est ridicule, enchaîna-t-il avec un sourire indulgent.

Complètement absurde. Vous éprouvez de la tristesse, de la colère et de la peur. Du ressentiment aussi, probablement. C'est normal. Parfaitement naturel. Si vous refoulez vos émotions, elles disparaissent, pour mieux réapparaître ailleurs, plus tard. Sous une forme si bien déguisée que vous ne comprenez pas ce dont vous souffrez réellement. Ni vous... ni les autres.

Il bavarda avec elle pendant deux bonnes heures. Bien que réconfortée par sa compassion, Cassie ne ressentit pas le besoin de sangloter, ou de révéler son désarroi. Elle considérait son passé comme une porte close devant laquelle elle devait fuir, loin, très loin, afin de ne pas être là si, par hasard, elle se rouvrait.

En sa qualité d'homéopathe, FitzStanton lui expliqua que les symptômes de Mathieu ressemblaient selon lui à ce qu'il appelait « un phénomène positif ». C'est-à-dire que son corps réagissait dans un effort pour retrouver un équilibre perdu.

– Dans notre profession, nous considérons ces symptômes comme appartenant au processus de guérison, comprenez-vous ? Et non à la maladie. Tout cela peut vous sembler bizarre, mais quand ça marche, ça marche vraiment. En conséquence, avec Mathieu, je vais adopter tout d'abord un système de *détérioration.*

Il adressa un clin d'œil au petit, comme s'il le taquinait, et Mathieu lui sourit. Mais Cassie savait que le médecin était sérieux.

– Je vais m'efforcer de trouver un remède qui s'harmonisera aux réactions de son corps contre la maladie, et même, les augmentera, dans l'espoir que les symptômes s'intensifieront et qu'ensuite, la maladie s'estompe. Je vous enverrai des granules par la poste. Vous les donnerez à Mathieu dans l'ordre précis de leur numérotation. Si vous me faites confiance, vous continuerez jusqu'à ce qu'il ait tout pris. Après cela, nous nous rencontrerons de nouveau et nous verrons où nous en sommes. D'ici là, si vous avez la moindre angoisse, ou si vous avez besoin de parler à quelqu'un, je suis là. Et si je dois m'absenter, Mary pourra me remplacer.

Les granules leur parvinrent trois jours plus tard. Cassie respecta scrupuleusement les consignes et les administra à son fils, qui ce jour-là était plutôt en forme. Le traitement devait durer dix-huit jours. Au neuvième, Mathieu avait peine à respirer.

Erin réveilla Cassie à trois heures du matin pour lui annoncer la nouvelle. Cassie prit son matelas et sa couette pour aller s'installer au chevet de son fils.

– Vous l'emmenez pas à l'hôpital ? siffla Erin, éberluée. Il est déjà à moitié mort !

D'un mouvement preste, Cassie la poussa hors de la nursery.

– Plus vite vous apprendrez à vous maîtriser, Erin Muldoon, mieux cela vaudra pour vous. Vos airs dramatiques et vos accès de panique ne servent à rien, au contraire. C'était pareil avec Joséphine. J'en ai par-dessus la tête de votre agitation. Ces enfants sont sur la voie de la névrose !

– C'est pas étonnant, avec une mère qui passe son temps à cheval.

– Une mère qui passe son temps à cheval ? répéta Cassie, outragée. Est-ce que vous pensez réellement, espèce de sotte, que je me promène pour mon plaisir ? Allez vous coucher. Je vous expliquerai une ou deux choses demain. En attendant, plus de crise d'hystérie, vous m'entendez ?

Erin lui lança un regard noir, tourna sur ses talons et partit en direction de sa chambre.

– Cessez de renifler, pour l'amour du ciel, Erin !

– J'ai toujours tort !

– Et je vous en supplie, ne vous mettez pas à pleurer en plus !

– Jésus, Marie, Joseph ! Je fais de mon mieux, vous voyez bien !

– Dans ce cas, calmez-vous et allez vous coucher !

Mathieu était assis dans son lit quand Cassie revint vers lui. Il lui adressa un sourire, mais il souffrait visiblement.

Cassie s'assit auprès de lui et lui prit la main.

– Ça va, mon tigre ? On va essayer de se débrouiller tous seuls tous les deux, d'accord ?

– D'accord, chuchota Mathieu.

– Tu n'as pas envie de retourner dans cet horrible hôpital, n'est-ce pas ?

Il secoua la tête.

– Très bien. Alors on va débusquer ce petit chaton qui se cache dans tes poumons, et on va lui dire qu'il est méchant avec toi.

Cassie frotta le dos de l'enfant et l'aida à se caler plus confortablement sur ses oreillers. Elle lui lut les aventures de Jeannot Lapin six ou sept fois de suite pour l'endormir, mais il était trop atteint. Dès qu'il s'assoupissait, une quinte de toux violente le réveillait.

– Dis-moi, mon chéri, qu'est-ce qui te ferait vraiment plaisir ? murmura enfin Cassie.

Il la contempla, les yeux cernés.

– Je voudrais dormir dans ton lit.

– Facile, répliqua Cassie en abaissant les couvertures. Remarque, il est petit. On risque de tomber.

– Dans ton grand lit.

Soudain affolée, Cassie hésita. Mathieu voulait aller dans la chambre d'à côté, celle qu'elle avait partagée avec Tyrone.

– S'il te plaît, maman.

– On va avoir froid.

– *S'il te plaît !*

– Bien. Je descends chercher des bouillottes.

Dans la cuisine, pendant que l'eau chauffait, Cassie se mit à claquer des dents, mais ce n'était pas à cause de la température. Elle chercha frénétiquement la bouteille de cognac et s'en versa une bonne dose. Elle contempla le verre rempli de liquide ambré. Pendant une minute, elle resta ainsi, immobile, figée. Puis elle jeta le tout dans l'évier. Elle remplit deux bouillottes et remonta.

Elle demeura un instant devant la porte fermée à clé, celle de la chambre où elle n'avait plus pénétré depuis la mort tragique de Tyrone. Erin y venait régulièrement dépoussiérer les meubles et frotter le parquet, mais elle refermait, laissant la clé sur le linteau.

Cassie leva la main, la chercha à tâtons, l'enfonça dans la serrure. Elle marqua une pause avant d'allumer. A quoi ressemblerait-elle, cette pièce ? Serait-elle, comme une amie de longue date, un peu vieillie, mais toujours reconnaissable ? Ou Cassie s'y sentirait-elle l'âme d'une étrangère ?

Elle ferma les yeux, puis, rassemblant son courage, s'avança jusqu'à la table de chevet et brancha la lampe.

Rien n'avait changé.

Une douleur intense envahit son cœur, si puissante qu'elle eut l'impression d'avoir un étau autour de la poitrine. Mais elle devait faire face. Elle n'avait pas le choix. Personne ne la verrait pleurer. Personne. Pas même son fils.

Elle tint bon. Jusqu'à l'instant où, ayant rabattu les couvertures pour glisser les bouillottes entre les draps glacés, elle voulut tapoter les oreillers. Là, en dessous, elle tomba sur le pyjama de Tyrone, soigneusement plié. Alors, un sanglot lui monta à la gorge, les larmes se mirent à couler. Elle tomba à genoux, enfouit son visage dans le vêtement, et pleura.

Au bout d'un certain temps, dont elle n'aurait pu déterminer la durée, Cassie se calma. Elle se rappela son fils malade, dans la chambre attenante. Elle alluma la deuxième lampe, s'approcha de la coiffeuse, essuya sa figure ravagée avec un mouchoir en papier, se poudra vaguement. Puis elle alla chercher Mathieu.

Elle transporta l'enfant, si frêle et si léger, jusqu'au grand lit et le borda du côté le plus éloigné de la porte ;

celui qu'elle avait toujours occupé. Elle repoussa la mèche tombée sur son front, l'embrassa au-dessus des sourcils, puis s'allongea à son tour, à l'endroit où Tyrone avait dormi.

A eux deux, Tomas et Cassie finirent par dénicher et acheter tous les chevaux requis par Herr Brandt. Un seul fut sélectionné lors d'une vente aux enchères, par Cassie en personne.

Tomas écarquilla les yeux en voyant ce qu'elle avait ramené à Claremore.

– Ma parole, mais c'est un bébé ! Où avez-vous dégoté un truc pareil ? A moins que ce ne soit le prochain poney de votre fille ?

– C'est simplement qu'il est de petite taille, Tomas, répliqua-t-elle d'un ton posé. Qu'est-ce que vous pouvez être snobs, tous autant que vous êtes, sur ce sujet. Vous vous rappelez Battleship, qui a remporté le Grand National ? Il était minuscule. Petite Etoile aussi, or elle ne s'est pas si mal débrouillée, n'est-ce pas ? Après tout, elle a gagné le Prix Mille Guinées et le Prix Oaks. N'oubliez pas la devise : petit, c'est joli.

– Il n'est même pas beau, grogna Tomas. Il a une tête de mule.

– Il est pourtant parfaitement conforme. Poitrail élégant, bonnes jambes.

– Vous avez tort de vous fier aux apparences, madame Rosse. Il est trop cambré. Comment s'appelle-t-il ?

Cassie s'esclaffa et tira sur les oreilles du cheval.

– Grison.

– Très bien. Ça lui va à merveille.

Grison avait couru à trois reprises au cours de cette saison-là, et n'avait rien accompli de mieux qu'une lointaine sixième place dans une course à dix partants à Listowel. Cependant, Cassie s'était aperçue que l'année précédente, bien que ne s'étant jamais octroyé une victoire, il avait rivalisé plusieurs fois avec des grands. De plus, sa grand-mère avait produit six vainqueurs, dont quatre étaient de remarquables handicaps. Il était rapide, mais manquait nettement de style. C'est pourquoi Cassie l'avait eu pour une bouchée de pain.

– Leurs origines ne m'intéressent pas, madame Rosse, lui déclara Brandt, lorsqu'elle l'appela à Genève pour lui annoncer la nouvelle. Tout ce que je veux savoir, c'est quand ils vont courir. Soyez gentille de m'en tenir informé.

– Ce serait le propriétaire idéal, s'il n'était pas boche, gronda Tomas.

– Il est suisse, Tomas. Vous le savez pertinemment !

– Je sais qu'il a un passeport suisse, mais j'en connais plein d'autres comme lui qui sont sud-américains !

– Mais vous aimez bien les Allemands ! Vous les avez aidés pendant la guerre.

– Nous n'aimons pas les Nazis, madame Rosse. Et pendant la guerre, notre pays était neutre. Vous ne rencontrerez pas un seul homme en Irlande qui ait apprécié les Nazis.

– Herr Brandt n'en est pas un !

– Aujourd'hui, non. Mais autrefois ?

Les sentiments mitigés de Tomas à l'égard de Brandt et le mépris qu'il éprouvait envers Grison ne l'empêchèrent pas de s'en occuper aussi bien que de tous les autres pensionnaires de Claremore.

Trois semaines après son arrivée, les progrès de Grison étaient tels qu'on décida de le présenter le jeudi suivant à Limerick.

– Il ne gagnera pas, décréta Tomas, catégorique comme à son habitude, mais il ira jusqu'au bout. On pourra donc mesurer sa forme par rapport à ses concurrents. Trois ou quatre d'entre eux ont déjà une solide réputation.

Cassie téléphona aussitôt à Herr Brandt pour lui annoncer leurs plans.

– Est-ce qu'il va remporter la victoire, jeudi ?

– Nous ne l'imaginons pas un seul instant, monsieur. Mais cela nous permettra de constater son niveau, car il est en bonne voie.

– Excellent. Dans ce cas, nous en reparlerons après le Prix.

Le petit cheval supporta mal le voyage jusqu'à l'hippodrome. Lorsqu'il émergea du véhicule, il était trempé de sueur. Tomas l'examina attentivement et songea que ses chances, déjà maigres, étaient désormais nulles. Cependant, lors du défilé, Grison, nettement plus calme, apparut docile et intéressé par tout ce qui se passait autour de lui. A tel point qu'une fois sellé, il trépignait d'impatience.

– Allez, mon vieux, lui murmura Tomas en mettant une éponge humide dans sa bouche. Tout doux. Ce n'est qu'un début.

Liam le mena au paddock, où l'animal se montra en remarquable santé. Mais personne ne lui faisait confiance, et sa cote, démarrant à seize contre un, était redescendue à vingt-cinq contre un quand vint le moment de rejoindre la ligne de départ. Sur la dernière ligne droite, Grison avait quinze longueurs d'avance. Au poteau, il en avait vingt.

Sa victoire fut accueillie dans un silence total. Cassie était la seule à l'encourager. Même Tomas grimaçait, quand Grison regagna l'enclos des gagnants. Autour d'eux, les parieurs perplexes consultaient désespérément leurs cartes : d'où sortait cet outsider ?

– Je croyais vous avoir demandé d'y aller mollo, grommela Tomas à l'intention du jockey, tandis qu'ils débarrassaient Grison de son harnachement.

– C'est bien ce que j'ai fait, monsieur. On était en quatrième ou cinquième place, bien tranquilles, quand tout d'un coup, il a démarré. Je n'ai pas pu l'arrêter. Je ne lui avais pourtant rien demandé. Si ç'avait été le cas, il aurait probablement gagné la course précédente aussi !

Avec un sourire éclatant, le cavalier disparut dans la salle de pesage.

– Seigneur ! répéta Tomas dix fois en buvant son whisky. Seigneur !

– A vous voir, on croirait que vous avez tout perdu, lui fit remarquer Cassie, euphorique. Tomas, ce cheval est une petite merveille !

– Mouais, grogna Tomas.

Sur le trajet du retour, il ne prononça pas une parole. Cassie profita de son silence pour calculer ses gains et les conséquences possibles de cet exploit.

– Il n'y a qu'une solution, annonça soudain Tomas. S'il mange bien ce soir, on le présentera samedi au Prix Naas, puis, la semaine suivante, avant que les nouveaux poids ne soient publiés.

Cassie ne réagit pas. Elle songeait seulement à la satisfaction de son propriétaire.

– Monsieur Brandt ? Ici Cassie Rosse. J'ai d'excellentes nouvelles pour vous.

– Oui, madame Rosse ?

– Votre cheval a gagné aujourd'hui ! Grison ! Votre premier concurrent est arrivé en tête !

Silence.

– Monsieur Brandt ? Herr Brandt ? Vous êtes toujours là ?

– Oui, oui, madame. Oui, oui.

– Vous m'avez peut-être mal entendue. Je vous disais…

– J'ai parfaitement entendu.

– Vous n'êtes pas content ?

– Au contraire, madame Rosse. A combien était-il coté ?

– Il est parti à vingt-cinq contre un.

De nouveau, un silence. Encore plus long.

– Monsieur Brandt ?

– Madame Rosse. Quand je vous ai posé la question sur ses chances avant la course, vous avez exprimé des doutes.

– En effet, Herr Brandt. Tomas prétendait que…

– Je me fiche éperdument de l'avis de Tomas. Si ce cheval ne devait pas gagner, madame, il n'aurait pas dû le faire.

– Je ne comprends pas.

– Je crois que si, madame. Quand vous me dites qu'un cheval ne gagnera pas, alors, il ne gagnera pas. En tout cas, pas si c'est moi qui paie.

Silence. Cette fois-ci, Cassie comprit soudain les implications de cette remarque.

– Madame Rosse ?

– Monsieur…

– Vous continuerez de présenter ce cheval en course avant que les poids ne montent. Vous me direz où, et quand. Et quelles sont ses chances.

Il raccrocha. Cassie se sentit mourir un peu de l'intérieur. Tyrone avait-il « retenu » certains de ses pensionnaires ? Elle avait du mal à l'imaginer. Et pourtant, si certains propriétaires tenaient à ce que leurs chevaux ne se donnent pleinement que lorsqu'ils étaient « dans le coup », comment aurait-il pu échapper à cette pratique ?

Elle interrogea Tomas.

– C'est facile. M. Rosse n'aurait jamais travaillé pour un type comme lui.

– Qu'est-ce que je dois faire, Tomas ? Je veux que mes chevaux courent selon leurs mérites.

– Continuez ainsi, madame Rosse.

– Herr Brandt nous reprendra les siens.

– Qu'il le fasse.

– Bien, se résigna-t-elle. A présent, montrez-moi comment vous préparez leurs régimes.

Au retour de Limerick, Grison dévora jusqu'au dernier flocon d'avoine. Il avait tout autant d'appétit le lendemain matin, aussi, on décida de le présenter à Naas le samedi suivant.

Herr Brandt fut prévenu que son cheval était en bonne

forme, mais que la victoire était incertaine. En effet, ce deuxième meeting était d'un niveau nettement plus élevé que le précédent, et les participants étaient nombreux. La rumeur ayant couru que Claremore présentait un concurrent, Grison démarra à sept contre deux, à égalité avec le favori, entraîné par Mick Ward et qui avait remporté ses trois dernières courses. Grison rata son départ, émergeant presque dernier des stalles, et se retrouva coincé contre la corde à mille deux cents mètres de l'arrivée. A travers ses jumelles, Cassie le vit aplatir les oreilles, apparemment furieux de se sentir ainsi cerné. Elle aurait voulu hurler au jockey d'accélérer avant qu'il ne soit trop tard, mais celui-ci jouait déjà de la cravache, sans succès. Au contraire, Grison ralentit encore. Puis, soudain, à l'abord de la ligne droite, celui qui se trouvait juste devant lui, fatigué, faillit carrément s'arrêter. Le jockey de Grison dut tirer violemment sur les rênes pour effectuer une embardée de façon à éviter la collision. A cet instant, Grison eut un éclair de génie. Serrant les dents sur son mords, il fonça.

Et remporta la victoire de trois longueurs.

Après un final aussi spectaculaire, la presse s'agglutina autour de Tomas et du cheval. Cassie se retira discrètement et alla commander les boissons au bar : un jus d'orange pour elle, un double whisky John Jameson pour Tomas.

– On vante ton flair partout, lui confia Sheila Meath en venant vers elle.

– J'ai surtout beaucoup de chance.

– Quelle mouche t'a piquée d'acheter un animal aussi moche ?

– Il avait l'œil, répondit Cassie. Tyrone disait toujours qu'il fallait oublier l'ossature, la longueur des jambes ou la hauteur du garrot. Tout est dans l'œil.

– Il était cinglé, ton mari, tu sais, sourit Sheila. Complètement siphonné. Mais il avait absolument raison.

Grison gagna encore une course avant que le handicap ne le rattrape. Plutôt que de le décourager en l'obligeant à porter un surplus de poids, Cassie lui laissa une dernière chance avant de le mettre au repos. Elle le monterait d'une catégorie l'année suivante. Sur les cinq autres chevaux de Herr Brandt, trois remportèrent leurs courses, un tomba malade, et le dernier se révéla fort décevant. Cassie et Tomas étaient néanmoins satisfaits, et leur propriétaire devait l'être aussi, car ils n'avaient plus reçu la moindre plainte.

A vrai dire, ils avaient très peu de nouvelles de Suisse. Lorsqu'elle lui téléphonait pour le mettre au courant de leurs projets, Cassie tombait systématiquement sur sa secrétaire. Herr Brandt était toujours en voyage d'affaires. Au début, Cassie n'y attacha aucune importance, mais quand Mme Byrne lui annonça qu'il n'avait encore payé aucune de ses notes d'entraînement, elle s'inquiéta.

– Je suis sûre que je me fais du souci pour rien, avoua-t-elle à Tomas. Mais avouez que c'est contradictoire, comme attitude. Il nous donne carte blanche pour acheter des chevaux, et ensuite, il rechigne à honorer ses factures.

Tomas secoua la tête.

– Je vous avais bien dit de vous méfier de lui. Ces Allemands. Ils vous écrabouilleraient.

– Il n'est pas allemand, Tomas. Il est de nationalité suisse.

– Et moi, je suis hollandais.

Cassie appela de nouveau la Suisse, mais personne ne décrocha chez Herr Brandt. La semaine suivante, la ligne avait été coupée.

Ce fut Sheila Meath qui remarqua l'article dans un journal étranger et qui prévint Cassie.

– Herr Rudi Brandt, n'est-ce pas ton mystérieux propriétaire, Cassie ? Ton Suisse énigmatique ?

– Si. Pourquoi ? Tu sais quelque chose que je ne sais pas ?

– Sais-tu qu'il a été arrêté ? C'est page cinq, dans le *Times* d'aujourd'hui. « Un financier suisse inculpé de fraude ».

Cassie se rua sur le quotidien, mais n'y apprit pas grand-chose. On avait refusé à Herr Brandt une libération conditionnelle, et pour l'heure il croupissait dans une prison allemande en attendant son procès.

– D'un point de vue purement technique, dit Tomas, ses chevaux vous appartiennent, en échange. Du moins, tant qu'ils continuent de courir.

– Les chevaux ne règlent pas les factures, Tomas. C'est le rôle des propriétaires. De toute façon, il n'y a rien d'officiel. Je ne peux pas vendre les chevaux d'un mauvais payeur sans que les deux parties aient trouvé un accord légal.

Herr Brandt fut finalement libéré sous caution jusqu'à la date de son procès. Tous ses capitaux furent gelés, sauf les chevaux de course, que l'on mit en vente pour récupérer l'argent nécessaire à sa défense.

Décidée coûte que coûte à acquérir Grison, Cassie céda deux de ses yearlings et son dernier bijou. A cause des progrès accomplis, elle dut payer le petit cheval dix fois ce qu'elle l'avait acheté pour Herr Brandt quelques mois auparavant. Tomas la traita de tous les noms, mais Cassie était convaincue de la sagesse de son investissement.

Ce fut Tomas qui eut le dernier mot, cependant. Dans un journal à scandale, il tomba sur un reportage dans lequel il était précisé que le père de l'escroc avait été colonel SS.

19

En dix minutes, Niall Brogan confirma les pires craintes de Cassie.

– Vous avez raison, c'est le tendon, annonça-t-il en émergeant du box de Reverse. Je suis désolé, mais pour lui, la saison est terminée.

– Je l'ai pourtant ménagé, aujourd'hui, répondit-elle, tandis qu'ils se dirigeaient ensemble vers le bureau.

– Vous n'avez rien à vous reprocher, Cassie. C'est le monde des courses.

Cassie avait beau le savoir, elle qui n'en buvait jamais se versa un whisky après en avoir offert un au vétérinaire. Reverse était sans nul doute le meilleur de leurs pensionnaires et portait tous leurs espoirs.

– Il devait courir dans les Prix Beresford et Dewhurst, expliqua-t-elle à Sheila Meath, au cours d'un dîner le lendemain soir.

– C'est ça, le monde des courses.

– C'est ce que tout le monde se tue à me répéter. Ça ne m'empêche pas d'être horriblement déçue.

– Je comprends. D'après les rumeurs, le petit nouveau d'O'Brien est au mieux de sa forme. Curieusement, il est issu de Northern Dancer, lui aussi.

– Tu parles de Nijinski ? J'ai entendu parler de lui. Mais si j'en juge par la façon dont Reverse a remporté sa dernière victoire à Leopardstown…

Cassie s'abandonna à ses rêveries, sous le regard sévère de son amie.

– Si tu veux mon avis, c'est un mal pour un bien. Il serait grand temps que tu prennes des vacances.

Comme toujours, le conseil de Sheila était judicieux, songea Cassie dans le taxi qui les emmenait toutes deux au cœur de Paris.

Un soir, après le dîner, elle s'était longuement contemplée dans la glace et les ravages provoqués par deux années de souffrances et de difficultés lui avaient soudain sauté aux yeux. Elle n'était plus une femme jeune et fraîche, mais une créature squelettique, aux joues creuses et aux yeux cernés.

Tyrone n'aurait guère apprécié cette vision.

– Je ne supporte pas la maigreur, se plaisait-il à lui répéter. Les femmes sont faites pour être aimées et admirées. Personne n'a envie de se blottir contre un sac d'os.

Elle s'était couchée et avait réfléchi à la proposition de Sheila : confier Claremore à Tomas et aller passer la semaine du Prix de l'Arc de Triomphe à Paris. Pourquoi pas ? songea-t-elle en se calant dans le lit trop grand, du côté de Tyrone. Pourquoi pas ? Sheila avait raison. Si elle continuait ainsi, elle finirait par craquer. Mathieu allait beaucoup mieux grâce aux soins du Dr FitzStanton. Elle pouvait le laisser quelques jours. Il n'avait pas eu une seule crise d'asthme depuis son dernier traitement. Quant à Joséphine, chaque fois que Cassie posait le regard sur elle, la fillette semblait avoir pris trois centimètres. Elle adorait son poney et le montait chaque jour, quel que soit le temps.

– Oui, vraiment, ce serait parfait pour toi, avait insisté Sheila.

– J'ai eu tellement à faire jusqu'à présent.

– Tu t'es imposée toutes sortes d'obligations. Tu as

été très courageuse, et c'est tout à ton honneur. Tout le monde s'en émerveille.

– Ah, bon ? C'est parce que personne ne me voit une fois la lampe éteinte.

Paris était une ville exaltante. Tyrone avait souvent promis à Cassie une seconde lune de miel dans la cité des lumières. Malheureusement, le projet avait sans cesse était reporté à cause des chevaux. Cassie n'en avait jamais pris ombrage. Ils avaient l'avenir devant eux. Paris pouvait attendre un peu. Le destin en avait décidé autrement.

Elle découvrait la capitale française avec sa grande amie Sheila Meath, ce qui n'était pas si mal. Sheila s'était souvent rendue à Paris dans son enfance et avait fini par s'y installer pendant cinq années lorsque son défunt mari, un diplomate, y avait été nommé.

Cassie fut littéralement enchantée par sa visite.

Je comprends maintenant pourquoi on dit que les bons Américains meurent lorsqu'ils vont à Paris, déclara-t-elle.

Sheila ajouta :

– C'est un endroit qu'on n'oublie pas. Où que tu ailles par la suite, Paris restera dans un petit coin de ton cœur. Je suis d'accord avec Hemingway quand il parle d'une « fête mobile ».

A la fin de la semaine, la veille de la course, elles dînèrent chez des amis de Sheila qui possédaient un somptueux appartement dans le seizième arrondissement. Cassie avait repris des couleurs et des rondeurs. Pourtant, en compagnie de gens mariés, elle se sentait gauche et solitaire, un peu comme un canard boiteux. Certaines questions lui faisaient mal : elle les évitait soigneusement. Elle s'efforçait de se montrer vive, intéressée et intéressante, comme elle l'avait été du temps de Tyrone, mais par moments, le courage lui manquait.

Le plus difficile, c'était d'accepter les compliments d'un homme. Cassie baissait les yeux, persuadée que le fait de montrer son plaisir serait trahir la mémoire de

Tyrone. Malheureusement, son silence passait le plus souvent pour un geste de modestie attendrissante, provoquant l'effet inverse de ce qu'elle espérait.

Au fil des jours, elle apprenait petit à petit à se maîtriser. Au cours de la soirée qui précédait le Prix de l'Arc de Triomphe, Cassie s'aperçut même qu'elle pouvait s'amuser franchement et sans remords dans un milieu élégant et civilisé.

Le lendemain à Longchamp, où de nombreux Irlandais s'étaient rassemblés pour soutenir le représentant de leur pays dans la course la plus prestigieuse de toute l'Europe, les mêmes amis se retrouvèrent. A leur immense joie, ce fut Levmoss qui, après une compétition acharnée, l'emporta sur la jument anglaise Park Top. Un rugissement accueillit la bête et son jockey, Lester Piggot, à leur retour dans le paddock, et très vite, le champagne coula à flots.

Cassie et Sheila Meath se joignirent à quelques-uns de leurs compatriotes, parmi lesquels Willie Moore, qui les invita à dîner dans sa loge, pour fêter l'événement.

– J'avais un bon tuyau, confia-t-il à Cassie, en contemplant l'activité à leurs pieds. Et vous ?

– Disons que Sheila et moi avons plus ou moins remboursé nos vacances, répliqua-t-elle d'un ton léger.

– Je suis désolé, pour Reverse. Il est doué, il a du potentiel. Mais dites-moi, d'après un de mes lads, Célébration serait blessé, lui aussi. Est-ce vrai ?

– Je crains que oui, Willie. Après sa dernière victoire à Phoenix Park, Niall a diagnostiqué une minuscule fracture au canon. J'ai donc décidé de le mettre à la retraite. L'année prochaine, je le confierai au Major Parker. Je ne le vends pas, naturellement. Nous conclurons un accord.

– C'est une sage décision. Célébration est de bonne trempe.

Quelqu'un effleura le bras de Cassie pour attirer son attention. Se retournant, elle se trouva en face d'un homme grand et chauve, portant des lunettes.

– Vous ne vous souvenez peut-être pas de moi, commença-t-il.

– Bien sûr que si ! interrompit-elle. Nous nous sommes rencontrés chez Leonora. Il y a environ trois ans de cela, je crois.

– Oui, acquiesça le Français en s'inclinant solennellement. Jean-Luc de Vendrer, au cas où votre mémoire des noms ne serait pas aussi exceptionnelle que votre mémoire des visages.

– Vous fabriquez du champagne, se rappela-t-elle.

– Et vous, vous refusez de parler de vos enfants.

De Vendrer sourit et, au grand étonnement de Cassie, leva sa coupe.

– A nos retrouvailles.

Ils burent et, lorsqu'elle leva les yeux, Cassie constata qu'il la dévisageait avec attention. Il lui demanda si elle était à Paris pour longtemps. Elle lui raconta sa semaine de promenades. Son enthousiasme le toucha, et il voulut savoir si elle avait visité un peu les alentours.

– Pas cette fois, hélas ! Nous repartons pour l'Irlande mardi.

– Me feriez-vous l'honneur de dîner avec moi ce soir ?

– Je suis déjà prise.

– Que je suis bête ! Evidemment ! Après une telle victoire. Que diriez-vous d'un déjeuner demain ?

– J'avais prévu de faire du shopping avec mon amie Sheila.

– Il faudra bien vous nourrir.

– Entendu, s'entendit répondre Cassie. Avec plaisir.

De Vendrer lui écrivit soigneusement le lieu de rendez-vous, puis s'excusa en prétextant, non sans humour, que la fête devenait un peu trop bruyante pour quelqu'un qui avait misé sur un perdant.

Après son départ, Cassie lut l'adresse qu'il lui avait donnée. Il n'avait marqué qu'un seul mot. « Lasserre. »

C'était amplement suffisant pour le chauffeur de taxi, qui conduisit Cassie à toute allure jusqu'à l'avenue Franklin-Roosevelt. Cédant aux encouragements de Sheila, Cassie s'était offert une dernière folie, un superbe tailleur Chanel, en lainage blanc bordé de bleu marine. Elle s'était aussi acheté un chapeau.

De Vendrer l'attendait devant l'entrée en lisant un exemplaire plié du *Figaro*. En l'apercevant, il rangea immédiatement le quotidien dans la poche de sa veste, s'extasia sur son élégance, puis l'invita à entrer dans le restaurant.

– Quelle bonne idée vous avez eue de faire les couturiers pendant votre séjour, dit-il, après que le maître d'hôtel les eut conduits à leur table.

– Vous êtes très aimable, monsieur de Vendrer, mais c'est du prêt-à-porter.

De Vendrer feignit de ne pas comprendre et haussa les épaules.

– Cela signifie que vous avez une silhouette irréprochable. Quant au chapeau…

Il forma un rond avec le pouce et l'index et ferma brièvement les yeux.

– … il est parfait ! Bien… si nous devons devenir amis, je vous en prie, appelez-moi Jean-Luc.

– Et vous, appelez-moi Cassie.

– Très bien. Donc, nous allons devenir amis.

De Vendrer leva son verre et but à la santé de la jeune femme. Cassie fixa son assiette.

Après le repas, ils se promenèrent au bord de la Seine, Jean-Luc racontant à Cassie l'histoire des différents ponts qui enjambaient le fleuve. Il l'emmena jusqu'à la cathédrale Notre-Dame, puis jusqu'aux fameuses marches qui montaient au Sacré-Cœur.

– La basilique est encore plus belle au clair de lune, déclara-t-il. Hélas, vous restez si peu de temps qu'il vous faudra vous contenter de la lumière du jour.

– La chance est avec nous, puisqu'il fait beau.

Jean-Luc la saisit par le bras et l'entraîna vers une terrasse de café dominant le square.

– Etes-vous obligée de rentrer si vite ? lui demanda-t-il poliment. J'ai de bonnes raisons de vous poser la question, je vous assure.

– Il faut que j'aille retrouver mes enfants. Et les chevaux. La saison n'est pas tout à fait terminée.

– Quelle est la date de la prochaine course ?

Cassie s'empourpra.

– A vrai dire, avoua-t-elle, ils ne courront plus, sauf peut-être l'un d'entre eux, à la fin du mois. Je ne vais pas vous ennuyer avec les coups du sort que nous avons subis, mais il nous faut les mettre au repos avec un peu d'avance.

Elle leva les yeux vers lui.

– Je comprends. Mais alors, pourquoi ne pas prolonger votre séjour d'une semaine ? A mes frais. Histoire de vous préparer pour l'hiver, vous aussi.

L'invitation était trop alléchante pour être refusée. Sheila Meath réagit avec enthousiasme.

– Huit jours dans son château ? A ta place, je sauterais sur l'occasion. Profites-en, laisse-toi dorloter, cela ne peut te faire que du bien.

Cassie finit par accepter lorsque Sheila lui proposa de s'installer à Claremore pendant son absence. Elle téléphona à Jean-Luc pour le remercier. Il exprima sa joie et promit de passer la chercher le lendemain matin.

Sa première vision du château lui coupa le souffle. Cassie avait toujours été impressionnée par l'allée de Claremore, mais ce n'était rien en comparaison de cette avenue flanquée de peupliers qui semblait s'étirer sur des kilomètres. Enfin, la Bentley de Jean-Luc passa le portail.

– C'est magnifique ! s'extasia-t-elle, tandis que la voiture s'arrêtait au pied des marches.

– C'est l'une des plus belles demeures de France, paraît-il.

– Vraiment ? Et cette couleur ! Je n'ai jamais rien vu de pareil.

– C'est la couleur de l'Histoire.

Cassie se tourna vers Jean-Luc en souriant. Lui était grave. Il essuya ses lunettes avec un mouchoir blanc.

En pénétrant dans le hall orné de tapisseries somptueuses, Cassie pensa soudain à Leonora. Tant de grandeur, cette armée de domestiques, ces interminables corridors, ces meubles signés l'auraient affreusement intimidée, si, à Long Island, puis à Derry Na Loch, elle n'avait eu un avant-goût de ce qu'elle trouverait ici.

Jean-Luc présenta Cassie à la gouvernante, puis s'excusa après avoir donné rendez-vous à son invitée dans le salon pour l'apéritif.

Cassie fut confiée à une petite bonne, une ravissante jeune fille prénommée Céline, qui parlait un peu l'anglais, et qui la conduisit jusqu'à sa suite.

– Madame souhaite-t-elle défaire ses bagages ? s'enquit-elle.

– Merci, Céline, je préfère m'en occuper moi-même.

– Monsieur de Vendrer vous attend à dix-neuf heures.

Céline la gratifia d'un sourire attendrissant, puis sortit. Aussitôt, Cassie partit en exploration : un feu de cheminée brûlait dans la pièce de séjour, un énorme lit à baldaquin trônait dans la chambre. Deux salles de bains et une chambre pour la bonne complétaient l'ensemble. Cassie regretta un instant qu'Erin ne soit pas avec elle. Elle se serait précipitée ici et là en poussant des cris d'admiration. Elle se serait émerveillée devant les tapisseries, les tableaux et les tissus de brocart puis aurait claqué la langue en affirmant que tout ça était « beaucoup trop pour une seule personne ».

Cassie rit tout bas à cette pensée et se laissa choir sur l'un des canapés. Les derniers vestiges de fatigue s'envolèrent, quand elle se rendit compte qu'elle ne serait pas obligée de se lever aux aurores le lendemain pour travailler. Un soupir de bonheur lui échappa.

Elle s'immergea dans un bain moussant, puis revêtit une jupe longue en velours noir et un bustier cousu de paillettes. Elle s'examina anxieusement dans la glace. Pourvu que Jean-Luc ne soit pas déçu. Elle fronça les sourcils : de quoi se souciait-elle ? Après tout, ils venaient à peine de se rencontrer. Ou plutôt, de se re-rencontrer.

Il l'attendait dans le salon, une pièce immense, mais superbement proportionnée, remplie de trésors. Il portait un costume sombre et une cravate.

– J'espère que cela ne vous ennuie pas : nous dînerons en tête à tête, ce soir.

Cassie répondit que non. Au fond, c'était l'occasion ou jamais de mieux se connaître. Son regard s'attarda sur diverses œuvres d'art. Jean-Luc fit semblant d'ignorer cette inspection et lui demanda ce qu'elle pensait du champagne qu'ils étaient en train de boire.

– Je n'en ai jamais goûté de meilleur, avoua Cassie.

– Bravo, votre jugement me ravit : c'est un millésime de choix. Je vous en enverrai une ou deux caisses en Irlande.

Cassie sourit, mais ne protesta pas. Tyrone lui avait toujours conseillé d'accepter une bonne offre.

Jean-Luc l'invita à choisir un fauteuil et s'installa en face d'elle. Sur la table où elle posa sa coupe, elle remarqua quelques photographies. Trois des clichés représentaient deux adorables fillettes, et une femme d'une beauté étonnante. Cassie porta son regard sur Jean-Luc qui, une fois de plus, nettoyait ses lunettes. Elle se sentit rougir. Sans trop savoir pourquoi, elle avait supposé d'emblée que Jean-Luc était célibataire.

– Ce sont vos filles ? s'enquit-elle.

– Oui.

– Et elle ?

– Mon épouse.

Cassie se sentit devenir écarlate.

– Je suis désolée.

– De quoi ?

– Je ne savais pas que vous étiez marié.

– Je ne le suis pas. Pas plus que vous.

Elle examina le portrait, jeta un coup d'œil autour d'elle. Jean-Luc la dévisageait avec attention.

– Vous n'êtes pas marié ? bredouilla-t-elle.

– Non, je ne le suis plus, avoua-t-il avec une pointe de mélancolie. Nous sommes tous deux seuls, hélas !

Il contempla ses mains, frottant sa paume droite avec son pouce gauche. Le silence était empreint de quelque chose de tragique. Cassie, choisissant ses mots avec soin, murmura :

– Je suis navrée. Je ne savais pas.

– Comment l'auriez-vous su ?

– Vous étiez au courant, pour mon mari ?

– Bien entendu. J'avais lu la nouvelle dans les journaux.

– Je ne comprends pas pourquoi il ne m'est pas venu à l'idée de vous interroger sur votre situation familiale quand nous étions à Paris.

– Peut-être n'en aviez-vous pas envie. Vous paraissiez tellement heureuse. Vous profitiez de votre journée. Je ne voulais pas risquer de tout gâcher en évoquant nos chagrins respectifs. Peut-être souffrez-vous encore, comme moi. Ma mère m'a toujours conseillé d'être discret dans ces cas-là. Pour confier sa douleur, il faut y être prêt.

– L'êtes-vous, Jean-Luc ?

– Je crois que oui. Et vous ?

– C'est possible.

– Tant mieux. Nous en parlerons pendant le repas.

Ils dînèrent dans la plus petite des deux salles à manger. Dans la plus impressionnante des deux pièces, Cassie vit une table qui pouvait facilement accueillir une quarantaine de personnes.

Ils dégustèrent des mets gastronomiques à la lueur des chandelles. Jean-Luc était très au fait de la situation de Cassie, d'une part parce qu'ils avaient des amis communs, et d'autre part, parce que l'abominable accident de Tyrone avait ému les journaux du monde entier. Cassie se découvrit plutôt à l'aise, libre d'exprimer ses sentiments. Elle avait l'impression de se soulager d'un fardeau. Jean-Luc l'écoutait avec intérêt, ponctuant son discours de commentaires pertinents.

– N'oubliez pas que la douleur pousse à la sagesse, déclara-t-il à un moment.

– Sans doute, acquiesça Cassie. Mon amie Sheila Meath serait sûrement d'accord avec vous. Elle m'affirme régulièrement qu'il ne faut pas garder ses souffrances pour soi si l'on veut guérir.

– Elle a raison.

– Et votre épouse ?

– Je l'ai perdue il y a trois ans.

Il ôta ses lunettes pour les essuyer, et Cassie remarqua combien ses yeux étaient grands et tristes.

– Nous étions mariés depuis dix ans. Au début, j'ai cru que j'allais mourir, moi aussi.

– Je sais ce que c'est.

– Mais la vie continue. Pleurer indéfiniment les morts finit par être une insulte aux vivants.

Il chaussa ses lunettes et dévisagea Cassie à la lueur des bougies.

– Croyez-moi, Cassie. Nous devons garder en nous nos peines, mais il ne faut pas trop les enfouir. Souffrir est une façon de se sentir en vie.

Ils se regardèrent un moment, en toute amitié.

– Vous jouez du piano ? demanda-t-elle subitement.

– Oui. Pourquoi ?

– J'en étais sûre, murmura-t-elle en riant.

Il joua pour elle après le repas le nocturne n° 2 en mi majeur de Chopin, et une œuvre de Liszt. Son toucher était merveilleux, sa sensibilité exquise, sa sobriété rassurante.

Ils se mirent ensuite devant l'âtre pour boire le café et un digestif. Jean-Luc interrogea Cassie sur la façon dont elle souhaitait occuper son séjour.

– Je ne vais pas vous ennuyer avec toutes sortes de

manifestations mondaines. Il me semble que vous avez surtout besoin de calme et de repos.

– En effet, opina-t-elle avec reconnaissance. A force de me battre à longueur d'année, je rêve de solitude et de tranquillité.

– Je crains que vous ne deviez supporter ma compagnie de temps en temps, plaisanta-t-il.

– Avec grand plaisir.

Cette nuit-là, dans sa chambre inondée par le clair de lune, Cassie dormit d'un sommeil profond et paisible pour la première fois depuis le décès de Tyrone.

Céline frappa à sa porte à huit heures le lendemain matin. A l'invitation de Cassie, elle entra en poussant devant elle une table roulante en acajou. Elle apporta à la jeune femme un châle, le drapa sur ses épaules, retapa ses oreillers, puis avec un large sourire, annonça qu'elle passait à côté lui faire couler son bain.

Cassie se cala confortablement et s'attaqua avec bonheur à un délicieux petit déjeuner : café, croissants, beurre frais et confiture d'abricots maison. Quel luxe ! songea-t-elle. Elle avait presque oublié le plaisir de ne pas avoir à bondir du lit, s'habiller à la hâte, avaler un café en vitesse et courir aux écuries.

La bonne revint pour demander, dans un anglais touchant par sa maladresse, si Cassie avait besoin d'autre chose. Puis elle disparut, la laissant savourer son plaisir en admirant la vue. Jean-Luc lui avait dit qu'elle pouvait rester couchée toute la journée si elle en avait envie, mais Cassie ne voulait pas gâcher des moments aussi précieux. Aussitôt rassasiée, elle se leva et se prépara.

Elle se brossa les cheveux devant la fenêtre qui s'ouvrait sur le parc. Elle avait l'impression de rêver, tant les jardins étaient beaux, impeccablement entretenus. Si cette sorte d'existence était possible, serait-elle heureuse ? S'ennuierait-elle ? Se lasserait-elle rapidement d'un certain manque de discipline ? L'oisiveté n'était-elle pas mère de tous les vices ?

Ne plus être obligée de courir, d'exercer les chevaux quel que soit le temps, de subir les assauts du vent et de la pluie. Ne plus se forcer à surveiller son poids, de façon à monter ses meilleures bêtes sans leur infliger un handicap supplémentaire, sans risquer de les blesser... Se lever tranquillement, se faire conduire en ville, s'offrir une séance de lèche-vitrines, déjeuner avec une amie sur la terrasse d'un restaurant en observant les passants. Assister à des soirées, à des bals en sachant qu'elle pourrait faire la grasse matinée le lendemain. Se détendre en toute liberté. Vivre sa vie de femme. Redevenir humaine...

C'était une superbe journée d'octobre. Jean-Luc lui proposa une balade à travers la propriété, lui raconta l'histoire du château, puis lui proposa d'aller visiter les vignobles après le déjeuner. Cassie accepta avec enthousiasme. Il l'interrogea discrètement sur son passé, son enfance. Elle découvrit qu'elle pouvait lui en parler en toute liberté. Il l'écouta avec attention, lançant une exclamation d'outrage quand elle abordait un chapitre particulièrement choquant.

En revenant à la maison aux alentours de midi, il s'immobilisa soudain en la tenant par le coude, et la regarda droit dans les yeux.

– Vous avez besoin qu'on s'occupe de vous.

Plus son séjour se prolongeait, plus Cassie se décontractait. Au bout de trois jours, Jean-Luc, qui veillait de son mieux à son bien-être, se déclara satisfait de ses progrès.

– Quand vous êtes arrivée, lui expliqua-t-il, vous étiez une femme en deuil. Vous portiez votre chagrin comme une mante. Non, non, je sais que vous vous efforciez de ne pas montrer votre désarroi, mais il émanait de vous sans que vous vous en rendiez compte. A présent, vous êtes plus calme. Sereine. C'est bien.

– C'est cet endroit, sûrement. Et vous, aussi, Jean-Luc.

Il acquiesça d'un air solennel, puis la prit délicatement par le bras.

– Merci.

Cet après-midi-là, le quatrième, il emmena Cassie explorer les paysages de la vallée de la Loire. Les feuilles commençaient à jaunir, et les couleurs automnales contrastaient violemment avec le bleu du ciel.

– Vous avez beaucoup de chance d'habiter ici, constata-t-elle. C'est un véritable paradis.

– Vivre sans amour n'a rien d'un privilège, Cassie.

Elle ne sut pas trop comment interpréter cette remarque. Etait-ce une simple réflexion, ou une sorte d'introduction, destinée à faire comprendre à Cassie que leur relation allait maintenant aborder une seconde phase. Elle alla au-devant, s'arrêta au bord de la rivière. Au bout de quelques instants, Jean-Luc la rejoignit.

– Vous savez, Jean-Luc, je ne suis pas du tout certaine de pouvoir aimer de nouveau.

– Non, non, ne dites pas cela ! protesta-t-il. Ce que vous pensez en réalité, c'est que vous n'aimerez plus jamais de la même manière.

Elle fixa l'eau qui se précipitait autour des pierres et dans les roseaux. Comme son existence, le flot coulait, de plus en plus vite, sans qu'elle puisse intervenir. Elle se tourna vers Jean-Luc.

– Est-ce cela que je pense ?

Il lui sourit, caressa sa chevelure avec douceur, et pour finir, entoura sa figure des deux mains.

– Vous êtes une femme remarquable.

Il l'embrassa alors, avant de l'entraîner par la main jusqu'au château.

Derrière eux, dans le bois, un oiseau solitaire se mit à chanter. C'était un rossignol.

Jean-Luc s'était enfin endormi, la tête tournée de l'autre côté, mais la main dans celle de Cassie. Le drap le recouvrait à peine. Cassie contempla d'abord son propre corps, nu, puis celui de l'homme couché à ses côtés. Elle attendait les remords, le dégoût. Elle ne sentit rien. Absolument rien.

Elle n'avait pas ressenti grand-chose, quand ils avaient fait l'amour. Jean-Luc s'était révélé un amant irréprochable : sensible et attentif. Sans un mot, il l'avait conduite à l'étage, jusque dans sa chambre. Il l'avait couverte de baisers passionnés, caressée, déshabillée. Il avait fait preuve à la fois de tendresse et d'imagination, et elle espérait avoir été à la hauteur. Mais l'incident s'était déroulé comme dans un rêve, comme une lointaine expérience, en écho à sa vie. Elle connaissait cet homme, elle savait qu'il cherchait à lui donner du plaisir. Et c'était réciproque. Mais plus il devenait passionné, plus elle avait l'impression de se distancer, comme si le film passait soudain au ralenti.

A présent, il dormait. Cassie le contempla, paupières closes, le visage éclairé d'un demi-sourire. Elle remonta le drap pour cacher son corps mince et athlétique, puis s'écarta et se mit face au mur. Longtemps, elle réfléchit à ce qui venait de se passer. Pourquoi cet acte lui paraissait-il sans signification ? Elle comprit tout d'un coup que si elle n'éprouvait ni répugnance, ni remords, c'était parce qu'elle ne ressentait… rien. Parce qu'elle aimait encore Tyrone. Amoureuse, elle aurait pu avoir un sentiment de culpabilité, mais il n'en était rien.

Elle se plaça sur le dos, le regard rivé au plafond. *Tyrone Rosse*, songea-t-elle, *personne ne t'arrivera jamais à la cheville.*

Les caresses de Jean-Luc l'arrachèrent au sommeil. Prenant conscience de l'endroit où elle se trouvait et de ce qui s'était passé, Cassie tenta de l'arrêter. Mais il prit ses cris et ses mouvements de recul pour de la passion, et tournant brutalement son visage vers lui, réclama ses lèvres avec une telle ardeur qu'elle en eut un goût de sang dans la bouche. Puis, toujours en l'embrassant, il la posséda avec violence.

Une fois assouvi, il se coucha sur le dos, en silence. Cassie le dévisagea, perplexe et désemparée, en quête d'une explication à ce comportement presque sauvage. Jean-Luc se hissa sur un coude, lui sourit, effleura son front, déposa un baiser sur sa joue.

– N'avez-vous pas faim ? chuchota-t-il en s'étirant langoureusement. Après avoir fait l'amour comme ça, je suis affamé. Pas vous ?

– Je... je n'y avais pas vraiment pensé, bredouilla-t-elle en portant l'index à ses lèvres meurtries.

– Je vais demander qu'on nous monte un petit festin, annonça-t-il.

Il se leva et se dirigea vers l'Interphone, nu comme un ver.

Dans son dos, Cassie reconnut les traces de ses ongles. Un sentiment de culpabilité l'envahit. Jean-Luc était si gentil, si plein de sollicitude. Pourquoi l'avait-elle repoussé la deuxième fois ? Pourquoi l'avait-elle supplié de la laisser tranquille ? Pourquoi l'avait-elle griffé avec l'énergie du désespoir ? Pourquoi n'avait-il prêté aucune attention à sa requête ? Le fait qu'elle lui ait résisté avait-il intensifié son désir ? Les questions se bousculaient dans son esprit. Cassie remonta le drap jusqu'à son menton et le regarda raccrocher après avoir commandé aux cuisines un petit en-cas.

– Nous aurons du champagne, bien sûr, déclara-t-il en revenant vers le lit. Et des tartelettes aux champignons, une spécialité du chef. Du saumon, aussi.

Jean-Luc se recoucha et lui sourit. Cassie s'écarta légèrement, le pria de l'excuser, s'empara de son négligé et alla s'enfermer dans la salle de bains. Là, elle s'immergea dans un bain brûlant jusqu'à ce que la bonne frappe à leur porte.

Cassie avait appelé Tomas pour qu'il lui adresse un télégramme réclamant son retour immédiat à Claremore. Elle savait qu'elle ne le recevrait pas avant le lendemain matin : il lui restait donc à subir une dernière soirée en tête à tête avec M. de Vendrer. Elle prit tout son temps pour se préparer avant le dîner. La meilleure tactique serait de faire comme si de rien n'était. La brutalité de Jean-Luc l'avait choquée mais elle ne pouvait s'en prendre qu'à elle-même. En s'abandonnant dans ses bras, elle l'avait encouragé, tout simplement parce qu'elle en avait envie. Par curiosité. Pour savoir ce qu'elle ressentirait. Si elle pourrait survivre à une telle expérience. Dans ce cas, elle aurait la certitude de surmonter enfin son deuil, et peu à peu, elle trouverait le courage de reconstruire sa vie.

Jusqu'à ce deuxième assaut, qui l'avait tant effrayée, Jean-Luc lui était apparu comme un homme séduisant, aimable, intelligent et courtois. A présent, elle s'en voulait de son ignorance. Elle savait que beaucoup d'hommes appréciaient une certaine violence dans l'amour, sans forcément se demander si leur passion était partagée. De la même manière, nombreuses étaient les femmes qui, dans l'intimité de leur chambre et d'une relation amoureuse, prenaient plaisir à cette sorte de viol symbolique. Avec Tyrone, c'était très différent : leurs étreintes étaient fréquentes, ardentes, et surtout, complices.

Non, vraiment, elle ne pouvait s'en prendre qu'à elle-même, songea-t-elle une fois de plus en boutonnant le col de son chemisier. Elle aurait dû faire part à Jean-Luc de son dégoût pour ce genre d'ébats. Sensible comme il l'était, il aurait compris.

Tyrone s'était toujours plu à répéter que, dans l'existence, on n'avait que ce qu'on méritait.

Lorsqu'elle descendit rejoindre le maître de maison, il n'était pas dans le salon. Un murmure de voix lui parvint de l'autre côté du vestibule. Elle fit demi-tour et se dirigea vers la bibliothèque.

Jean-Luc leva les yeux, surpris, et l'espace d'un éclair, elle crut déchiffrer une lueur de colère dans ses prunelles. Mais il se ressaisit aussitôt, et elle se rassura : elle se laissait emporter par son imagination. Il était en compagnie d'un autre homme, en pantalon de velours côtelé usé, vieilles baskets et pull marin.

– Permettez-moi de vous présenter Georges Boutin, un ami peintre.

Georges était plus âgé que Jean-Luc, et nettement plus fort. Une sorte d'ours aux cheveux blancs et au regard rieur. Il baisa la main de Cassie et se répandit en compliments. Jean-Luc rit poliment, pendant que Cassie s'efforçait d'apercevoir les toiles que l'artiste avait apportées avec lui. Mais elles étaient toutes posées face au mur.

Remarquant l'intérêt qu'elle semblait porter à ses tableaux, Boutin s'empressa d'en retourner un.

C'était une huile, superbement composée et exécutée, représentant deux femmes nues en train de s'embrasser dans un lit.

– Ça vous plaît ? rugit-il en s'esclaffant.

– Beaucoup.

Boutin en saisit une autre.

– Et celle-ci ?

Cette fois, il s'agissait d'un homme, couché entre deux filles. Deux créatures ravissantes et sophistiquées, qui faisaient l'amour à un homme.

– Un peu moins, avoua Cassie.

– Trop vulgaire, peut-être ? s'enquit Boutin en avalant d'un trait son cognac. Un peu trop réaliste pour vous qui êtes américaine ?

– Non. C'est mal peint.

Boutin la fixa comme si elle venait de le gifler. Jean-Luc profita de l'occasion pour le mettre dehors avec ses œuvres.

Cassie but une gorgée de champagne pendant que Jean-Luc entraînait l'artiste, furieux, et le sortait sans ménagements.

– Je suis confus, Cassie, dit-il en revenant. Boutin est un ivrogne, mais il a parfois du talent.

– Vous achetez souvent ses toiles ?

– Uniquement celles qui m'intéressent. A présent, si vous voulez bien venir dîner ?

Au cours du repas, délectable comme toujours, Cassie se surprit à réviser son jugement, tant son hôte se montrait attentionné. Certes, il avait manifesté un peu trop d'enthousiasme lors du deuxième round. Il avait ensuite commandé un en-cas, comme s'il en avait une grande habitude. Peut-être avait-il partagé ce genre de plaisir avec son épouse. Quant aux tableaux, Jean-Luc était un Français. Les Français n'avaient-ils pas la réputation d'être passionnés par la peinture et par les femmes ?

De plus, il baignait dans l'aisance. Son château était somptueux, son existence facile. Cassie y avait pris goût, au point qu'elle redoutait de rentrer à Claremore et de retomber dans une routine exigeante. En goûtant le vin, un chablis exquis, Cassie se demanda le plus sérieusement du monde ce que serait la vie, mariée avec un homme comme Jean-Luc de Vendrer. Que penseraient ses enfants de ce lieu digne d'un conte de fées ? Sans doute s'y plairaient-ils autant qu'elle. Jean-Luc serait sûrement un beau-père responsable et prévenant. Quant à Cassie, elle dirigerait la maisonnée, elle recevrait. Elle serait suffisamment riche pour posséder ses propres chevaux de course et les confier à un autre entraîneur.

– Vous rêvez, murmura-t-il. A quoi pensez-vous ?

Un frémissement la parcourut. Jean-Luc lui souriait.

– Peut-être songez-vous à ce qui nous attend cette nuit, suggéra-t-il.

Cassie sourit à son tour, mais ne répondit pas. Intérieurement, elle était terrifiée : si leur relation évoluait comme cela semblait être le cas, elle allait devoir se renseigner davantage sur la personnalité de cet homme.

– J'aimerais que vous veniez dans ma chambre, ce soir, murmura-t-il en la prenant par la main pour monter à l'étage. Vous n'y êtes jamais entrée. J'y ai de superbes œuvres d'art.

– N'est-il pas un peu tard ?

– Au contraire.

La pièce, une véritable galerie : tous les murs étaient recouverts de gravures et de toiles érotiques. Jean-Luc les lui montra une par une, un peu comme Sheila Meath, le jour où elle avait emmené Cassie au Louvre. Il s'attarda sur certains dessins, qu'il trouvait particulièrement humoristiques. Cassie les trouva grotesques. Au fond, rien ne lui plaisait, sinon un magnifique portrait signé Boutin, d'une jeune fille nue endormie. Tout le reste oscillait entre le bizarre et le sadique.

– J'ai du mal à comprendre, avoua-t-elle, en désignant un fusain.

– Les œuvres comme celle-ci illustrent la liberté de l'artiste de révéler en toute impunité ses fantasmes, sous le couvert d'une représentation religieuse. Vous savez que le sadisme a le plus souvent trouvé en l'Eglise sa meilleure alliée.

Il s'avança de quelques pas pour s'immobiliser devant une aquarelle.

– Ceci vous plaira peut-être davantage. La femme-cheval.

Cassie examina de Vendrer avec étonnement.

– Cherchez-vous à me choquer ? Parce que si c'est le cas, je vous préviens tout de suite, je ne marche pas.

– Pas du tout, ma chère ! Je suis un passionné d'érotisme et de sensualité. Pas vous ?

– En toute franchise, non, répondit-elle d'un ton posé. Bien sûr, l'érotisme a son importance, le plaisir est essentiel. Mais ce qui m'excite le plus, c'est l'amour.

Jean-Luc se tourna vers elle, visiblement décontenancé.

– Je suppose que, d'après vous, seuls les sauvages satisfont leurs instincts sexuels sans amour, rétorqua-t-il, avec une pointe de mépris.

– A vrai dire, oui.

Le visage de Jean-Luc se fendit d'un large sourire.

– Dans ces conditions, au vu de ce qui s'est passé aujourd'hui, j'en déduis que vous êtes amoureuse de moi.

– Ah, oui ? Je ne me rappelle pas vous avoir dit que j'étais comblée.

Il y eut un silence pesant. Jean-Luc la considéra avec attention derrière ses lunettes cerclées de cuivre. Puis il embrassa le bout de ses doigts.

– Bravo ! lança-t-il. Epatant ! Vous êtes encore plus fascinante que je ne l'imaginais !

Il s'approcha d'elle, la saisit par le bras, l'entraîna vers une alcôve pour admirer encore une série de gravures. Cassie ne dit rien.

– Je me disais que ceci vous inspirerait peut-être, chuchota-t-il.

– Est-ce ce que vous désirez ?

– Non.

A l'oreille, il lui confia tout ce dont il avait envie. Cassie fut forcée de l'écouter jusqu'au bout, car il la maintenait fermement. Elle jeta un coup d'œil terrifié vers l'énorme lit à baldaquin, qui apparemment allait jouer un grand rôle dans les événements à venir. Soudain, Jean-Luc la poussa dans cette direction.

Couchée sur le dos, Cassie se sentit tout d'un coup libérée. Refusant de montrer sa peur, elle sourit à Jean-Luc, qui dénouait sa cravate.

– Et maintenant ?

– Ne bougez plus, ma chère. Vous n'aurez pas longtemps à attendre.

Il s'éloigna. Guettant l'occasion de s'échapper, Cassie le suivit du regard. Il se retourna, puis disparut dans une petite pièce attenante à la chambre.

Cassie eut juste le temps d'apercevoir un dressing, qui s'éclairait quand on ouvrait la porte. Ce renseignement lui suffit pour comprendre qu'il n'y avait aucune autre issue possible.

Elle aperçut alors la clé dans la serrure. Retenant son souffle, elle s'avança sur la pointe des pieds.

– Mon Dieu, je vous en supplie, faites que je puisse l'enfermer.

Elle y parvint sans problème. Soulagée, elle s'adossa un moment contre la paroi. Lorsque Jean-Luc se mit à frapper de toutes ses forces, elle s'enfuit en courant.

Toutes les sorties étaient verrouillées. Cassie ne s'était rendu compte de rien. Jean-Luc avait dû profiter de sa surprise initiale devant ses « œuvres d'art ». A présent, ils étaient tous deux prisonniers, lui dans son dressing, elle dans la chambre. Si l'incident n'avait pas été à ce point dramatique, elle aurait ri aux éclats.

Il cognait de plus en plus fort en hurlant. La porte était lourde, les murs épais, étouffant sa voix. Craignant qu'il ne parvienne à se libérer malgré tout, Cassie poussa une commode contre la porte. Puis, au comble de l'agitation, elle chercha des yeux un trousseau de clés.

En vain. Jean-Luc devait l'avoir sur lui. Il ne restait plus que la fenêtre.

Elle eut soudain une idée et se précipita sur l'Interphone.

– Céline ? C'est Mme Rosse. Ecoutez, il vient de se passer quelque chose d'absurde : Monsieur nous a tous deux enfermés dans la chambre, mais il ne retrouve pas la clé.

Au début, la bonne eut du mal à saisir, mais au bout de la quatrième ou cinquième tentative, Cassie parvint à ses fins, et Céline promit de monter tout de suite.

En l'attendant, Cassie se déshabilla pour enfiler l'un des peignoirs de Jean-Luc, suspendus dans une armoire à côté d'une impressionnante collection de cravates. Elle ne tenait pas à éveiller les soupçons de Céline.

– C'est le seul passe-partout que vous ayez ? demanda-t-elle discrètement, de peur d'être entendue par le maître de maison. Dans ce cas, je ferais mieux de le garder, ajouta Cassie.

Elle sourit, adressa un clin d'œil à la jeune fille, qui exécuta une petite révérence.

– Merci infiniment. Désolée de vous avoir sortie de votre lit.

Sur ce, Cassie ferma la porte et patienta, le temps que la bonne ait regagné son aile du château. En attendant, elle se demanda quel souvenir elle pourrait laisser à Jean-Luc de Vendrer. Elle se rappela soudain avoir remarqué une paire de ciseaux sur la commode. Elle s'en empara, ouvrit l'armoire et coupa en deux chacune des cravates.

En sortant, elle prit soin de fermer à clé derrière elle, avant de regagner ses appartements pour rassembler ses affaires et s'habiller. Il était plus de minuit. Elle aurait du mal à avoir un taxi, d'autant qu'elle parlait mal le français. Elle se souvint alors d'un détail qui l'avait frappée, chez Leonora : toutes les clés des voitures étaient accrochées à un tableau, dans la cuisine. Elle descendit tout doucement, franchit le hall, s'enfonça dans le couloir jusqu'à l'office.

Au bout de quelques minutes, elle trouva ce qu'elle cherchait. Les clés de la Bentley de Jean-Luc. Elle traversa la cour jusqu'au garage.

Le moteur démarra sans problème, et en quelques secondes, Cassie fut sur la route. Dans le rétroviseur, tout était obscur. Apparemment, son départ était passé inaperçu.

Elle savait qu'elle devrait abandonner le véhicule en ville, car sa disparition serait signalée bien avant qu'elle n'atteigne Paris ou la côte.

La seule solution était de réveiller le garagiste et de le convaincre de lui louer une voiture, en dépit de l'heure. Il finit par céder lorsqu'elle lui proposa un pourboire généreux, et elle se vit confier une Renault bringuebalante.

Le prix qu'il demandait était exorbitant, mais Cassie n'osa pas discuter. Pendant qu'il achevait de remplir les papiers, elle alla chercher la Bentley pour la garer devant la boutique.

Le propriétaire des lieux se fâcha.

– Vous venez du château, madame ?

– En effet.

Le garagiste hocha la tête, puis cracha par terre.

Cassie, qui avait commencé à sortir ses bagages, marqua une pause.

– Si je comprends bien, vous n'appréciez guère M. de Vendrer ?

– S'il y avait une révolution demain, de Vendrer serait le premier à passer à la guillotine.

– Ah !

– Ce type est un salaud.

– J'avais espéré pouvoir laisser son automobile chez vous, afin qu'il revienne la chercher demain.

– Vous êtes pressée de partir, devina-t-il.

– C'est exact.

– Je vous en prie, allez-y. Cela me convient parfaitement. Monsieur me doit de l'argent. Il ne m'a toujours pas payé les notes de son épouse.

– Les notes de son épouse ? répéta-t-elle, stupéfaite.

– Oui, madame. Des factures qui datent déjà du mois de mars.

Cassie ouvrit la portière de la Renault.

– Je ne comprends pas : sa femme est morte il y a trois ans.

– La première. Elle s'est tuée. Il s'est remarié trois mois plus tard. Tout le monde aimait madame, elle était si gentille, si douce. Mais...

Il haussa les épaules.

– Mais... quoi ?

Il leva un sourcil en accent circonflexe.

– La nouvelle... Bah ! Que voulez-vous ? C'était une petite danseuse de rien du tout.

– Où est-elle en ce moment ?

– A l'étranger. Aux Caraïbes. Toujours par monts et par vaux. Elle a besoin de soleil.

D'une main, il désigna le ciel : il commençait à pleuvoir. Cassie frissonna et se mit au volant.

– Merci pour tout. A votre place, je garderais la Bentley jusqu'à ce que ce goujat vous ait remboursé.

Le garagiste acquiesça, la salua. Cassie s'en alla en quête de la route pour Paris.

Elle avait traité de Vendrer de goujat. En fait, il méritait pire. Elle se sourit, essuya le pare-brise du revers de la main : le chauffage ne fonctionnait pas. Tant pis. Elle avait tout son temps. Elle était libre.

Elle était tombée dans le piège. Elle avait succombé à son charme, à sa gentillesse, à ses attentions. Il avait même eu le culot de jouer les veufs éplorés. Qu'il aille au diable ! se dit-elle en frappant le volant d'un coup de poing. Il avait profité d'elle, de sa vulnérabilité, dans le seul but de se distraire. Et elle avait plongé la tête la première. Quelle sotte elle était ! Quelle imbécile !

Plus tard dans la journée, en attendant son avion à l'aéroport d'Orly, Cassie lut dans le journal que l'entraîneur Willie Moore venait d'engager pour la prochaine saison l'un des jockeys américains les plus prometteurs du circuit. Un certain Dexter Bryant.

20

La saison de Dexter Bryant démarra en flèche. Il gagna sa première course au Prix Curragh avec l'un des deux-ans les plus prometteurs de Willie Moore. Sur les douze épreuves qui suivirent, il en remporta quatre. Les critiques l'attendaient au tournant, prédisant l'inévitable chute de ce Yankee dont le style déplaisait. Il montait trop « plat », et tenait sa cravache à la verticale, comme la plupart des jockeys américains. Mais les esprits plus ouverts comprirent vite à quel point Bryant était habile et doué.

Cassie le revit pour la première fois dans la salle de pesage de l'hippodrome de Leopardstown. Elle était en train de discuter avec Dermot Pryce, qui heureusement s'était bien remis de ses blessures, quand Dexter émergea du vestiaire. Cassie s'excusa un instant et l'intercepta juste avant qu'il ne sorte.

– Bonjour, Dex. Comment allez-vous ?

Dexter se retourna, feignant la surprise, mais Cassie vit tout de suite dans son regard qu'il l'avait aperçue et reconnue.

Il effleura sa casquette d'un doigt.

– Madame Rosse. Quel plaisir de vous revoir !

– Toutes mes félicitations pour vos succès, Dex. Vous les avez tous obligés à admettre votre talent.

– Merci, madame. Si je peux me permettre, j'ai eu beaucoup de peine en apprenant la mort de M. Rosse.

– Il me manque terriblement.

– Je n'en doute pas, madame.

– Il faut que vous veniez nous voir à Claremore, Dex. J'aimerais vous montrer la maison. Et les écuries.

Le joli garçon était devenu un homme fort séduisant.

– Ce serait avec grand plaisir, madame. A présent, si vous voulez bien me pardonner, M. Moore m'attend avec quelques-uns de ses propriétaires.

Dexter la salua de nouveau et disparut. Cassie le suivit des yeux. Pour un jockey, il était de grande taille. Il devait la dépasser de six ou sept centimètres. Mais il était tout en finesse, sans le moindre gramme de graisse superflue.

Cassie sentit aussi que ces retrouvailles l'avaient ébranlée.

Pour les écuries Claremore, le début de saison fut mitigé. Reverse, dont la tendinite était désormais guérie, avait participé au Prix Gladness de Curragh, gagné comme prévu par le favori de l'équipe O'Brien. A quelques centaines de mètres du poteau d'arrivée, Dermot Pryce l'avait soudain senti « céder ». Appelé d'urgence à ses côtés, Niall Brogan avait diagnostiqué une inflammation de l'autre jambe.

– C'est assez courant, expliqua-t-il à Cassie. Il a porté tous ses efforts sur sa bonne jambe.

– Quel est votre pronostic ?

– Vous voulez la mauvaise nouvelle, ou la bonne nouvelle ? rétorqua Brogan. De deux choses, l'une : les rayons, ou la retraite.

Cassie hésita. Le traitement proposé par le vétérinaire lui semblait aussi archaïque que cruel. De plus, c'était une solution à court terme. Du moins était-ce l'avis de Tyrone, qui considérait que la bête ne retrouvait jamais complètement sa forme après l'intervention.

Tyrone avait toujours fait confiance à la nature : du repos, encore du repos, toujours du repos. Cassie décida donc de mettre Reverse au pré. L'année suivante, elle le destinerait à la reproduction.

Tootsie avait beaucoup progressé au cours de l'hiver et pris une bonne place de troisième dès sa première sortie. Après des débuts pénibles, Grison, au bout de huit semaines, s'était enfin montré à la hauteur des espérances de son entraîneur en empochant une coupe à York.

– Il va falloir songer à l'inscrire à la Gold Cup, déclara Tomas à leur retour à Claremore. D'après moi, ce petit pourrait aller très loin.

Cette déclaration enchanta Cassie, qui avait pris un gros risque en rachetant Grison. Mais après cette victoire à York, ce réinvestissement apparaissait solide.

Hormis ces chevaux et un superbe deux-ans que Cassie avait acquis pour une bouchée de pain pour Joe Coughlan, les écuries Claremore n'accueillaient qu'une dizaine de pensionnaires sans grande envergure.

Il y avait de quoi s'inquiéter pour l'avenir.

D'autant que Leonora avait refait surface.

Après le décès de Tyrone, elle avait transféré tous ses chevaux en Angleterre, chez l'entraîneur à la mode de l'époque, basé à Newmarket. Puis elle s'était volatilisée. De temps en temps, Erin tombait dans un journal à scandale sur un article concernant l'ex-« princesse ». Elle s'empressait de le lire à haute voix à Cassie. Leonora s'était remariée, pour divorcer de nouveau très vite. Petit à petit, elle s'était effacée de la vie de Cassie, à tel point que cette dernière pensait à peine à sa vieille rivale.

Mais voilà que Leonora avait subitement décidé de revenir en Irlande. A l'issue de son premier divorce, dû, selon les rumeurs, aux liaisons douteuses de son époux, Leonora avait convaincu Franco de lui laisser Derry Na Loch. Cette concession ne lui coûta guère, car au fond, il avait toujours détesté la demeure qu'il trouvait triste et humide.

Pire, Leonora avait reparu avec une douzaine de chevaux. Six d'entre eux étaient nouveaux, les six autres avaient déjà fait leurs preuves. Elle les avait tous confiés à un Anglo-Irlandais, Henry FitzGerald, installé du côté de Kildare. La nouvelle avait évidemment agacé Cassie. Leonora possédait six deux-ans, Cassie n'en avait qu'un seul : leurs chemins ne se croiseraient probablement pas dans cette catégorie. Quant aux plus âgés, Cassie ne nourrissait d'ambitions que pour Grison, alors que Leonora insisterait pour participer à tous les Prix chic et choc. Avec un peu de chance, l'Irlande serait assez grande pour elles deux.

– Mieux on connaît son ennemi, moins on le comprend, finit cependant par déclarer Tomas.

En effet, semaine après semaine, Cassie et lui découvraient avec horreur que les chevaux de Leonora étaient en concurrence contre les leurs, sur des hippodromes de second choix. La première fois, Cassie pensa que ce n'était qu'une coïncidence : voulant donner sa chance à Moviola, le cheval de James Christiansen, elle avait misé sur lui à Thurles. Mais Cinema Short, qui avait déjà remporté une belle course à Leopardstown, était partant, lui aussi. Il n'avait eu aucun mal à battre Moviola.

Huit jours plus tard, le même genre d'incident se répétait. Cassie et Tomas, qui avaient habilement placé Tootsie dans une épreuve de niveau modeste, avaient découvert que Kutchicoo, la jument de Leonora ayant remporté le Phoenix Park, serait aussi de la partie. Kutchicoo mena du départ à l'arrivée, abandonnant Tootsie loin derrière. Histoire d'enfoncer le couteau dans la plaie, elle était montée par Dexter Bryant.

Dès la fin du mois de mai, Cassie avait compris qu'une campagne était lancée contre elle. Partout où Claremore était présent, Leonora l'était aussi, même lorsqu'ils se déplaçaient aussi loin que Galway ou Listowel. Elle n'assistait pas personnellement aux épreuves, mais chaque fois, Cassie et Tomas y rencontraient son entraîneur Henry

FitzGerald, qui les saluait poliment et leur souhaitait bonne chance.

Même lorsqu'ils n'étaient pas premiers, les chevaux de Leonora battaient ceux de Cassie, à tel point que les bêtes elles-mêmes se décourageaient. En désespoir de cause, Cassie échafauda un plan : elle présenterait des participants partout, mais en gardant le secret jusqu'à la dernière minute, c'est-à-dire onze heures, la veille de la course. Leonora continua néanmoins de sévir.

– Ça n'a rien d'un miracle, grogna Tomas. Sauf votre respect, madame, on nous espionne.

– Comment cela ? En admettant que Liam, Tony, le nouveau lad Derek, voire Mme Byrne aient voulu transmettre des informations à notre sujet, cela leur était impossible. Ils ne savaient pas que nous courions avant la déclaration officielle. Après, il était trop tard. J'en conclus que seuls vous ou moi aurions pu prévenir Leonora.

– Vous savez très bien que ce n'est ni vous, ni moi, grommela-t-il en allumant une cigarette.

– Qui cela peut-il être, Tomas ? De toute évidence, on cherche à nous ruiner.

– J'ai ma petite idée. Laissez-moi m'en occuper.

Cassie aurait mieux fait de suivre le conseil de Tomas, mais pour des raisons inexplicables, un sentiment de rage incontrôlable sans doute, elle décida d'aller braver le lion dans sa tanière. Ou plutôt, la tigresse.

Elle rendit une visite impromptue à Leonora.

Le nouveau majordome, plus jeune et plus arrogant que son prédécesseur, fit attendre Cassie dans le vestibule. Quand Leonora descendit l'escalier en bâillant quelque trente minutes plus tard, la fureur de Cassie était à son comble.

– Je n'ai pas l'habitude d'être traitée de cette manière, attaqua-t-elle.

– Quant à moi, je n'ai pas l'habitude qu'on vienne me voir sans m'en avertir préalablement, riposta Leonora en passant devant elle pour pénétrer dans le salon.

– Je n'étais pas sûre que tu acceptes de me recevoir.

– Pourquoi, Cassie ? Tu as une maladie contagieuse ?

Elle ferma la porte, afficha un sourire lointain, écrasa son mégot dans un cendrier et alluma aussitôt une autre cigarette.

– Bref, enchaîna-t-elle... Comment vas-tu ? Tu as drôlement maigri. Je t'offre un verre ?

Elle déboucha une bouteille, l'air interrogateur. Cassie secoua la tête.

– Evidemment, non, marmonna Leonora. Il est trop tôt pour Miss Sainte-Nitouche.

Elle remplit un verre de cognac, bâilla une fois de plus, puis se vautra sur le canapé.

– Pour l'amour du ciel, Cassie, assieds-toi. On dirait que tu es venue me délivrer un ultimatum.

– Je suis ici parce que je veux savoir à quoi tu joues.

Leonora eut une petite moue.

– Vraiment, tu devrais prendre un peu de poids. Les hommes n'apprécient pas les femmes trop minces. Tyrone en avait horreur.

– Tyrone n'en détestait qu'une seule, Leonora. Toi, en l'occurrence.

A peine les mots sortis de sa bouche, Cassie eut envie de se mordre la langue. Ce genre de discussion était à éviter à tout prix. Cependant, Leonora choisit d'ignorer cette remarque.

– Ainsi, tu veux savoir à quoi je joue ? Ma parole, tu as dû voir trop de films de série B quand tu étais enfant.

– Tu te ridiculises, Leonora. C'est complètement idiot de nous poursuivre partout dans des courses de seconde catégorie, alors que tes chevaux sont d'un niveau nettement supérieur.

– Et encore, tu n'as rien vu ! Ceux que j'ai en Irlande ne me satisfont qu'à moitié.

Cassie se sentit vaincue. Elle dévisagea Leonora, à court de mots. Leonora sourit encore un moment, puis fit claquer sa langue.

– Allons, Cassie McGann, ne me dis pas que tu deviens mauvaise perdante ?

Cassie se laissa choir sur un fauteuil et contempla sans le voir le tableau suspendu au-dessus de la cheminée.

– Je ne comprends pas ce qui te motive, Leonora. Il ne s'agit pas de ton gagne-pain. Tu ne peux pas t'imaginer ce que c'est que d'essayer de survivre avec le peu qui reste. C'est mon cas. Pour toi, c'est un simple divertissement. Tu envoies tes chevaux contre les miens pour quelques centaines de livres en guise de récompense. Autant faire la manche en manteau de vison. Tu ne dépends pas de cela pour vivre.

– Ma chérie, tu te trompes complètement, roucoula Leonora. Au contraire. L'essentiel, pour moi, c'est de te battre.

– Tu ne vas donc pas renoncer ?

– Renoncer ? répéta Leonora en fronçant les sourcils. *Renoncer ?* Tu plaisantes ! Je ne fais que commencer.

Elle avala le reste de son alcool d'un trait et se resservit, sans quitter Cassie des yeux.

– Très bien, déclara cette dernière en se levant. Si c'est la guerre que tu veux, parfait. Sache simplement que tu finiras par le regretter, Leonora. Je m'en assurerai personnellement.

Décontenancée, Leonora redevint grave. Elle s'approcha du bar, marqua une pause, puis se faufila entre Cassie et la porte.

– Ma chérie, je suis désolée, mais j'ai un peu trop bu. Surtout, ne fais pas attention à ce que je raconte quand j'ai un verre dans le nez.

Elle s'accrocha au bras de Cassie, tenta vainement de la ramener vers un siège.

– Ecoute, tout ceci est abominable. Après tous les bons moments que nous avons vécus ensemble. Je t'en prie, reste dîner. Pourquoi ne pas manger avec moi ? Nous en profiterons pour évoquer le passé. Je m'ennuie à mourir, Cassie McGann. Tu ne peux pas savoir à quel point.

D'ailleurs, tu es la seule personne que j'aime encore en Irlande !

Cassie la dévisagea. Lèvres barbouillées de rouge, teint blême, dents jaunies par la nicotine. Elle se dit que c'était l'inverse : tout le monde devait la fuir.

– Viens, insista Leonora en resserrant son étreinte. Reste dîner avec moi. On va s'amuser.

– Je n'ai pas le temps, Leonora. J'ai du travail.

– Un bon petit plat ne te ferait pas de mal.

– Je te remercie, mais nous mangeons fort bien à Claremore.

– Autrement dit, tu es au régime.

– Je monte à cheval tous les matins, Leonora. Je ne peux pas me permettre de prendre du poids.

Leonora lui lança un regard noir, puis s'efforça de masquer son dédain avec un sourire.

– J'ai une meilleure idée, Cassie, insista-t-elle en se plaçant de nouveau entre elle et la sortie. Ecoute. Suppose que je revienne chez toi. Que je quitte Henry FitzGerald et que je te confie tous mes chevaux. Qu'en dis-tu ? Tu atteindrais de nouveau le « top ». En un clin d'œil. D'accord ? Ah ! Oui, ça me plaît beaucoup.

Cassie hésita. Plus que jamais, elle avait besoin de quelques bons chevaux et d'un propriétaire fortuné. Leonora était la solution idéale. Elle était assez ambitieuse pour vouloir remporter une classique, et elle avait de quoi s'offrir les meilleures bêtes. Si Cassie se montrait à la hauteur, elle disposerait de chèques en blanc. Et ensuite ? Elle n'aurait rien d'autre à faire que d'entraîner les chevaux. En subissant les sautes d'humeur d'une ivrogne. Tyrone n'était plus là, cette belle blonde voluptueuse et sans scrupules ne risquait plus de mettre leur ménage en péril.

– Il te faut de bons chevaux et des liquidités, Cassie, avait repris Leonora. Je peux mettre les deux à ta disposition.

Mais Cassie revint sur terre.

– C'est gentil, Leonora, et je te remercie de ton offre, mais ma réponse est un non ferme et définitif. Tu pourrais être la reine d'Angleterre, je continuerais à refuser. En revanche, si c'est une lutte sans merci que tu veux, tu peux compter sur moi.

– Enfin, Cassie ! s'esclaffa-t-elle, tu n'as que des mules !

– C'est possible, mais j'ai d'autres atouts, notamment la patience. Je peinerai peut-être jusqu'à la fin du siècle, mais tôt ou tard, je te battrai. C'est ce qu'il y a de merveilleux, dans le monde de la course hippique, Leonora. Tu auras beau crouler sous tes millions, cela ne te garantira pas forcément une victoire au poteau.

Leonora se détourna pour remettre un peu de cognac dans son verre.

– Tu es complètement folle. Regarde-toi, un peu ! Tu es décharnée. Tu ne sais plus où donner de la tête. Tu es cinglée. Qui aurait pu imaginer que tu finirais comme ça ?

– Ne t'inquiète pas pour moi, Leonora. Je suis loin d'être au bout du rouleau. Je démarre à peine.

Sur ce, Cassie sortit. En traversant le vestibule, elle entendit le verre se fracasser contre la porte qu'elle venait de refermer.

*
* *

Tomas l'attendait à Claremore en grognant d'impatience.

– Tout est fichu, madame Rosse ! gronda-t-il en essuyant les paumes de ses mains sur son pantalon, pendant que Cassie lui versait à boire. Je vous avais pourtant dit que je me chargeais de tout.

– Je regrette de ne pas vous avoir écouté, Tomas.

Il ne répondit pas, se contentant d'avaler une bonne gorgée de John Jameson.

– J'ai démasqué l'espion.

Cassie leva les yeux en priant le ciel pour que ce ne soit pas quelqu'un de leur équipe. Elle craignait par-dessus tout que la coupable ne soit Mme Byrne, qui avait grand besoin d'argent.

– C'est une femme, reprit Tyrone. Vous devinez qui…

C'était donc Mme Byrne, la secrétaire en qui elle avait mis toute sa confiance, la seule à être au courant de leurs projets. Cassie poussa un grognement de désespoir et s'assit.

– Vous voulez savoir comment je l'ai découvert ? s'enquit Tomas en essuyant sa bouche du revers de la main. Ses chaussures. La pauvre, elle a toujours eu un faible pour les chaussures ! A rendre son mari complètement fou. Vous auriez vu celles qu'elle portait aujourd'hui ! Je parie qu'elle les a fait faire sur mesure.

– Je n'ai pas remarqué que Mme Byrne avait des chaussures neuves, répliqua Cassie, déconcertée.

Tomas toussota.

– Mme Byrne ? *Mme Byrne ?* Vous avez perdu la tête ? Mme Byrne ! Je vous parle de cette chère Rosie McGinty, à la poste !

Cassie dévisagea Tomas, se leva en silence, remplit leurs verres.

– Evidemment, murmura-t-elle. Rosie-Grandes Oreilles, comme l'appelait Tyrone.

– Il avait bien raison, le patron ! Cette vieille chouette n'a pas raté un seul mot de ce qui s'est raconté au téléphone dans cette maison depuis Dieu sait quand !

Tomas lui expliqua que Rosie McGinty n'aurait probablement eu aucun mal à monnayer les renseignements concernant Claremore, car Cassie en discutait toujours longuement avec ses propriétaires avant de prendre une décision.

– Tout ça, pour une paire de chaussures neuves !

– Pas seulement, rectifia Tomas. Son mari a un sacré penchant pour l'alcool.

– Comment allons-nous arrêter ça, Tomas ? Nous ne pouvons tout de même pas déménager.

– Ne vous inquiétez pas, elle ne recommencera plus. Son fils vend du whisky illicite, de l'autre côté de la vallée. Elle ne tient pas du tout à ce que la police soit mise au courant.

Tomas s'empara de sa casquette et s'excusa. Le service d'espionnage de Leonora était enfin enrayé. Cassie sourit.

Apprenant que Willie Moore renonçait à présenter son meilleur trois-ans contre Moviola le samedi suivant à Gowran Park, Cassie téléphona à Dexter Bryant pour lui proposer de remplacer Dermot Pryce, au repos après un accident dans les stalles de départ. La chance était avec elle : elle avait été plus rapide que Henry FitzGerald, et Bryant accepta son offre.

– Pourquoi ne pas venir demain matin à l'entraînement ? J'aime bien que mes jockeys sentent leur cheval avant la course.

– Entendu.

– Vous prendrez bien un petit déjeuner ensuite ?

– Volontiers.

Moviola était en bonne forme, et le jockey exprima sa satisfaction d'avoir participé à la séance. Cependant, il avoua avoir surtout été impressionné par les efforts de Grison.

En dégustant leurs œufs brouillés au bacon arrosés de jus d'orange et de café, Cassie lui raconta l'histoire du petit cheval. Dexter lui confia qu'il avait très envie de le monter. Cassie lui affirma que, si l'arrêt maladie de Pryce se prolongeait, il serait le premier à le savoir.

Si Dexter s'intéressait aux meilleurs éléments en séjour à Claremore, il n'en demeurait pas moins poli et distant vis-à-vis de Cassie.

Elle décida de prendre le taureau par les cornes :

– Je craignais que vous ne refusiez de m'adresser la parole, déclara-t-elle subitement.

Il parut sincèrement surpris.

– Au contraire, madame, c'est moi qui avais très peur. Après tous les problèmes que je vous ai causés.

– Après tous les problèmes que *je vous* ai causés.

– Ce n'est pas vous qui avez écrit le mot, madame.

– Vous avez monté les chevaux de la personne qui a rédigé ce message, Dex.

Il la dévisagea sans comprendre.

– Vous ne saviez pas que Kutchikoo appartenait à Leonora Von Wagner ?

– Ce n'est pas le nom que j'avais sur ma carte.

– C'est normal : elle s'est mariée et elle a divorcé deux fois.

– C'est M. FitzGerald qui m'a téléphoné.

– L'idée de vous engager n'est sûrement pas venue de lui.

Cassie sourit en remplissant leurs tasses.

– Alors, Dex, sommes-nous toujours amis ?

– Pour sûr, madame !

– Tant mieux. Et pour l'amour du ciel, cessez de m'appeler « madame ».

En échange d'une somme modeste, Rosie-Grandes-Oreilles accepta de transmettre à Leonora le contenu de la conversation de Cassie avec Townshend Warner le soir même. Elle annonça au propriétaire américain que Moviola allait courir et quelles étaient ses chances. Suivant le conseil peu moral de Tomas, elle omit cependant de lui donner le nom du jockey : elle ne le déclarerait qu'à son arrivée à l'hippodrome. La ruse fonctionna. Tombant dans le piège, Leonora s'empressa d'inscrire Kutchikoo dans la même course. Elle n'était pas présente lors du meeting, mais Cassie vit tout de suite, d'après l'expression de FitzGerald à l'annonce des participants et de leurs jockeys, qu'il était perturbé.

Dexter se révéla habile et malin. Il commença par retenir Moviola pour le diriger vers l'extérieur du peloton. A six cents mètres de l'arrivée, alors que les autres cherchaient à prendre position, il accéléra. Moviola l'emporta facilement par quatre longueurs.

– C'est un bon cheval, monsieur, déclara Dex en mettant pied à terre. Trop intelligent pour se contenter de si peu. D'après moi, on pourrait le risquer de l'autre côté de la Manche.

Il salua Cassie, lui sourit, puis disparut dans la salle de pesage.

– Alors ? demanda Cassie à Tomas lorsqu'ils se retrouvèrent au bar pour fêter la victoire.

– J'ai l'impression d'entendre le patron. *Alors*, vous-même.

– Il est partant pour le Prix Waterford à Ascot. Le pire qui pourrait arriver, c'est qu'il perde.

– C'est vrai, concéda Tomas, mais chaque chose en son temps. D'abord, on boit. A votre santé, patronne !

Tomas leva son verre et l'observa à la dérobée. Cassie l'imita, mais resta silencieuse. C'était bien la première fois que Tomas lui reconnaissait son rôle.

– Avez-vous parié ?

– Pas un sou ! admit-il en riant.

– A votre avis, quand obtiendrez-vous votre licence d'entraîneur ? lui demanda Dexter, un peu plus tard, au cours du dîner.

– Qui sait ? Cette année, l'année prochaine, peut-être jamais. Je me sens un peu l'âme d'une suffragette.

– Pourtant, vous n'êtes pas la première femme à entraîner sous le couvert d'un lad.

– En effet. Le malheur, c'est qu'aucune d'entre elles n'appartient au Turf Club.

Ils mangeaient dans la cuisine, que Cassie avait réussi à transformer en une pièce agréable et chaleureuse. Elle avait commencé par décaper les meubles, puis elle avait arraché les papiers peints couverts de graisse pour mettre au jour les magnifiques pierres de taille d'origine. Elle avait remplacé la vieille cuisinière noire par une Aga aussi pratique qu'élégante, et vidé la cheminée remplie de marmites noircies pour pouvoir y faire du feu. En hiver, la famille passait là le plus clair de son temps.

– Maman, dit Joséphine, je ne comprends pas, quand tu dis qu'en Amérique, on nourrit les chevaux avec des noix.

– Pose la question à Dex, répondit Cassie en retirant l'assiette vide de sa fille. Il s'y connaît.

Joséphine se rapprocha de son nouveau héros, tandis que Cassie réprimandait Mathieu qui était en train de nourrir le chien sous la table.

– Mais il crève de faim, maman ! Je t'assure, il est vraiment affamé !

– Brian est toujours affamé. Brian est un pique-assiette professionnel.

Joséphine écoutait attentivement Dexter : en fait, les « noix » auxquelles elle avait fait allusion n'étaient pas celles qu'elle imaginait, cacahuètes, noisettes ou cajous, mais un concentré en forme de boulettes.

– Je pensais qu'on réservait cette sorte de régime au bétail, dit Cassie en distribuant les desserts.

– Plus maintenant. On s'en sert dans la plupart des grandes écuries. Ces croquettes contiennent les protéines, les hydrates de carbone, les vitamines et les fibres indispensables à la santé des chevaux. Et vous me dites que vous n'en avez pas chez vous ?

– J'ai entendu parler d'une ou deux personnes en Angleterre qui utilisaient cette sorte de produit. Mais ici, non.

– Croyez-moi, c'est l'avenir, décréta Dexter.

La curiosité de Cassie s'éveilla. En effet, malgré toutes les trouvailles de Tomas, elle constatait régulièrement que les plus nerveux de leurs pensionnaires avaient tendance à négliger les ingrédients qui leur plaisaient le moins. Si ces croquettes étaient à leur goût, peut-être pourrait-elle les nourrir tous de cette manière. D'une part, cela permettrait d'éliminer les caprices, et d'autre part, cela représenterait une sérieuse économie.

– En ce qui me concerne, je ne vois qu'un seul problème, ajouta Dex. Question intestinale, si vous voyez ce que je veux dire. C'est la raison pour laquelle M. Fines, pour qui j'ai travaillé pendant dix ans, les mélangeait toujours avec du son de bonne qualité. De plus, il n'employait que du foin canadien. Le tour était joué.

Très impressionnée par l'éventail des connaissances de Dexter, et toujours à l'affût d'idées nouvelles, Cassie discuta avec lui jusque tard dans la soirée.

– M. Fines me paraît un entraîneur remarquable.

– Il m'a appris tout ce que je sais, madame Rosse. Je lui dois ma carrière.

– Au début, vous avez eu du mal ?

– Après avoir quitté les Von Wagner, vous voulez dire ?

– Euh… oui.

– Ç'a été très dur. J'ai dû récurer les écuries et brasser des brouettes de fumier chez une demi-douzaine de patrons avant de tomber sur M. Fines. Là aussi, au démarrage, j'ai peiné. Il fallait mériter sa place, et les échecs étaient nombreux.

– Vous vous en êtes sorti, murmura Cassie en souriant.

– Je n'en ai jamais douté un seul instant.

– Vous êtes certainement la personne la plus volontaire que je connaisse.

– Pas plus que vous, madame Rosse.

– Vous l'êtes toujours. Et il me semble vous avoir demandé de m'appeler Cassie.

Par la suite, Dexter Bryant monta les chevaux de Cassie dès lors que Willie Moore n'avait pas réclamé ses services. Willie et Cassie étant bons amis, ce dernier l'avertissait longtemps à l'avance de ses projets. Bien que de qualité supérieure sur le papier, les chevaux de Leonora ne progressaient guère. Dex parvint même à remporter deux victoires avec les « mollassons » de Claremore, attirant ainsi l'œil d'un agent en quête d'éventuels coureurs de haies. Il fit une offre à Tomas, et l'affaire fut vite conclue pour un prix plus que raisonnable, à l'immense joie du propriétaire qui n'avait déboursé que trois cents livres au départ. Claremore toucha son pourcentage, et le cheval entama une nouvelle carrière prometteuse en gagnant trois de ses six premières épreuves.

Moviola s'était placé quatrième au Prix Waterford d'Ascot, Tootsie avait bien couru à Curragh. Grison, en revanche, tomba malade une semaine avant Ascot et rata la Gold Cup.

Malgré tous ces succès, on continuait de tirer le diable par la queue à Claremore. Les coûts d'entretien augmentaient presque quotidiennement, et il aurait fallu à Cassie une bonne trentaine de pensionnaires pour rester à flot. De plus, elle avait besoin de plus de gagnants, non pour s'enrichir avec ses commissions d'entraîneur, mais parce que les lauriers attiraient les lauriers, comme un pot de miel, les abeilles. Plus que jamais, elle était décidée à rester dans la « ligne droite » et à renoncer aux paris risqués.

– Vous êtes probablement trop honnête pour faire ce métier, Cassie, lui lança Dexter en riant, un soir dans la cuisine. C'est pour ça qu'ils laissent les femmes à l'écart.

– Ne me dites pas que vous trichez !

– Je me contente d'obéir aux ordres. Mais je vais vous avouer une chose : je ne parie jamais.

Cassie s'excusa et se leva de table.

– C'est l'heure de l'histoire des enfants, annonça-t-elle.

– D'accord, répondit Dex en finissant son café. Cela vous ennuie si je vous accompagne ?

Tous deux s'assirent sur le lit de Joséphine pendant que celle-ci lisait à haute voix pour son frère. Puis, alors que Cassie s'apprêtait à leur narrer un conte, Joséphine eut une meilleure idée.

– Et si c'était Dexter qui nous le racontait ?

– C'est à lui de voir. Si tu le lui demandes gentiment, peut-être qu'il...

– C'est déjà fait, Cassie, interrompit-il en s'emparant d'un livre. Alors, qu'est-ce qui vous ferait plaisir ? A moins que je ne vous invente une histoire à ma façon ?

La partie était gagnée d'avance. Joséphine s'installa sur ses genoux, un bras autour de son cou, le pouce dans la bouche, pendant que Cassie feignait de s'affairer dans la nursery. De temps à autre, elle glissait un regard vers ses enfants : ils étaient complètement charmés par les aventures d'un cheval volant. Elle pensa à Tyrone, qui avait si souvent pris cette place.

Lorsque Dex eut terminé, les deux petits l'embrassèrent en le remerciant.

– Ils sont adorables, Cassie, déclara le jockey en regagnant la cuisine. Vous avez beaucoup de chance.

– Oui, Dexter. Je le sais.

Plutôt irascible de nature, Tomas n'en était pas moins attentif aux propositions de Cassie, qui l'accaparait pendant des heures dans le bureau avec l'espoir de le convaincre du bien-fondé de son raisonnement.

– Mais ça nous obligerait à changer toutes nos méthodes, patronne. A refuser tout ce qu'on pratique depuis des siècles pour des formules expérimentales.

– Elles ont été testées, protesta Cassie. Elles sont sur le marché depuis plusieurs années. Il n'y a aucune raison pour que...

– Je suis pas d'accord, marmonna Tomas en allumant une cigarette.

– ... ces croquettes, correctement dosées...

– Personnellement, je préfère les flocons d'avoine.

– Allons, Tomas, écoutez-moi au moins jusqu'au bout. Je reprends : une croquette correctement dosée peut répondre à tous les besoins du cheval. Sous une seule forme.

– Bah ! grogna Tomas en agitant la main. On s'en sort pas si mal comme ça.

– Je ne cherche pas à révolutionner les principes de

l'alimentation à tout prix. Ils sont en évolution constante. Vous inventez vous-même toutes sortes de solutions. Et justement, c'est là que je veux en venir. Ce que je vous propose, c'est de concocter notre propre concentré. A partir de *vos* recettes.

Tomas souffla un nuage de fumée en direction du plafond, retira un bout de feuille de tabac du bout de sa langue, puis hocha lentement la tête.

– Nous avons besoin d'argent, Tomas, insista Cassie. Si nous voulons que Claremore devienne l'un des meilleurs établissements du pays, et croyez-moi, nous sommes sur la bonne voie, il nous faut des capitaux. Car nous devons moderniser…

– Moderniser quoi ? coupa-t-il en haussant ses sourcils broussailleux. Le patron l'avait déjà fait, non ? Avec tous les nouveaux boxes ? Et le manège couvert ? Et la piste ? C'est suffisant, il me semble.

– La piste est en mauvais état. Je veux installer des éclairages dans les stalles, des tapis d'exercice mécanisés, des étrilles électriques, un aspirateur d'écurie. Améliorer le confort des bêtes, aménager un système de sécurité et…

Elle marqua une pause, et pria en silence.

– … une piscine équine.

– Une piscine équine, répéta Tomas, stupéfait.

– Exactement.

– Et pourquoi pas une table de billard équine, madame Rosse ? Ou un court de tennis équin ?

– Je parle très sérieusement.

– Oui, je sais. C'est justement ce qui m'inquiète.

– Imaginez ce que vous voulez, mais croyez-moi, c'est dans cette direction que nous devons aller. J'ai beaucoup discuté avec Dexter Bryant : ce que nous avons chez nous en Amérique, vous l'aurez ici demain. Si nous voulons grimper jusqu'au sommet, Tomas Muldoon, nous devons être les premiers à innover. Sans quoi, nous n'atteindrons jamais le seul poteau qui compte à mes yeux.

– Lequel ?
– Celui du Derby d'Epsom.

– Combien vous faut-il, chère madame ? s'enquit M. Flannery en se penchant le plus loin possible sur son bureau pour humer le parfum de Cassie.

– Tout ce que vous voudrez bien me prêter, monsieur, répondit-elle en souriant.

Elle croisa les jambes, laissant sa jupe remonter de quelques centimètres.

Le banquier était son ultime recours. Elle avait essaye de prendre contact avec les anciennes relations de Tyrone, parmi lesquelles Townshend Warner. Malheureusement ce dernier, victime d'une crise cardiaque, était en réanimation à l'hôpital de Houston. Joe Coughlan acceptait d'hypothéquer sa maison, son affaire et son meilleur cheval, mais Cassie n'avait pas voulu en entendre parler. Elle voulait jouer franc-jeu. Il lui fallait un prêt à un taux raisonnable.

Pour finir, à contrecœur, elle s'était tournée vers « ce vieux Flann ». Elle savait que ses sourires ne suffiraient pas pour le convaincre. En se préparant pour le rendez-vous, elle avait soudain regretté de ne pas posséder le charme et la loquacité de Leonora. N'ayant eu que deux hommes dans sa vie, Tyrone, et très brièvement Jean-Luc de Vendrer, elle se savait gauche et naïve en matière de séduction. Surtout à une époque où les hommes n'hésitaient pas à réclamer leur dû, et les femmes à le leur fournir. Une libération sur tous les fronts avait caractérisé les années 60. La Princesse Anne elle-même avait bondi sur la scène du théâtre de Shaftesbury à Londres pour se mêler aux danseurs nus de *Hair*.

Si M. Flannery n'avait jamais assisté à ce spectacle, il était néanmoins parfaitement au courant de l'évolution des mœurs, même en Irlande. Les craintes de Cassie furent vite justifiées : pendant tout le déjeuner, il s'arrangea pour que ses genoux frôlent ceux de la jeune femme sous la table. Sa serviette « tomba » à plusieurs reprises, et il en profita chaque fois pour jeter un coup d'œil sous sa jupe. Il ne cessa de s'apitoyer sur son sort, une jeune veuve si seule dans sa vaste demeure. Il n'hésita pas à lui signaler qu'il était sur le point d'obtenir une belle promotion, un poste qui requérait l'assistance d'une épouse.

De retour dans son bureau, il proposa à Cassie de la débarrasser de sa veste. Pendant qu'elle hésitait, il la lui arracha littéralement. En dessous, elle portait un col roulé en soie qui moulait ses courbes à la perfection. Flannery laissa courir un doigt à l'intérieur de son col de chemise et félicita Cassie de sa bonne forme.

– Mais revenons à nos moutons ! Vous me dites que vous avez déjà une idée pour le local.

– J'ai visité le moulin Peacock, à la lisière d'Athy, expliqua-t-elle. M. Muldoon avait entendu dire qu'ils songeaient à le vendre.

– M. Muldoon est au courant de tout, n'est-ce pas ?

– Je pense que je pourrais leur proposer trente-cinq mille livres pour le tout. Il nous en faudrait dix de plus pour l'équiper, et environ cinq mille livres de trésorerie.

– Si je comprends bien, vous voulez un prêt de cinquante mille livres.

– C'est à peu près cela, monsieur Flannery.

– Un prêt garanti.

– Oui.

– Par Claremore.

– C'est tout ce que j'ai.

– Claremore, qui vaut actuellement aux alentours de…

Flannery mit les doigts en pointe et s'efforça de masquer son excitation.

– … disons… quatre-vingts ? quatre-vingt-cinq ?

– Plutôt cent vingt-cinq, selon moi.

– Ma chère, les établissements comme le vôtre n'attirent pas forcément les acheteurs.

Flannery se leva, erra dans la pièce, revint se placer juste derrière Cassie.

– Cependant…

Il posa les mains sur ses épaules, plongea les doigts vers ses seins.

– … L'émotion rend aveugle, n'est-ce pas ? Ainsi, parce que je crois en vous, madame Rosse, je suis prêt à vous accorder la somme que vous me demandez. Claremore sera votre hypothèque, et les intérêts seront limités au taux de base, plus trois et demi pour cent.

– Trois et demi ? s'exclama-t-elle, en profitant de cet accès de désarroi pour se retourner et repousser les mains baladeuses de Flannery.

Celui-ci eut un mouvement de recul.

– Sachez, madame Rosse, que la plupart des gens réfléchiraient deux fois, avant de vous avancer un tel montant contre une garantie aussi précaire.

– Dans ce cas, je ferais peut-être mieux d'aller les consulter avant de me décider, dit-elle en se levant et en prenant sa veste.

Flannery se posta entre elle et la porte.

– Je vous prêterai tout ce que vous voudrez, madame Rosse, au taux de base plus un et demi…

– Oui, monsieur Flannery ?

– Je viens d'acquérir un ravissant cottage surplombant la mer à Kinsale. Je serais plus qu'honoré de vous y accueillir… ce week-end, par exemple ?

Cassie boutonna sa veste et la tira vers le bas. Elle fixa l'homme au visage trop blanc et trop lisse qui lui barrait le chemin de la sortie, mais pas de son avenir.

– Vous voulez coucher avec moi, c'est cela, monsieur Flannery ?

Il s'empourpra et se mit à trembler.

– Ce n'est pas exactement ce que j'ai dit, madame Rosse.

– C'était sous-entendu.

– Je pourrais vous accorder ce prêt au taux de base. Sans supplément.

– En échange d'un week-end à Kinsale.

– C'est un endroit charmant, vous savez. Peut-être connaissez-vous la région ?

– De réputation seulement, monsieur Flannery. Et l'hypothèque sur Claremore ?

Il sortit un mouchoir de la poche de son veston et le passa sur son front.

– Là-dessus, je suis obligé d'insister.

– Désolée. Je ne marche pas.

– C'est le règlement de la banque, madame Rosse.

Elle s'inclina, lui chatouilla le menton.

– Et vous, Flanny-chéri ? railla-t-elle. Vous n'avez pas de capital ?

Il réprima un cri.

– Pas de cet ordre-là.

– Quelles sont vos exigences, monsieur Flannery ? Si je vous donne ce que vous voulez, ne pourriez-vous pas en faire autant ? Ou dois-je vous facturer des intérêts, moi aussi ?

– Je ne suis pas sûr de saisir.

Cassie afficha un sourire, le saisit par le gras du bras et le poussa jusqu'à son fauteuil.

– Si vous voulez que je vienne vous voir à Kinsale, vous vous arrangerez pour demander cet emprunt de votre côté, sur vos biens propres. Et vous le prêterez, sans intérêts, à votre chère petite Cassie.

Une main de chaque côté du siège, elle obliqua vers lui. Elle avait de nouveau déboutonné la veste de son tailleur, et les objets de sa convoitise s'approchaient dangereusement de la figure de Flannery.

– Alors ? Qu'en dites-vous, *trésor* ?

– Oui, souffla-t-il. Oui, oui, bien sûr. Après tout, je ne vois pas pourquoi on ne trouverait pas un arrangement. Pourquoi pas, en effet ?

Cassie le dévisagea avec dureté. Quelques gouttes de transpiration perlaient sur son front, embuant ses lunettes. Elle lui pinça la joue.

– Tant mieux ! conclut-elle en s'écartant. S'il vous

paraît normal qu'une femme consente à vos désirs, la réciproque peut aussi s'appliquer, n'est-ce pas ?

Elle rassembla ses affaires et se précipita vers la sortie.

– Et... et ce week-end ? bredouilla-t-il.

– Je ne sais pas encore. Il faut que j'y réfléchisse.

Elle ouvrit et lança à la cantonade :

– Oyez ! Oyez ! M. Flannery veut bien me prêter de l'argent au taux de base plus trois et demi pour cent, en échange d'une partie de jambes en l'air au bord de la mer !

Flannery tenta désespérément de refermer la porte, mais Cassie l'en empêcha.

– D'après moi, ce n'est pas une très bonne affaire. Qu'en pensez-vous ?

Les employés qui, selon Erin, détestaient Flannery encore plus que Cassie, se mirent à rire. Quelques encouragements fusèrent. Cassie sourit, brandit un poing et abandonna le pauvre banquier à son humiliation. Sous les applaudissements des filles, elle se dirigea vers un guichet, vida tous ses comptes et les clôtura.

Une fois dans la rue, sous les regards ébahis de tous les membres du personnel, et de Flannery, qui s'était posté derrière la vitrine, elle dégonfla les quatre pneus de la voiture du directeur.

Puis elle s'engouffra dans son propre véhicule et démarra en trombe pour Claremore.

– Si j'avais l'argent, je vous aiderais, confia Dexter à Cassie, ce soir-là, tandis qu'ils buvaient un verre de vin sur la terrasse.

– C'est gentil d'y avoir songé, mais je ne pense pas avoir trop de mal à rassembler les fonds nécessaires. Le tout, c'est de savoir si le jeu en vaut la chandelle.

– Quand on voit ce qui se passe aujourd'hui en Amérique...

– Ici, nous sommes en Irlande, Dex, interrompit-elle avec un sourire. Ce qui se passe en Amérique aujourd'hui, les Irlandais y penseront au siècle prochain. Et ils se contenteront d'y réfléchir.

Elle remplit leurs verres et, pendant un moment, ils savourèrent le silence de la campagne. Au loin, Joséphine sautait des haies dans le paddock.

– Cette petite est douée, constata Dexter.

– Elle veut être la première fille à gagner le Grand National.

– Elle n'est donc pas au courant qu'Elizabeth Taylor y est déjà arrivée ?

Cassie rit aux éclats.

– Evidemment, rien ne nous oblige à nous confiner à l'Irlande. On pourrait se placer sur un plan international. Entrer en compétition directe avec toute la Grande-Bretagne. De plus, il me semble que nous devons viser non seulement les écuries de course, mais aussi les propriétaires privés et d'élevages. Les entraîneurs européens sont excessivement conservateurs. Ils ne jurent que par les flocons d'avoine. Mais l'exploitant lambda, qui ne cultive pas son propre fourrage, est bien obligé de passer par le marchand de céréales du coin. Les croquettes concentrées en nutriments essentiels présenteraient une alternative alléchante.

– J'ai l'impression que vous répétez un discours de représentant.

– C'est bien possible, Dex. J'ai rendez-vous avec la Banque d'Irlande lundi matin.

Tôt le dimanche soir, une Bentley bleu marine conduite par un chauffeur se gara en bas du perron, et Leonora en descendit. Cassie la reçut devant la porte.

– Tu ne m'invites pas à entrer ?

– Je ne sais pas. Je ne t'attendais pas.

– Bon, d'accord, grogna Leonora. J'étais de mauvaise humeur quand tu m'as rendu visite sans prévenir. Mais ça ne signifie pas que tu doives te comporter aussi mal que moi.

Cassie sourit et s'effaça. Leonora avait un don inimitable, celui de prendre ses adversaires à contre-pied.

– Cette maison est vraiment merveilleuse ! s'exclama Leonora en fonçant vers le salon. Mais il faut absolument que tu prennes contact avec Billsy.

– Qui est Billsy ?

Leonora se laissa choir sur un divan.

– Tu ne sais pas qui est Billsy ? Billsy Deane, ma cocotte. L'architecte d'intérieur numéro un de toute l'Irlande. Il va bientôt refaire tout le décor de Derry Na Loch sous forme de tentes plissées.

Cassie se demanda si Leonora avait perdu la tête. Elle décida que ce n'était pas le moment de pousser plus loin l'enquête.

– Je t'offre un verre ?

– L'heure du thé est passée, ma douce.

Leonora se mit à tousser, alluma une cigarette. Cassie lui versa à boire.

– Que veux-tu, Leonora ?

– J'ai entendu dire que tu avais besoin d'argent.

Leonora laissa tomber son briquet en or dans son sac.

– C'est faux.

– Très bien, si ça t'amuse de couper les cheveux en quatre, parlons plutôt d'investissement.

Leonora repoussa sa frange et fixa Cassie. Au bout de quelques secondes, elle sourit.

– Les rumeurs courent vite.

– Surtout en Irlande, renchérit Leonora. On me dit que tu cherches environ quinze mille livres.

– Environ.

– C'est trois fois rien. Je peux te les donner tout de suite.

Elle rouvrit son sac, en quête de son carnet de chèques.

– Attends une petite seconde ! Rien ne presse !

– Au contraire, je flaire une excellente affaire. Et comme tous les gens riches, j'aime ça. Que te proposent les banques ? Je suis prête à te concéder un point de plus, et je ne prendrai que vingt pour cent des bénéfices. Pas mal, pour commencer, non ?

– Range ton chéquier, Leonora. Je n'en veux pas.

– Oh ! Pour l'amour du ciel, assieds-toi sur ta fierté, pour une fois. Il ne s'agit pas de te faire une faveur, nom de nom, mais de conclure un marché.

– Justement, c'est pourquoi je ne veux pas de ton argent, déclara Cassie en allant se planter devant la fenêtre. Si c'était pour me rendre service, j'y aurais peut-être songé. Après tout, un sou est un sou. Mais je ne vois vraiment pas comment nous pourrions travailler ensemble. Tu es folle.

– Bien sûr que je suis folle ! Depuis le jour de ma naissance ! Et avec qui faut-il coucher, dans cette baraque, pour qu'on remplisse mon verre ?

Cassie s'exécuta tandis que Leonora écrasait son mégot d'un geste impatient.

– J'ai la tête sur les épaules. C'est la raison pour laquelle je refuse ton offre. En quel honneur récupérerais-tu vingt pour cent de mes bénéfices ? La banque peut me prêter la totalité de la somme, et je n'aurai à lui rembourser que les intérêts.

Leonora grimaça, se mordit l'intérieur de la joue.

– Mouais, marmonna-t-elle. Ce n'est pas qu'un problème d'argent. Dans les affaires, ce sont les relations qui comptent. Et personne ne connaît mieux que moi mon nouveau mari.

– Excuse-moi, mais j'ai complètement oublié ce qu'il fait, ce nouveau mari.

– Il gagne des fortunes. Une de ses activités secondaires, son hobby, si tu préfères…

Leonora prit le temps de souffler quelques ronds de fumée avant de poursuivre :

– … est une société, l'UFM. United Fodder Merchants. Ils fabriquent des aliments pour animaux.

Cassie soutint le regard de Leonora.

– Désolée. C'est non.

– Très bien ! lança Leonora en éteignant sa cigarette. Tu peux aller au diable.

Cassie alla jusqu'à la porte et l'ouvrit.

– Je crains de devoir te mettre dehors, à présent. J'attends des invités.

Leonora ramassa son sac et se mit debout.

Elle fixa Cassie avec un large sourire.

– Je sais.

Dexter Bryant comptait parmi les quelques amis qu'elle avait conviés à un repas simple autour de la table de la cuisine.

– Leonora savait-elle que vous veniez ce soir ? s'enquit Cassie pendant le dîner.

– En fait, oui.

– Comment ?

– Elle voulait que je passe la soirée avec elle à Derry Na Loch.

Le lendemain, ce fut l'un des sous-directeurs de la Banque d'Irlande, un certain M. Tuohy, qui écouta l'exposé de Cassie. Il lui affirma que la banque serait heureuse de lui accorder le prêt demandé, à condition d'hypothéquer Claremore. Les remboursements s'étaleraient sur trois ans. Il n'était plus question d'un week-end en tête à tête à Kinsale.

Tomas feignit l'indifférence. A son avis, Cassie était complètement cinglée d'imaginer que son entreprise pouvait réussir.

– Si Dieu le Père avait créé les chevaux pour qu'ils avalent des croquettes, on le saurait depuis des lustres !

Par l'un des lads, pourtant, Cassie apprit que Tomas les avait mis en garde : d'ici deux années au plus tard, il avait la ferme intention d'être multimillionnaire.

Après une étude de marché sérieuse et une analyse approfondie du projet, on convint que le moulin Peacock était un bon choix. La banque fut informée que Mme Rosse allait faire une offre lors des enchères qui devaient s'y tenir dès la première semaine d'août. En même temps, un agent d'élevage, ami de Cassie, lui avait rapporté divers échantillons de condensés alimentaires. Des tests de laboratoire étaient en cours, sur la base des recettes élaborées par Tomas, afin de déterminer ce qui composerait le futur « Concentré de Claremore ».

Grison, victime d'une toux qui s'était déclarée huit jours avant la course d'Ascot et avait entraîné son forfait du Prix Gold Cup, était de retour sur le terrain et se préparait pour le Prix Goodwood. Dermot Pryce était malheureusement hors circuit et, une fois de plus, ce fut Dexter Bryant qui vint à la rescousse. Après un premier essai à Leopardstown, le jockey se déclara confiant.

– Il n'aura pas de concurrents sérieux, et il me semble en pleine forme.

– Pourrez-vous le monter, Dex ?

– Ça dépend. Si vous me suppliez, ajouta-t-il en riant.

Cassie le pria d'être là, sans plus. Elle avait beaucoup d'affection pour Dexter ; l'adolescent maladroit était devenu un garçon dévoué, au charme naturel. Elle savait qu'il était attiré par elle, mais Tomas s'était débrouillé pour tailler la rose avant qu'elle ne puisse éclore.

– Votre jeune homme, patronne…

– Je n'ai pas de jeune homme, Tomas.

– A voir la façon dont il vous regarde, lui est convaincu du contraire.

– Si c'est à Dexter Bryant que vous faites allusion, Tomas…

– Vous ne vous imaginez tout de même pas que je vous parle de Sean Connery ? Je dis simplement que le jour où vous commencerez à l'écouter, lui ne vous écoutera plus.

– C'est-à-dire ?

– Exactement ça, madame Rosse. Il vaut mieux ne jamais franchir ce pas, dans notre métier.

– Je n'en ai aucune intention !

– Tant mieux, si vous tenez à ce qu'il continue de monter vos gagnants. Tant qu'il ne baisse pas son pantalon, il conservera son ambition.

Cassie avait bien failli se fâcher. Parce qu'elle savait que Tomas avait raison.

Elle avait beau protester haut et fort, elle avait de plus en plus de mal à se maîtriser lorsqu'ils étaient seuls. Pourtant, elle persistait à l'inviter à dîner avec les enfants dans l'intimité de la cuisine de Claremore. Sous le prétexte de se prouver combien elle était forte.

Pourtant, le dimanche précédant le meeting de Goodwood, Cassie faillit succomber à la tentation. Elle avait organisé un déjeuner, et Dexter comptait une fois de plus parmi les invités. Il avait traîné un peu, ostensiblement pour jouer avec les enfants. Cassie n'avait découvert sa présence qu'après le départ de tous les autres, quand elle l'avait vu remonter l'allée sur le dos de Rebond, Mathieu bien calé contre lui sur la selle, et Joséphine à ses côtés sur son poney. Le tableau était si touchant que, l'espace d'un instant, Cassie cessa d'aider Erin à débarrasser pour le regarder s'approcher. Dex les taquinait tous les deux, surtout Joséphine, qui avait les joues roses de plaisir.

– Je suis viré ! lança-t-il. Jeté ! C'est Mathieu qui va courir le Prix Goodwood !

– Et Dexter et moi, on va se marier ! intervint Joséphine. Demain.

– Mon Dieu ! Mon Dieu ! s'exclama Cassie en riant. Demain ? Jamais je n'aurai le temps de tout préparer !

– Ce sera très intime, précisa Dex. Il n'y aura que vous, Mathieu et les chevaux.

Après les avoir baignés, Cassie et Dex les bordèrent dans leur lit. Joséphine étreignit Dexter avec ferveur et lui fit promettre de ne pas être en retard pour le mariage.

Cassie riait encore dans l'escalier, quand soudain, elle se retrouva dans les bras de Dexter. Il la contemplait d'un air grave.

– Dexter... Dex...

Trop tard. Il avait réclamé ses lèvres. Elle protesta, il arrêta, puis l'embrassa de nouveau.

– Je rêve de ce moment depuis que je vous ai revue,

Cassie, chuchota-t-il. Non, à vrai dire, j'y pense depuis plus de douze ans.

– Dexter, je vous en prie, murmura-t-elle en essayant de le repousser.

– Je sais que vous éprouvez la même chose que moi.

– Je ne sais pas ce que je ressens ! s'écria-t-elle, presque indignée, en se détachant enfin de son étreinte. Je suis désolée, mais ce n'est pas juste.

– Quoi ? Notre baiser ? Pourquoi ? Ce qui est injuste, c'est tout ce temps que nous avons perdu.

Cassie s'assit sur le canapé et leva les yeux vers Dex. Il avait la même expression que la nuit où il était entré dans la chambre de Long Island.

– Depuis cette époque, Dex, j'ai été mariée. Tâchez de comprendre. J'ai été mariée, j'ai eu des bébés, j'ai perdu mon mari. Un homme que j'aimais profondément. Je ne suis plus du tout celle que vous avez connue autrefois en Amérique.

– C'est normal. Vous êtes encore plus merveilleuse. Je sais que je ne peux pas imaginer ce que vous avez subi. Il ne faut pas me le demander. Je vous aime telle que vous êtes aujourd'hui. C'est tout simple, Cassie. Vous êtes la femme la plus extraordinaire que je connaisse.

– Non, Dex… ce n'est pas possible, souffla-t-elle, tandis qu'il s'installait près d'elle. Il ne faut pas…

– Il ne faut pas quoi, Cassie ?

– Tomber amoureux de moi.

– C'est un peu tard.

Il lui prit la main.

– Dex, je ne sais pas ce que je ressens. Je ne sais pas ce que je veux. Je ne sais même pas si je suis encore capable d'avoir des sentiments. Je vous apprécie énormément, votre amitié m'est précieuse. Mais au-delà…

– Nous avons tout notre temps, Cassie.

– Le problème n'est pas là.

– Où est-il, alors ?

Cassie se réfugia dans un silence morose.

– Vous voulez dire que je ne suis pas assez bien pour vous, devina-t-il, sans malice, seulement curieux.

– Pas du tout.

– C'est peut-être le cas. Quel idiot je suis ! Vous savez quoi ? J'oublie sans arrêt à quel point tout est différent.

Il se mit debout pour arpenter la pièce, soudain très agité.

– Ou plutôt, non, rien n'a changé. Non... c'est ma faute, Cassie. Ne m'en veuillez pas. J'ai tendance à oublier qui vous êtes, où vous en êtes par rapport à moi. Je nous vois encore comme dans le passé, un garçon et une fille, c'est tout. Mais vous êtes Mme Rosse, veuve d'un entraîneur célèbre, sur la voie d'un succès personnel, et moi, je ne suis qu'un jockey professionnel au service de gens comme vous. C'est ça que vous pensez, n'est-ce pas ? Chacun doit rester à sa place ?

Cassie redressa la tête, mais fut incapable de soutenir son regard douloureux. Elle soupira. Dex s'agenouilla devant elle.

– Pardonnez-moi, Cassie. Je n'ai pas voulu être méchant.

– Vous n'avez pas à vous excuser, Dex. C'est moi qui devrais avoir des remords.

– De m'avoir envoûté ?

– De ne pas pouvoir vous aimer en retour. Ça n'a aucun rapport avec nos situations sociales respectives. Le problème, c'est que pour moi il est encore trop tôt. J'ai commis une erreur terrible en France, et...

– Et maintenant, vous avez peur. C'est compréhensible.

– Vous ne seriez pas une erreur, mais je risquerais de l'être pour vous, Dex. Parce que je ne me suis pas encore trouvée. J'ai besoin d'espace et de recul.

Elle essaya de lui sourire. En vain.

Dex lui effleura gentiment la joue.

– Je crois que je vais prendre la route. Je cours demain pour une dame entraîneur particulièrement redoutable.

Cassie le rattrapa.

– Pardonnez-moi, Dex. S'il vous plaît. Un peu de temps, c'est tout ce que je demande.

– On n'en a jamais assez.

Il lui serra le bras, puis disparut.

La semaine promettait d'être bonne. Le temps était superbe, Grison était au mieux de sa forme, le Prix Goodwood semblait presque gagné d'avance, tant le nombre de partants était réduit.

Si Grison remportait la course, Claremore empocherait une récompense qui dépasserait cette année-là les vingt mille livres.

– Je n'ai pas encore parié, confia-t-elle à Tomas, tandis qu'ils sellaient leur cheval. A quoi bon, s'il remporte la victoire ?

Elle n'avait qu'une seule angoisse : Dex. Il s'était présenté à l'entraînement le lundi matin, aimable et souriant comme à son habitude. Mais le mercredi, il s'était montré taciturne, et le matin du départ, alors qu'il devait accompagner Cassie et Tomas sur la piste pour une reconnaissance, il demeura invisible. A son retour à l'hôtel, Cassie trouva un message : il s'était enrhumé et, sous l'effet des médicaments, n'avait pas entendu son réveil.

Lorsqu'il apparut enfin, Cassie le trouva affreusement pâle.

– Ça va, Dex ?

– Oui, oui. Ce n'est qu'un mauvais rhume.

– Ça ne s'entend pas, fit remarquer Tomas.

– J'ai pris des cachets.

– Dommage que vous n'ayez pas été là pour le tour de reconnaissance, se plaignit Cassie. Le parcours est compliqué.

– J'en ai discuté avec mes collègues, patronne. Il n'y aura aucun problème. Bon, je fonce, ou je le retiens jusqu'à la dernière ligne droite ?

– Attaquez, ordonna Cassie. Le terrain est idéal. Il a plu cette nuit. Accélérez au bas de la colline, et surtout, si les autres commencent à vous rattraper, ne vous affolez pas. Laissez-les croire que vous allez fatiguer, et à trois cents mètres, donnez tout ce que vous pourrez.

Dexter suivit ces instructions à la lettre. Au bout de quatre cents mètres, il avait plus de dix longueurs d'avance. Le peloton s'étirait de plus en plus. Grison tenait bon. Sauf accident, l'affaire était dans le sac.

Ils atteignaient maintenant le croisement avec l'autre partie de la piste. Un grand virage à droite menait vers ce qui ne pouvait être, pour un jockey qui ne connaissait pas le parcours, que le chemin vers le poteau.

Ce n'était pas le cas.

Pourtant, Dexter l'emprunta. A son approche, il jeta un coup d'œil par-dessus son épaule. Les autres étaient loin derrière. Tout allait pour le mieux. Il guida son cheval vers la corde à sa droite. Dans les tribunes, les spectateurs se mirent à hurler. Le temps que Dexter réalise son erreur, et ses rivaux avaient gravi le monticule, sur la bonne voie. A travers ses jumelles, Cassie vit Dexter remonter ses lunettes. Puis il redémarra, au trot.

On procéda à une enquête. Dexter Bryant reçut une amende et un avertissement pour s'être trompé de parcours. Dès que le cheval fut dans son box, Cassie annonça à Tomas qu'elle retournait à l'hôtel. Il rétorqua que lui allait se soûler. Ni l'un, ni l'autre ne jugea utile de demander une explication au jockey. A quoi bon ? La course était bel et bien perdue.

Leonora rattrapa Cassie sur l'ère de stationnement et lui narra sa propre version de l'incident.

– C'est complètement fou ! s'exclama-t-elle. Cela dit, j'ai l'impression qu'il l'a fait exprès.

– Comment cela, Leonora ? Si tu t'apprêtes à lancer des accusations, j'espère que tu disposes de preuves suffisantes.

– Il se trouve que j'ai dîné avec Dex, la veille de son départ pour l'Angleterre. Nous avons évoqué le bon vieux temps. Tu sais ce que c'est.

Elle lui adressa un sourire par-dessus la flamme de son briquet.

– Je peux me tromper, enchaîna-t-elle, mais j'ai la nette sensation, ma chérie, que Dexter Bryant a été furieux d'apprendre que nous étions *toutes deux* à l'origine du fameux quiproquo à Long Island.

Un sentiment de haine submergea Cassie.

– Tu sais que c'est faux, Leonora. C'est toi qui avais rédigé le mot.

– Tu crois ? Vraiment ? Ah ! Peut-être. Je perds la mémoire, ces temps-ci. Tu as raison, je ferais mieux d'arrêter de boire.

Elle tourna les talons pour rejoindre son chauffeur, qui l'attendait devant la portière ouverte de sa limousine.

Cassie eut du mal à surmonter cet échec. Elle avait essayé de son mieux de suivre les traces de Tyrone, en évitant de placer tous ses espoirs sur une seule course, mais cette fois, son amertume était grande.

– Cassie McGann, lui avait-il toujours répété, lorsqu'elle s'apitoyait sur son sort, c'est le monde des courses. Un cheval perd, un autre gagne. Un cheval gagne, l'autre perd.

Cette fois-ci, c'était différent. Cette épreuve, ils auraient dû la remporter. Ils avaient purement et simplement été victimes d'un sabotage. Tout cela, à cause d'un mensonge.

Les conséquences étaient multiples. Sa relation avec Dexter était désormais irrévocablement condamnée. Il prendrait la défense de Leonora, et réfuterait tout ce qu'elle pourrait dire pour se justifier.

– Vous savez, patronne, lui confia Tomas, un matin, lorsque Cassie, à bout de forces, explosa. En Irlande, on dit volontiers que le mensonge est le jockey de la malchance. N'y pensez plus. Les menteurs ne trouvent jamais grâce aux yeux de Dieu.

– Pas plus que les jockeys tricheurs, j'espère.

Dexter ne revit pas Cassie de la saison. Elle était

tellement blessée, elle lui en voulait tant d'avoir délibérément raté sa course qu'elle l'évitait au maximum.

Le pire restait à venir. Selon des sources sûres, Cassie avait appris qu'elle était la seule à faire une offre pour le moulin Peacock. Et pourtant, à la dernière minute, un autre acheteur surgit, brisant tous les espoirs de la jeune femme. La propriété fut cédée aux représentants d'un certain Sir Robert Ando, propriétaire de la société United Fodder Merchants, le plus récent des maris de Leonora Von Wagner.

– Jésus, Marie, Joseph, Grison et le bœuf ! aboya Tomas sur le trajet du retour. Qu'est-ce que vous lui avez fait, à cette salope ? Sauf votre respect.

– Ce que je lui ai fait ?

– C'est la question que je vous pose, madame Rosse.

– Je l'ai battue lors d'un match de tennis. C'est tout.

Après des semaines de recherches et de négociations, ils purent enfin acquérir un autre moulin. Abandonné depuis plusieurs années, il était dans un état pitoyable. Cassie en profita pour le payer la moitié de la somme qu'elle avait prévu de mettre dans le premier.

– Et voilà ! clama Tomas, tandis qu'ils exploraient leur nouveau domaine. Qu'est-ce que je vous disais, à propos des contretemps ?

– Qu'à toute chose, malheur est bon, concéda-t-elle. Sauf que j'ai des doutes, Tomas. Nous allons devoir tout reconstruire, pierre par pierre.

Pour achever d'exaspérer Cassie, le moulin que venait d'acquérir le mari de Leonora fut détruit, pour être remplacé par un lotissement.

– D'ici peu, votre père va me sortir un dicton du type « jamais deux sans trois », confia-t-elle à Erin.

– C'est la vérité, madame, répliqua-t-elle en tartinant le pain de Mathieu d'une couche de miel. Comme les bébés portent bonheur, les malheurs arrivent toujours par trois.

La dernière épreuve tarda à survenir. Casablanca, le deux-ans de Joe Coughlan, remporta le Prix Athos à douze contre un. Avec cet argent, il demanda à Cassie de lui sélectionner un yearling.

– J'ai pensé que je pourrais faire comme Tyrone, expliqua-t-elle à Sheila Meath. Combiner le plaisir et les affaires. Tu n'as pas envie de prendre des vacances ?

Sheila accepta cette proposition avec allégresse, et Cassie en fut enchantée, à la fois parce qu'elle était sa meilleure amie, et aussi, parce qu'elle avait une grande habitude en matière d'achat de chevaux. Elles décidèrent de s'envoler après la Coupe Doncaster, à laquelle devait participer Grison.

Tous les espoirs étaient permis pour cette course. Malheureusement, le matin même, le cheval parut mal à l'aise, l'œil morne ; il n'avait pas d'appétit. A midi, il était couché dans sa stalle, en grande détresse.

Niall Brogan, qui accompagnait Cassie le plus souvent possible lors des épreuves importantes, lui sauva la vie juste à temps. Les tests révélèrent que la bête avait certainement été droguée.

– Avec tout ce qu'on lui a injecté, c'est un miracle qu'il s'en sorte. Mais je crains qu'il ne puisse plus jamais courir.

Cassie veilla Grison toute la journée et une partie de la nuit. Le vétérinaire avait envoyé l'un des lads acheter des matelas pneumatiques, qu'il avait glissés sous le malade.

A une heure du matin, Grison se redressa soudain. Tomas prit le relais, et Cassie put aller se reposer.

Le lendemain matin, Grison était debout et grignotait son foin. Après un examen approfondi, Niall Brogan annonça à Cassie qu'il était hors de danger et qu'elle pouvait partir comme prévu pour les Etats-Unis.

Cassie rentra à Claremore préparer ses bagages et embrasser ses enfants.

Un télégramme l'attendait sur la console de l'entrée. James Christiansen, le grand-oncle de Mary-Jo, le propriétaire de chevaux préféré de Cassie, venait de mourir dans son sommeil à l'âge de quatre-vingt-un ans.

21

La mère de Mary-Jo retrouva Cassie à l'aéroport de Pittsburgh. Elle arriva en retard, à bord d'une variante plus moderne, mais tout aussi bringuebalante, du break d'antan. Cassie était sur le trottoir, quand la vieille Oldsmobile ralentit. Mme Christiansen, qui n'avait pas pris une ride, baissa sa vitre, cherchant du regard son invitée.

– Cassie ! Tu n'as pas changé ! s'exclama-t-elle en l'étreignant sous la pluie battante. Tu es toujours aussi belle.

– Comment allez-vous, madame Christiansen ?

– Helen. Tu es assez grande maintenant pour m'appeler Helen. Viens vite, avant que nous ne soyons complètement trempées.

Cassie profita du long trajet dans la tempête pour demander des nouvelles de la famille. Mary-Jo était en Afrique et, d'après sa dernière lettre, elle allait bien. Ses deux jeunes frères s'étaient mariés, avaient de beaux enfants et de bonnes situations. Frank, l'aîné, âgé d'un peu plus de trente ans, s'était révélé un magicien des finances et venait d'être nommé à la direction du cabinet dans lequel il était employé depuis qu'il avait quitté l'université

Yale. Lui aussi s'était marié, avec la fille d'un millionnaire texan ; malheureusement, sa ravissante épouse avait péri dix-huit mois plus tard dans un accident à New York.

– Elle a été renversée par une voiture, et le chauffard s'est enfui. Par moments, j'ai l'impression qu'il ne s'en remettra jamais. Cette tragédie remonte à huit ans déjà. Il s'est totalement investi dans sa carrière. Il ne sort jamais. Il revient ici le week-end, mange, dort, puis repart se noyer dans le travail.

Cassie contempla le paysage gris et ruisselant en songeant à sa propre solitude. Elle, au moins, pouvait se consoler avec ses enfants.

Helen Christiansen brisa soudain le silence.

– Pardonne-moi, Cassie, j'ai manqué de tact.

– Au contraire, Helen, il faut bien parler de ces choses-là. Surtout à ceux qui peuvent comprendre.

Elle s'exprima sans amertume, sans la moindre trace de reproche. Helen Christiansen lui adressa un sourire reconnaissant alors qu'elle ralentissait au carrefour suivant.

– Comment t'en sors-tu, Cassie ? Est-ce que cela devient plus facile avec le temps ?

– Un peu. Un jour, je suppose que je me réveillerai en me disant : ça suffit, la vie continue. Mais pour le moment…

Elle se tut et se tourna de nouveau vers la vitre embuée, qu'elle essuya d'une main gantée.

– Si je n'avais pas eu les enfants, avoua-t-elle au bout de quelques instants, je ne sais pas comment j'aurais fait.

– D'après James, tu es la fille la plus courageuse qu'il ait jamais connue.

– J'ai eu beaucoup de chance de l'avoir pour ami.

– Comme nous tous.

De retour à la ferme après les obsèques, Cassie retrouva les frères de Mary-Jo, leurs épouses et leur progéniture. Les années semblaient n'avoir guère eu de prise sur eux. Leurs visages parsemés de taches de rousseur, leurs yeux pétillants étaient les mêmes. Ils bouillonnaient d'énergie. Pete, le cadet, avait encore ce petit air malicieux du coquin qui fait des farces. Il s'était marié avec une violoniste, tout aussi espiègle que lui. Bill, toujours aussi séduisant, avait capturé, affirmait-il, « la plus ravissante créature de l'Etat de Virginie ».

– Je te trouve superbe, Cassie. Vraiment, assura-t-il. D'ailleurs, j'ai toujours pensé que tu étais la plus jolie des amies de Mary-Jo.

– Je parie que tu disais cela de toutes ses copines, répliqua-t-elle en souriant.

– Tu plaisantes ! Tu n'as tout de même pas oublié sainte Antoinette ? Même une fois ses dents arrangées, elle ressemblait à un cheval.

– Doucement, frérot, intervint Pete. Il vaudrait mieux éviter de dénigrer la passion de Cassie.

– En tout cas, son dévouement et celui de son défunt mari ont fait le bonheur des dernières années de notre grand-oncle, prononça une voix derrière elle.

Elle se retourna pour découvrir Frank, l'aîné des garçons, solennel comme à son habitude.

– Bonjour, Frank, murmura-t-elle, subitement intimidée par cet homme avec lequel elle partageait autant de griefs secrets. Comment vas-tu ?

– Bien, Cassie. Quant à toi, tu es magnifique !

– C'est ce que je viens de lui dire, riposta Bill en riant.

En un éclair, Cassie se vit transportée dans le passé, à l'instant précis où tous les enfants avaient déboulé de la vieille voiture devant la gare.

– Va donc flirter avec ta femme. Je vais m'occuper de notre invitée.

Les retrouvailles s'effectuaient en toute simplicité : c'était un peu comme s'ils ne s'étaient jamais quittés. Frank était au courant des soucis de Cassie, puisque c'était lui qui avait veillé sur les intérêts de James Christiansen en matière de courses de chevaux.

– Il était vraiment triste de ne pas avoir pu vous rendre visite en Irlande. Il adorait ton mari. Le soir où ils se sont rencontrés, ils ont discuté toute la nuit en compagnie d'une bouteille de Jack Daniels. Ils ont réveillé la maisonnée entière, avec leurs éclats de rire. La nouvelle du décès de Tyrone m'a bouleversé.

– J'avais oublié que tu le connaissais.

– Oui. J'étais là, le week-end où Tyrone est venu. Il nous a conquis. Au point que j'ai failli prendre l'avion avec lui pour venir m'installer en Irlande.

– C'était un être exceptionnel. Imagine un peu ce que c'était que d'être courtisée par lui.

– Pure folie, devina-t-il. Tu viens te promener ?

Ils marchèrent longtemps, parlèrent de tout et de rien. Cassie se rendit compte qu'elle pouvait évoquer son existence avec Tyrone comme elle ne l'avait jamais osé depuis l'accident. Elle raconta à Frank des anecdotes de toutes sortes, leurs joies, leurs triomphes et leurs déceptions.

– Quelle chance tu as, murmura-t-il enfin. A t'entendre, votre couple était très soudé.

– C'est vrai.

– Tu peux en être fière. De mon côté, avec Susanna, je crois que nous aurions vécu la même chose. C'était une femme extraordinaire. Tu l'aurais aimée, Cassie. Tout le monde l'aimait.

Ils s'étaient approchés de la barrière érigée le long du pré où Cassie et Mary-Jo avaient si souvent admiré Prince. Elle sombra dans un silence songeur, le regard sur les chevaux qui erraient en remuant la queue pour chasser les mouches.

Elle n'était pas mélancolique : pour la première fois, elle venait de parler de Tyrone avec joie, et un amour renouvelé. Tyrone n'était plus là, mais désormais, elle l'imaginerait dans un rayon de soleil, et non derrière un voile de larmes. Une étrange sensation d'euphorie la submergea.

Elle se tourna vers Frank, qui mâchouillait un brin d'herbe, perdu dans ses pensées.

– Je ne sais pas comment l'exprimer. Je ne suis même pas sûre que cela ait du sens...

– Ce n'est pas la peine, Cassie. Si tu éprouves la même chose que moi.

– J'ai l'impression d'avoir franchi un pas énorme.

– Moi aussi, chuchota-t-il.

Il lui sourit avec bonheur.

– C'est exactement mon sentiment.

Ils s'envolèrent ensemble pour New York, heureux de rester en compagnie l'un de l'autre.

– Un de ces jours, annonça Frank quelque part au-dessus de la Pennsylvanie, j'aurai deux ou trois chevaux de course. C'est toi qui seras mon entraîneur.

– C'est une idée. Mais tu ne préfères pas les garder ici, en Amérique ?

– Je n'aurais plus aucun prétexte pour te rendre visite en Irlande. Le problème, à l'heure actuelle, c'est que je ne dispose pas personnellement des fonds nécessaires. Je crains que mes partenaires, plutôt conservateurs, ne renoncent à cette sorte d'investissement.

– Ils auraient tort. Le marché ne va pas tarder à exploser.

– J'aurai du mal à les en persuader.

– Vous intéressez-vous parfois aux petites entreprises ?

– Evidemment. Jour après jour. Si elles présentent un potentiel d'expansion.

– Accepteriez-vous de vous pencher sur mon cas ?

Il la dévisagea.

– Ce serait un plaisir et un honneur.

Pendant le reste du trajet, Cassie lui expliqua en long et en large son projet de fabriquer et de vendre des concentrés alimentaires pour chevaux. Elle lui exposa tous les résultats des diverses études de marché déjà effectuées. Frank l'écouta attentivement, lui posa quelques questions.

Dans le taxi qui devait les mener à Manhattan, Frank

promit à Cassie d'examiner de près sa proposition. Elle aurait une réponse avant de repartir pour l'Europe.

Avant de se rendre dans le Kentucky, où Sheila Meath avait déjà présélectionné quelques yearlings, Cassie tenta de joindre Gina. Un service de secrétariat téléphonique lui apprit que Gina s'appelait désormais Meryl Hope, et qu'elle était actuellement en tournage. Si Mme Rosse voulait laisser un message, il serait transmis dès que possible à Mlle Hope. Cassie donna les coordonnées de son hôtel en précisant qu'elle ne restait à New York que vingt-quatre heures.

Lorsqu'elle revint d'une séance de lèche-vitrines et d'un déjeuner avec Frank Christiansen, Gina lui avait répondu. Elle l'invitait à dîner le soir même dans son nouvel appartement de la 50e Rue Est. Cassie arriva à dix-neuf heures, comme convenu. La bonne qui lui ouvrit annonça que Mlle Hope avait été retardée sur le plateau. Elle prit son manteau et la conduisit dans un vaste salon. Vision incongrue dans ce décor tout en chromes et en miroir, Mme Roebuck était assise sur le canapé en cuir noir.

Cassie n'en croyait pas ses yeux. Elle avait eu l'intention de passer à Westboro Falls si elle en avait le temps.

– J'avais demandé à Gina de garder le secret, dit Mme Roebuck en se levant péniblement. Pour la surprise. Mon Dieu, que tu es jolie !

Cassie l'embrassa tendrement sur la joue, et elles s'assirent toutes les deux. Elle avait déjà remarqué les mains déformées par l'arthrite. Malgré ses vêtements neufs et sa coiffure soignée, Mme Roebuck n'avait plus rien de la dame pétillante et joyeuse que Cassie avait connue dans son enfance. Son visage irradiait toujours autant de bonté, mais il était bouffi, sans doute à cause des remèdes que les médecins devaient lui prescrire pour apaiser la douleur.

– C'est affreusement douloureux, avoua Mme Roebuck sans pour autant se plaindre. Ils m'ont donné des stéroïdes, mais je les supportais mal. Je ne souffrais plus, mais... regarde un peu comme j'ai grossi. Et je commençais à avoir des poils partout, comme un singe ! Maintenant, ils ont modifié le traitement, mais en toute franchise, Cassie, je préférerais qu'ils me laissent tranquille.

Mme Roebuck croisa prudemment les mains sur ses genoux. Autrefois, elle aurait tapoté la cuisse de Cassie, ou bien elle lui aurait pincé la joue. Aujourd'hui, elle ne pouvait que lui sourire. Mais une petite lueur de joie dansait dans ses prunelles.

– Que se passe-t-il à Westboro ? J'avais l'intention de vous rendre visite à mon retour du Kentucky.

– Je suis contente que tu puisses t'économiser cette fatigue. La ville est méconnaissable.

Elle lui expliqua combien tout avait changé, surtout depuis cinq ans lorsque les militaires s'y étaient installés.

– Une histoire de défense du territoire, dit Mme Roebuck. C'était soi-disant top secret, mais on voyait bien les énormes trous qu'ils creusaient partout.

La maladie ayant gagné du terrain, elle avait eu de plus en plus de mal à se débrouiller toute seule. Gina avait insisté pour qu'elle vienne s'installer avec elle à New York et consulte les plus grands spécialistes. Mme Roebuck avait tergiversé un moment, mais le choix était restreint : si elle refusait cette solution, elle serait obligée d'aller en maison de retraite.

– Vous voulez dire que votre fils et sa femme ont refusé de vous prendre chez eux ? s'écria Cassie, stupéfaite.

– Ma belle-fille était d'accord, Cassie. C'est ça le plus curieux. Jeannie le souhaitait, mais c'est lui qui n'a pas voulu. Il prétendait qu'il devait protéger avant tout sa propre existence et son couple. Il n'avait pas tort.

Par bonheur, après avoir brillamment réussi une carrière de mannequin, Gina avait devant elle un avenir prometteur d'actrice. Elle avait assez de cœur et d'argent pour accueillir sa grand-mère. Mme Roebuck assura qu'elle adorait New York : l'atmosphère de la métropole était excitante et, grâce à Gina, elle rencontrait toutes sortes de gens passionnants. Westboro Falls ne lui manquait pas du tout.

Cependant, en l'observant à la dérobée, Cassie sentit qu'en dépit du somptueux pull en cachemire, de la belle jupe en laine et des mocassins en cuir fin, Mme Roebuck aurait été plus à l'aise chez elle, en tablier, à se réchauffer devant son poêle. Militaires ou pas.

Gina arriva avec une heure et demie de retard. Elle était plus belle que jamais, même si, selon son propre aveu, elle était « fringuée comme l'as de pique ».

– C'est la mode, Cassie. Dès qu'on a atteint le sommet, on doit se donner l'air de toucher le RMI.

Le succès de Gina était incontestable. Elle avait amassé une jolie fortune en tant que mannequin vedette. Puis on lui avait proposé quelques figurations au cinéma. Elle les avait acceptées, pour rire. Jusqu'au jour où Danny Browne, convaincu de son talent, lui avait offert le second rôle dans son nouveau film.

– Il faut absolument que tu le rencontres, Cassie, lui dit Gina alors qu'elles s'attablaient devant un festin de homard frais préparé par le couple de domestiques philippins. Il est encore plus petit à la ville qu'à l'écran. Il ne doit pas mesurer plus d'un mètre soixante. C'est un type terriblement sérieux. Et hypocondriaque. Il veut m'épouser.

– Et… ?

Gina jeta un coup d'œil vers sa grand-mère, puis s'esclaffa en posant une main sur celle de Cassie.

– Tu m'imagines dans une famille juive ? Il est adorable, et je n'ai rien contre sa religion ; je serais même prête à apprendre les secrets de la cuisine kasher. Mais tu sais ce que c'est : née catholique… je ne franchirai jamais la première étape.

– Il souhaite que tu te convertisses ? insista Cassie.

– Il est prêt à le faire, lui. Mais c'est sa famille. Le sujet est tabou.

Mme Roebuck s'excusa peu après le dessert et annonça qu'elle allait se coucher.

– Je pars à l'aube demain pour le Kentucky, lui dit Cassie. Je ne vous reverrai sans doute plus avant mon prochain séjour.

– Si tu attends encore dix ans, tu ne me reverras jamais.

Cassie prit la vieille dame par les épaules et l'embrassa tendrement.

– Bonne nuit, madame Roebuck.

– Au revoir, Cassie chérie.

Cassie la regarda s'éloigner en direction de sa chambre, assistée par la bonne. Comme Mme Roebuck, elle savait que cette rencontre était probablement la dernière. La porte se referma. Encore un chapitre qui se clôturait.

Gina lui versa un verre de vin, et elles s'installèrent sur l'énorme sofa en cuir. Elles bavardèrent longuement, évoquant leurs existences respectives, les vieux amis et le futur.

– Ta grand-mère m'a dit que Maria s'était mariée et qu'elle avait trois enfants. C'est épatant !

– Elle a épousé un comptable, Cassie, et elle s'ennuie à périr. Sais-tu ce qu'il fait quand il rentre à la maison, le soir ? Il s'empare du chiffon à poussière. Il inspecte tout, remet le moindre bibelot d'aplomb, comme il les avait placés la veille. Si j'étais Maria, je le pousserais au bord d'une falaise. Mais à quoi bon le tuer ? Il est déjà mort.

Un silence pesant les enveloppa. Gina s'empressa de remplir leurs verres.

– Bon ! souffla-t-elle. Il fallait bien que je fasse une gaffe à un moment ou à un autre.

– Tu n'as rien dit de mal, la rassura Cassie.

– Non ?

– Absolument pas. On ne peut pas passer la soirée à discuter comme deux vieilles copines sans mentionner Tyrone.

Soulagée, Gina se cala contre un coussin, jambes repliées vers elle.

– Merci. Tu as envie d'en parler ?

– Pas franchement. C'est étrange, tu sais, Gina. On perd quelqu'un qu'on aime, on désire s'en ouvrir aux autres, mais personne ne veut le savoir. Et dès qu'on émerge, qu'on éprouve moins le besoin de se répandre, tout le monde se met à poser des questions.

– Mmm...

Cassie ne s'étendit pas davantage. Depuis sa conversation avec Frank, elle se sentait libérée. Elle se contenta donc de satisfaire la curiosité de son amie. Depuis sa visite chez les Christiansen, elle était soulagée d'un énorme fardeau.

– J'ai eu des moments éprouvants. C'est difficile à expliquer. D'un côté, on ne supporte pas de penser à la personne qu'on vient de perdre, parce que la douleur est trop intense. De l'autre, on est obsédé par les souvenirs. Quoi qu'on fasse, on a la sensation de trahir sa mémoire.

– Tu commences à peine à songer à toi, Cassie. D'après ce que je comprends, tu n'oublieras jamais Tyrone. Mais tu ne peux pas non plus rester indéfiniment tournée vers le passé.

– Exactement, Gina. C'est ce dont j'ai enfin pris conscience hier, à Locksfield.

Le voyage dans l'Etat du Kentucky fut à la fois plaisant et fructueux. Cassie établit de nombreux contacts nouveaux et dénicha un magnifique yearling pour Joe Coughlan. De plus, Sheila Meath la persuada d'acquérir une jument issue du fils du grand Mahmoud, qui allait bientôt mettre bas un poulain de l'étalon Sir Jack. Le propriétaire, un joueur invétéré qui venait de tout perdre sur les tables de Las Vegas, était pressé de la vendre.

– Pourquoi m'encombrer d'une jument supplémentaire ? gémit Cassie, alors qu'elles organisaient le transfert de l'animal jusqu'à Dublin. J'ai encore Gracie.

– Il est temps que tu élargisses ta palette. A moins que tu ne tiennes à croiser tous tes chevaux, et à n'avoir plus qu'une écurie de fin de race. De toute façon, celle-ci est superbe, et à mon avis, son petit devrait être de la même veine.

Au bout d'une semaine de trajets dans tous les recoins de la campagne, Cassie et Sheila regagnèrent New York pour profiter d'une demi-journée dans la ville avant de s'envoler pour l'Irlande. Sheila partit déjeuner avec son vieil ami l'ambassadeur de Grande-Bretagne. Cassie avait rendez-vous avec Frank Christiansen.

– Tu veux la bonne nouvelle, ou la mauvaise ? attaqua-t-il dès l'apéritif. La mauvaise, c'est que nous ne parvenons pas à nous mettre d'accord sur la somme que tu m'as demandée.

Cassie fit de son mieux pour masquer sa déception. Frank la fixa par-dessus son verre de Martini.

– Pourquoi ?

– Pour toutes sortes de raisons. D'une part, ce n'est pas assez. Non, non, je ne plaisante pas ! Je suis très sérieux. Ce que tu réclames, c'est ce que nous mettons dans l'achat de serviettes-éponges pour les toilettes de la direction. Les « costumes trois pièces » froncent le nez si tu vises en dessous de… disons cent mille. C'est bien le chiffre que tu m'as soumis.

– Je n'ai pas besoin de tout ça, Frank. Il me faut juste de quoi démarrer.

– Tu auras cent mille dollars, et tu vas les dépenser jusqu'au dernier sou. On ne vend pas des automobiles en exposant quelques pneus en vitrine. Les gens veulent voir la voiture. Ils veulent l'essayer. Avec tes concentrés alimentaires, ce sera pareil. Les acheteurs ne vont pas se précipiter chez toi. Ils vont vouloir trouver tes produits partout où ils iront. Ils exigeront des échantillons. Ils voudront des pages de publicité dans leurs magazines favoris. Ils n'en fourniront pas un gramme au poney de leur fils s'ils ne sont pas certains que c'est un succès. Le truc, c'est de dégoter quelqu'un en manque de fonds et de lui proposer de l'aide. Sous forme de parrainage. Si ta spécialité est aussi remarquable que tu le prétends, tôt ou tard, tu tomberas sur un gagnant.

– C'est aussi facile que cela.

– C'est aussi difficile que cela, et c'est la raison pour laquelle nous allons commencer par cent mille dollars. Je suis d'accord avec toi : le marché est mûr. D'ici dix ans, il sera méconnaissable.

Cassie but le reste de son cocktail.

– Quelles sont les conditions ? s'enquit-elle en se remémorant l'incident du week-end à Kinsale. Je ne suis pas sûre qu'elles me conviennent.

– Il y en a une, mais je doute que tu y fasses objection, Cassie. Débrouille-toi pour faire des bénéfices. Ensuite, avec mes indemnités, je te chargerai de me sélectionner un gagnant du Derby.

Le démarrage fut délicat. Comme prévu, rares étaient les entraîneurs intéressés par ce nouveau produit qui envahissait le marché, même si, d'un point de vue purement alimentaire, les Concentrés Claremore étaient nettement supérieurs aux régimes fabriqués par la plupart.

– Ecoutez-moi bien, déclara un vétéran de Lambourn, dans le Berkshire, au représentant de la société. Je m'occupe de chevaux depuis bien avant votre naissance. Vous ne pouvez rien m'apprendre que je ne sache déjà.

– Très bien, monsieur, répondit le jeune homme. Quel est le contenu de fibres et de protéines de vos flocons d'avoine, comparé à nos croquettes ? Et quelles sont les vitamines essentielles à la structure musculaire de vos bêtes ?

La question était restée sans réponse, et le représentant était reparti sans avoir signé son bon de commande.

Seuls, huit pour cent des entraîneurs professionnels daignèrent essayer les Concentrés Claremore au cours de la première saison. Parmi eux, cinq pour cent seulement décidèrent de s'en servir régulièrement. Cependant, sur ces derniers, trois pour cent enregistrèrent un nombre record de victoires, et aucun des chevaux ne manifesta le moindre problème digestif. Si le succès de l'entreprise était timide, il n'en était pas moins encourageant.

Les privés réagissaient beaucoup mieux que les professionnels. Aux yeux des petits propriétaires, outre l'aspect pratique, ces croquettes permettaient une économie substantielle. Le « mélange standard », un dosage équilibré des nutriments, minéraux et vitamines destinés à des chevaux normalement sollicités, connut un succès immédiat et permit à la société d'assurer ses bases.

– Ça ne marchera jamais, prophétisa Tomas. Encore moins en Angleterre. Ils diront tous que c'est trop américain. C'est comme ce qu'ils mangent là-bas, à ce qu'il paraît. Les homburgures et les hotte-deugs. Ces trucs-là, ça ne prendra jamais de ce côté-ci de l'Atlantique.

Sheila conseilla à son amie de suivre les conseils de Frank.

– Ton copain américain a raison : ce qu'il te faut, c'est un jockey qui ne nourrira son cheval qu'avec tes produits et ira remporter une grande course, de préférence télévisée.

– Moi ! se proposa aussitôt Joséphine. Je monterai Blackstuff, et je gagnerai une catégorie à Ballsbridge !

– Je ne doute pas de tes talents, ma chérie, répondit sa mère. Mais il me semble que tu vises un tout petit peu trop haut pour le moment.

– D'accord, mais quand tu voudras, on sera prêts !

Les enfants étant couchés, Cassie et Sheila reprirent un verre de vin. Soudain, Cassie abattit son poing sur la table.

– Nom de nom, Sheila ! Nous prenons le problème à l'envers. Ce qu'il faut faire, c'est annoncer nos projets et les mettre à exécution.

– Plus tu vis chez nous, plus tu deviens irlandaise, plaisanta Sheila.

Cassie ignora cette remarque et entreprit de lui exposer son plan. Plus elle parlait, plus Sheila ouvrait grand les yeux. Il suffisait de clamer haut et fort que les Concentrés Claremore produisaient des gagnants, et que la saison prochaine, afin de prouver la valeur de ce produit alimentaire révolutionnaire, la société nourrirait et parrainerait un cheval capable de remporter une belle victoire.

– Auquel penses-tu ? Badminton ? Ou un autre, encore plus réputé ?

– Peu importe si c'est un inconnu, rétorqua Cassie contre toute logique. Nous aurons fait de notre mieux, le cheval aussi, et la publicité autour de l'événement nous aura mis en valeur. Le public ne tardera pas à oublier nos promesses. Je te parie même qu'au bout d'un mois, personne ne se rappellera le nom du gagnant. En revanche, les Concentrés Claremore seront à jamais gravés dans les esprits.

Sheila la dévisagea longuement.

– M. Rosse a vraiment déteint sur toi, mon amie. Et maintenant, je suppose que tu veux que je le trouve, ton fameux cheval ?

– S'il te plaît. Nous mettrons une annonce pour le jockey.

En apparence, c'était un pari complètement fou. Mais comme souvent, il finit par payer, bien que les événements ne se fussent pas déroulés tout à fait comme Cassie l'avait envisagé. Sheila Meath avait un cousin, propriétaire d'un bon cheval, dont le jockey s'était blessé. Cassie rédigea une petite annonce qui lui valut plus de deux cents réponses. Parmi celles-ci, elle en sélectionna une douzaine. A la suite d'une série d'entretiens, elle retint une jeune Anglaise, Mary Taylor-Walker, déjà repérée par certains connaisseurs. Tout se passa comme prévu. La campagne publicitaire attira l'attention, et le cheval arriva troisième dans une épreuve de niveau intermédiaire. Lors des trois courses suivantes, il se plaça entre la huitième et la quatrième place, mais ses progrès étaient visibles.

Le but était de gagner à Norlands Park, dans le Worcestershire, au mois d'octobre. Il faillit être atteint. Au début de la troisième manche du meeting, qui s'étalait sur deux jours, le cheval était premier, ex aequo avec deux autres. Nettement supérieur à ses adversaires, il était le grand favori. Malheureusement, aux trois quarts du parcours de cross-country, un chien surgit sur son passage, provoquant une chute de l'animal et de sa cavalière. Il y eut plus de peur que de mal, mais toutes les chances étaient perdues pour la saison.

Cassie et Sheila étaient venues d'Irlande pour assister à la manifestation. Elles se précipitèrent au bar pour commenter cet échec.

Ce fut Amanda Holford, sur Without Equal, qui empocha la victoire. Cassie fut surprise que la jeune femme lui adresse un sourire après la remise des récompenses, car elle ne l'avait jamais rencontrée.

Peu après, alors qu'elle regagnait le parking avec Sheila, elle entendit quelqu'un leur courir après. Elles se retournèrent. Amanda leur faisait de grands signes.

– Désolée, lança-t-elle, à bout de souffle, en les rattrapant. Je voulais à tout prix vous parler, avant que vous ne repartiez pour l'Irlande.

– A quel sujet ? Au fait, toutes mes félicitations.

– Merci. C'est vraiment dommage pour vous. Quelle malchance. Mais on dit que la malchance des uns fait la chance des autres. Justement, aujourd'hui, ma chance sera la vôtre.

Elle les observa tour à tour, le visage fendu d'un large sourire.

– Comment cela ? demanda Cassie.

– Je suis à la recherche d'un nouveau sponsor pour la saison prochaine. Je me demandais si ça pourrait vous intéresser.

– Euh… tout dépend, mademoiselle Holford.

– Mandy, rectifia-t-elle en ôtant son casque. Excusez-moi… de quoi est-ce que cela dépend ?

– D'un certain nombre de « costumes trois pièces », comme les appelle mon associé, de l'autre côté de l'Atlantique.

– A votre place, je ne m'inquiéterais pas trop de leur réaction. Je pense qu'ils seront enchantés d'apprendre la nouvelle.

– Quelle nouvelle, Mandy ?

– Oh, rien de spectaculaire, sinon que je nourris Without Equal de vos Concentrés Claremore depuis le début de l'année.

INTERMÈDE II

– C'est ainsi que débuta votre longue, et je crois heureuse, association avec Amanda Holford, n'est-ce pas ?

L'homme aux cheveux blancs cessa momentanément de prendre des notes. Il dévisagea Cassie, qui s'était arrêtée devant une photographie de Mandy, prise le jour où elle avait remporté le célèbre meeting de Badminton avec Without Equal.

– Ce fut aussi le tournant décisif pour notre affaire. Et de manière accidentelle.

– En effet.

– Le fait de parrainer Mandy, et son ascension en flèche dans la profession, ont suffi à convaincre les clients. Naturellement, Mandy avait carte blanche concernant les épreuves auxquelles elle décidait de participer. Je ne connaissais rien à ce domaine. Sheila Meath s'est chargée de cet aspect-là du projet. De notre côté, le succès de notre produit alimentaire signifiait pour Claremore l'indépendance financière. Notre établissement est devenu l'un des plus réputés des îles Britanniques. La modernisation des équipements n'impliquait pas que je sois un meilleur entraîneur, mais j'avais les moyens d'agir. Par ailleurs, les propriétaires intéressés par la qualité de nos services et encouragés par la bonne impression qu'ils avaient eue du site, n'hésitaient plus à nous confier leurs chevaux. Vous verrez tout cela pendant la visite. Nous avons même un laboratoire pour les analyses de sang.

– Pardonnez-moi, mais pour citer Duke Ellington, « *it don't mean a thing, if you ain't got that swing* ». Ça ne sert à rien de danser quand on n'a pas le rythme dans la peau. Apparemment, vous l'avez.

– Mes musiciens l'ont.

– C'est plus que cela, il me semble. Quel est votre secret ?

– La chance, répliqua Cassie. La chance, l'esprit ouvert, et surtout, beaucoup de patience.

– Vous avez attendu longtemps votre licence.

Cassie secoua la tête en souriant.

– J'aurais pu l'obtenir plus tôt, mais on m'avait expliqué qu'il valait mieux ne pas précipiter les choses.

– Qui, « on » ?

– Tomas, mon chef lad. Tomas Muldoon. Il fallait qu'il me déclare prête. Ou plutôt, pour employer son jargon, que je sois « bien dans le coup ».

– Ce qui fut… ?

– Juste après notre victoire pour Joe Coughlan, au Prix Gimcrack de York. Avec le cheval que Sheila Meath et moi avions sélectionné lors de notre séjour dans le Kentucky. Il était trop gros. Tomas voulait attendre un peu avant de le faire courir. J'étais de l'avis contraire : c'était l'occasion pour lui de mincir. En général, j'évite de présenter trop tôt mes deux-ans. Mais celui-ci avait un tel dynamisme… Il était exceptionnel. J'ai insisté lourdement. Avec raison.

Le journaliste gribouilla quelques mots dans son carnet, puis du bout de son stylo, désigna le pare-feu.

– Ce logo a-t-il une signification particulière ?

– Ce « logo », comme vous dites, ce sont les armoiries de la famille de mon mari. Et sa devise.

– Compassion, dévouement, célébration. Ce sont les noms de vos trois meilleurs chevaux, n'est-ce pas ?

– Oui. Sans oublier Graceful Lady, la mère, et Célébration, l'étalon.

22

Novembre 1985

Frank Christiansen attendait Cassie à l'aéroport de Washington. Au cours du dîner, ils discutèrent des chances du cheval de Frank, Ready Steady, dans la course du lendemain, le Prix International Washington, à Laurel Park.

– J'ai déjà pris contact avec Liam, annonça-t-elle. Il me dit que Ready Steady n'a pas bien supporté le voyage. C'est curieux, parce qu'il a déjà survolé l'Atlantique à plusieurs reprises sans en souffrir.

– A mon avis, le parcours est un peu court pour lui.

– Quoi qu'il en soit, Frank, je suis heureuse de te revoir.

Ils étaient devenus amants trois ans après leurs retrouvailles aux obsèques de James Christiansen. Frank était venu la voir en Irlande, et était tombé amoureux du pays comme de la jeune femme.

– A vrai dire, ce n'est pas vrai, lui avait-il confié, sourcils froncés, tandis qu'ils exploraient les collines au-dessus de Claremore. Depuis que je t'ai revue à Locksfield, je ne pense qu'à toi.

– C'est réciproque, avait-elle avoué.

Ils s'étaient rendus ensemble en Angleterre pour voir

courir Amanda à Burghley. Ensuite, Frank ayant très envie de découvrir la campagne, ils avaient traversé le Yorkshire, jusqu'à la région des lacs, où ils devaient passer la nuit. Ils y étaient restés trois jours.

L'hôtel de Sharrow Bay, qui surplombait les eaux placides de l'Ullswater, prêtait au romantisme. Le décor était intimiste à souhait, la nourriture exquise. C'était Frank qui avait pris l'initiative :

– Je me suis permis de réserver une chambre double, avait-il déclaré avec un sourire coquin, sur la route. J'espère que ça ne t'ennuie pas.

– Le contraire m'aurait vexée.

Ils avaient passé leur temps à manger, dormir, marcher et faire l'amour. Cassie ne ressentait pas la passion qu'elle avait eue pour Tyrone, mais elle n'était plus à la recherche de ce genre de sentiment. Lorsque Frank s'était inquiété de ses performances, comparées à celles de son mari, Cassie l'avait embrassé en le rassurant. Ils étaient très différents l'un de l'autre, ce qui expliquait sans doute l'attachement qu'elle avait désormais pour Frank.

– Depuis que nous nous sommes retrouvés, j'ai cessé de regarder par-dessus mon épaule. Le passé est le passé.

L'éventualité d'un mariage n'avait été évoquée qu'une seule fois, lors d'un des fréquents séjours de Cassie aux Etats-Unis. Ils étaient dans la voiture, en route pour rendre visite aux parents de Frank.

– Après ton dernier voyage, ils m'ont demandé quels étaient nos projets.

– Autrement dit : y a-t-il du mariage dans l'air ?

– Je suppose que c'est cela.

– Que leur as-tu répondu, Frank ?

– Qu'il n'en était pas question pour le moment.

– Sans me consulter ?

– Tu veux qu'on se marie ?

– Non.

Le sujet n'avait plus jamais été abordé.

Jusqu'à maintenant. Ils étaient tous deux allongés sur

le lit, dans une suite luxueuse. Cassie étudiait les pronostics du lendemain, tandis que Frank, les mains croisées derrière la nuque, contemplait le plafond.

– Tu crois qu'on aurait dû se marier, Cassie ?

– Non, murmura-t-elle en tournant la page de sa revue.

– Tu penses que ça n'aurait pas marché ?

– Je ne vois pas comment. Pour rien au monde je n'aurais abandonné ma carrière. Pas plus que toi. Pourquoi le ferions-nous ? Après tout, notre couple tient beaucoup mieux le coup ainsi.

– Ç'aurait sans doute fait plaisir à ma mère.

Cassie referma son magazine et se tourna vers Frank. Du bout des doigts, elle lui caressa la joue.

– Ta maman, Frank Christiansen, s'en fiche éperdument. Ce qui lui importe, et je le sais parce qu'elle me l'a dit elle-même, c'est que tu sois heureux. Na !

Ready Steady ne fit pas de miracle au Prix International. Il manquait de vitesse, ce que Frank avait vu avant le départ. Cependant, il remporta une honorable place de sixième : tous les espoirs étaient permis pour l'avenir.

– Si la distance avait été plus longue, il aurait mieux réussi, confia-t-il à Cassie, après être allé féliciter le jockey et le cheval.

Cassie s'esclaffa, puis soudain s'immobilisa en reconnaissant un visage dans la foule.

– Excuse-moi un moment, veux-tu ? Je te rejoins dans les tribunes.

Un instant, elle le perdit de vue, puis il reparut. Cassie se faufila précipitamment à travers la foule.

– Dexter ?

Elle le rattrapa juste avant qu'il ne passe les grilles.

– Dexter ! C'est moi ! Cassie Rosse !

Pris de court, il s'arrêta, fit demi-tour. Cassie l'examina de bas en haut. Il n'avait qu'un an de plus qu'elle, pourtant, il avait des allures d'adolescent.

– Madame Rosse, marmonna-t-il en portant les doigts à une casquette inexistante et en écrasant son mégot sous son talon.

– Je pensais bien que c'était vous, Dexter. Comment allez-vous ?

– Ça va, ça va, madame Rosse. Et vous ?

– Nous ne pouvons pas discuter ici.

– Vous voulez me parler, madame ? s'exclama-t-il d'un ton de surprise exagéré.

– Oui. Venez boire un verre dans notre loge.

Dexter rit et alluma une autre cigarette.

– C'est très aimable à vous, mais si vous saviez ce que je suis devenu, vous hésiteriez.

Cassie remarqua alors ses yeux rougis, et la couperose qui marquait ses joues.

– Venez, Dex. Vous prendrez bien un café, au moins.

– Non, madame Rosse, je ne peux pas, bredouilla-t-il en tentant de s'échapper. Je ne veux pas faire face à tous ces gens. De toute façon, ce n'est pas un café qu'il me faut, mais un whisky.

Cassie le saisit par la manche juste avant qu'il ne s'enfuie.

– Et moi, j'ai besoin de vous voir. Venez me retrouver à mon hôtel avant le dîner. Je suis au Belmont. C'est important.

– D'accord.

Il disparut.

Frank et Cassie étaient dans le bar, après le repas, quand un homme en costume bleu marine s'approcha.

– Madame Rosse ? Je suis désolé de vous ennuyer, mais j'appartiens à la Sécurité. Il y a un type, dehors, qui affirme avoir rendez-vous avec vous.

– Merci. J'arrive tout de suite.

Elle se leva. Le gardien lui emboîta le pas.

– Autant vous prévenir, madame, il est ivre mort.

– Comme ce monsieur au bout du comptoir, répliqua-t-elle en indiquant un homme d'affaires imbibé qui s'en prenait à ses voisins.

Elle ne vit pas immédiatement Dexter. Elle s'avançait le long du trottoir, pensant qu'il avait peut-être pris la fuite, quand elle l'aperçut dans la pénombre, adossé contre un mur. Elle lui effleura l'épaule. Il réagit à peine.

Frank vint à la rescousse, et à eux deux ils le soutinrent jusqu'à l'entrée de l'hôtel. Le gardien s'interposa alors qu'ils se dirigeaient vers l'ascenseur.

– Excusez-moi, madame, mais pouvez-vous m'expliquer ce qui se passe ? Notre établissement ne tolère pas la présence d'inconnus en état d'ébriété.

– Ne vous inquiétez pas, c'est un ami. Je m'occupe de lui.

Avec l'aide de Frank, elle déshabilla Dexter, le doucha, puis le coucha. Il dormit sans broncher jusqu'à dix heures le lendemain matin. Frank était descendu lui acheter des vêtements quand il se réveilla enfin.

– Bonjour ! Vous avez faim ? lui proposa Cassie d'un ton enjoué.

Il se frotta les yeux et la figure.

– Je ne comprends pas.

– Calmez-vous : vous êtes entre de bonnes mains.

Il scruta la chambre, fixa son regard sur Cassie.

– Je suis mort, ou quoi ?

– J'espère bien que non ! Parce que, si c'est le cas alors moi aussi je suis morte.

Elle commanda un petit déjeuner, puis s'installa dans un fauteuil, le temps que Dexter reprenne ses esprits.

– Vous vous rappelez être venu jusqu'ici ?

Il secoua la tête.

– Je me souviens de vous avoir vue à l'hippodrome.

– Vous étiez dans un état pitoyable, hier soir.

– Comme presque tous les soirs.

– Depuis combien de temps, Dexter ?

Il tendit la main vers le paquet de cigarettes que Cassie avait laissé sur la table de chevet.

– Depuis Goodwood.

Il ne mangea rien. Il ingurgita des litres de café et fuma comme un pompier. Cassie ne lui posa aucune question, préférant le laisser venir à elle. Dans son métier, elle avait appris la patience.

Frank revint avec plusieurs paquets qu'il déposa dans le salon avant de repartir pour des rendez-vous d'affaires. Cassie lui assura que tout irait bien et lui demanda de la rejoindre à temps pour l'apéritif.

Dexter s'enferma dans la salle de bains. Cassie en profita pour donner quelques coups de téléphone à des amis entraîneurs qui avaient employé le jockey. Ils ne firent que confirmer ses craintes. Après Goodwood, écœuré par la façon dont Dexter avait monté L'Ane, agacé par ses frasques, Willie Moore avait refusé de renouveler son contrat pour la saison suivante. Dexter était retourné aux Etats-Unis pour poursuivre sa carrière chez lui.

Malheureusement, il s'était mis à boire de plus en plus, et très vite il avait pris du poids. En l'espace de cinq ans, il avait chuté du sommet au bas de l'échelle. Depuis sa dernière course, huit années plus tôt, il travaillait ici et là, au hasard de ses rencontres... pour financer son vice.

– Vous avez quelque chose à boire, madame Rosse ? prononça une voix sur le seuil de la pièce.

Cassie raccrocha l'appareil et fit demi-tour. Dexter était propre et habillé de neuf.

– J'ai vraiment besoin d'un remontant.

– Non, Dexter, répliqua Cassie. Ce qu'il vous faut, c'est de l'aide.

– Oui, bien sûr, acquiesça-t-il en hochant la tête. Mais avant ça, il faut que je boive.

Il inspecta la suite, en quête d'une bouteille. Cassie avait tout caché. Il s'approcha du réfrigérateur, n'y découvrit que des boissons gazeuses.

– Bon ! soupira-t-il en enfilant sa veste. Je vais devoir descendre au bar.

Il se dirigea vers la porte.

– Vous n'avez pas d'argent, Dexter.

– Ce n'est pas un problème : je mettrai ça sur votre compte.

– J'ai déjà parlé avec le barman.

– Dans ce cas, j'irai ailleurs.

– Comme vous voudrez, Dexter. Mais réfléchissez bien. C'est probablement votre dernière chance.

Il s'immobilisa.

– Vous m'offrez une chance ?

– La chance des chances.

– C'est-à-dire ?

Dexter resta cloué sur place, face au mur, comme s'il avait peur d'affronter le regard de Cassie.

– Vous ne me devez rien, vous savez, ajouta-t-il.

– Si. Une explication. A propos de Leonora.

– Je sais que ce n'est pas vous qui avez rédigé ce message. Ça va. Vous êtes disculpée.

– Pourquoi étiez-vous persuadé du contraire ?

Il marqua une pause, entrouvrit la porte, la referma. Un long moment s'écoula avant qu'il ne prenne la parole.

– Vous êtes sûre que vous n'avez rien à boire, Cassie ?

Elle décrocha le téléphone et commanda encore du café. Dexter se laissa choir sur un siège, les yeux rivés sur la moquette. Puis, lentement, il se redressa, renversa la nuque, paupières closes.

– Je me suis toujours demandé pourquoi j'avais choisi de la croire elle, et pas vous, avoua-t-il enfin.

– Leonora sait se montrer persuasive.

Cassie lui remplit une tasse.

– Plus d'une fois, elle a réussi à me mener par le bout du nez.

– C'est possible, mais je parie qu'elle ne s'y est jamais prise avec vous comme elle l'a fait avec moi.

Cassie posa délicatement la cafetière. Il ne lui était pas venu à l'esprit que Leonora et Dexter aient pu devenir amants avant la course de Goodwood. Evidemment, cela expliquait tout. Elle avait rejeté Dexter, et Leonora le guettait au tournant. Elle avait probablement anticipé le refus de Cassie et planifié sa propre intervention.

– Elle vous a parlé de ce mot avant, ou après vous avoir entraîné dans son lit ?

– Oh ! Après ! répondit Dexter en riant pour la première fois depuis leurs retrouvailles. Nous étions couchés dans sa chambre, toute ronde, avec des glaces partout. Elle avait les coudes appuyés sur ma poitrine, le menton en équilibre sur les poings. Elle m'a souri. Elle m'a raconté que je lui avais toujours plu. Elle m'a dit que vous aviez décidé ensemble de me faire monter dans la chambre parce que vous teniez absolument à perdre votre virginité avant de reprendre la classe. Et que vous vous étiez bien moquées de moi.

– C'est étrange à quel point on a tendance à prendre en compte un mensonge plutôt que la vérité, dit Cassie. Pourquoi n'êtes-vous pas venu me trouver le lendemain pour me poser la question ? Au lieu de perdre volontairement la course. Et de ruiner votre carrière.

Dexter s'efforça de respirer calmement. Ses mains tremblaient.

– Vous ne pouvez pas savoir comme je l'ai regretté, Cassie. Mais j'étais conquis. Sous le charme. Comme ça, en un clin d'œil. Vous n'avez pas idée de ce dont elle est capable, croyez-moi.

– Au contraire…

– Pas dans un lit.

C'était aussi simple que cela. Il suffisait de connaître quelques « trucs ». En échange, les hommes étaient prêts à céder leur empire.

Ou à emprunter délibérément la mauvaise piste en pleine course.

Au fond, il n'avait pas agi par esprit de vengeance. Il avait tout simplement goûté à de nouvelles félicités.

– Votre offre tient toujours ? railla-t-il. Vous ne revenez pas sur votre décision ?

– C'est absurde, n'est-ce pas ? La vie, j'entends.

J'aurais dû succomber à la tentation. Dieu sait que j'en avais envie. Mais on m'avait mise en garde. On m'avait avertie qu'il était dangereux de franchir certaines lignes. Que si je cédais à vos avances, vous cesseriez de me considérer comme la patronne, et que vous n'en feriez qu'à votre tête. Que s'est-il passé en réalité ? J'ai respecté les règles, j'ai refusé de coucher avec vous. Résultat : la course qui comptait le plus pour moi a été perdue. Tout ça, parce que j'ai tenu à être « raisonnable ». Quelle ironie !

Dans le silence qui suivit, Dexter se mit debout. Il essuya la cendre tombée sur son manteau neuf et se dirigea une fois de plus vers la sortie.

– Entre nous… c'était quoi, votre offre ?

– La possibilité de devenir jockey principal de Claremore.

Dexter se figea.

– Vous êtes folle, Cassie ! s'écria-t-il en faisant volte-face. Seigneur ! Regardez-moi ! Je ne suis plus bon à rien.

– Ce que vous êtes, et ce que vous voulez être dépend entièrement de vous, Dexter Bryant.

Il lui fallut trois mois de cure de désintoxication, quatre semaines en milieu hospitalier, et huit autres en convalescence. Placé dans une clinique new-yorkaise, aidé par Frank, le patient tint bon. Il était décidé à s'en sortir. En mars, ayant arrêté de fumer et de boire, il s'attaqua à un programme d'entraînement intensif. Dès qu'il serait à peu près en forme, il partirait pour l'Irlande. Là, pendant deux mois, il monterait chaque jour. A l'issue de ce délai, on déciderait s'il pouvait reprendre sa carrière de jockey, et à quelle occasion.

Lorsque Cassie était venue lui dire au revoir, il lui avait promis de se montrer à la hauteur de ses espérances.

– Je serai prêt pour le Royal Ascot, avait-il affirmé.

Jamais Cassie ne s'était absentée aussi longtemps de Claremore, mais il lui paraissait indispensable de rester auprès de Dexter jusqu'à ce qu'il ait surmonté le plus dur. Rien ne pressait, d'ailleurs. Mathieu travaillait en Australie, et Joséphine entamait une carrière prometteuse de comédienne à Londres. Cassie n'était donc plus harcelée par un sentiment de culpabilité, à l'idée qu'elle ne s'occupait pas assez de ses enfants.

Cependant, l'Irlande lui manquait.

Dick Slattery, un lad du village qui cumulait aussi les fonctions de domestique, chauffeur et homme à tout faire, guettait l'arrivée de la voiture en haut du perron.

– Vite, madame Rosse ! lança-t-il en sortant ses bagages du coffre. Tomas vous attend dans le bureau.

– J'espère qu'il n'y a pas de problème avec les chevaux ?

– Non, non. Ils vont très bien, Dieu soit loué.

Tomas arpentait la pièce de long en large.

– C'est Erin, attaqua-t-il, le visage plissé d'angoisse. Elle a disparu.

– Quand, Tomas ? Quand, et comment ?

– Ne paniquez pas, madame. Elle ne s'est pas encore tuée. Elle nous a laissé un mot, il y a trois jours, pour nous prévenir. Mais on ne sait ni où, ni pourquoi elle s'est enfuie. Sa mère est à bout de nerfs.

La police la retrouva sans grande difficulté dans une petite pension de famille à Wexford. Ou plutôt, ce fut Erin qui se laissa repérer. Elle s'y était présentée sous le nom de Mlle Smith, et avait bientôt éveillé les soupçons de la logeuse parce qu'elle restait enfermée dans sa chambre à sangloter sans arrêt.

Tomas ramena sa fille à la maison, mais fut incapable de lui extraire la moindre explication. Elle pleura pendant tout le trajet, de Wexford à Wicklow. Cassie tenta à son tour de comprendre ce qui se passait. Ce n'était pas la première fois qu'elle avait à affronter les crises émotionnelles d'Erin : quand il avait fallu envoyer Mathieu en Suisse pendant deux ans à cause de son asthme, quand Joséphine était partie pour le pensionnat, Erin avait réagi de la même manière.

Cette fois, pourtant, l'Irlandaise refusa obstinément de se calmer. Dès que Cassie lui adressait la parole, même avec douceur, Erin se mettait à sangloter de plus belle, au point que Cassie devait hurler pour se faire entendre. Pour finir, son état inquiéta son entourage au point que Cassie décida d'appeler le Dr Ryan, successeur du Dr Gilbert, à la rescousse.

– C'est sûrement la ménopause, madame Rosse, annonça-t-il après lui avoir administré un sédatif.

– Erin a à peine quarante ans ! s'exclama Cassie. C'est un peu tôt, non ?

Le Dr Ryan fit claquer sa langue.

– Les femmes de cet âge-là qui ne se sont jamais mariées... on ne sait jamais ce qui peut leur passer par la tête.

– Je suis sûre que vous vous trompez, Docteur, insista Cassie en le raccompagnant jusqu'à la porte.

– Voyons, madame Rosse, protesta-t-il, chacun son métier. Est-ce que je m'amuse à vous prédire les gagnants du Derby ?

Cassie était convaincue qu'Erin était enceinte.

Evidemment, il lui était difficile de faire part de ses soupçons aux parents d'Erin. Pourtant, à en juger par l'attitude de Mme Muldoon, qui passait ses journées à pleurnicher dans sa cuisine, Cassie se disait que celle-ci avait deviné. Tomas aussi, d'ailleurs, car il s'affairait dans les écuries avec un air renfrogné. Erin cessa enfin de montrer son désarroi en public, mais le matin au petit déjeuner, elle se présentait les yeux rougis de fatigue.

Un soir, alors qu'elles se trouvaient seules dans le salon en train d'enrouler des pelotes de laine, Cassie décida de mettre les pieds dans le plat.

– Bon, Erin, je sais que cela ne me regarde pas, mais j'aimerais savoir de combien vous êtes enceinte ?

Erin arrondit la bouche, ébahie.

– Tôt ou tard, ça finira par se voir, vous savez, reprit Cassie.

Erin se leva, arracha la laine des mains de Cassie et la fourra dans son cabas.

Cassie soupira.

– Erin, il va bien falloir en parler un jour ou l'autre. Si vous êtes enceinte, il vaudrait mieux que l'on prenne dès maintenant certaines dispositions.

Erin fondit en larmes.

– Mon Dieu ! Mon Dieu, aidez-moi, j'entame le quatrième mois.

– Qu'allez-vous faire ?

– Me tuer, voilà ce que je vais faire, madame Rosse !

– Mais non, Erin, ne dites pas de bêtises. Pour l'amour du ciel, cessez de sangloter. Reprenez-vous.

Extirpant un mouchoir déjà trempé de la manche de son chemisier, Erin se moucha bruyamment et s'efforça de se calmer. Elle avait du mal. De temps à autre, son corps était saisi d'un frémissement, et un gémissement s'échappait de ses lèvres.

– Autant me donner la mort, madame Rosse, marmonna-t-elle. Parce que, si c'est pas moi, ce sera mon père.

– Mais non, la rassura Cassie. Votre père est un homme profondément bon.

– Pas quand il s'agit de bébés illégitimes.

Erin avait raison. Cassie s'en rendit compte lorsqu'elle invita Tomas et sa femme à la rejoindre au salon pour leur expliquer le cas de leur fille. Tomas resta silencieux, tandis que Mme Muldoon cachait son visage dans son tablier. Lorsque Cassie se tut, Tomas hocha la tête et se mit debout.

– Viens, femme, ordonna-t-il. Et arrête de chialer.

Le regard de Tomas effraya Cassie.

– Qu'allez-vous faire, Tomas ?

– Ce n'est pas votre affaire, madame. C'est une affaire entre un père et sa fille.

– Qu'allez-vous faire, Tomas ? répéta Cassie.

– Il va la battre ! hurla Mme Muldoon. Voilà ce qu'il va faire. La frapper tout ce qu'il pourra.

– Certainement pas, Tomas ! gronda Cassie en se précipitant au-devant pour l'empêcher de sortir.

– Mais si ! Mais si ! glapit Mme Muldoon. Et il aura raison. La garce !

Tomas dévisagea Cassie.

– Si jamais vous levez la main sur cette petite, prévint-elle… Qu'est-ce que je raconte ? Ce n'est plus une gamine ! Elle a quarante ans !

– Elle n'en est pas moins ma fille.

– Enfin, Tomas, nous ne sommes plus au Moyen Age ! Vous n'allez tout de même pas lui donner la fessée. Erin est une femme, une adulte, Tomas. Elle a quarante ans. Ce dont elle a besoin, c'est de votre amour ! Et de votre compréhension !

– Sa mère vient de le dire à ma place, madame Rosse. C'est une traînée. Elle porte un bâtard.

Une lueur de colère dansa dans les prunelles de Cassie.

– Asseyez-vous, commanda-t-elle. Vous aussi, madame Muldoon. Je vais vous expliquer ce que c'est que d'être rejetée par ses parents, ce que c'est que d'être traitée de bâtarde.

Le dialogue qui suivit eut l'effet désiré. Erin fut autorisée à rester à la maison, à condition que personne, au village, ne soit au courant de sa « situation honteuse ».

– Mais il faudra bien que j'aille à la messe ! protesta Erin.

Mme Muldoon fut intraitable. S'il le fallait, le Père Patrick se déplacerait chaque semaine pour entendre la confession d'Erin et éventuellement lui donner la communion. En attendant, elle serait confinée chez elle jusqu'à la naissance de l'enfant. Aux curieux, on répondrait simplement qu'Erin était souffrante.

– Je ne sais pas si c'est la meilleure solution, Tomas. La vérité finira bien par apparaître au grand jour.

– Personne n'aura de preuves.

– Et le bébé, Tomas ! Tout le monde le verra !

– Il n'y aura pas de bébé. Dès qu'elle aura accouché, elle le fera adopter.

Cassie savait d'avance que les espoirs de Tomas étaient vains. L'instinct maternel d'Erin était beaucoup trop développé pour qu'elle accepte de se séparer de son unique enfant. De plus, d'après les quelques conversations que Cassie avait eues avec elle, il apparaissait clairement qu'Erin aimait le père, bien qu'elle refusât de décliner son identité.

Cassie savait aussi qu'il était inutile d'essayer de convaincre Tomas de changer d'avis. Une fois qu'il avait une idée dans la tête, il s'y tenait fermement. Elle décida donc de laisser la tempête s'essouffler, et d'adopter ce que Tomas aurait lui-même qualifié de « vision à long terme ».

D'autant que la santé de Tomas commença soudain à se détériorer. Solide et actif en dépit de ses soixante-dix ans, il ne vivait que pour son travail. Il ne se laissait pas gagner par l'angoisse car, dès qu'il avait le moindre souci, il en parlait. Il affirmait religieusement que seule la mort l'arrêterait.

Mais Tomas avait toujours été un gros fumeur, en dépit des nombreuses mises en garde de Cassie depuis qu'ils se connaissaient. Depuis la « faute » de sa fille, il fumait encore plus, et Cassie l'entendait souvent tousser le matin lorsqu'il se mettait à l'ouvrage.

Elle se mit à le harceler pour qu'il consulte un spécialiste à Dublin. Après tout, il avait de quoi s'offrir les meilleurs soins : grâce aux Concentrés Claremore, il était désormais un homme riche.

– Ah ! Les médecins ! éluda-t-il avec mépris. C'est Dieu qui veille sur moi. Pourquoi donner mes sous à un docteur ? De toute façon, si je décide de voir quelqu'un, ce que je ne veux pas, autant m'adresser à Niall Brogan. Un vétérinaire ne demande jamais à son patient ce qui ne va pas : *il le sait*.

Comme le craignait Cassie, Mme Muldoon se révéla tout aussi fataliste.

– Emmener Tomas Muldoon chez un médecin ? Autant essayer d'apprendre le piano à un éléphant. Non, madame Rosse, il a bien vécu. Quelques cigarettes de plus ou de moins, vous savez...

Janvier, février se succédèrent. Tomas avait de plus en plus de mal à respirer. Pourtant, il refusait obstinément de se reposer.

La saison des mises bas arriva. Claremore possédait maintenant plusieurs poulinières de qualité, qui avaient toutes produit des gagnants. Mais la meilleure descendance provenait de la toute première jument de Cassie, Graceful Lady, qui était décédée huit années auparavant à l'âge de vingt-cinq ans. Célébration, son premier poulain, était un étalon de premier ordre. Après six années de bons et loyaux services en course, on avait marié Compassion avec succès. Dévouement, dont les succès avaient valu à Cassie des offres d'achat colossales, notamment de la part des Arabes, avait couvert Summer Visitor, fille de Moviola, que James Christiansen avait laissée à Cassie dans son testament.

Elle allait bientôt mettre bas pour la première fois. A Claremore, les équipements étaient ultra-sophistiqués. Il y avait un vétérinaire sur place, et le personnel avait bénéficié d'une formation poussée. Pourtant, Cassie insistait pour être là lors de chaque naissance.

Summer Visitor montra les premiers signes d'inconfort vers dix-neuf heures un soir de février. A minuit dix, elle avait mis au monde un poulain dégingandé qui donna l'impression de grandir dès l'instant où il se hissa péniblement sur ses pieds.

Tomas s'accroupit pendant que le nouveau-né cherchait à tâtons à se nourrir. Cassie nettoya la mère, puis étala de la paille fraîche par terre.

– Je me demande pourquoi je suis sorti de mon lit. Elle n'a pas eu besoin de moi.

– Ni de moi, Tomas.

– Vous semblez bien à l'aise.

– J'ai eu le meilleur des professeurs.

– J'aurais pu rester couché avec mon bouquin.

Il alluma une cigarette, toussa violemment. Cassie le dévisagea d'un air anxieux. L'espace d'un éclair, elle le revit dans cette même position, mais beaucoup plus jeune, devant Gracie. Comme il avait vieilli. Comme il était fatigué.

– Celui-là va vous donner du souci. Les deux premières années, il sera tout en jambes.

Les jugements de Tomas étaient en général infaillibles.

– C'est possible, mais il a de l'allure. Et l'œil vif.

– Vous et vos yeux ! soupira Tomas. A quoi bon avoir l'œil vif, si le reste n'est qu'en jambes ? Sauf votre respect.

Cassie rit et aida Tomas à se relever.

– Nous prendrons tout notre temps avec lui, Tomas. La patience, voilà le secret. Venez, allons fêter l'événement.

C'était le dernier poulain qu'ils accueilleraient ensemble, la dernière bouteille qu'ils ouvriraient pour l'occasion.

– A Célébration ! lança Tomas.

Ils burent à la santé de la drôle de jument boiteuse que Cassie avait achetée un jour sur un coup de tête, et à son premier-né qui leur avait permis de remonter la pente.

Le lendemain, lorsque Cassie arriva à l'écurie, Tomas était absent.

– On l'a transporté à l'hôpital, patronne, déclara Liam. Il a passé une très mauvaise nuit. Mme Muldoon a appelé une ambulance.

Pourquoi ne s'était-elle pas adressée à elle ? se demanda Cassie, en prenant la route pour la ville. Tomas avait une peur bleue de l'hôpital.

Elle le trouva couché dans le service d'oncologie. Mme Muldoon, assise auprès de lui, avait posé la tête sur la couverture.

Tomas dévisagea Cassie, le regard suppliant.

– Sortez-moi d'ici, patronne, chuchota-t-il. C'est pas un endroit pour aller à la rencontre de Dieu.

On le ramena à Claremore pour le dîner. A sa demande, Mme Muldoon et Cassie poussèrent son lit dans le salon du bungalow qu'il avait construit sur le site de son vieux cottage, grâce à l'argent des Concentrés. Elles l'installèrent face aux fenêtres, afin qu'il puisse contempler les prés. Tomas avait déjà repris des couleurs. Cassie et Mme Muldoon prièrent pour que la crise de la veille n'ait été que la conséquence d'un peu trop de whisky et de cigarettes après la naissance.

Deux jours plus tard, le Dr Ryan vint lui rendre visite. Il lui expliqua qu'il souffrait de la maladie du fumeur.

En apprenant cela, Cassie explosa de colère. Elle lui téléphona le soir même.

– Qu'est-ce qui vous a pris, Docteur ? Tomas Muldoon n'est pas un imbécile, vous savez. Il comprend qu'il est en train de mourir, mais le fait de le lui dire n'a rien arrangé ! Au contraire.

– De nos jours, madame Rosse, il est d'usage de prévenir le patient de…

– De nos jours ? coupa-t-elle. Croyez-vous que ce soit plus facile aujourd'hui que dans le passé d'affronter la mort sur commande ? Décidément, vous n'avez pas de cœur. Quand j'ai laissé Tomas Muldoon hier après-midi, il était paisible. Il savait ce qui l'attendait, et l'acceptait. Votre attitude prosaïque l'a dépouillé de ses derniers vestiges de dignité. C'était inutile de le culpabiliser… D'accord, il a un cancer du poumon.

– C'est plus grave que cela, madame.

– Je suppose que vous avez pris le soin de le lui dire ?

– Les malades sont en droit de savoir précisément de quoi ils sont atteints.

– Tomas vous l'a-t-il demandé ?

Ryan hésita.

– Pas en ces termes, non.

– Que vous a-t-il dit ?

– Il… il voulait savoir si c'était… une bronchite. Si je lui avais menti…

– Vous auriez enfin manifesté un soupçon de charité chrétienne, interrompit-elle. Que vous a-t-il demandé d'autre ?

– Il voulait savoir s'il était temps pour lui de rencontrer un prêtre.

– Et alors ?

– Et alors, bien entendu, j'ai répondu que non. Non, non. Rien ne presse. Il en a encore pour quatre ou cinq semaines au moins.

Cassie raccrocha, abasourdie, et alla s'asseoir devant le feu. Son nouveau chien, un colley baptisé Bunbury, vint poser la tête sur ses genoux, comme chaque fois qu'il sentait la tristesse envahir sa maîtresse.

– Tout le monde s'en va, Bunbury, murmura-t-elle en le caressant. Par moments, la vie paraît tellement courte. Et tout ça, pourquoi ? Que devenons-nous ? Avec un peu de chance, peut-être, un bon souvenir…

Cassie rendit visite à Tomas chaque jour, matin et soir. Au début, elle lisait à haute voix, mais au fil du temps, il était de plus en plus las. Elle emporta donc sa tapisserie pour broder à ses côtés. Mme Muldoon préparait du thé qu'elles ne buvaient pas et accueillait un flot interminable de voisins et de relations venus saluer leur vieil ami. Tous affichaient un sourire courageux, aucun ne disait adieu. Ils préféraient évoquer les bons moments d'autrefois. Tomas acquiesçait, parfaitement conscient, mais incapable de parler. Cassie engagea une infirmière pour prêter assistance à Mme Muldoon.

Il dormait de plus en plus, se réveillait en sursaut, sombrait de nouveau dans un sommeil comateux. Le Dr Ryan lui avait prescrit des remèdes anti-douleurs, mais en quelques semaines, Tomas avait maigri, et même les coussins ne suffisaient plus à son confort.

– J'ai l'impression d'être un vieux cheval, confia-t-il un jour à Cassie. Je donnerais n'importe quoi pour que ce vieux Niall Brogan entre ici avec son fusil.

Un matin, Cassie découvrit Tomas assis dans son fauteuil préféré, engoncé dans plusieurs pulls, un peignoir et de grosses chaussettes de laine. Il fit de son mieux pour sourire. Mme Muldoon attira Cassie à l'écart.

– Il a demandé à voir Erin. Il tient à ce que vous soyez là aussi.

Erin surgit, hésita sur le seuil de la pièce.

– Approche-toi de ton père, ma fille, ordonna Mme Muldoon. Il n'a plus de voix.

Erin s'avança. Au bout d'un moment, avec peine, Tomas tourna la tête vers elle et lui fit signe de se pencher. Il lui prit la main, lui chuchota quelques mots. Les larmes se mirent à couler sur les joues d'Erin. Elle lui serra le bras. Tomas l'embrassa, lui caressa les cheveux.

Mme Muldoon fit claquer sa langue, mais lorsque Cassie l'observa à la dérobée, elle remarqua qu'elle aussi était sur le point de pleurer.

Tomas désigna Cassie, l'invita à le rejoindre.

– Si on buvait un coup, patronne ? Juste un petit coup.

Cassie leur versa à tous du whisky.

– Il aime qu'on y ajoute un morceau de sucre, madame Rosse, et une goutte d'eau.

Cassie lui remit délicatement le verre entre les mains. Tomas le contempla un moment, puis le leva, le plus haut possible.

– Dieu vous bénisse !

Cassie s'en alla, laissant Mme Muldoon et l'infirmière recoucher Tomas.

Le téléphone sonna sur sa table de chevet à deux heures et demie. C'était l'infirmière. Tomas était mourant.

Cassie s'habilla le plus vite possible et se précipita au bungalow. Le Père Patrick était là. Erin et Mme Muldoon s'étaient agenouillées au pied du lit. Cassie se plaça à côté d'elles.

A quatre heures, Tomas s'en était allé. Sa respiration était devenue de plus en plus lente, de plus en plus creuse. Tout d'un coup, il avait ouvert les yeux, comme par surprise. Puis un soupir lui avait échappé. Le dernier.

Les poings serrés, Cassie s'assit à la table de la cuisine pendant que Mme Muldoon et l'infirmière s'occupaient de la dépouille mortelle. En face d'elle, Erin se balançait d'avant en arrière en geignant. Ses yeux étaient secs.

Cassie les quitta à l'aube. Elle décida de rentrer à pied. Elle avait besoin d'air frais, de silence. Quel vide. Tyrone était parti depuis des années, les enfants faisaient leur vie à l'étranger. Désormais, Tomas non plus ne serait plus là pour lui tenir compagnie.

Il ne serait pas à l'écurie tout à l'heure, ni le lendemain. Il ne l'accompagnerait plus dans les hippodromes, ne rentrerait pas avec elle en jurant ou en s'exclamant, selon les résultats des courses. Il ne la rejoindrait plus au bar pour boire à la victoire ou à la défaite.

A mi-parcours, Cassie s'immobilisa pour contempler le ciel gris du matin. Plus que jamais, elle savait ce qu'elle devait faire. Plus que jamais, elle savait qu'elle en était capable.

Elle brandit un poing au-dessus de sa tête et repartit vers la maison, emplie d'espoir, en priant pour que Tyrone et Tomas veillent sur elle.

23

Dès la mi-avril, Dexter Bryant prit résidence à Claremore et commença son entraînement. Cassie s'était arrangée pour que sa venue en Irlande s'effectue dans la plus grande discrétion. Malheureusement, la nouvelle s'était répandue malgré tout, et la presse populaire s'en était donné à cœur joie. Le personnel de Claremore reçut l'ordre strict de refouler tous les journalistes, et bientôt, le calme revint.

Jusqu'ici, Dex tenait parole. Il n'avait pas bu une goutte d'alcool depuis son admission dans la clinique de New York, et avait presque retrouvé sa forme d'antan. Le plus remarquable, et le plus touchant, aussi, fut qu'il refusa tout traitement de faveur initialement proposé. Il préférait œuvrer aux côtés des autres lads et dormir dans leur gîte, plutôt que vivre dans des conditions plus en rapport avec sa situation précédente.

– Ecoutez, expliqua-t-il à Cassie. Ces types avec qui je travaille, ils ne savent pas ce que c'est que de toucher le fond. Moi, si. Il m'est arrivé de me réveiller sur un trottoir, le nez dans le caniveau. On ne peut pas descendre plus bas. Je veux remonter au sommet, mais sans qu'on me dorlote. Ce ne serait pas juste pour mes collègues.

Dexter Bryant resta donc dans les rangs. Grâce à son attitude, ceux qui avaient redouté son retour, craignant de perdre des avantages, l'acceptèrent sans trop rechigner. On lui confia trois chevaux à « faire ». En réalité, il menait la même existence que les autres, sinon qu'eux, une fois la journée achevée, allaient boire un verre au pub du village. Dex, lui, préférait se plonger dans ses lectures, afin de savoir précisément où il en serait le jour où sa carrière publique pourrait enfin reprendre.

On ne lui passa rien. Au début, Cassie le surveilla de près, au cas où il se sentirait soudain désemparé. Très vite, elle put constater avec soulagement que c'était inutile. Le jockey était plus que jamais décidé à s'en sortir.

A la fin du mois de mai, il montait les deux-ans. Un matin, Cassie lui remit un cheval particulièrement nerveux et obstiné, propriété de Peter Sankey, un magnat de l'immobilier. Elle-même était sur le dos d'un trois-ans appartenant au même personnage.

Aussitôt enfourchée, la monture de Dexter changea de comportement. Alors qu'une minute auparavant l'animal se cabrait devant son lad, avec Dex, il se mit au pas, docilement. Dex lui caressa le cou et tira sur une de ses oreilles.

– Qu'est-ce qu'on fait, patronne ?

– Méfiez-vous de lui : il a tendance à tirer. Si vous ne le maîtrisez pas, il vous arrachera les bras. Débrouillez-vous pour qu'il maintienne un rythme régulier. Si vous y parvenez, ce dont je doute un peu, restez derrière moi pendant les cinq cents premiers mètres. Sur les deux cents derniers, vous relâcherez, mais surtout pas trop !

– Compris ! lança Dexter avec un large sourire, tandis que le cheval démarrait avant d'en avoir reçu l'ordre.

Cependant, le jockey n'eut aucun mal à le reprendre et à suivre précisément les instructions de Cassie.

A vrai dire, elle avait fait exprès de lui donner une tâche presque impossible, mais elle n'avait guère le choix. Si Dexter voulait reconquérir les foules, il devait prouver qu'il avait récupéré ses forces et ses nerfs. En trottant derrière lui, Cassie remarqua à son attitude qu'en dépit de sa confiance et de sa bonne humeur apparentes, il était tendu.

Lorsqu'ils atteignirent la piste, Cassie laissa les autres partir devant, par couples, sachant qu'elle infligeait ainsi un test de plus à Dexter. Sa propre monture trépignait, essayant en vain de déstabiliser sa cavalière pour partir au galop rejoindre ses camarades.

En revanche, le deux-ans de Dexter se tenait au garde-à-vous. Cassie les observa à la dérobée. Le cheval était tellement décontracté que, si Dexter lâchait les rênes, il se mettrait sans doute à brouter !

– Bon ! lança Cassie. Je démarre. Comptez jusqu'à cinq et suivez-moi.

L'espace d'un éclair, elle crut avoir perdu le contrôle, ce qui aurait gâché toute l'expérience. Mais elle se ressaisit vite, restant à la même vitesse sur quelques centaines de mètres. Elle jeta un coup d'œil par-dessus son épaule. Dexter était à une demi-longueur.

– Allons-y ! s'écria-t-elle. On accélère. Mais surtout, ne le laissez pas aller !

Cassie donna un coup de pied dans le flanc de la bête. Bientôt, les deux chevaux furent côte à côte. Dexter regardait droit devant lui. Cassie aussi, mais elle sentait qu'ils étaient unis.

– Ouf ! soupira-t-il lorsqu'ils firent demi-tour pour retourner aux écuries. D'après moi, ce petit est prêt à courir.

– Il n'est pas le seul, répliqua Cassie.

Erin eut ses premières contractions la veille de la première course de Dexter Bryant en public. En attendant la sage-femme, Cassie essaya de la réconforter, tout en se demandant une fois de plus ce que Tomas lui avait chuchoté juste avant de mourir. Elle ne lui avait jamais posé la question, bien sûr : c'était une affaire entre le père et la fille. Erin, de son côté, n'avait pas manifesté le désir de se confier. Cependant, en se remémorant les larmes de l'Irlandaise, Cassie songea qu'ils s'étaient certainement quittés en paix.

A vingt et une heures, le bébé était bien engagé, mais la sage-femme demeurait toujours invisible. Cassie se prépara pour l'accouchement. Contrairement à son habitude, Erin se montrait un modèle de courage et de force d'âme. Quand la sage-femme apparut enfin, désolée et paniquée parce qu'elle avait été victime d'une panne de voiture, Erin serrait les dents.

A l'instant précis où la tête du nourrisson apparut, elle poussa un hurlement en serrant la main de Cassie.

Quelques minutes plus tard, aidé par une bonne tape sur les fesses, un petit cœur se mit à battre indépendamment.

– C'est un garçon, annonça Cassie à la maman, pendant que la spécialiste coupait le cordon. Un superbe petit garçon.

Erin se mit alors à sangloter, mais pour une fois, de bonheur. On lui mit son enfant entre les bras.

– Mon Dieu ! Madame Rosse, un garçon... un si joli petit garçon.

Cassie contempla le corps minuscule, les yeux clos.

– Avez-vous pensé à un prénom, Erin ?

– Le Seigneur soit avec nous ! souffla-t-elle. C'est la dernière chose que mon père m'a demandé : si c'est un garçon, est-ce que je pourrais l'appeler Padraig Tomas Tyrone. Sauf votre respect, madame Rosse.

Cassie et Mme Muldoon discutèrent tard dans la nuit sur l'avenir du bébé. Au début, la gouvernante ne voulut rien savoir : il n'était pas question que cet enfant reste à Claremore.

– Entre autres choses, Tomas lui a peut-être suggéré de le garder si elle en avait envie.

– Tomas était très malade, madame. Il aurait dit n'importe quoi pour être en paix avec son Créateur.

– Il me semble que vous exagérez. Vous savez combien il aimait sa fille. Peut-être devrions-nous le demander à Erin.

– Certainement pas, madame Rosse. Après tout, je suis sa mère. En ce qui me concerne, ce petit n'a pas sa place ici.

– Ecoutez, ajouta Cassie, sur le point de perdre patience. Erin a quarante ans. Elle est maintenant maman.

– D'un bâtard.

– Elle ne nous a toujours pas révélé l'identité du père.

– Pour sûr ! Elle jure qu'elle ne le trahira jamais. A une époque, elle prétendait même que personne ne l'avait mise enceinte !

– Très bien, déclara Cassie. Voici ma proposition. J'aimerais l'adopter. De cette manière, votre honneur sera sauvé. Je ne sais pas qui est au courant, et qui ne l'est pas, du « secret » d'Erin. Il nous suffit d'annoncer que j'adopte encore un enfant. Erin pourra l'élever comme le sien. Ce ne sera pas un problème, puisqu'elle s'est occupée des miens.

Cassie sourit en se remémorant la possessivité d'Erin. Le jour où Joséphine avait été pour la première fois à l'école, elles se l'étaient pratiquement arrachée !

– Qui sait ? Peut-être finirez-vous même par aimer votre premier petit-fils.

Mme Muldoon dévisagea Cassie avec étonnement. C'était bien la première fois qu'elle considérait cet enfant comme un membre de sa famille.

– Marie, Mère de Dieu ! chuchota-t-elle en cherchant son mouchoir dans la poche de son tablier. Je n'ai rien contre lui. Il est mignon comme tout. Non, vraiment, je n'ai rien contre lui. Mais la honte, madame Rosse, la honte.

– Il n'y a pas de honte à venir au monde. Ce qui serait dommage, c'est que vous ne surmontiez pas ce sentiment.

Dexter courut en public pour Claremore un peu plus tard dans la journée. Les partants étaient au nombre de vingt et un, et le cheval de Peter Sankey finit troisième, battu seulement de deux longueurs.

Les parieurs le félicitèrent dans le paddock comme s'il avait remporté la victoire.

– Il est doué, affirma Dexter à Cassie en retirant la selle. Mais à mon avis, il sera plus à l'aise sur une distance plus longue.

– Je crois que vous avez raison. Bravo !

Lorsqu'elle arriva chez elle, le Père Patrick l'attendait dans le salon.

– Je suis passé voir Erin, expliqua-t-il. J'ai téléphoné à sa mère pour prendre de ses nouvelles, et j'ai appris qu'elle avait accouché.

– Erin va bien, assura Cassie. Elle a été très courageuse, et elle est très heureuse.

– Oui, en effet. Je l'ai vue, ainsi que le petit. Oui, oui, ils semblent en pleine forme, tous les deux.

Cassie l'examina attentivement. Lui qui en général était si énergique, si direct, il s'était perché sur le bord de son siège, réchauffant son whisky entre les mains et fixant avec beaucoup d'intérêt le tapis.

– Quelque chose vous tracasse, mon Père ?

– Euh... pas exactement. Enfin, en toute franchise, je ne peux pas me plaindre. J'ai eu énormément de chance de rester parmi vous aussi longtemps. J'ai toujours pensé que les autorités avaient oublié mon existence, car il y a des années que j'aurais dû être muté.

– C'est le cas ?

– Je pars pour l'Amérique du Sud le mois prochain.

– Comme ça ?

– Oui. Comme ça. Dans quatre semaines.

Il but une gorgée d'alcool, posa soigneusement son gobelet en continuant d'éviter le regard de Cassie.

Après un silence, il reprit la parole :

– Euh... La mère d'Erin m'a expliqué votre proposition,

pour le bébé. Je tiens à vous féliciter. L'initiative me paraît excellente.

– Merci, mon Père, répondit-elle en souriant, touchée par sa solennité.

– En effet, pendant votre absence cet après-midi, j'ai cru comprendre que Mme Muldoon avait soumis votre offre à Erin. J'ai la nette impression que la jeune femme en question ne serait que trop heureuse d'accepter.

– J'aime les enfants, mon Père. Les deux miens sont grands, maintenant, ils font leur vie ailleurs. Ce sera un plaisir d'avoir un petit dans la maison.

– Malgré toutes vos occupations ?

– Pour un enfant, il y a toujours de la place.

Le Père Patrick finit son whisky, mais en refusa un second. Il se leva pour parcourir la pièce de long en large, absorbé dans ses réflexions. Puis il revint s'asseoir.

– Je prendrais volontiers un autre scotch, après tout.

Cassie le lui versa en se disant que l'agitation inhabituelle du prêtre était sans doute due à cette mutation de poste à l'étranger. Elle s'installa en face de lui.

– Ce que je vais vous dire risque de vous paraître absurde, attaqua-t-elle, mais... Y a-t-il un sujet en particulier que vous voulez aborder, mon Père ?

D'une main lasse, il se frotta la paupière. Il avait les sourcils froncés. Pour la première fois de la soirée, il leva les yeux vers Cassie.

– Le père de ce bébé, c'est moi.

Cassie s'efforça de masquer sa stupéfaction. Curieusement, lorsqu'elle avait mentalement établi sa liste de suspects, le Père Patrick y avait fait une brève apparition. Elle l'avait aussitôt éliminé : c'était grotesque. D'une part, c'était un homme intègre, libéré des ragots qui, en Irlande, poursuivaient la plupart des prêtres de paroisse en paroisse. D'autre part, il était si beau, si viril, que Cassie ne pouvait s'empêcher de penser que, tant qu'à commettre une telle faute, l'objet de sa tentation ne pouvait que difficilement être Erin Muldoon. Certes, depuis deux ans, cette dernière s'était découvert une foi religieuse et profitait de la moindre occasion pour aller à la messe. De là à ce que le Père Patrick l'engrosse… c'était inimaginable !

– Je sais ce que vous pensez, Cassie, murmura-t-il. Vous vous demandez pourquoi cette pauvre Erin Muldoon ? Je vais vous le dire. Cette chère Erin. J'avais pitié d'elle, et réciproquement. Elle était toujours là, dans l'église, à donner un coup de main, à prêter son oreille. Aussi bizarre que cela puisse vous sembler, nous sommes tombés amoureux. Voyez-vous, il ne s'agissait pas seulement d'une attirance physique. Le plus ironique, c'est que nous n'avons fait l'amour qu'une seule fois. Le Destin est parfois injuste, mais quand on boit avec le diable…

Il avala une gorgée de whisky, brossa le revers de sa veste.

– J'ai songé un moment à abandonner les ordres pour épouser Erin. Cependant, je demeure un homme de foi, Cassie. Je persiste à croire que mon amour pour le Christ l'emporte. J'ai l'impression qu'Erin en a conscience. J'ai donc demandé ce poste en Amérique du Sud.

Cassie se redressa, étonnée.

– Oui, c'est bien moi qui ai voulu partir. Naturellement, en vous avouant tout cela, je me mets à votre merci. Vous pourriez me considérer comme un monstre et faire en sorte que je sois défroqué. Ou alors, vous pourriez dire à Erin que j'ai souhaité m'en aller, pour répondre à un appel de Dieu. Je ne cherche pas à me défendre. Sachant que mon enfant, mon fils, sera en sécurité avec vous, je pourrai consacrer le restant de ma vie à répandre la parole du Seigneur.

Le Père Patrick dévisagea Cassie sans ciller, dans l'attente de son verdict. Cassie le connaissait suffisamment pour savoir que, si elle l'envoyait promener, il accepterait sans discuter. Mais elle savait aussi qu'elle n'était pas en position de juger le comportement d'un autre être humain.

– J'espère que vous serez heureux là-bas, mon Père,

murmura-t-elle en lui tendant la main. Vous nous manquez déjà.

– Vous aussi, je vous regretterai. Je sais que mon fils grandira dans le bonheur et la sécurité. Vous êtes une femme exceptionnelle, Cassie Rosse, et une maman merveilleuse. Tout ce que je vous demande, c'est de ne rien dire à Erin.

– A condition que vous m'absolviez d'avance, répliqua-t-elle en riant. Je ne vous ai pas vu depuis dimanche.

– Je suis persuadé que Dieu vous pardonnera vos modestes péchés, Cassie.

Il ramassa son chapeau, se retourna.

– Merci. Dieu vous bénisse.

Cassie le regarda monter sur sa bicyclette, puis disparaître au bout de l'allée. Il ne reviendrait probablement jamais d'Amérique du Sud. Sa décision n'était pas innocente : il avait choisi exprès un endroit où il était dangereux pour un prêtre catholique de s'installer ; un lieu où il pourrait mourir pour sa foi après avoir expié son unique soumission à la tentation. En refermant la porte d'entrée, elle se remémora ses premières années à Claremore : elle avait discuté âprement avec le Père Patrick sur les préceptes de l'Eglise, son opinion sur le rôle des femmes dans le monde. Elle se rappela combien la jeune Erin avait été choquée que Cassie ait l'audace de s'opposer à un prêtre.

Et voilà qu'elle allait bientôt être la mère adoptive de son fils. Elle sourit intérieurement en regagnant le salon. L'ironie de la situation aurait plu à Tomas.

A la fin de l'été, les deux nouveau-nés de Cassie se portaient comme des charmes. Padraig Tomas Tyrone était un enfant vif et gai, aussi beau que son papa, aussi doux que sa maman. Erin était très fière de lui, même si elle devait garder pour elle ses élans d'affection. La nouvelle n'avait pas tardé à se répandre : Mme Rosse était en passe d'adopter un nouvel enfant.

La croissance de Rossignol, en revanche, s'effectuait trop rapidement au goût de Cassie et de Sheila Meath.

– Il y a vraiment de quoi s'arracher les cheveux, tu ne trouves pas, Sheila ? Si j'avais tenu à le préparer pour les ventes de yearlings, je serais à bout de nerfs. Regarde-le ! Une vraie brute dégingandée. Si seulement il pouvait cesser de *grandir aussi vite* !

Néanmoins, tandis qu'elles le regardaient gambader dans le paddock, elles tombèrent d'accord sur un point : il avait un petit quelque chose d'indéfinissable qui attirait irrésistiblement l'attention.

– C'est en examinant les autres qu'on constate à quel point Rossignol pourrait être exceptionnel.

– Oui, je lui trouve une certaine présence, renchérit Cassie.

– Moi, j'irais jusqu'à dire qu'il a les qualités d'une future vedette.

– Si seulement il pouvait s'étoffer un peu, grommela Cassie.

Sheila se tourna vers elle en haussant un sourcil.

– Tu n'as jamais songé à changer de nom ? Tomas Muldoon II, ça t'irait pas mal ! plaisanta-t-elle.

Frank vint en séjour à l'occasion des ventes de Goff, et Cassie sélectionna pour lui deux yearlings.

– Tu es le propriétaire idéal, lui confia-t-elle un peu plus tard au cours du dîner. J'aimerais qu'ils soient tous comme toi. En dépit de toutes les courses que tu as gagnées, tu évites de nous mettre la pression, tu acceptes nos conseils, tu nous épargnes tes gémissements quand tu perds.

– Ce n'est qu'un sport, Cassie Rosse. Le jour où l'on prend le jeu trop au sérieux, on cesse de s'amuser.

– C'était la philosophie de Tyrone. Quand tout va de travers, je suis parfois obligée de me le rappeler.

Frank resta plus d'une semaine. Cassie et lui se retrouvèrent comme s'ils s'étaient vus la veille. C'était le cas chaque fois. Pourtant, à l'approche du départ, elle sentit que quelque chose le tracassait.

– J'ai l'impression que tu as un problème, avoua-t-elle lors de leur ultime tête-à-tête.

– C'est vrai, Cassie. Est-ce à ce point visible ?

– Nous nous connaissons depuis si longtemps, Frank.

– Oui, mais tout de même. Ah ! L'intuition féminine me surprendra toujours.

– Qu'est-ce qui te préoccupe ?

– Cassie, je veux me marier.

– Frank, répondit-elle, par moments, je donnerais tout ce que j'ai pour devenir ta femme.

– Mais tu ne le feras pas.

– C'est impossible.

– Justement. C'est la raison pour laquelle je veux me marier.

– Tu penses à quelqu'un en particulier ?

– Cassie, il n'y a que toi qui hantes mon esprit. Tu le sais. Nous en avons parlé à plusieurs reprises : tu vis ici, à Claremore, et tu n'en bougeras pas. Moi, je suis à New York, et je n'en bougerai pas. Un point c'est tout.

– Je pourrais peut-être prendre une licence pour entraîner là-bas ?

– Tu n'y serais pas heureuse. Ta place est ici, à Claremore.

– Très bien, alors tu devrais peut-être songer à travailler en Irlande. Ou mieux encore, ne plus travailler du tout.

Il se leva, vint se placer derrière elle, l'aida à se mettre debout. Bras dessus, bras dessous, ils passèrent au salon.

– L'oisiveté ne me conviendrait pas, Cassie. Tu le sais. Et je ne trouverai jamais un emploi ici. Dublin est une ville charmante, mais ce n'est pas New York. Au bout d'une semaine, je m'ennuierais à mourir.

– Pourquoi ce soudain désir de te marier, Frank ? Tu ne l'avais pas manifesté auparavant.

Il huma le parfum de son cognac.

– Au risque de te paraître ridicule, Cassie, je suis jaloux. Je veux avoir des enfants. Quand je te vois avec le petit Padraig, la mélancolie m'envahit. Sincèrement.

Cassie sourit et posa la tête sur son genou.

– Là, tu m'étonnes. Dès que tu vois une publicité avec un bébé à la télévision, tu fais la grimace.

– Tu parles ! s'esclaffa-t-il... Tu crois ?

– Tu me manqueras, tu sais, lui murmura-t-elle un peu plus tard, dans ses bras. Cette année, j'aurai perdu deux êtres chers.

– Nous resterons amis, Cassie. Rien ne pourra détruire ce qui nous unit.

– Ce qui nous a unis, rectifia-t-elle. J'aimerais que tu me fasses une dernière fois l'amour avant qu'on se dise adieu.

Ils s'étreignirent avec passion, aussi tristes l'un que l'autre d'imaginer que c'était leur dernière nuit ensemble. Ils s'endormirent peu avant l'aube, se réveillèrent aux premières lueurs du jour, s'aimèrent encore, tout en douceur, avant de sombrer, tendrement enlacés, dans un sommeil réparateur.

Quand Cassie ouvrit les yeux, Frank avait disparu. Elle n'avait pas entendu sa voiture démarrer. Elle s'assit dans le lit et s'accrocha à ses draps en pleurant. Tous ceux qu'elle chérissait l'abandonnaient.

L'événement positif de cet été-là fut la renaissance de Dexter Bryant. Après sa course initiale à Naas, il avait remporté deux courses de suite. Depuis, son score avait continué de s'améliorer, lentement mais sûrement. Il en était à sa quinzième victoire, dont deux pour Willie Moore qui, sur les encouragements de Cassie, avait proposé au jockey un poste de remplaçant.

Il n'y eut qu'un seul véritable moment d'angoisse. Dexter devait monter Scarlet Ribbon, une jument de trois ans qualifiée par la presse de « crack de Claremore », à Curragh. Les bookmakers s'étaient rués sur l'occasion.

Mais le terrain était trop sec, et le cheval était arrivé dernier.

Depuis les tribunes, on avait eu l'impression que Dexter l'avait retenu trop longtemps et que, réalisant soudain son retard, il avait tout simplement abandonné. Lorsqu'il mena Scarlet Ribbon au paddock, la foule était en colère. Dexter fut sifflé, injurié de toutes parts, on lui cracha dessus. Visiblement ébranlé, il quitta l'hippodrome immédiatement après s'être changé. Ce soir-là, il ne rentra pas à Claremore.

A vingt-trois heures, alors que Cassie s'apprêtait à se coucher, le téléphone sonna. C'était un appel anonyme : on avait aperçu Dexter en train de se soûler à Dublin. Cassie envoya promener le malotru, reprit sa lecture, puis éteignit sa lampe et s'endormit.

La première personne sur laquelle elle tomba le lendemain matin était Dexter, en train de panser un cheval. Cassie attendit que tous les chevaux aient fini leur séance d'entraînement avant de convoquer le jockey dans son bureau.

– Vous voulez en parler ? attaqua-t-elle en remplissant leurs tasses de café.

– J'ai rien à dire, patronne.

– On vous a vu vous soûler à Dublin hier soir.

Il tressaillit, surpris.

– Qui vous a raconté ça ?

– La personne qui m'a prévenue n'a pas jugé utile de me révéler son identité. Cependant, j'ai bien cru reconnaître la voix de votre rival suprême, Terry Doyle.

– Ça ne m'étonnerait pas, patronne. Il avait misé une grosse somme sur Scarlet Ribbon.

– Dexter, je ne peux pas me permettre de vous confier mes meilleurs chevaux si vous vous remettez à boire. Vous le savez, n'est-ce pas ?

– Oui, je sais, répliqua-t-il avec un large sourire. Et le jour où j'ingurgiterai une goutte d'alcool, je vous filerai ma démission.

– Personne ne peut vous en vouloir après ce qui s'est passé hier.

– Si, moi. Je ne me serais jamais pardonné d'avoir craqué sous prétexte que j'ai déçu quelques parieurs. Je vous assure que j'en avais envie, de ce verre. Il y avait longtemps que ça ne m'était pas arrivé. Mais ça m'a passé.

– Comment, Dexter ?

– Vous n'allez pas me croire : je suis allé dans un bar.

– Et alors ?

– Essayez donc de rester toute une soirée seule au comptoir, patronne, sans boire. Mon thérapeute m'obligeait à le faire régulièrement, à New York. C'est une expérience salutaire. Regarder les autres perdre la tête.

Cassie avala le reste de son café, prête à se remettre à l'ouvrage.

– Dès que le terrain sera propice, on présentera Scarlet Ribbon, annonça-t-elle. Et c'est vous qui la monterez.

– Non, rétorqua Dexter. Je gagnerai.

Ils patientèrent deux mois avant de tenter leur chance, par prudence. Enfin, ils se décidèrent pour une course d'un bon niveau à Leopardstown. Scarlet Ribbon l'emporta sans difficulté. Les bookmakers avaient une fois de plus misé sur elle, cette fois avec raison. Le jockey fut accueilli à son retour comme un véritable héros.

*
* *

Il fallut attendre le mois de novembre pour commencer le dressage de Rossignol. C'était un peu tard, mais il était tellement disgracieux et maladroit que Cassie avait préféré traîner jusqu'à la dernière minute.

Ce fut Sheila Meath qui s'en chargea, comme toujours avec les meilleurs espoirs de Claremore. Toutes deux furent étonnées de constater avec quelle facilité Rossignol accepta d'être monté. Il ne montra ni ressentiment, ni résistance. Au contraire, il paraissait enchanté.

– Evidemment, il a toujours eu un petit quelque chose en plus, fit remarquer Cassie à Sheila, tandis que Liam le faisait marcher autour du manège couvert. Tu l'as dit toi-même : il est malin.

– S'il réagit aussi bien que le dernier qu'on a dressé, il pourrait donner des résultats surprenants.

– S'il se prête au jeu des entraînements, murmura Cassie, songeuse, je patienterai jusqu'à la fin de l'été pour le présenter. J'ai la sensation qu'il va lui falloir un peu de temps.

Cassie lui accorda quatre mois de répit. Alors que tous les autres deux-ans en étaient déjà au trot, Rossignol continuait de travailler à la longe. Puis, elle le monta elle-même dans la campagne pendant quatre semaines avant de le laisser s'approcher de la piste.

Dexter fut chargé de lui apprendre le petit galop. Sheila et Cassie se postèrent derrière la barrière pour observer la manœuvre. Elles furent terriblement déçues.

– Je n'ai jamais rien vu d'aussi moche depuis un bon moment, gronda Cassie au retour du cheval. Il ne se donne pas du tout.

Dexter confirma leurs soupçons en affirmant qu'il avait l'impression de monter un poney.

– Nous verrons ce qu'il donnera sur la piste. S'il trouve son rythme, tout ne sera peut-être pas perdu.

Signe réconfortant, Rossignol ne grandissait plus aussi vite et avait commencé à s'élargir. A la fin du mois de mai, il était déjà en meilleure forme. On décida de lui faire tenter le grand galop.

Ce fut de nouveau Dexter qui le monta, aux côtés d'un des meilleurs éléments de Claremore, Sixth Heaven. Sheila souffrant d'une grippe, Cassie était toute seule, aussi enfourcha-t-elle Bouncer pour aller les attendre en bout de piste.

La matinée était douce, légèrement brumeuse. Sixth Heaven et Rossignol apparurent à l'horizon. Cassie s'empara de ses jumelles. Aussitôt, un frisson d'excitation la parcourut. Au grand galop, Rossignol était méconnaissable.

Ses foulées étaient longues et souples. Parfaitement à l'aise, Dexter ne le poussait pas. Mais Sixth Heaven avait visiblement du mal à le suivre.

– Vous n'avez pas forcé, n'est-ce pas, Dexter ? s'enquit Cassie lorsque les jockeys la rejoignirent pour connaître son avis.

– Sûr que non, patronne. Je vous le dis, celui-ci est exceptionnel. On n'était qu'en deuxième !

Le moment était donc venu de décider quand et où inscrire Rossignol. Cassie était dans une position à la fois enviable et extraordinaire, puisqu'elle était à la fois propriétaire et entraîneur. Elle n'avait donc qu'à suivre son instinct. Et celui de Sheila Meath aussi, bien sûr.

– C'est à toi de voir, Cassie. S'il n'est pas tout à fait prêt, s'il a besoin d'une course d'initiation, tu es la seule à pouvoir le dire. A mon avis, sauf incident ou accident, il sera en pleine forme pour le Prix Renvyle en juillet.

Il n'y eut ni incident, ni accident. Les progrès du cheval étaient tels que, très vite, la nouvelle se répandit dans le milieu. Dans le paddock, juste avant la course, il était magnifique. Sur le chemin de la ligne de départ, il suscita l'admiration et l'étonnement. Cependant, les bookmakers, peu impressionnés par son petit galop à l'échauffement, l'ignorèrent.

Il remporta la victoire, « les yeux fermés » selon Dexter. La course fut gagnée dès que le jockey le fit accélérer, au bout des cinq cents premiers mètres. Rossignol était à la une de tous les journaux spécialisés, le lendemain. « Le nouveau jet privé de Cassie », titrait même l'un des magazines les plus populaires.

L'*Irish Times* fut plus mesuré : « Un espoir pour Claremore. »

Le plus satisfaisant, aux yeux de Cassie, était de savoir que Rossignol pouvait encore progresser. Si elle planifiait correctement sa carrière, s'il était aussi brillant qu'il le paraissait, il finirait un jour ou l'autre par atteindre les sommets.

Dexter, quant à lui, en était convaincu :

– C'est le meilleur cheval que j'aie jamais monté, avoua-t-il à Cassie alors qu'ils étudiaient le déroulement de la course sur le magnétoscope. Vous voyez comme il accélère, là ? Il les écrase tous. Il ne leur laisse aucune chance.

Il remporta sa deuxième épreuve avec tout autant d'aisance. Aussitôt après, Cassie reçut un coup de téléphone de la part d'un agent international : on le priait de lui offrir un demi-million de livres pour Rossignol.

– Désolée, John. Il n'est pas à vendre.

La sonnerie retentit de nouveau, juste après minuit.

– Johnnie, je t'adore, mais bonne nuit ! gronda Cassie.

Elle lui raccrocha au nez et brancha le répondeur.

Rossignol courut à Dalkey, avant de partir pour Newmarket où se tenait la course de deux-ans la plus prestigieuse de la saison, le Prix Dewhurst. L'objectif était double : gagner, d'une part, et d'autre part, tester ses réactions aux voyages en avion. Le pari était risqué. Conquérir un public difficile à l'étranger n'était pas facile. Surtout à Newmarket.

Cette année-là, comme toutes les autres, le Prix Dewhurst était très prisé. Sept des huit partants étaient déjà pressentis pour la Guineas. A eux tous, ils comptaient dix-sept victoires à leur actif et plus de cinq cent mille livres sterling en récompenses.

Cinq des chevaux appartenaient à des Arabes, un seul à l'Anglais Peter Sankey, et un à l'Aga Khan.

La somme en jeu se montait à plus de cinq millions de livres.

Rossignol, qui n'avait rien coûté à son propriétaire, sinon le logement et la nourriture, devança ses concurrents de six longueurs.

Rossignol fut ainsi déclaré favori pour la grande Classique de la saison suivante, le Prix 2000 Guineas. Lors de la parution des handicaps, il était en tête.

On l'envoya passer l'hiver au nord-est de l'Italie.

Joséphine put rentrer à Claremore à Noël, après avoir tourné un film en Italie pour la télévision. Chaque fois qu'elle la revoyait, Cassie s'extasiait sur la beauté de sa fille.

– Tout le monde dit que je te ressemble, lui répétait invariablement Joséphine.

– Pas du tout ! Tu as tout pris à ton père.

Elle était légèrement plus grande que Cassie, mais possédait la même silhouette élégante, parfaite. Lorsqu'elle avait voulu teindre ses longs cheveux en blond, Cassie avait protesté. Mais elle était bien obligée d'avouer que le résultat était spectaculaire.

– Qui vient pendant les vacances, cette année ? demanda-t-elle en sortant de l'aéroport.

– On reste entre nous. En famille.

Joséphine lui jeta un coup d'œil intrigué.

– En famille ?

– Oui, pourquoi pas ? Ça changera un peu.

– Bon… Au fond, ça me plaît. Juste toi et moi.

– Toi, moi, et Mathieu.

Son fils adoptif devait arriver cinq jours avant Noël. D'après ses lettres (plutôt rares) en provenance de l'Australie, il était heureux là-bas. Il travaillait énormément, apprenait beaucoup, mais s'amusait aussi.

Cassie avait eu du mal à prendre la décision de l'y envoyer, à cause de son asthme, qui avait resurgi avec violence dans son adolescence en dépit des traitements du Dr FitzStanton. L'homéopathe lui avait expliqué que c'était assez courant, et que cette fois, « ça passerait, ou ça casserait ».

– Vous comprenez, c'est surtout un problème d'ordre psychologique, avait-il déclaré, avec sa douceur et sa patience coutumières. C'est désormais à Mathieu de décider, en toute conscience, s'il veut vaincre sa maladie. A condition de nous y mettre tous, de nous engager dans une approche positive, de le traiter comme n'importe qui au lieu de le dorloter, nous aurons peut-être des chances de le convaincre qu'il peut mener une existence normale. A condition de se surveiller.

Cassie avait suivi ces conseils. Elle avait envoyé Mathieu à l'école, l'avait autorisé à entreprendre toutes les activités qui lui plaisaient. Comme chez la plupart des asthmatiques, sa volonté de surmonter son handicap était telle qu'il était devenu un sportif accompli. Cassie et Joséphine étaient fières de ses succès, surtout en athlétisme.

Malheureusement, ses résultats scolaires laissaient à désirer. Bien que rêvant de devenir vétérinaire, il n'avait jamais obtenu les notes nécessaires.

C'était Sheila Meath qui avait soumis l'idée du voyage en Australie.

– Nous connaissons sa passion pour les animaux, avait-elle dit à Cassie. Surtout les chevaux, mais toi, tu n'étais pas au courant.

– En effet ! avait répondu Cassie, suffoquée. J'ai toujours su qu'il voulait suivre les traces de Niall Brogan. Vis-à-vis des chevaux, en revanche, il ne manifestait guère d'intérêt.

– C'est vrai, Cassie, mais ce n'était qu'un paravent. Dans leur enfance, c'est toujours Joséphine qui allait gagner le Grand National ou représenter l'Irlande aux jeux Olympiques. Mathieu s'est mis délibérément en retrait, à cause de sa santé. Aujourd'hui, il hésite à te faire part de ses désirs parce qu'il aurait simplement l'air de prendre le train en marche.

– Tu veux dire qu'il veut entraîner ?

– Plus que tout au monde. Mais surtout, il veut être indépendant.

On s'était donc arrangé pour que Mathieu puisse apprendre les ficelles du métier chez un parent de Sheila Meath sur l'autre face du globe. Ce neveu, déjà fort réputé, avait accepté de le prendre comme apprenti, sachant qu'il n'aurait droit à aucun traitement de faveur et qu'il commencerait comme les autres : au bas de l'échelle.

Mathieu avait eu du mal, au début. Les trois premiers

mois, il téléphonait constamment à sa mère. Il ne le lui avoua jamais, mais s'il avait senti que Cassie faiblissait, l'encourageait à revenir, il aurait tout lâché. Cassie avait tenu bon. Chaque fois qu'elle raccrochait, elle avait le cœur brisé. Mais elle ne cédait pas, vantant, comme se plaisait à le répéter Sheila, les avantages de la situation. Les voyages ne formaient-ils pas la jeunesse ?

– Je ne sais pas comment je le supporterais si tu n'étais pas là pour m'aider, avait-elle confié plus d'une fois à son amie. N'ayant pas eu de mère au sens propre du terme, j'ai du mal à faire ce qu'il y a de mieux pour mon fils.

Six mois plus tard, le téléphone avait cessé de sonner, et les lettres s'espaçaient de plus en plus. Sheila avait droit de temps à autre à un « rapport confidentiel » de son neveu. Mathieu était sur la bonne voie.

A présent, Cassie se réjouissait de passer les fêtes tranquillement avec ses enfants.

C'était compter sans Leonora.

Cassie l'avait complètement perdue de vue. La dernière fois qu'elle était tombée sur un article à son sujet, Leonora venait de divorcer une fois de plus et de réintégrer le circuit international. Cassie était cependant au courant de certaines de ses activités, car elle avait vu des photos de Leonora aux ventes de Newmarket, et entendu dire que Peter Carroll, un agent très connu, avait été chargé de lui acheter des yearlings. Un soir, lors d'un dîner, quelqu'un avait évoqué les aventures matrimoniales de Leonora, mais Cassie s'était empressée de changer de sujet.

Si elle avait été un peu plus attentive, elle aurait appris que Leonora était de retour en Irlande, et que sa dernière union en date allait affecter l'avenir personnel de Cassie et mettre en péril la sécurité de sa famille.

Le 20 décembre, Cassie et Joséphine allèrent chercher Mathieu à l'aéroport. Cherchant des yeux un garçon en tenue décontractée, un peu froissée, elles n'aperçurent pas tout de suite l'élégant jeune homme qui passait nonchalamment la douane et s'approchait derrière elles.

– Vous attendez quelqu'un, mesdemoiselles ? demanda-t-il en exagérant l'accent australien.

Cassie et Joséphine firent volte-face, sidérées, et rencontrèrent le visage bronzé et souriant de Mathieu.

– Mon Dieu ! s'exclama Joséphine en se jetant dans ses bras. C'est toi, enfin !

Mathieu lui sourit, l'étreignit avec fougue, puis se tourna vers sa mère.

Cassie sourit aussi, et fit de son mieux pour masquer son émotion. Mais elle ne put retenir des larmes de joie.

– Maman ! Je t'en supplie, ne pleurniche pas comme ça. Je ne suis absent que depuis deux ans.

– Je sais. J'ai l'impression que ça en fait dix.

Ils partirent directement pour Claremore, où Cassie avait organisé un petit cocktail en l'honneur du retour de son fils. Ensuite, ils dîneraient tous les trois.

L'un des invités avait dû se tromper d'heure car, à leur arrivée, ils virent un superbe coupé BMW noir devant les marches du perron.

– Je ne reconnais pas cette voiture, murmura Cassie en précédant ses enfants dans la maison. Je me demande qui cela peut être.

Dick se précipita à leur rencontre.

– Nous avons de la visite ? lui demanda Cassie en lui remettant son manteau et son chapeau.

– En effet, madame. Elle vous attend depuis une demi-heure dans le salon.

– Je ne reconnais pas la voiture.

– Vous n'aurez aucun mal à reconnaître la dame, répliqua Dick en extirpant de la poche de sa veste une carte de visite.

Cassie fronça les sourcils. Ce nom ne lui disait rien du tout.

Et puis, à l'instant précis où Dick fermait la porte de la salle de séjour derrière elle, elle comprit.

Leonora.

Elle était de dos, le regard rivé sur le portrait au-dessus de la cheminée. Cassie vit tout de suite qu'elle avait perdu beaucoup de poids. Ses cheveux, qu'elle avait laissé pousser, tombaient en cascade sur ses épaules. Elle se retourna et agita la main.

– Salut !

– Bonjour, Leonora, répondit Cassie, sidérée par la métamorphose de sa rivale.

Elle paraissait rajeunie de dix ans. Envolés, les cernes sous les yeux, le petit surplus de peau sous le menton. Disparues, les pattes d'oie et les joues enflées. Seules, les minuscules ridules au-dessus de sa lèvre supérieure trahissaient son âge.

– Ne me dis pas que tu as arrêté de fumer ?

– Comment le sais-tu ?

– C'est bien la première fois depuis notre enfance que je te vois sans une cigarette entre les doigts.

– C'est vrai, j'ai arrêté.

Leonora s'approcha, posa une main sur l'épaule de Cassie, fit mine de l'embrasser.

– Je ne bois plus, je ne me drogue plus, et depuis mon plus récent mariage, je ne baise plus.

Elle recula d'un pas en affichant un sourire, puis rejeta vers l'arrière ses cheveux.

– Tu as beaucoup maigri.

– Quant à toi, tu as pris quelques kilos. Ce n'est pas plus mal.

Cassie ne put s'empêcher de jeter un coup d'œil furtif dans la glace.

– Tu ne préviens toujours pas avant de venir ?

– J'ai appelé, mais tu étais à l'aéroport, ma chérie.

– Tu aurais pu téléphoner hier. Ou ce matin.

– Oh, là, là, ce que tu peux être casse-pieds, ma chère Cassie. La vie est trop courte ! J'ai décidé d'aller à Cork à l'heure du déjeuner. J'ai passé un coup de fil depuis la voiture, et ton majordome m'a dit que tu rentrais en fin d'après-midi. Je me suis dit, pourquoi ne pas aller à Claremore ? On ne s'est pas vues depuis des lustres.

Cassie dévisagea Leonora, puis consulta sa montre.

– Dick a omis de te dire que j'avais des invités. Je crains que tu ne puisses pas rester.

– Ma cocotte, je suis déjà assez en retard comme ça. Même si j'en avais envie, ce serait impossible. Je voulais juste te faire un petit coucou. Et te dire que je passe les fêtes à Derry Na Loch. Il faut absolument que tu viennes dîner un soir.

– Tu crois ?

- Je tiens à tout prix à te présenter mon nouveau mari avant qu'il ne rende l'âme.

Leonora émit un rire et ramassa un exemplaire de *Harper's Magazine*.

– Malheureusement, mon emploi du temps est surchargé. Même si j'en avais envie, ce serait impossible, railla Cassie.

Elle se dirigea vers la sortie, dans l'espoir que Leonora comprendrait le message. Mais elle resta assise sur le canapé, à feuilleter sa revue.

– Je ne savais pas que tu appréciais cette sorte de lecture. *Pacemaker*, ou *Sporting Life*, je comprends. Mais la mode, les mondanités ?

– C'est à Joséphine.

– Ah, oui ? C'est elle que tu allais chercher à l'aéroport ? Mais non, bien sûr. J'ai aperçu Joséphine chez Brown Thomas, hier.

– Leonora, excuse-moi, mais je dois aller me changer.

– Très bien, ma chérie, soupira-t-elle en se levant. Que fais-tu pour le réveillon du Nouvel An ? J'organise une grande soirée : champagne rosé, orchestre, robes longues et smokings, confettis à gogo et tout le reste. J'aimerais beaucoup que vous veniez. Tous. Toi, Joséphine, Mathieu... Qu'en penses-tu ?

Cassie eut un frémissement. Elle n'avait pas parlé de son fils. Comment Leonora pouvait-elle savoir qu'il était là ? A moins que Joséphine ne le lui ait dit ? Mais si elle avait bavardé avec Leonora à Dublin, elle en aurait parlé à sa mère. Ça ne pouvait pas non plus être Dick, sans quoi, Leonora ne lui aurait pas demandé qui elle était allée chercher à l'aéroport…

Submergée d'angoisse, Cassie sut d'instinct que Leonora était là dans un but précis. Elle en avait la certitude. Quel tour allait-elle encore leur jouer ?

Mathieu surgit, et Leonora jeta l'allumette sur son feu parfaitement préparé.

– Doux Jésus ! roucoula-t-elle en écarquillant les yeux… Seigneur, Cassie, je n'arrive pas à le croire. Regarde-le ! C'est Tyrone tout craché !

24

– C'est curieux que Leonora m'ait trouvé une ressemblance avec Papa, murmura Mathieu, un peu plus tard dans la soirée.

Très tôt, il avait su qu'il était un enfant adopté. Cassie lui avait tout expliqué dès qu'il avait été en âge de comprendre.

– Elle est cinglée, lança Joséphine. Quoique… ce n'est peut-être pas complètement idiot. Dans la série que je viens de tourner, la vedette masculine, David Kaye, a un fils, acteur lui aussi. C'est le portrait de son père. Or, il est adopté.

– Est-ce que je te fais penser à Papa ? s'enquit Mathieu.

– Non, mentit Cassie. Pas du tout.

– Si c'était le cas, ce serait formidable.

– Ce n'est pas le cas, trancha sa mère.

Mathieu fronça les sourcils, intrigué, car il savait combien Cassie avait aimé Tyrone. Elle s'empressa de changer de sujet, l'encourageant à leur raconter ses aventures australiennes. Bientôt, il les fit rire aux éclats en leur rapportant diverses anecdotes sur sa nouvelle existence « dans la brousse ». Cassie oublia l'acte de provocation de Leonora pendant cet intermède.

Mais une fois Mathieu et Joséphine couchés, elle resta seule avec ses doutes.

Les nombreuses similitudes entre Tyrone et Mathieu l'avaient souvent frappée, mais elle ne s'y était jamais arrêtée. Au fil du temps, les relations et amis s'étaient régulièrement exclamés sur la ressemblance entre Joséphine et son frère adoptif, mais là encore, Cassie avait préféré élucider la question. Ce genre de comparaison n'était pas fondé, les gens ne voyaient que ce qu'ils avaient envie de voir.

Ce soir, pourtant, assise devant la cheminée, plusieurs détails lui revinrent en mémoire. C'était Tyrone, par exemple, qui lui avait présenté la mère de Mathieu. C'était lui qui avait amené Antoinette à Claremore.

Lorsqu'il lui avait expliqué les raisons de sa visite, il était resté de dos, ostensiblement pour découper le rôti sur la desserte.

– Elle est enceinte.

– Pas de toi, j'espère.

Non. Il n'était pas le père. Il l'avait nié farouchement. Et Tyrone ne mentait jamais.

– Elle veut bien nous donner l'enfant.

Après tout, ce ne serait pas illogique... Tyrone engrosse une jolie jeune fille, elle ne veut pas du bébé, Cassie vient de perdre le sien, mais ne peut plus procréer au risque d'y perdre la vie. La meilleure solution n'est-elle pas d'adopter le petit en feignant de ne pas savoir qui est son père ?

Selon les rumeurs, le prétendu papa était parti fumer du hasch quelque part aux Indes.

La lettre présentée lors de la dernière audience, envoyée par le soi-disant géniteur et destinée à discréditer Cassie, était un faux.

Rien ne prouvait formellement que Gerald Secker était le fautif.

– En fait, il me suffirait de demander une analyse de sang, confia Cassie à Sheila Meath au téléphone, bien après minuit.

– Tu ferais mieux d'aller consulter un psychologue, grogna Sheila, agacée par les inquiétudes de son amie. Tyrone n'est pas le père biologique, c'est évident. D'ailleurs, on sait que les enfants adoptés finissent par ressembler à leurs parents adoptifs. Pense aux deux plus jeunes de Seamus O'Connor. C'est son portrait tout craché.

– D'accord. C'est possible, dans la mesure où les parents en question vivent suffisamment longtemps. Tyrone est mort l'année où nous avons accueilli Mathieu dans notre famille. Seamus, lui, est bel et bien vivant. Je comprendrais, si c'était à moi que l'on comparait Mathieu. Il n'en est rien.

Il y eut un silence à l'autre bout du fil.

– Elle a dit ça comme ça, Cassie.

– Leonora ne dit jamais rien « comme ça ». Ecoute, Sheila. Mathieu a les yeux de Tyrone, sa bouche. Il a même ses mains.

– C'est toi qui le vois ainsi. Personnellement, ce n'est pas mon avis. Et puis, ajouta Sheila, son comportement est très différent.

– Pourtant, c'est plausible, insista Cassie. Tout concorde. Tyrone aurait très bien pu être le père. Il traitait souvent avec Alec Secker, le patron d'Antoinette, à l'époque.

– Je me souviens de lui. Il s'est installé en Angleterre, peu après. Quelque part dans le Berkshire.

– Tyrone passait énormément de temps chez lui.

– Cassie, j'ai comme l'impression que tu as *envie* que ce soit vrai.

– Mais non ! C'est faux ! Si seulement je pouvais exiger un test sanguin.

– Tu connais le groupe de Mathieu, je suppose ? Et celui de Tyrone ?

– C'est celui de la mère qu'il me faudrait. Et surtout, celui du soi-disant papa.

– A ta place, Cassie, je laisserais tomber.

– Justement, Sheila. Tu n'es pas à ma place.

– Tu n'y changeras rien maintenant. En admettant que

Tyrone soit le géniteur, serait-ce si épouvantable ? Réfléchis : cela signifie tout simplement que tes deux enfants le portent en eux.

– C'est plus grave que cela, Sheila. Si c'est ça la vérité, alors Tyrone m'a trompée, ce qu'il a toujours nié. Il m'a menti.

– Tyrone n'était pas un saint, tu sais.

– C'était mon mari. Il ne jurait que par la sincérité. S'il m'a menti au sujet d'Antoinette, que m'aura-t-il caché d'autre ?

Que s'était-il passé, par exemple, entre lui et Leonora, dans le sud de la France ?

Sheila fit de son mieux pour la calmer au téléphone cette nuit-là, puis le lendemain, de vive voix. Mais Cassie restait inébranlable. Son but n'était pas d'établir que Tyrone était un menteur, mais le contraire. Elle était plus que jamais décidée à rendre Leonora responsable de cette situation. Cette idée l'obsédait tellement qu'elle ne devina pas le motif réel de son adversaire.

*
* *

Alec Secker n'avait aucune idée de l'endroit où se trouvait son fils, et il s'en fichait éperdument. Quand Cassie lui rendit visite dans son somptueux manoir à la lisière de Wantage, il lui expliqua d'un ton aimable qu'ils étaient fâchés depuis des années. Renvoyé du célèbre collège d'Eton, Gerald avait sombré dans la drogue, et Alex n'avait plus voulu en entendre parler.

– Je ne sais pas comment sa pauvre mère aurait supporté tout ça. Mais, comme vous le savez, Liz-Anne est morte en mettant au monde la sœur de Gerald.

– Vous ne savez vraiment pas où il peut être ? réitéra Cassie.

– S'il est encore de ce monde, je suppose qu'il erre quelque part en Orient.

– Je suis désolée…

– Oui. Bon. C'est la vie.

Alec Secker se leva pour remplir leurs verres, plus par besoin de bouger que par nécessité.

– Vous vous souvenez de la jeune fille ?

– Antonia ?

– Antoinette, Alec. Antoinette Brookes.

En effet, il se rappelait une ravissante jeune femme, grande, fine, plutôt réservée.

– A une époque, j'ai nourri quelques espoirs pour elle et Gerald. Elle semblait lui convenir.

– Elle plaisait beaucoup à Gerald, n'est-ce pas ?

– Ça, je n'en sais rien. En tout cas, elle l'ignorait complètement. Elle n'avait pas un instant à lui consacrer.

– En êtes-vous sûr ? Ils fréquentaient les mêmes cercles, les mêmes soirées.

– Pas que je sache, non. Ils évoluaient dans deux univers totalement opposés. Gerald, dans les milieux branchés de Dublin. Antoinette était plus classique. Non, non, non. D'ailleurs, elle était trop occupée à débaucher un homme marié.

Cassie appela Sheila depuis sa chambre d'hôtel.

– Je te l'avais bien dit, Cassie. Ça ne sert à rien. Tout ce que tu risques, c'est de ternir tes années de bonheur avec Tyrone. Et dans quel but ? Tu ne prouveras absolument rien. Prends le prochain avion et oublie tout ça.

– Je ne rentrerai pas avant d'avoir retrouvé Antoinette. Nous étions amies. Elle me dira la vérité.

– Qu'en sais-tu ? s'emporta Sheila, exaspérée. Quand bien même elle aurait eu une liaison avec Tyrone, pourquoi t'en parlerait-elle maintenant ? Et si elle nie, la croiras-tu ?

Cassie préféra éluder la question.

– Alec Secker ne connaît pas le groupe sanguin de son fils.

– Quel est celui de Mathieu ?

– AB rhésus positif.

– Tu as déjà parcouru la moitié du chemin.

– Sheila, pour démontrer une paternité, ou plutôt, dans le cas qui me préoccupe, une non-paternité, il faut pouvoir identifier les agglutinogènes à l'aide d'échantillons de sang de l'enfant et des deux parents. Les résultats ne sont concluants que dans la mesure où les types diffèrent. En d'autres termes, on peut obtenir des confirmations par la négative : untel *n'est pas* l'enfant d'une telle et d'untel. C'est la raison pour laquelle je dois reprendre contact avec Antoinette.

– Mais tu sais déjà que c'est elle, la mère.

– Oui. Et elle, elle sait qui est le père.

Cassie n'eut aucune difficulté à débusquer Antoinette Brookes, devenue Mme Bill Canford-Percy, épouse d'un gentleman-farmer dans le sud-ouest de l'Angleterre.

– Elle sera si contente de revoir une vieille amie ! assura sa mère à Cassie, quand celle-ci l'eut au téléphone. Elle a vraiment besoin de voir du monde.

Cassie songea qu'Antoinette souffrait probablement de la solitude qui envahissait certaines femmes lorsqu'elles se retrouvaient du jour au lendemain en pleine campagne. Cette hypothèse se révéla encore plus crédible lorsque Cassie découvrit la résidence des Canford-Percy, un gigantesque manoir victorien perdu au bout d'une route non goudronnée, à une dizaine de kilomètres du village le plus proche.

La mère d'Antoinette lui ouvrit. La maison ressemblait étrangement à Claremore à l'époque où Cassie s'y était installée.

– Bill est navré de vous avoir ratée, annonça Mme Brookes en conduisant Cassie tout au bout d'un corridor sombre. Il est parti à la chasse.

– Je ne connais pas votre gendre. Je ne connais que votre fille, et encore, je ne l'ai pas vue depuis vingt ans.

Mme Brookes s'immobilisa.

– Vingt ans, dites-vous ?

– C'est exact.

– Humphrey et moi étions à Baden-Baden, en ce temps-là, il me semble.

Mme Brookes dévisagea Cassie, hésita comme si elle voulait ajouter quelque chose, se ravisa. Elle ouvrit une porte donnant sur un minuscule boudoir trop chauffé.

Devant l'âtre, dans un fauteuil roulant, se tenait la mère de Mathieu. Elle était méconnaissable.

– Ma puce, tu as de la visite !

Mme Brookes se retourna et posa une main sur l'épaule de Cassie.

– Je vais préparer du thé.

Cassie jeta un coup d'œil vers la silhouette engoncée dans un châle épais. La tête formait angle droit avec le sternum, la colonne vertébrale, visiblement déformée. Un plaid recouvrait ses genoux.

– Antoinette ? murmura Cassie en venant s'asseoir en face d'elle. Antoinette ? Vous m'entendez ?

Elle ne bougea pas. Cassie se déplaça pour se placer dans sa ligne de vision.

– Vous me voyez ?

Elle cligna des cils.

– Est-ce que vous m'entendez ?

De nouveau, Antoinette répondit avec ses yeux.

– Est-ce que vous me reconnaissez ?

Cette fois, elle fit signe que non. Cassie s'installa par terre et entreprit de lui expliquer qui elle était, où elles s'étaient connues. Lorsqu'elle eut terminé, elle demanda à Antoinette si elle s'en souvenait. Elle resta impassible.

Cassie recommença. Plus lentement, en choisissant des termes encore plus simples.

En vain.

– Vous ne vous rappelez pas qui je suis ? insista Cassie.

– Non.

Mme Brookes revint avec le thé, à l'instant précis où Cassie allait prendre place dans un fauteuil.

– Ah, je vois que vous évoquez le bon vieux temps.

Cassie accepta une tasse de thé grisâtre, mais refusa les scones d'aspect plutôt douteux.

– Elle ne sait plus qui je suis.

– Elle a une mémoire d'éléphant, répondit la vieille dame. Si je lui parle de ce qu'on a écouté la veille à la radio, si je lui demande, par exemple, quelle émission c'était, elle me le dit. Elle ne se trompe jamais.

– Elle peut donc parler ?

– Elle est imbattable à ce jeu.

Cassie haussa le ton, un peu irritée.

– Mais peut-elle parler ?

Mme Brookes l'observa par-dessus sa tasse, qu'elle posa ensuite délicatement sur la table basse.

– Non. Pas exactement.

Antoinette ne disposait plus que d'une mémoire immédiate. Son secret était prisonnier de cette tête, si jolie autrefois, et désormais ployée sur sa poitrine. Cassie rapprocha son siège et prit les mains d'Antoinette dans les siennes.

– Elle ne sent rien, intervint sa mère. Mais elle voit. Elle dit tout avec ses yeux. Evoquez les bons moments que vous avez connus ensemble autrefois. Ça lui plaira. Elle adore recevoir de la visite.

Cassie pouvait difficilement évoquer le passé devant Mme Brookes, qui ne savait rien des mésaventures de sa fille. Elle décida donc de lui parler de Claremore.

Cependant, la maman d'Antoinette dut avoir un pressentiment, parce qu'elle l'interrompit presque aussitôt :

– Surtout, ne lui racontez rien qui ait un rapport avec les chevaux. Mais vous le savez, puisque vous êtes une amie.

Cassie en conclut qu'Antoinette avait été victime d'une mauvaise chute. Elle aborda des sujets anodins. Plus elle parlait, plus elle prenait conscience de l'absurdité de la situation. En effet, les bêtes auxquelles elle avait consacré son existence étaient responsables de la mort de son mari, et un hasard tragique voulait qu'aujourd'hui, elles l'empêchent de connaître la vérité à propos de la paternité supposée de Tyrone.

Elle resta auprès d'Antoinette jusque dans la soirée. Pendant la dernière heure, elles écoutèrent ensemble une émission radiophonique. Quand enfin Antoinette s'endormit, sa mère hocha la tête en direction de Cassie.

– C'est très gentil à vous d'être restée si longtemps, dit-elle en la raccompagnant jusqu'à la porte. La plupart des gens craquent au bout de dix minutes.

– C'est un accident de chasse ? devina Cassie, en avisant les trophées accrochés aux murs du vestibule.

– Oui. La deuxième année de leur mariage. Elle a sauté une haie en bordure d'une route en contrebas. Au même moment, un camion passait. Elle n'a jamais aimé la chasse, vous savez, mais évidemment, avec Bill… Le plus terrible, c'est que la pauvre petite a perdu l'enfant qu'elle portait. Souvent, je me dis : « Si seulement ils avaient pu sauver le bébé. »

La vieille dame sourit de façon si touchante que Cassie eut envie de la prendre dans ses bras et de lui révéler qu'Antoinette avait eu un enfant, un garçon magnifique, qui était devenu un séduisant jeune homme.

Elle se contenta de lui rendre son sourire et de lui serrer la main.

Sheila avait raison. Les démarches de Cassie n'avaient servi à rien. Cassie le comprit dès l'instant où elle franchit le seuil de Claremore et embrassa ses enfants.

– Mon Dieu ! souffla Mathieu. On croirait qu'elle est partie des années ! Où étais-tu ?

– En mission de recherche.

– Tu as trouvé ?

– Non, Mathieu. Et au fond, ce n'est pas plus mal.

*

* *

Si Cassie s'efforçait de chasser ces pensées troublantes de son esprit, ce n'était pas le cas de tout le monde.

Au début de la nouvelle année, Leonora appela un matin.

– C'est dommage que tu n'aies pas pu venir à ma soirée, attaqua-t-elle.

– Ce n'est pas que je n'ai pas pu, mais je n'ai pas voulu.

Leonora ignora cette pique.

– J'avais invité des personnes très intéressantes. Pas des mordus de l'élevage et des paddocks.

– Je n'en doute pas.

– Tiens ! Il y avait même un type qui a connu Gerald Secker en Thaïlande.

Cassie attendit un instant avant de répliquer :

– Pourquoi tiens-tu à ce que je sois au courant ?

– J'ai entendu dire que tu étais à la recherche de Gerald.

– Qui te l'a dit ?

– Tu ne le trouveras pas. Il est mort.

Leonora raccrocha avant que Cassie ne puisse pousser plus loin l'interrogatoire. Un bref instant, Cassie fut tentée de la rappeler immédiatement et d'exiger des explications. Mais ce serait se prêter au jeu de Leonora. Elle siffla Bunbury et l'emmena marcher dans les collines.

Le chien gambadait en aboyant, heureux de vivre. Cassie décida de refouler ses angoisses concernant la paternité de Mathieu. Elle savait bien que Leonora cherchait à la déstabiliser, sans toutefois en comprendre les raisons. A quoi bon se morfondre ? Si Tyrone était effectivement le père biologique de Mathieu, tant mieux : c'était l'homme qu'elle avait aimé, et non un inconnu égocentrique et irresponsable.

Mais parviendrait-elle à accepter le fait que Tyrone lui avait menti ? Non. Ça, jamais.

Rossignol rentra de ses vacances d'hiver en Italie à la fin du mois de février. Il était en pleine forme, et lors du déchargement, Cassie remercia Tyrone une fois de plus : elle avait suivi le sage conseil du grand Vincent O'Brien, faire comme les Italiens qui expédiaient leurs chevaux à Pise depuis des générations. Le climat méditerranéen leur convenait à merveille.

Rossignol ne faisait pas exception à la règle.

– A mon avis, déclara Mathieu en lui caressant le flanc, il sera prêt à courir dès le mois d'avril. Et je vais te dire autre chose, maman : c'est un sacré numéro que tu as là.

Joséphine était repartie en Angleterre pour le lancement publicitaire de sa série télévisée. Mathieu avait été nommé officiellement assistant-entraîneur à Claremore. La mère et le fils étaient d'accord pour qu'il mette ses connaissances en pratique avant de s'installer à son propre compte.

Ce soir-là, au dîner, enchantés par la santé éclatante de Rossignol, ils échafaudèrent des plans pour l'avenir. Si les entraînements se passaient comme prévu, il ne participerait qu'à une seule course avant de se rendre à Newmarket pour le Prix 2000 Guineas.

– Tu sais qu'il sera sans doute confronté à Millstone Grit ?

– Il faut bien se lancer un jour ou l'autre, répliqua Cassie.

– En Irlande, on remporterait notre Prix 2000 les yeux fermés.

– Si Rossignol vaut ce que je crois, je veux qu'il suive le circuit classique. Le 2000 Guineas anglais, le Derby d'Epsom, le Prix King George, le Prix Queen Elizabeth, et pour finir, soit le St. Léger, soit l'Arc de Triomphe.

– Tu ne veux rien d'autre pour Noël ? plaisanta Mathieu.

– Il ne s'agit pas de moi, mon chéri. Tu sais parfaitement à qui je pense.

En contemplant son fils, de l'autre côté de la table de la cuisine, elle eut l'impression de voir son reflet dans les yeux de son défunt mari.

Le mois de mars fut doux et humide, le printemps, précoce. Les bêtes qui avaient séjourné plusieurs mois à l'étranger purent se remettre au travail sans tarder. Dès la deuxième semaine du mois, Dexter, qui avait emménagé dans un cottage à la sortie du village, reprit Rossignol en main. Il fut plus impressionné que jamais.

– Là, c'est du sérieux, patronne, déclara-t-il avec un large sourire, après un premier galop sur la piste.

– Vous en doutiez ?

Cassie tourna autour du cheval pour examiner ses jambes. Le jockey secoua la tête.

– On peut tomber sur des prodiges qui s'écroulent au bout d'un an. Vous le savez aussi bien que moi. Tout d'un coup, ils se découragent. Mais celui-ci... Ouf ! Je meurs d'impatience d'appuyer sur le bouton du départ.

– Je veux que vous y alliez doucement, Dexter. Nous allons le présenter au Prix Gladness, mais il faut qu'il gagne habilement.

– Vous ne voulez pas montrer vos atouts. Je comprends.

– Il n'y a pas que cela. La course a lieu au début d'avril. Il n'est pas question de rafler la mise. Je désire que Rossignol en savoure chaque instant, qu'il se dise : tiens ! la course, ça me plaît. J'ai vu des tas de trois-ans perdre tout intérêt du jour au lendemain parce qu'on leur infligeait trop tôt des difficultés.

Quinze jours plus tard, Cassie commença à mesurer la force de la concurrence. Millstone Grit, grand favori de l'Ascot 2000 Guineas, avait passé le poteau en un temps record, laissant loin derrière lui quatre espoirs anglais. On prétexta qu'ils n'étaient pas encore prêts, que la saison démarrait à peine, mais d'après la vidéo, Cassie, Dex et Mathieu parvinrent à une conclusion unanime : ce cheval était exceptionnel.

En revoyant le ralenti, Dex s'exclama :

– Incroyable !

Cassie consulta son chronomètre, puis les notes qu'elle avait gribouillées sur son carnet.

– Ses temps intermédiaires sont intéressants. Il donne le maximum au début, et les deux cents derniers mètres sont en fait les plus lents. Mais il a tellement d'avance que ça n'a plus aucune importance.

– Chut ! murmura Mathieu. Ils vont interviewer l'entraîneur.

L'animateur présenta Jonathan Keating, un homme grand et débonnaire. Malgré ses airs timides et maladroits, c'était l'un des véritables génies actuels du turf.

– Alors, Jonathan, c'est une petite merveille que vous avez là.

– Oui, en effet.

– Jusqu'où ira-t-il, selon vous ?

– Combien mesure un bout de ficelle ? répliqua Jonathan.

Julian Wilson sourit : il était habitué aux reparties de Keating.

– J'ai l'impression qu'il pourrait remporter le Guineas.

– Peut-être devriez-vous prendre votre licence d'entraîneur, plaisanta Keating.

– Non, sérieusement…

– C'est un remarquable deux-ans, qui deviendra probablement un remarquable trois-ans. Bien entendu, il participera au prix Guineas.

– Son rival le plus redoutable sera très probablement Rossignol ?

– Rossignol, et le cheval français Pastiche. On ne peut pas non plus laisser complètement de côté Never Mind, qui a été tout spécialement préparé pour ce parcours.

– Et le Derby ?

– Voyons tout d'abord ce qui se passera à Newmarket.

Julian Wilson remercia l'entraîneur de Millstone Grit et se tourna vers l'objectif.

– Qui est le propriétaire ? s'enquit Cassie en consultant le journal. C'est une vraie déformation professionnelle : je ne prends jamais la peine de me renseigner.

– Un de vos compatriotes, répondit Dexter en ouvrant une canette de soda sans sucre.

– Taisez-vous donc ! gémit Mathieu. Comment voulez-vous entendre la suite ?

– ... qui a assisté à la victoire de son cheval, conclut Julian Wilson, puisque son époux se trouve actuellement au Moyen-Orient pour affaires.

– Nom de nom ! siffla Mathieu.

Cassie leva les yeux vers l'écran.

– Pas possible ! Leonora !

La cassette s'arrêtait là, car Cassie l'avait programmée pour la durée de la course uniquement. Mathieu la rembobina jusqu'au moment où l'on présentait Leonora, tout en sourire. Il figea l'image et couvrit d'une main la bouche de Leonora. Au-dessus, ses yeux étaient froids comme un glaçon.

– Tout est dans le regard, marmonna Mathieu en se tournant vers Cassie. N'est-ce pas, patronne ?

Cassie fixa l'image immobile de Leonora, effarée. La propriétaire de Millstone Grit était Leonora. Ou plutôt, sa copropriétaire, car dans les photos de la presse spécialisée, elle n'avait pas reconnu ses couleurs.

Leonora possédait le favori ex-aequo du Prix 2000 Guineas.

Le seul cheval qui, en théorie du moins, était capable de battre Rossignol.

Tout en continuant de préparer son cheval, Cassie se demandait parfois pourquoi Leonora n'avait pas abordé ce sujet lorsqu'elle lui avait rendu visite avant Noël, puis téléphoné au début de la nouvelle année. Peut-être supposait-elle que Cassie était déjà au courant, et attendait-elle que cette dernière l'interroge. Quelles que soient ses raisons, Cassie savait que cette omission était délibérée. Leonora était beaucoup trop habile aux cartes pour rater une occasion de bluffer.

Son intention était probablement d'inquiéter Cassie,

de la déstabiliser au moment crucial. En fait, ce fut l'inverse qui se produisit. Jamais Cassie n'avait été aussi décidée à réussir.

– Jusqu'ici, j'ai eu l'impression de me perdre dans un tunnel, confia-t-elle à son fils, tandis qu'ils observaient l'entraînement de Rossignol. Maintenant, je vois enfin percer la lumière.

Cassie sourit, tandis que Mathieu la dévisageait.

– Je croyais que tu visais le Derby ?

– En effet. Là-dessus, je n'ai pas changé d'avis. Mais les données ne sont plus les mêmes.

– Tu veux dire que ce n'est plus une « simple course » ?

– Tu as tout compris, mon chéri. Ce n'est plus une « simple course ». L'enjeu est tout autre.

Rossignol passa devant eux dans un grondement de tonnerre, narines frémissantes, oreilles pointées, Dexter perché en parfait équilibre sur ses étriers.

Cassie et Mathieu arrêtèrent leurs chronomètres respectifs et consultèrent les temps.

– Ouf ! s'exclama Mathieu.

– Tu l'as dit. Et il n'est pas à son maximum.

*

* *

Tous les espoirs étaient permis pour le prix Gladness. Le soleil et les brises d'avril avaient séché les terrains trempés par la pluie du début de la semaine. Les partants, au nombre de dix, étaient tous en lice pour le Guineas. Une fois de plus, Rossignol démarra au plus bas des cotes, mais les rumeurs se répandant, les parieurs hésitèrent, cette fois, à l'ignorer complètement. Il partit favori à quatre contre six. Dexter le monta en suivant à la lettre les instructions reçues, restant bien à l'extérieur. Dans les tribunes, certains spectateurs eurent l'impression un moment que le jockey tardait trop à accélérer, car un murmure s'éleva dans la foule quand l'un des outsiders prit les devants. Puis, à la dernière minute, Dexter fonça, et en quelques foulées, ce fut fini. Rossignol l'emporta par trois bonnes longueurs.

Rares furent les experts qui constatèrent la facilité avec laquelle il avait gagné. La plupart d'entre eux s'étaient concentrés sur Millstone Grit, après sa victoire d'Ascot. Aussi, l'enthousiasme de la presse fut-il mitigé. Le *Telegraph* qualifia le cheval de « futé », tandis que le *Times* évoquait ses qualités, sans toutefois l'encenser. Mais les deux journaux étaient d'accord sur un point : Rossignol ne pourrait rien contre Millstone Grit à Newmarket.

Seul, *Sporting Life* sut analyser correctement la course de Curragh.

> A en juger par la façon dont Claremore a préparé son concurrent pour Curragh, la question n'est plus « qui va gagner le Prix 2000 Guineas ? », mais plutôt « qui arrivera en second ? ». Rossignol a montré un talent exceptionnel, allongeant ses foulées sur un simple coup de rênes de son jockey, Dexter Bryant, pour dépasser sans en avoir l'air Bless Me Father et Levitation qui avaient presque atteint le poteau.

Le journaliste poursuivait en établissant quelques comparaisons de temps, et concluait avec confiance que Rossignol n'aurait pas la moindre difficulté à empocher la victoire à Newmarket.

Bien que bénéficiant d'un système de sécurité à toute épreuve, du moins c'est ce qu'elle espérait, Cassie prit la précaution d'engager des gardiens supplémentaires et des chiens, afin de maintenir à l'écart les éventuels intrus. Les allées et venues de Rossignol étaient désormais étroitement surveillées, même si, à Claremore, on accédait aux pistes sans quitter la propriété.

Deux lads se relayaient toute la nuit devant le box de Rossignol. Quant au circuit de télévision intérieur, il restait constamment en marche.

Pour finir, ce ne fut pas Rossignol, mais Millstone Grit qui eut un problème, la veille de la course. Victime d'une crise de coliques, il s'effondra dans sa stalle. L'incident devait poser un grave problème de conscience à son entraîneur, Jonathan Keating. Selon les règlements en vigueur, il était formellement interdit d'administrer le moindre médicament à un cheval vingt-quatre heures avant le départ. Or, pour l'aider à se décontracter, il était indispensable d'injecter à Millstone Grit une dose massive d'antispasmodiques. Keating se trouvait donc devant un choix difficile. Il pouvait laisser faire le temps, en espérant que tout s'arrangerait. Si la chance était avec lui, la bête se remettrait très vite et serait apte à courir le lendemain. Mais il prenait aussi le risque que la maladie ne dégénère et que Millstone Grit ne succombe. Ou alors, il pouvait le soigner, assurant ainsi la survie de l'animal, mais aussi… son forfait.

Sagement, il opta pour la deuxième solution et appela le vétérinaire à la rescousse. Millstone Grit fut sauvé de justesse.

Les bookmakers, en revanche, ne voyaient pas l'affaire sous cet angle-là, et le retrait à la dernière minute du grand favori entraîna de fortes contestations. Dès son arrivée à l'hippodrome, Jonathan Keating fut l'objet d'assauts verbaux violents. Ecœuré, il décida de faire demi-tour et de rentrer chez lui. Malheureusement, il fut assommé par une canette de bière et transporté d'urgence à l'hôpital, où il reçut huit points de suture.

Les journaux du lendemain matin étalaient au grand jour la dispute qui avait opposé Leonora à Keating. Elle accusait son entraîneur d'avoir agi sans réfléchir. Keating lui aurait rétorqué qu'elle n'avait qu'à confier ses chevaux à quelqu'un d'autre. Apparemment, c'était exactement ce qu'allait faire Mme Charles C. Lovett Andrew, elle qui n'avait pourtant pas daigné se présenter pour la course.

Rossignol avait bien voyagé. Quand Liam le sortit le

matin du départ, il était parfaitement à l'aise, comme s'il avait passé toute sa vie à Newmarket. Durant sa séance d'échauffement, il se montra docile et serein.

– Vous pouvez compter vos sous, camarades ! lança Dexter, une fois le cheval de retour dans son box pour savourer un petit déjeuner bien mérité. Il est imbattable.

Au cours du défilé, le Français fit des siennes, donnant un coup de pied à Rossignol avant que son jockey ne parvienne à le maîtriser. Grâce à la vivacité de Dexter Bryant, le pire fut évité. Cependant, l'incident avait énervé Rossignol, qui se mit soudain à transpirer à profusion, et à trembler comme une feuille. Dans l'espoir de le calmer, Dexter s'écarta du peloton pour le précéder jusqu'à la ligne du départ.

– Qu'est-ce qu'il fabrique ? demanda Cassie à Mathieu, depuis leur loge. Il veut perdre la course avant même qu'elle ne soit commencée ?

Heureusement pour Dexter, Pastiche, se cabrant et trépignant dans tous les sens, avait maintenant fichu la pagaille parmi tous ses voisins, qui poursuivaient leur chemin dans le désordre.

Cassie fixa ses jumelles sur Rossignol. Elle fut soulagée de constater que Dexter l'avait apaisé. Les oreilles dressées, il écoutait les paroles réconfortantes de son cavalier, qui lui caressait le cou.

– Je n'aurai pas le courage de regarder, avoua Cassie à son fils.

– Ah, les filles ! s'exclama Mathieu.

Cassie reprit ses jumelles.

– Et c'est parti ! beugla le commentateur.

Rossignol démarra si vite que Dexter fut obligé de le retenir. Pastiche, qui avait provoqué un véritable chaos avant le départ, était au grand galop. A six cents mètres de l'arrivée, il ralentit, se laissant dépasser par Never Mind, Biopic et Cimeno, l'un des outsiders.

Dexter, lui, attendait son heure.

Le résultat fut sensationnel. Sa soudaine accélération

et l'étendue de ses foulées l'emmenèrent comme une flèche, et en quelques secondes, comme par magie, il fut devant, pour l'emporter de deux longueurs et demie.

Cassie demanda à son fils de mener Rossignol au podium, mais il refusa, de même que Joséphine, qui avait délaissé les répétitions de sa prochaine pièce pour assister à l'événement. Sous une avalanche véritable de chapeaux irlandais, et encouragée par les cris, ce fut donc Cassie Rosse, de Westboro Falls, New Hampshire, qui défila avec son premier gagnant d'une Classique.

– Quelle course ! s'extasia peu après Brough Scott, à la télévision.

– Quel cheval ! répondit-elle en souriant.

– Est-il aussi extraordinaire qu'on le dit, Cassie ?

– Vous pourrez me poser la question après Epsom, ou Longchamp, en octobre prochain.

– Vous pensez qu'il a les capacités pour surmonter ces épreuves ?

– D'après ce que j'ai vu aujourd'hui, oui. Il est exceptionnel.

– Naturellement, c'est vous qui l'avez élevé et entraîné. C'est un joli conte de fées, non ?

– Absolument. Mais vous n'avez encore rien vu.

Brough Scott marqua une pause et consulta un papier qu'on venait de lui tendre hors caméra.

– Vous êtes sûre qu'il saura se placer à Epsom ? Il est plutôt grand, non ?

– Ils sont toujours ou trop grands, ou trop petits, répliqua-t-elle. Jusqu'au jour où ils empochent la victoire. Et là, tout d'un coup, ils sont parfaits. Rossignol s'en sortira à Epsom. J'y veillerai personnellement.

Cette ultime remarque passa inaperçue auprès de tous, sauf des employés de Claremore. Ils savaient ce que cela signifiait. C'était bel et bien la patronne en personne qui s'occuperait de préparer Rossignol pour Epsom.

Cassie, une femme non conventionnelle dans un monde masculin et terriblement conventionnel, ne respectait pas forcément les orthodoxies de la profession. Du vivant de Tyrone, elle l'avait régulièrement bombardé de questions sur ses méthodes, dont certaines lui semblaient archaïques, voire totalement illogiques.

– Pourquoi ne pas les entraîner sérieusement avant de les présenter pour la première fois, au lieu de décevoir les parieurs parce que leur cheval se fatigue, par manque de résistance ?

Tyrone répondait :

– C'est ce qui se fait.

– C'est absurde.

Lorsqu'elle avait pris le contrôle de Claremore, elle avait mis ses théories en pratique avec Willie Moore, qu'elle avait fini par convaincre du bien-fondé de son raisonnement.

– Si l'on veut qu'il maîtrise un parcours de mille cinq cents mètres, il faut l'entraîner à en courir davantage. Mais en les retenant. Les meilleurs comprendront. Ils sauront accélérer sans fatigue au bon moment.

Jusqu'ici, Cassie avait eu raison.

– Les chevaux aussi s'ennuient, insistait-elle. Il ne faut pas qu'ils restent toute la journée sans bouger. Nous les dorlotons beaucoup trop. Il faut les endurcir, leur proposer des activités nouvelles.

Les pensionnaires de Claremore avaient donc droit à un régime draconien. Par beau temps, on les sortait dans les paddocks. Outre leurs deux séances d'entraînement quotidiennes, ils nageaient plusieurs fois par semaine. On les faisait courir le plus souvent possible, à condition que le terrain leur soit favorable.

Si elle voulait obtenir un bon résultat à Epsom, il fallait leur apprendre à affronter les collines.

Elles abondaient autour de Claremore. Pourtant Cassie en avait fait construire spécialement une, juste derrière la maison. Bien que visible aux yeux de tous, personne n'en avait été intrigué.

Quand Cassie lui en avait soumis l'idée, Tomas l'avait

traitée de cinglée. Au bord de l'apoplexie, il avait demandé à Cassie si son intention était de « briser les jambes de tous ses pensionnaires, ou quoi » ?

– Jésus, Marie, Joseph ! avait-il grommelé. Vous voilà plus Irlandaise que les Irlandais !

– Les gens n'hésitent pas à faire courir leurs chevaux sur des parcours accidentés, que ce soit à Epsom, à Lingfield ou à Cheltenham. Pourtant, ils ne pensent pas à les entraîner sur les descentes. On ne part pas à la chasse avec un cheval qui ne sait pas effectuer une descente au grand galop.

– La chasse, c'est pas mon truc, avait affirmé Tomas. Il faut avoir un boulon en moins pour s'amuser à suivre une meute de chiens.

– Croyez-moi, Tomas, si un jour j'ai un animal digne de se présenter au Derby d'Epsom, la première chose que je lui enseignerai, c'est la maîtrise du parcours.

Rossignol eut donc droit à deux séances spécifiquement prévues à cet effet. Il s'en sortit avec aisance.

– Outre la foule, la fanfare et l'atmosphère très exceptionnelle de Newmarket, la seule chose que nous ne pouvons pas recréer, c'est le bombement sur la ligne droite Vous connaissez cet obstacle, Dexter. Il faudra vous méfier les plus fatigués s'écarteront de manière à l'éviter. Vous, vous vous débrouillerez pour rester à la corde, et vous profiterez à la dernière minute de l'ouverture pour foncer.

Cassie, Dexter et Mathieu étudièrent la course sans relâche. Ils envisagèrent toutes les éventualités. A la fin de chacune de leurs réunions, ils parvenaient à la même conclusion.

– A condition de ne pas vous laisser cerner sans espoir de vous en sortir, Dexter, et si cela vous arrive avec Rossignol, ce sera entièrement votre faute, parce qu'il est assez rapide et adroit pour surmonter *n'importe quoi*... Bref, ce que vous ne devez surtout pas faire, c'est laisser Millstone Grit prendre trop d'avance. Il va s'efforcer de rester en tête du départ au poteau. N'oubliez jamais que cela risque de décourager ses rivaux. Regardez bien la vidéo d'Ascot.

– Votre amie fait courir aussi le compagnon d'écurie de Millstone. Je me demande bien pourquoi. Il n'a aucun talent, il ne sera jamais au niveau.

– Non, murmura Cassie, songeuse. S'il est là, c'est juste pour nous empêcher de gagner.

C'était l'ultime recours de Leonora, mais avec cela, elle eut une initiative destinée à produire un effet plus immédiat et grave.

Tout commença par un coup de fil.

– Salut ! lança-t-elle, une semaine avant le Derby. Je suis désolée, pour ton cheval.

Cassie s'obligea à respirer calmement.

– Mon cheval va très bien, Leonora.

– D'après toi, peut-être, mais pas d'après moi.

– Pardon ?

– Oh ! répliqua Leonora d'un ton enjoué. C'est seulement le fait qu'il participe au Derby. Je le regrette.

– Je comprends, riposta Cassie, sur le point de lui raccrocher au nez. Pour une fois, il faudra bien que le meilleur gagne.

– Ce n'est pas du tout comme ça que je vois les choses, ma cocotte, roucoula Leonora. Je propose de te rendre visite, qu'on bavarde un peu toutes les deux.

– Tu ne mettras pas les pieds ici, Leonora. Tu es interdite de séjour à Claremore. Mes employés ont des ordres stricts à ce sujet.

Il y eut un court silence, durant lequel Cassie crut reconnaître le claquement d'un briquet.

– Dommage… Tu as recommencé à fumer, Leonora ?

– Ecoute bien, Cassie Rosse. Si tu tiens à ta peau, je te conseille vivement de bouger tes fesses et de venir ici tout de suite. C'est au sujet de ton taré de cheval. Et de ton pourri gâté de fils adoptif.

Un déclic. Le silence. Effarée, Cassie alla appeler Mathieu

Il surgit du bureau, où il était en train de visionner pour la millième fois la vidéo.

Cassie le dévisagea avec un sourire, puis ramassa son trousseau de clés sur la console du vestibule.

– Il faut que je sorte, mon chéri. Ne m'attends pas.

Leonora était seule dans son salon, un verre à la main. Elle jeta un coup d'œil vers Cassie, puis se resservit à boire.

– Au moins, tu as eu la sagesse de venir.

– Tu as quelque chose à me dire à propos de mon cheval et de mon fils.

– Assieds-toi.

– Non, merci.

– Comme tu voudras, marmonna Leonora en se vautrant sur un canapé moelleux. Tu peux faire le poirier si ça t'amuse.

Elle repoussa ses cheveux en arrière, se mit à contempler le plafond.

– Alors ?

– Tiens ! C'est ce que disait toujours Tyrone : alors ?

L'impertinence de Leonora la fit bouillir, mais Cassie savait que la moindre manifestation de colère la mettrait en position d'infériorité.

– Je n'ai pas toute la soirée, Leonora.

– Qu'est-ce que tu peux être ennuyeuse, avec tes clichés !

– Venons-en à ce qui nous intéresse, Leonora. Qu'as-tu à me dire sur mon cheval ?

– Il ne gagnera pas le Derby.

– Nous verrons cela mercredi prochain.

– Cassie, ma chérie, tu n'as pas entendu ce que je viens de te dire. Rossignol ne remportera pas le Derby. Et sais-tu pourquoi ? Parce qu'il ne le courra pas.

D'un doigt, Leonora rajusta sa frange, tout en contemplant Cassie, les paupières à demi closes.

– Rossignol est en pleine forme.

– C'est possible, mais ça ne durera pas.

– Et qui dit ça ?

– Moi.

Cassie eut un haut-le-corps, mais elle soutint le regard de Leonora sans ciller.

– Si jamais tu t'attaques à Rossignol…

– Qui, moi ? Mon trésor, je n'y toucherai pas, à ton Rossignol. C'est toi qui vas intervenir.

– Vraiment ?

– Oui. Tu vas le déclarer forfait.

Leonora jeta sa cigarette dans l'âtre vide et se leva pour remplir son verre.

Cassie, clouée sur place, tenta de comprendre où Leonora voulait en venir.

– Très bien, souffla-t-elle enfin, en s'asseyant. Je suis tout ouïe, Leonora.

– C'est très simple. Si Rossignol n'était pas candidat, le Derby me reviendrait d'office. Ce sera probablement le cas de toute façon, mais je tiens à m'en assurer au préalable. Le seul moyen, c'est de me débarrasser du seul cheval pouvant battre le mien. C'est-à-dire le tien.

Leonora afficha un sourire mielleux et alluma une autre cigarette.

– Il y aura quatorze autres partants, Leonora. Tu sais pertinemment que, dans une course, tout peut arriver.

– Bien sûr, ma chérie. Je cherche simplement à minimiser les risques. Toutes choses étant égales, comme on dit, sans Rossignol, c'est moi qui l'emporte. Haut la main.

– Et alors ? Ça n'empêche pas Rossignol de courir.

– Ma pauvre, dans ce cas-là, tu ne sauras jamais…

– Quoi ?

– Tu ne sauras jamais qui est le père de ton fils, ni ce qui s'est passé entre ton mari et moi.

– En d'autres termes, si je retire Rossignol, tu me raconteras tout.

Leonora s'esclaffa.

– Par moments, ta naïveté m'épate, Cassie. J'ai des

preuves, figure-toi. Sans ça, je ne te demanderais pas ça comme ça.

Leonora s'étira sur son divan, puis se mit debout et s'approcha d'un bureau. Il était fermé à clé.

En un éclair, Cassie se remémora un autre bureau, une autre clé.

Leonora en sortit une enveloppe. Cassie resta où elle était, immobile, refusant de supplier. Leonora rit encore, l'agita sous son nez. Cassie demeura impassible. Leonora tourna l'adresse vers elle, pour qu'elle puisse apercevoir le texte. Cassie reconnut tout de suite l'écriture : c'était celle de Tyrone.

Elle aurait pu s'en emparer facilement. Elle aurait pu la lui arracher des doigts. Elle était en forme, agile, rapide, alors que Leonora, sous l'effet de la boisson, était lente et maladroite. Mais elle refusa de bouger, parce qu'elle savait qu'il n'y avait rien dedans.

– Tu me déçois, murmura Leonora. Je croyais vraiment que tu allais te jeter dessus. J'avais oublié que tu es une fille intelligente. Tu as raison, évidemment : la lettre n'est pas là. Elle est chez mon avocat. Avec toutes les autres de ce cher Tyrone.

– J'aimerais un cognac, si c'est possible, murmura Cassie, pour gagner du temps.

– Avec plaisir, ma chère. A ta place, j'en boirais une dizaine d'affilée.

Elle lui tendit un verre, puis retourna sur le canapé. Cassie avala son alcool d'un trait.

– Si j'ai bien saisi, tu me proposes de retirer Rossignol du Derby, en échange des lettres que mon mari t'a adressées.

– Tu as tout compris. Vingt sur vingt, McGann !

– Et si elles ne contiennent rien d'important ?

– Qui sait ce qu'il a pu m'écrire, en effet ? rétorqua Leonora avec cynisme. Tu cours après la vérité, Cassie chérie. La vérité concernant Mathieu. Et mes relations avec ton époux. Tu exerces un métier où les paris sont monnaie courante. Tu n'as plus qu'à compter sur la chance. Comme tous ces pauvres bougres qui misent sur tes canassons.

Cassie ramassa son sac et se dirigea vers la sortie.

– Pas question !

– Comment ça ! hurla Leonora, derrière elle. Comment ça, « pas question » ?

– Tu m'as parfaitement comprise. Rossignol participera à la course comme prévu.

Leonora se rua au-devant de Cassie.

– On se reverra en enfer !

– Si tu veux. En attendant, Rossignol courra.

– Tu ne vas tout de même pas me dire que tu penses à ces pauvres idiots de bookmakers ?

– Je ne pense qu'à une seule personne, Leonora. C'est pourquoi, je te le répète, Rossignol sera présent à Epsom.

– Je ferai parvenir les lettres à la presse !

– Tant mieux pour toi.

– Notre liaison sera révélée au grand jour. Celle de Tyrone avec Antoinette aussi. Tout le monde saura que tu as adopté le fils de ton propre mari, en ignorant tout. C'est tellement scandaleux qu'il faudra augmenter les tirages !

– Leonora, je suis assez pressée. Pousse-toi de là, s'il te plaît, avant que je ne m'en charge personnellement.

– Espèce d'imbécile ! Fais preuve d'un minimum de bon sens. Retire ton cheval de la course. Sinon, je m'arrangerai pour déshonorer ta famille.

Cassie la regarda droit dans les yeux. Un sentiment de pitié l'envahit.

– C'est trop tard, Leonora. Tyrone est mort.

– Que veux-tu dire par là ?

– Que tu n'as pas réussi à te faire aimer de lui de son vivant. Ce n'est pas maintenant que cela va changer. Même pas pour faire semblant. C'est moi que Tyrone aimait. Tu étais amoureuse de lui, c'est probablement le seul homme qui t'ait jamais vraiment attirée, mais lui te trouvait ridicule. Pathétique. Il se moquait de toi.

– Tu mens ! s'écria Leonora. Tu n'es qu'une menteuse, une salope !

– C'est possible. Il n'empêche : Rossignol sera sur la ligne de départ.

– Il perdra ! Je m'en assurerai personnellement. Mon cheval le battra à plate couture !

– Au contraire.

– On parie ?

Leonora était écarlate, les yeux luisants de rage.

– J'ai dit : on parie ?

– Je t'ai entendue la première fois, Leonora.

– Mon cheval est bien meilleur que le tien !

Cassie haussa les épaules.

– Dans ce cas, pourquoi m'obliger à déclarer forfait ?

– Pour l'amour du ciel, je te l'ai expliqué : pour être sûre de ma victoire !

Cassie repartit vers le milieu de la pièce.

– Je te propose un pari, Leonora : je te parie ce que tu voudras qu'il n'y a aucune preuve dans ces lettres.

– Tu ne le sauras que si tu as l'occasion de les lire.

– C'est exact. Mais si tu tiens absolument à parier, c'est tout ce que j'ai à te proposer.

Leonora resta adossée contre la porte, puis se rapprocha du bar.

– Tu paries les lettres contre le Derby ?

– Si ça t'amuse, pourquoi pas ? Si Rossignol gagne, les lettres me reviennent d'office.

– Et si c'est Millstone Grit qui l'emporte ? Qu'est-ce que j'obtiens ?

– La récompense de la course.

– Cassie McGann, je ne plaisante pas. Je ne veux pas de cet argent. Je suis dix fois millionnaire. Je veux un supplément.

– La victoire ne te suffit pas ?

– Certainement pas. Tu as dit que tu pariais n'importe quoi.

Leonora but une gorgée d'alcool, le dos tourné.

– Ah, oui ?

– Parfaitement ! Je répète tes paroles, mot pour mot : « Je te parie ce que tu voudras qu'il n'y a aucune preuve dans ces lettres. » Tu ne changes pas d'avis ? Tu es sûre de toi ?

– Absolument. Pourquoi ? A quoi penses-tu ?

Leonora se tourna vers elle avec un sourire cruel.

– Claremore.

Cassie rentra, l'esprit étrangement calme. Le jour où Rossignol gagnerait, ce qui n'allait pas manquer de se produire, elle aurait accompli son rêve. Elle se serait acquittée de sa promesse posthume envers Tyrone. Par la même occasion, elle récupérerait les fameuses lettres, bien qu'elle fût à peu près certaine de ne rien y découvrir de compromettant. Si Rossignol ratait sa course, ce qui pouvait arriver, elle perdrait Claremore. Mais à quoi bon s'accrocher, puisqu'elle aurait échoué dans sa tâche, failli à sa mission, et surtout, à Tyrone ?

D'ailleurs, Rossignol ne perdrait pas.

Elle arrêta sa voiture au sommet de la colline qui dominait la propriété. Elle contempla les prés, les écuries, la piste au loin. Son but était presque atteint. Si Rossignol ne passait pas le poteau le premier le mercredi suivant, tous ses efforts auraient été vains. C'était une occasion à ne pas manquer.

Elle pensa alors aux qualités de son cheval, et au credo de Tyrone :

– A mon avis, le seul moyen d'acquérir l'immortalité sur le turf, c'est de remporter le Derby. Pas n'importe lequel. Celui d'Epsom. Le Derby d'entre tous les derbys.

Cassie soupira. Elle comprenait maintenant la motivation de Leonora. Leonora voulait Claremore, mais par-dessus tout, elle voulait être Cassie. Pourquoi ? Elle n'en avait aucune idée, mais il en était ainsi depuis leur première rencontre à l'Académie. Leonora l'avait poursuivie et persécutée sans relâche, parce qu'en dépit de sa beauté et de sa fortune, elle était jalouse de Cassie, la fille qui n'avait rien.

Si seulement Tyrone avait été là. Il aurait mis un bras réconfortant sur ses épaules, il l'aurait serrée contre lui et taquinée. Il lui aurait remonté le moral et donné des forces. Etre femme dans un monde presque exclusivement masculin, c'était une réussite, songea-t-elle. Mais on n'en demeurait pas moins une femme.

Ce fut alors qu'elle l'entendit. Du fond du bois, tout en bas, le chant d'un oiseau s'éleva dans le silence. C'était la complainte du rossignol.

INTERMÈDE III

La caméra a cessé de tourner, et les machinistes achèvent de ranger le matériel dans leurs voitures, tout en discutant les avantages et les inconvénients de telle ou telle marque. Le présentateur, lui, s'intéresse bien davantage aux forces et aux faiblesses des concurrents qui seront sur la ligne de départ le lendemain.

– Entre nous, demande-t-il à la jolie femme qui marche avec lui vers le bas de la célèbre colline de Tattenham… Millstone Grit est-il votre seul vrai rival ?

– J'ai entendu dire que Never Mind avait pris quelques kilos depuis la dernière fois. Je ne sais pas grand-chose du cheval de Paul Lestoque, En Vas, sinon qu'il a été spécialement préparé pour cette épreuve.

– En fait, vous êtes convaincue que la partie se jouera entre les deux.

La dame acquiesce.

– S'ils ont les coudées franches, oui.

L'homme s'arrête, enfonce un talon dans la terre.

– Si le terrain reste comme ça, ce sera parfait.

– Idéal, en effet.

– Comment Rossignol a-t-il voyagé ?

– Touchons du bois, il est au mieux de sa forme. Il a

très bien supporté le déplacement. Son principal atout, c'est justement son tempérament. Il est décontracté. Plus je le connais, plus je suis épatée par sa bonne nature. Hormis le petit incident lors du défilé de Newmarket, rien ne semble le gêner.

– C'est l'essentiel, n'est-ce pas ? Une bête comme la vôtre, détendue et docile, vaut beaucoup mieux qu'un animal nerveux aux actions saccadées.

– Oui…

– Sir Ivor était pareil. Vous pensez que Rossignol tiendra le coup sur la descente ?

– J'en suis persuadée.

Ils poursuivent jusqu'au virage, absorbés dans leur conversation comme deux amis de longue date. Ce qu'ils sont.

L'homme rit aux éclats et raconte une anecdote.

– Après la première course de Rossignol, l'an dernier, j'ai misé sur lui à soixante-six contre un pour demain. Depuis, le bookmaker me harcèle.

– J'espère que vous porterez votre gilet pare-balles quand Rossignol passera le poteau, répond-elle en s'esclaffant.

Elle s'arrête alors, juste avant la dernière ligne droite.

– C'est ici qu'il faudra agir, déclare-t-elle. En quatrième ou cinquième place, Millstone Grit à six longueurs maximum, droit devant. Dexter s'assurera alors que tout va bien, et il foncera.

– De si loin ? Vous m'étonnez.

– Nous allons les surprendre tous. Rossignol va les enterrer.

25

Tout se déroula comme prévu jusqu'à la veille de la course. Afin de se protéger au mieux, Cassie s'était débrouillée pour que Rossignol soit accueilli dans une écurie privée à quelques kilomètres de l'hippodrome. Le système de sécurité d'Epsom était irréprochable, mais elle considérait que les sommes en jeu étaient trop importantes pour prendre le moindre risque. Il fut même décidé de rapatrier Rossignol à Esher le mardi après son parcours de reconnaissance, et de ne le transporter à Epsom que tôt dans la matinée du mercredi.

Cette décision irrita Mathieu, qui trouvait que sa mère exagérait. Il n'hésita pas à le lui dire.

– Très bien, riposta-t-elle. Va demander son avis à ton héros, Vincent O'Brien. Il logeait toujours ses chevaux à l'extérieur.

– Pas la veille de la course, Maman.

– Peut-être pas, Mathieu. Mais la différence entre Vincent et moi, c'est que Vincent n'est pas une femme.

Cassie prit même son quart devant le box dans la nuit du mardi, mais les heures se succédèrent sans incident. Quand on chargea le cheval à l'aube du matin suivant, ses jambes soigneusement bandées, les membres de l'équipe de Claremore poussèrent tous un soupir de soulagement.

Tous, sauf Cassie.

– Allons, Maman ! la taquina Mathieu dans le taxi vers l'hippodrome. Détends-toi !

– Je soufflerai le moment venu, répliqua-t-elle sèchement. Il faut déjà arriver à bon port.

Ses angoisses n'étaient pas sans fondement. Ils avaient à peine parcouru cinq kilomètres, quand un camion surgit d'un virage invisible, obligeant Liam, qui était aux commandes, à freiner brutalement.

En un éclair, Cassie fut dehors.

– Il y a des dégâts, Frank ? demanda-t-elle au lad dans le van.

– Je crois que ça va, patronne. Il a été bousculé, mais grâce aux protège-genoux, il n'a rien.

Rossignol paraissait à peine ému par cet arrêt d'urgence. Il mâchouillait la manche de la veste du lad. Cassie lui caressa le cou puis, satisfaite, ordonna à Liam de démarrer.

C'est au moment du déchargement que l'on constata la catastrophe.

– Il a déplacé un fer, patronne, décréta Liam, tandis que Frank menait le cheval à la longe sur la rampe.

– J'espère que ce n'est pas plus grave que cela, répliqua Cassie en soulevant le sabot avant gauche de Rossignol.

En effet, le fer léger, spécialement conçu pour la course, s'était détaché d'un côté.

– Passe-moi les tenailles, Mathieu. Vite !

– Je vais chercher le maréchal-ferrant, annonça Liam, pendant que Mathieu fouillait la malle à outils.

– Non, Liam… C'est Brogan qu'il faut appeler. Il s'est blessé.

Une minuscule marque rouge apparaissait à la sole.

– Quelle poisse ! gronda-t-elle.

– Vous croyez qu'il va pouvoir courir, patronne ? demanda Frank, les larmes aux yeux.

– Certainement. Trouvez-moi M. Brogan. Et des tonnes de glace.

Liam ouvrit la portière de la camionnette pour s'emparer du téléphone mobile.

– De la glace, patronne ? répéta Frank, blême comme un linge. Pour quoi faire ?

– Pour lui mettre le pied dedans, Frank, voilà pour quoi. Nous allons l'anesthésier par le froid et prier le ciel. Emmenez-le jusqu'à sa stalle, et je vous en supplie, épargnez-moi vos airs désespérés. Ce n'est pas la fin du monde. Nous devons à tout prix donner l'impression que tout va bien.

Frank s'exécuta en s'efforçant de masquer son désarroi, tandis que Liam réveillait en sursaut le vétérinaire dans sa chambre d'hôtel. Niall Brogan arriva en moins d'une demi-heure. Au premier coup d'œil, il énonça le verdict : Rossignol ne pourrait pas courir.

– Nous savons tous que c'est la jambe qui mène, expliqua-t-il. S'il ressent une douleur, si faible soit-elle, il se retiendra. Il ne prendra pas le risque de souffrir.

– Que me conseillez-vous, Niall ?

– Déclarez forfait, Cassie. Mieux vaut le retirer, plutôt que de décevoir le public le plus nombreux du monde. Il sera prêt à cent pour cent pour le Derby irlandais.

– C'est impossible, Niall.

– Pourquoi ?

– Je ne le peux pas, et je ne le veux pas, avoua-t-elle. Si le fait de courir compromet sa santé, je m'inclinerai. Mais il nous reste encore plusieurs heures avant le départ. Sept, pour être précise. A condition de réussir à calmer l'inflammation, et de le laisser dans la glace pendant les deux heures qui précéderont la course, je le maintiens partant. Si jamais, pendant le défilé, Dexter a l'impression que Rossignol ressent la douleur, alors, il se retirera. Qu'en pensez-vous ?

Niall se mordit l'intérieur de la joue, l'air songeur. Il secoua la tête.

– C'est un pari audacieux, Cassie. Le sabot est déjà bien entamé.

– Je sais. A vous de jouer, Niall. Mon problème, c'est de décider s'il court ou non. Ce n'est pas la première fois que se produit ce genre d'incident. Vous vous rappelez le gagnant du Guineas de 87 ? Don't Forget Me. Il lui est arrivé à peu près la même chose. Ils ont utilisé des pains de glace.

– Où allons-nous en trouver à une heure pareille ? s'exclama Mathieu.

– C'est à toi de te débrouiller, mon vieux. Et pour avant-hier, encore !

Ebranlé par la dureté de sa mère, Mathieu s'empressa d'obéir. Niall et Cassie continuèrent de le soigner.

– Ce n'est pas de la glace qu'il vous faut, mais un véritable miracle !

Il était huit heures trente. A neuf heures, Niall avait nettoyé et cautérisé la plaie. Quelques minutes plus tard, Cassie maintenait le sabot pendant que Liam l'arrosait d'eau fraîche.

Une fois de plus, le caractère exceptionnel de Rossignol le sauva. Il resta tranquille à ruminer pendant qu'autour de lui, on s'affairait.

Le chef des lads de Jonathan Keating fut le premier à soupçonner que le favori avait quelques soucis. En revenant du box de Millstone Grit, il aperçut l'eau qui coulait sous la porte de Rossignol.

– Tout va bien ? lança-t-il en passant la tête par l'ouverture.

Niall Brogan se redressa aussitôt et tenta de masquer la vue au jeune homme. En vain.

– Votre cheval n'a pas de problème, j'espère, madame Rosse ?

– Aucun, merci.

Le lad repartit, peu convaincu. Très vite, les rumeurs se mirent à courir.

– Le mieux serait de faire une déclaration, dit Cassie.

Sans quoi, tout le monde va paniquer, et la presse nous sautera dessus. Autant étouffer l'affaire dans l'œuf.

Niall Brogan approuva cette suggestion, et Cassie lui dicta un bref message, toujours sans lâcher le sabot de Rossignol. Elle se contentait d'expliquer que le favori du Derby avait une petite écorchure au pied, sans gravité, due à une maladresse lors de l'entraînement. Un deuxième bulletin serait diffusé éventuellement à la mi-journée, mais pour l'heure, le cheval tenait bon.

– Ce n'est pas vrai, Cassie, lui fit remarquer le vétérinaire.

– Pour ma part, si.

Peu après, en revenant avec deux énormes sacs de glace piqués dans l'hôtel de Niall, tout près de là, Mathieu n'aperçut aucun journaliste en montrant son badge au gardien de sécurité à l'entrée. Avec l'aide de Liam, il plaça le pied de Rossignol dans une large bassine avant de la remplir de glaçons jusqu'à la hauteur du boulet.

– Il n'acceptera jamais de rester là sans bouger toute la matinée, prophétisa Niall, d'un ton morose.

– Ça ne sera pas nécessaire, intervint Mathieu. J'ai pu contacter un copain, à Newbury. Il nous apporte une de ces bottes spéciales. Vous savez… une botte Jacuzzi.

– De Newbury ? Il va mettre des heures, Mathieu ! Ce sera beaucoup trop tard.

– Du calme, Niall. Ce type possède son propre hélicoptère. Il est déjà en route.

L'ami de Mathieu atterrit en plein milieu de l'hippodrome trente-cinq minutes plus tard. Il ne fallut pas plus d'un quart d'heure pour enfiler la protection sur la jambe de Rossignol.

– Une botte Jacuzzi, grommela Niall Brogan, en se détournant pour aller se chercher un café. Tu parles d'un truc. J'espère qu'il ne va pas finir avec un herpès !

– Il faut vivre avec son temps, Niall !

– Quoi que vous pensiez, il a peu de chances de gagner.

– A combien les évaluez-vous ?

– A neuf heures, j'aurais répondu quatre-vingt-dix contre dix. Maintenant, je vous accorde soixante-quarante.

Une heure plus tard, lorsque Niall ôta la bottine, le chiffre était inversé. Le vétérinaire sécha soigneusement le pied du cheval, puis le laissa se déplacer à sa guise dans son box pendant une dizaine de minutes. L'inflammation paraissait définitivement enrayée. Cassie déclara officiellement que la crise était passée.

Lorsqu'elle revint de la régie, Mathieu était parti chercher encore de la glace dans l'hélicoptère. Niall Brogan, assis sur un seau à l'envers, lisait *Sporting Life*.

– Il n'y a que le *Times* qui soit contre vous, dit-il en lui montrant les prévisions des experts.

– Le *Times*, et mon vétérinaire.

– Il a l'esprit ouvert, répondit Niall. J'avoue que j'étais sceptique, même à dix heures. Mais maintenant…

– Maintenant ?

– Disons… quatre-vingts contre quarante.

– Buvons à son succès, s'exclama Cassie.

– Excellente idée.

Ils s'éloignèrent vers le bar, laissant Rossignol entre les mains expertes de Liam, de Frank et de Mathieu.

La journée promettait d'être chaude. La brume qui tapissait l'hippodrome aux aurores s'était dissipée depuis longtemps, et un soleil de plomb brillait dans le ciel sans nuages. Cassie avait été tellement préoccupée par Rossignol qu'elle ne s'était pas attardée sur la météo.

– On prédit une assistance record, lui signala Niall en leur versant une première coupe de champagne. Votre cheval est déjà une vedette.

– J'espère simplement qu'il ne va décevoir personne, murmura-t-elle, pensive.

Niall se tourna vers elle.

– Tiens ! Tiens ! Qu'est donc devenue la confiance inébranlable de Mme Rosse ?

– Quand je suis auprès du cheval, je tiens le coup,

Niall. Mais dès que je me retrouve seule, c'est une véritable descente aux enfers.

– Dans ce cas, plaisanta Brogan, en rajoutant un peu de vin pétillant dans son verre, il ne faut pas hésiter à prendre un petit remontant.

Brough Scott s'approcha, toujours aussi élégant et affable.

– Madame Rosse, attaqua-t-il, sourcils froncés. J'ai quelques inquiétudes.

Cassie le salua.

– Ceci reste entre nous, Brough ?

– Pour l'instant, oui. Mais si vous êtes d'humeur, un peu plus tard, Cassie, peut-être aurez-vous envie de dire bonjour à mon million de téléspectateurs.

– Entre nous, il a déplacé un fer durant le transport ce matin et s'est écorché à la sole. Niall était persuadé que c'en était fini. Mais Rossignol va courir.

– Il est valide ?

– S'il ne l'était pas, il serait forfait.

– Est-ce que je peux me servir de cette information dans mon introduction ?

– Pourquoi ne pas attendre qu'il ait empoché la victoire ?

– Très bien, répondit Scott en souriant. Dans ce cas, si rien ne s'y oppose, puis-je vous accaparer pour un entretien préenregistré d'ici une heure ? Vous savez où nous sommes. Sur ce petit carré de pelouse devant la loge des Membres.

Cassie accepta l'invitation, et Brough Scott s'en alla travailler.

– Ce type me plaît. Il est franc et sincère. C'est rafraîchissant. Dans ce métier, il y a tellement d'hypocrites. Bon, je ferais mieux d'aller me changer, je crois.

Brogan lui emboîta le pas, leur bouteille de champagne à moitié vide sous le bras.

– Vous n'aurez jamais le temps de vous rendre à Esher et de revenir.

– J'ai tout apporté avec moi. Je peux m'habiller dans la salle de pesage. John Meredith est un vieil ami de Tyrone. Il m'a donné son accord.

Cassie alla chercher sa valise et se précipita vers les vestiaires des jockeys. Son optimisme naturel refaisait timidement surface. Il restait encore une heure et demie avant le début du meeting, et trois heures en tout avant le Derby. Elle croisa les doigts.

Les premières personnes qu'elle aperçut furent Jonathan Keating et Leonora. Apparemment, son dernier mari avait réussi à la convaincre de laisser ses chevaux chez l'entraîneur. A en juger par son air profondément ennuyé, si Leonora avait mis ses menaces à exécution, il n'aurait sûrement pas protesté.

Elle était vêtue d'une robe et d'un manteau rouges, le tout assorti d'un superbe chapeau à large bord de la même couleur, garni d'un ruban blanc.

Cassie était encore en jean et en blouson.

– Tiens ! Tiens ! roucoula Leonora. On dirait la propriétaire et l'entraîneur de l'ex-favori !

– Je n'ai pas le temps de discuter avec toi, Leonora. Il faut que je me change.

– Pourquoi ? Les affaires vont si mal que tu en sois réduite à monter Rossignol ?

– Je suis désolé de ce qui est arrivé à votre cheval, intervint Keating.

– Il est en parfaite santé, Jonathan.

– J'ai entendu dire qu'il s'était écorché le pied.

– C'est possible, mais il va bien.

– Tant mieux. Bonne chance, si je ne vous revois pas avant le départ !

– Merci, Jonathan. A vous aussi !

Cassie tourna les talons et reprit son chemin, non sans avoir entendu Leonora rire aux éclats en affirmant qu'un cheval blessé ne gagnait pas un Derby. Jonathan Keating semblait être de son avis.

Cassie vérifia auprès de John Meredith si elle pouvait

toujours utiliser les vestiaires. Il l'escorta personnellement jusqu'à celui réservé aux femmes jockeys. Elle revêtit la tenue que Joséphine l'avait persuadée de se faire faire, un ensemble très sobre aux couleurs de Claremore, bordeaux et gris clair. En examinant son reflet dans la glace, Cassie se dit qu'une fois de plus, sa fille avait fait preuve d'un goût exemplaire.

En traversant de nouveau la salle de pesage, elle rencontra Dexter.

– M. Brogan m'a dit que je pourrais vous trouver ici, lança-t-il en jetant son sac de sport sur un banc. Alors ?

Cassie l'attira à l'écart pour lui expliquer la situation. Dexter l'écouta sans l'interrompre. Lorsqu'elle eut terminé, il lui demanda quelles étaient les chances d'atteindre le poteau d'arrivée.

– Elles s'améliorent de minute en minute. Si une minute pouvait durer cent secondes, nous n'aurions plus rien à craindre.

– Donc, si je le sens mal à l'aise lors du défilé, je me retire. Vous en êtes bien sûre ?

– Absolument. Il faut respecter le public. Quoi que vous fassiez, vous devrez disparaître avant les ordres du starter.

– Ça va être drôlement difficile de savoir s'il souffre ou pas.

– Je sais, Dexter. Je sais. Mais je dois pouvoir compter sur vous.

– Vous avez plus que ma parole, patronne. Vous pouvez en être certaine.

Après avoir enregistré son interview avec Brough Scott, elle se dirigea vers les écuries en compagnie de Dexter. Tous deux furent immensément soulagés de voir Rossignol dehors, mené à la longe par Liam, sous le regard attentif de Niall Brogan.

– Vous voulez la bonne nouvelle, ou la mauvaise, madame Rosse ?

– La mauvaise.

– Je me suis trompé. La bonne, c'est que vous, vous aviez raison.

Cassie se jeta au cou du vétérinaire et l'embrassa sur les joues.

– C'est bien la première fois que je reçois un baiser d'un entraîneur ! la taquina-t-il. Mais ce n'est pas encore dans la poche.

– Décidément, j'ai l'impression que tous les Irlandais descendent de la même tribu que Tomas Muldoon !

Rossignol fut ramené dans son box et, par mesure de précaution, on lui enveloppa de nouveau le pied dans la botte Jacuzzi. Pendant ce temps, Liam et Frank le préparèrent.

L'heure tournait, et déjà, les partants de la première course se dirigeaient vers le paddock pour le défilé. Cassie s'y rendit aussi, car elle y avait donné rendez-vous à Joséphine. Celle-ci venait d'arriver avec un groupe de ses camarades du théâtre.

Cassie leur raconta les drames de la journée, étreignit sa fille en la félicitant de sa beauté, lui demanda de guetter Sheila Meath, puis repartit seller son cheval.

Surgissant de nulle part, Mathieu la rattrapa en chemin.

– Les cotes montent. Il est à quatre contre cinq. Il ira sans doute jusqu'à quatre contre six.

– Au prix où il est, ce n'est pas la ménagère de cinquante ans qui misera sur lui.

– En effet. Elles semblent avoir un faible pour Never Mind. Il est à sept contre deux. Il a gagné quatre points depuis hier.

Cependant, lorsque Rossignol se présenta avec ses rivaux dans le paddock, toutes leurs craintes s'envolèrent. Il était parfaitement à l'aise. Cassie signala à Frank de le ramener pour qu'on le selle. Avec l'assistance de Liam, elle effectua en silence tous les gestes habituels.

– Un trou de plus de votre côté, patronne.

– N'oubliez pas de me rappeler que Dexter doit vérifier la sangle avant le départ. Plutôt deux fois qu'une.

– Vous n'oubliez jamais rien, patronne. C'est gravé dans votre mémoire.

– On ne répète jamais assez ses instructions, répliqua-t-elle. C'était le leitmotiv de mon mari. Vous connaissez Rossignol, ajouta-t-elle, mieux vaut se méfier.

Frank enfila sa brassière portant le numéro et le nom du cheval, tandis que Cassie procédait à une ultime vérification. Liam essora une éponge dans la bouche de Rossignol, puis fit le signe de la croix. Cassie et Mathieu regardèrent s'éloigner leur prodige, puis le fils saisit la mère par le bras.

– Viens, maman. Tu ne peux rien faire de plus, sinon t'angoisser. Autant que ce soit un verre à la main.

Mathieu commanda une bouteille de champagne, et ils se postèrent devant un poste de télévision.

– Ce type, souffla Mathieu en désignant le présentateur. Il est incroyable.

– Le favori, Rossignol, Rossi pour ses fans, est à six contre quatre, mes amis ! Si ma mémoire est bonne, c'est la première fois dans un Derby que… Ah, non, on me dit qu'il est à sept contre quatre ! Dommage pour les ménagères de cinquante ans, n'est-ce pas ? Alors, je poursuis : Rossignol, sept contre quatre, Millstone Gritt, cinq contre quatre, voire six contre quatre… Sept contre deux pour Never Mind, cinq contre un… Si vous voulez mon avis…

– Il m'agace, à la fin, s'énerva Mathieu.

Cassie lui tendit sa coupe, à laquelle elle n'avait pas touché. Mathieu la vida d'un trait, puis suivit sa mère jusqu'au paddock. Les chevaux continuaient de défiler. Liam se tenait maintenant près de l'entrée réservée aux propriétaires et aux entraîneurs, l'air nerveux. Les membres de la famille royale arrivèrent et se faufilèrent jusqu'au milieu du manège, suivis d'un cortège de personnages en tenue de soirée.

– Je me suis souvent demandé, dans le cas qui est le tien, qui donne les ordres à qui ? Est-ce l'entraîneur qui s'adresse au propriétaire ? Ou le contraire ?

– Tout ce que je peux te répondre, c'est que je remercie Dieu de t'avoir auprès de moi et que tu réussises à me faire rire.

Joséphine se glissa dans la foule alors que les jockeys rejoignaient leurs dirigeants. Dexter Bryant salua Cassie, puis discuta quelques instants avec Mathieu.

– Il est superbe ! déclara Dexter en lui tapotant le flanc.

Rossignol était magnifique, en effet. Grand, bien musclé, le poil souple et brillant. En cette chaude journée de juin, quelques-uns de ses rivaux commençaient déjà à transpirer, mais lui paraissait frais comme une rose.

– N'oubliez pas, Dexter : s'il trébuche, s'il modifie son rythme, s'il y a quoi que ce soit avant la ligne de départ, vous vous retirez.

– Compris. Et la course ?

– Il me semble que nous avons envisagé toutes les possibilités.

Dexter sourit.

– Surveillez tout de même l'outsider de Leonora, Second To None. Croyez-moi, elle ne reculera devant aucun sacrifice pour nous voler la victoire.

Dexter enfourcha sa monture.

– Ils ont choisi le bon cavalier, marmonna-t-il en avisant Nick Franklyn. Il n'hésiterait pas à piétiner sa propre mère.

Frank emmena le favori. Cassie remarqua, non sans fierté, que les membres de la famille royale semblaient n'avoir d'yeux que pour lui. Elle aperçut aussi Leonora, qui discutait âprement avec le jeune homme au teint cireux qui montait Second To None. Il hocha la tête et s'en alla.

Le cortège s'étira, sans incident, bien que plusieurs des chevaux eussent déjà visiblement commencé à souffrir de la chaleur, notamment Major Robert, Whizz et Pastiche. Puis, ce fut le petit galop devant les tribunes. Pour Cassie, c'était le moment décisif. Les jumelles collées aux yeux, elle suivit le parcours de Rossignol.

– Merde !

– Qu'est-ce qu'il y a, Maman ?

Il n'avait encore jamais entendu sa mère jurer avant ce jour. De plus, elle était au bord des larmes.

– Qu'as-tu, Cassie ? Que se passe-t-il ? s'enquit Sheila Meath en posant une main sur son bras.

– Rien, marmonna-t-elle. Rien du tout. Il est en pleine forme.

Il ne restait plus aux concurrents qu'à longer la piste jusqu'aux stalles de départ. Les dés étaient jetés. Rossignol était à un contre deux.

– S'il gagne, il va ruiner les bookmakers, s'écria Mathieu en rejoignant l'équipe dans la tribune.

– Il va gagner, Mathieu. Ce n'est pas possible autrement.

– Où est passée Joséphine ?

– Elle est malade, dit l'un de ses amis.

Mathieu ne put s'empêcher de rire en voyant revenir sa sœur, pâle comme une feuille de papier.

– Génial ! Et toi qui avais l'intention de remporter le Grand National.

– Attention ! murmura Cassie. Ils sont sur le point de partir. Rossignol a l'air de s'être endormi.

Busybee, l'un des outsiders, s'énerva. La plupart des autres étaient en place. On banda les yeux du rebelle, qui se calma aussitôt.

– Et c'est parti ! hurla le commentateur.

Rossignol jaillit le premier, mais fut très vite dépassé par un débutant, Washdown, qui cherchait visiblement à se faire un nom.

Ça ne va pas plaire du tout à Millstone Grit, se dit Cassie. En atteignant le pied de la colline de Tattenham, ce dernier allongea ses foulées et gagna du terrain. Pastiche n'était pas loin. Rossignol, à la corde comme prévu, menait la deuxième partie du peloton.

– C'est de la folie ! s'inquiéta Mathieu. Il ne va jamais tenir jusqu'au bout !

– Il a tenu à Ascot, riposta Cassie.

Dans la montée, Millstone gagna une dizaine de longueurs. Ses concurrents immédiats, fatigués, commencèrent à ralentir. Pastiche s'efforçait de rester à la hauteur, mais il avait beaucoup de mal.

A mi-parcours de la descente, Rossignol était toujours à la même place, Dexter perché sur ses étriers, parfaitement immobile, concentré sur ses rênes.

Puis, à l'entrée du virage, le jockey s'écarta légèrement, comme le lui avait ordonné Cassie.

Au même instant, Nick Franklyn, juste derrière, profitant de l'ouverture qui venait d'être créée, dépassa Rossignol, et se jeta sur son passage.

La manœuvre était suicidaire.

Un cri d'horreur jaillit de la foule. Pour éviter une collision grave, Dexter dut faire une embardée, perdant ainsi du terrain et sa position d'attaque.

– On est fichus ! gronda Mathieu. Ce salaud nous a eus !

En effet, la partie paraissait perdue. Mais Cassie continua d'y croire. Elle savait les pointes de vitesse que pouvait atteindre Rossignol. Elle concentra ses jumelles sur son jockey, qui avait recouvré ses esprits et guettait une opportunité.

S'immisçant habilement entre la muraille de chevaux fatigués, Dexter n'hésita plus. Il encouragea Rossignol, qui démarra comme une flèche. Un murmure parcourut les spectateurs, tandis que Rossignol dépassait tour à tour Never Mind, En Vas et Pastiche. Il ne restait plus qu'Operanatomy, sur les talons de Millstone Grit. Mais son cavalier avait du mal à le maîtriser, et brusquement, il fit à son tour un écart, juste devant Rossignol.

– Oh, non ! Pas encore ! gémit Sheila.

Cassie supplia le ciel pour que Dexter reste lucide. Elle adressa une prière à Tyrone, une autre à Mme Roebuck, encore une autre à Mary-Jo. Pourvu qu'il continue sur sa lancée...

Ses espoirs furent récompensés. Alors que d'autres auraient perdu la tête, se seraient affolés, Rossignol poursuivit droit devant.

En quatre enjambées, il rattrapa Millstone Grit. Bill Langley avait beau jouer de la cravache, c'était peine perdue. Les deux chevaux restèrent côte à côte quelques secondes, puis, tout d'un coup, sur les ordres de Dexter, Rossignol, dans un ultime effort, prit la première place.

Le stade résonna de cris et d'exclamations. Jamais Cassie n'avait entendu un tel rugissement de joie. Elle s'y sentit engloutie comme par un raz de marée. Autour d'elle, on sautait, on battait des mains.

Rossignol semblait à peine las.

– Je t'avais bien dit que j'y arriverais, Tyrone ! hurla-t-elle en riant et en pleurant à la fois. Je t'avais dit que j'y arriverais !

Un bras autour de la taille de chacun de ses enfants, elle descendit rejoindre son héros.

SUITE ET FIN

Jonathan Keating fut l'un des tout premiers à féliciter Cassie.

– Bravo, Cassie Rosse.

– Merci, Jon.

La suite des événements se déroula dans une sorte de brouillard. L'euphorie était à son comble. Elle se rappelait vaguement quelques scènes :

Rossignol, applaudi jusqu'au paddock, tandis que les journalistes se ruaient sur Cassie.

Sa visite dans la loge royale et les compliments de la vénérable famille.

Dexter Bryant dessellant le cheval, les larmes aux yeux, et courant se réfugier dans la salle de pesage.

Liam jetant une couverture sur le dos de Rossignol, qui paraissait à peine essoufflé.

Les appareils photo qui cliquetaient dans tous les sens.

Mais surtout, elle se souvenait de l'homme qui vint la trouver à l'entrée du bar, devant la tribune des Membres.

Elle bavardait avec Sheila, quand elle remarqua un inconnu en queue-de-pie et haut-de-forme qui l'observait. Un admirateur parmi d'autres. Elle allait devoir s'y habituer.

Mais soudain, elle avait été frappée par son regard. Il lui avait souri, en levant son chapeau. Cassie reprit sa conversation avec Sheila.

Un instant plus tard, il surgissait à ses côtés et s'inclinait poliment.

– Madame Rosse, pardonnez-moi de vous interrompre, mais je tiens à vous féliciter.

Elle se retourna pour le remercier. Agé d'une quarantaine d'années, il était très séduisant, et lui rappelait quelqu'un.

– Nous nous sommes rencontrés à une ou deux reprises, déclara-t-il. En Irlande.

– Je vous prie de m'excuser, mais...

– Je comprends, coupa-t-il. Je voulais simplement vous dire toute mon admiration.

– C'est gentil.

– Rossignol a battu le record de vitesse du Derby.

– Il l'a égalé. En 1936, Mahmoud est arrivé en deux minutes, trente-trois secondes, huit dixièmes.

– Aujourd'hui, les chronomètres sont électroniques, argua Mathieu.

– C'est possible, mais jusqu'ici, c'est le seul record officiellement enregistré.

Mathieu lui sourit et entraîna le reste de l'équipe de Claremore jusqu'au comptoir pour boire le champagne.

Cassie le regarda s'éloigner, puis fixa son attention sur l'inconnu.

– Permettez-moi de me présenter. Anthony Wilton.

– Bonjour, Anthony.

– Peut-être que le nom de Gerald Secker vous est plus familier.

Cassie écarquilla les yeux, stupéfaite.

– Mais vous êtes mort ! bredouilla-t-elle.

– Je l'étais, en effet. Virtuellement, du moins. Comment étiez-vous au courant ?

– Euh... quelqu'un me parlait de votre... famille et m'a annoncé que vous étiez décédé.

– C'est une longue histoire. Vous n'avez sûrement pas le temps de m'écouter maintenant.

Gerald lui sourit et fit mine de s'en aller.

– Non, attendez ! Je... Pourquoi avez-vous changé d'identité ?

– Justement, cela fait partie de l'aventure. Etes-vous certaine de vouloir l'entendre ?

– Répondez d'abord à mes questions. Pourquoi avez-vous changé d'identité ?

– Je me suis querellé avec les miens. Vous avez connu mon père ? Il avait très mauvais caractère.

– « Avait » ?

– Il a rendu l'âme il y a un mois. Hémorragie cérébrale.

– Toutes mes condoléances.

– Merci, mais je peux vous assurer que je n'en souffre pas. Voyez-vous, je suis installé à l'étranger. Aux Etats-Unis. Dans le commerce du vin. Je ne suis que de passage en Angleterre, pour régler la succession de mon père.

– Vous dites que vous étiez fâchés.

– En effet. J'ai eu un petit problème avec une fille, et il en a entendu parler. A l'époque, j'étais un vaurien, et...

– Cela s'est passé en Irlande ? Avec une des employées de l'entreprise familiale ? Antoinette ?

Gerald Secker hésita, puis hocha la tête.

– Comment le saviez-vous ?

– Ça n'a aucune importance. Elle était enceinte. Vous êtes sûr que c'était vous ?

– Je crains que oui, madame Rosse. J'étais son premier amant. Je me suis mal comporté. Je me suis enfui aux Indes et j'ai complètement disparu de la circulation pendant une bonne dizaine d'années.

Il eut un sourire un peu timide, comme s'il craignait qu'elle ne se mette en colère. Cassie lui saisit la main et la serra chaleureusement.

– Monsieur Secker...

– Monsieur Wilton. Tony.

– Tony... Vous ne pouvez pas savoir combien je suis heureuse de vous voir. Venez fêter notre victoire avec nous, voulez-vous ?

– Je vous ai déjà suffisamment ennuyée comme cela.

– Au contraire. Grâce à vous, mon bonheur est total.

Elle l'entraîna jusqu'au bar et le présenta à tout le monde. Anthony et Mathieu se plurent d'emblée. Presque aussitôt, ils commencèrent à échanger leurs expériences à l'autre bout du monde.

Joséphine s'approcha de sa mère.

– Qui est-ce ?

– Un ami de ton père.

– C'est curieux. Il ressemble terriblement à Papa, justement.

Cassie la dévisagea, puis se mit à rire.

– Je ne vois pas ce qu'il y a de drôle !

– Rien. Rien du tout, ma chérie.

Leonora brillait par son absence. Elle avait quitté l'hippodrome sitôt la fin de l'épreuve.

Cassie dut patienter encore plusieurs mois pour récupérer les fameuses lettres.

Comme elle l'avait soupçonné, celles-ci ne contenaient rien de compromettant.

Elles étaient au nombre de treize, toutes signées de la main de Tyrone à l'époque où Leonora avait mis ses chevaux en pension à Claremore. La correspondance, dénuée de la moindre trace de romantisme, se limitait exclusivement à la description des diverses tractations effectuées.

Leonora avait lancé une bouteille à la mer.

Elle s'était noyée en même temps.

Parfois, couchée dans le noir, Cassie se demandait ce qui se serait passé, si Rossignol avait perdu la course.

Puis elle souriait en se remémorant l'un des dictons préférés de Tyrone :

– Ma chère, avec des « si »...

– Comment Dexter a-t-il analysé la course ? demanda le journaliste aux cheveux blancs.

– Il maintient que c'était gagné d'avance.

– Je regrette de ne pas avoir assisté au Prix St. Léger. Il paraît que Rossignol n'a jamais été aussi remarquable.

– C'est le Derby qui a compté.

– Plus que l'Arc de Triomphe ?

– Plus que tout.

– Et vous avez résisté à la tentation de le vendre comme étalon aux Américains ?

– Oui. Autant qu'il reste en Irlande.

Cassie but le reste de son champagne et adressa un sourire à son invité.

– Et si nous allions voir l'objet de votre admiration en chair et en os ? proposa-t-elle.

– Il est devant moi, madame Rosse.

Cassie ignora le compliment et se leva.

– Il est dehors. Vous allez voir, il est superbe.

– Volontiers. Merci de m'avoir consacré ce long moment, répondit J.J. Buchanan.

– Tout le plaisir était pour moi, dit Cassie en ouvrant la porte. Et pendant que nous nous rendons au paddock, j'aimerais vous interroger à mon tour, *monsieur Buchanan*. Par exemple, pourquoi ne vous appelez-vous plus Joe Harris Junior ? Et aviez-vous vraiment l'intention de me demander en mariage la nuit où ma grand-mère est décédée ?

Sur ces mots, glissant un bras sous celui de Joe, Cassie sortit avec lui dans le soleil éclatant.

CHEZ LE MÊME ÉDITEUR

Romans

LES SEMEURS DE LA PLEINE LUNE *
LA CHEVALIÈRE D'ARGENT **
par Michel Clermont
Sous l'occupation, trois gamins d'une bourgade du Limousin
partent en guerre pour venger le meunier du village injustement condamné.

LES CAYOL *
CŒUR DE CHÊNE **
JULIEN ***
LA JUNON ****
par Raymond Leclerc
L'inoubliable saga d'une famille
tissant à fines mailles l'âme secrète des campagnes.

LE CHEVAL DE BOIS
par Carmen Doucet
Une histoire d'amour qui désintègre
l'univers tangible d'un paysan, échappé tout
droit, semble-t-il, d'un roman de Giono.

SYMPHONIE DU SILENCE
par René Michel
Un univers de grandeur et de pureté qui redonne confiance
en la vie et les hommes.

PAVANE POUR UN ENFANT
par Georges Bordonove
Une plongée poignante dans le désert
d'une enfance particulièrement pathétique.

DEUX CENTS CHEVAUX DORÉS
par Georges Bordonove
Un officier romain raconte sa funeste passion
pour une princesse gauloise.

Achevé d'imprimer en avril 2000
sur presse Cameron
par ***Bussière Camedan Imprimeries***
à Saint-Amand-Montrond (Cher)

N° d'édition : 647. N° d'impression : 001734/4.
Dépôt légal : avril 2000.

Imprimé en France